L'artisanat

Un guide complet des différentes techniques d'artisanat

Les Éditions Goélette inc.

6 Blundell Street, London N7 9BH
Titre original : The complete guide to crafts

Pour la présente édition
Premier trimestre 2007

600 boul. Roland-Therrien Longueuil J4H 3V9

Couverture et mise en pages : Katia Senay
Coordination : Esther Tremblay
Traduction : Josée Fréchette

Gouvernement du Québec -
Programme de crédit d'impôt pour l'édition de livres - Gestion SODEC

Imprimé à Singapour

ISBN : 978-2-89638-091-6

L'artisanat

Un guide complet des différentes techniques d'artisanat

TABLE DES MATIÈRES

1 CÉRAMIQUE DÉCORATIVE

La céramique est jolie, permanente, facile à entretenir et très polyvalente. Il s'agit de la surface décorative la plus ancienne. En effet, on la retrouve sur les portes de Babylone et dans les pubs anglais datant de l'époque victorienne. Même si on la voit généralement sur de grandes surfaces planes comme les murs de cuisine et de salle de bain, pourquoi ne pas embellir d'autres endroits dans la maison ou recouvrir des objets de beaux carreaux de céramique ? La céramique est utilisée depuis longtemps dans les pays chauds, particulièrement méditerranéens. Ce chapitre présente des idées qui montrent à quel point il est facile de fabriquer de beaux objets ornementaux avec la céramique. Quand vous maîtriserez les techniques, vous vous en inspirerez pour entreprendre des projets encore plus ambitieux. Malgré ce que vous pensez peut-être, la céramique est facile à manipuler et les résultats ne manqueront pas de vous impressionner. Motifs abstraits ou créations élaborées, il n'y a aucune limite à ce que vous pouvez créer avec la céramique !

MATÉRIEL ET ÉQUIPEMENT

Les carreaux de céramique sont disponibles chez de nombreux fournisseurs dans un si vaste éventail de couleurs et de tailles que les choisir peut être déconcertant. Lorsque vous avez fait votre choix, les techniques requises sont faciles à apprendre ; quant aux outils, vous les possédez probablement déjà.

S'il y a une boutique spécialisée en céramique près de chez vous, il peut être avantageux d'aller y jeter un coup d'œil. Vous y trouverez une grande variété de carreaux et bénéficierez de conseils judicieux.

> **CONSEIL**
> - Vérifiez si les carreaux que vous achetez sont mesurés en unités métriques ou impériales. Les petites différences semblent insignifiantes mais elles peuvent ruiner une création. Mesurez avant de couper car après, il sera trop tard.

En bas : *Il vaut la peine d'acheter un coupe-carreaux pour la précision des coupes.*

CARREAUX

À la base, les carreaux de céramique sont des plaques d'argile cuite, habituellement recouvertes d'un émail protecteur et parfois, de motifs. Les carreaux sont durs, cassants, mais très durables. La grosseur varie entre 15 mm (¾ po) dans le cas de mosaïques, à 30 cm (12 po) pour les carreaux de planchers qui sont généralement plus grands que les carreaux muraux. Les rectangulaires sont de plus en plus populaires, même s'ils ont toujours été utilisés dans les endroits publics, telles les gares souterraines. Ils sont parfois de couleur unie, ornés d'un motif, peints à la main ou parés selon des techniques diverses. Des images en relief sont parfois incorporées aux carreaux pour leur donner une apparence traditionnelle ou spécifique à une époque.

CARREAUX MURAUX

Il n'y a pratiquement pas de limites aux tailles, couleurs et motifs des carreaux muraux, mais ils mesurent généralement entre 10 et 15 cm (4 - 6 po), ces derniers étant les plus utilisés, donc les plus faciles à trouver.

CONSEIL

- Les quantités et dimensions sont inscrites en unités métriques et impériales. Les mesures n'étant pas interchangeables, vous devriez adopter l'un ou l'autre des systèmes.

CARREAUX DE MOSAÏQUE

Les petits carreaux sont généralement appelés mosaïques. Dans le passé, on les voyait souvent sur les fresques d'églises et autres édifices publics. Faits de céramique ou de verre, ils sont habituellement vendus en paquets d'une seule couleur. En général, ils sont carrés ou à emboîtements. Les carreaux de mosaïque sont résistants à l'usure et peuvent recouvrir le plancher d'une entrée. On peut les disposer de manière à créer des images ou même des noms. Les mosaïques de verre sont plus souvent utilisées sur des murs ou dans les piscines, mais leurs couleurs sont moins variées que les carreaux de céramique.

LES BORDURES

Les bordures de céramique agrémentent une pièce grâce à leurs couleurs vives qui peuvent rajeunir un décor. Elles sont généralement disponibles en longueurs de 15 ou 20 cm (6 – 8 po), et ce, dans toutes les largeurs possibles, et peuvent border des carreaux de toutes tailles.

CARREAUX À RELIEF

Même s'ils sont souvent un peu plus chers que les plats, les carreaux à relief sont de plus en plus populaires et ajoutent une touche spéciale.

CONSEIL

- Les bords des carreaux taillés sont très coupants alors manipulez-les avec prudence. Débarrassez-vous immédiatement des morceaux brisés pour éviter les accidents.

OUTILS

Quelques outils vous seront nécessaires. D'abord, pour couper les carreaux, des pinces de carreleur ou un coupe-carreau. Les pinces sont munies d'une pointe à diamant ou en carbure de tungstène ou d'une roue servant à marquer des lignes. L'autre extrémité, où se trouvent les mâchoires des pinces, sert à couper la céramique le long des marques. Le coupe-carreaux est utile si vous coupez beaucoup d'angles droits ou de formes similaires. Facile à utiliser, il marque le carreau et le coupe ensuite avec une pression exercée vers le bas.

CIMENT À CARREAUX

Le ciment prémélangé, antidérapant ou hydrofuge, est sans doute le plus facile à utiliser. Vous aurez habituellement besoin d'un litre (1,75 pt) d'adhésif pour chaque mètre carré (10,75 pi2) de carreaux. Les truelles crantées sont souvent fournies avec le ciment, mais choisissez un modèle de la largeur appropriée à l'endroit que vous recouvrez.

COULIS

Il est préférable d'acheter le coulis en poudre et de le mélanger avec de l'eau quand vous en avez besoin. Lisez les directives du manufacturier avant de commencer.

Matériel requis :

- Coupe-carreaux
- Règle en acier pour mesurer et guider la coupe
- Marqueur permanent pour écrire sur la surface émaillée des carreaux
- Pinces à carreaux pour les coupes plus petites
- Pierre en carborundum pour adoucir les contours coupants et faciliter l'installation; pour de meilleurs résultats, l'utiliser avec de l'eau

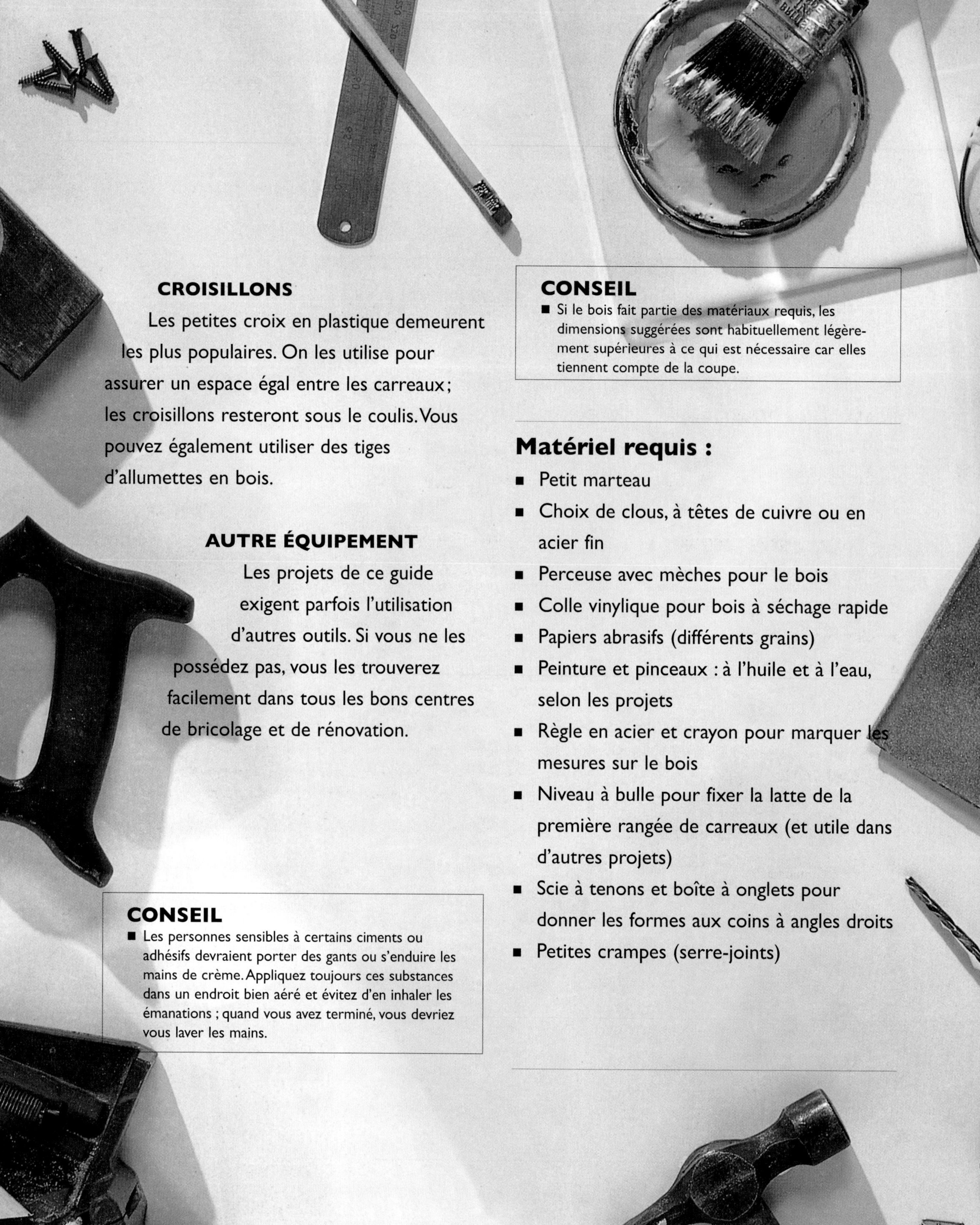

CROISILLONS

Les petites croix en plastique demeurent les plus populaires. On les utilise pour assurer un espace égal entre les carreaux; les croisillons resteront sous le coulis. Vous pouvez également utiliser des tiges d'allumettes en bois.

AUTRE ÉQUIPEMENT

Les projets de ce guide exigent parfois l'utilisation d'autres outils. Si vous ne les possédez pas, vous les trouverez facilement dans tous les bons centres de bricolage et de rénovation.

CONSEIL

- Les personnes sensibles à certains ciments ou adhésifs devraient porter des gants ou s'enduire les mains de crème. Appliquez toujours ces substances dans un endroit bien aéré et évitez d'en inhaler les émanations ; quand vous avez terminé, vous devriez vous laver les mains.

CONSEIL

- Si le bois fait partie des matériaux requis, les dimensions suggérées sont habituellement légèrement supérieures à ce qui est nécessaire car elles tiennent compte de la coupe.

Matériel requis :

- Petit marteau
- Choix de clous, à têtes de cuivre ou en acier fin
- Perceuse avec mèches pour le bois
- Colle vinylique pour bois à séchage rapide
- Papiers abrasifs (différents grains)
- Peinture et pinceaux : à l'huile et à l'eau, selon les projets
- Règle en acier et crayon pour marquer les mesures sur le bois
- Niveau à bulle pour fixer la latte de la première rangée de carreaux (et utile dans d'autres projets)
- Scie à tenons et boîte à onglets pour donner les formes aux coins à angles droits
- Petites crampes (serre-joints)

CARRELAGE MURAL DE BASE

Le but de ce guide n'est pas de tout vous révéler sur la céramique, d'autres livres l'ont déjà fait, mais de vous en expliquer les points clés.

Matériel requis :

- Niveau
- Crayon
- Latte de bois
- Règle ou ruban à mesurer
- Marteau et petits clous
- Carreaux de céramique
- Ciment et truelle
- Croisillons
- Coulis

CONSEIL

- Assurez-vous que la surface à couvrir est solide car la céramique est plus lourde que les autres matériaux de recouvrement. Nettoyez la surface avec de l'eau chaude et un détergent avant de commencer.

1 *Avec le niveau, tracer une ligne horizontale et fixer la latte à l'endroit où sera la première rangée pleine de carreaux. Il ne s'agit peut-être pas du bas du mur et parce qu'il vaut mieux compléter avec une rangée de carreaux entiers, planifier les mesures en conséquence.*

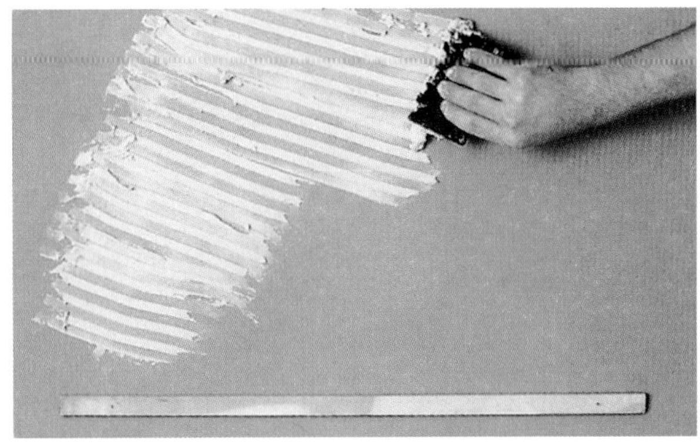

2 *Étendre le ciment à carreaux sur le mur avec une truelle crantée. Ne couvrir que 0,5 m^2 (5 pi^2).*

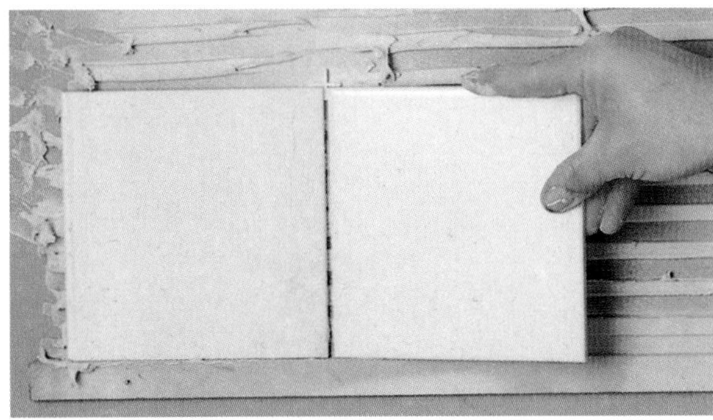

3 *Presser chaque carreau fermement sur le ciment avec un léger mouvement rotatif pour assurer un bon contact entre le ciment et le carreau.*

4 *Placer un croisillon à chaque coin pour que les lignes de coulis soient égales et les presser fermement contre le mur; ils seront recouverts de coulis.*

5 *Continuer à fixer les carreaux ; ôter le surplus de ciment qui les recouvre avant qu'il ne sèche et soit difficile à enlever..*

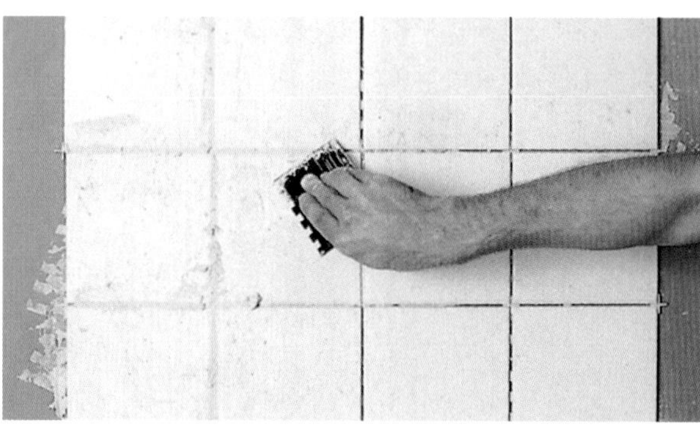

6 *Laisser sécher le ciment toute une nuit, puis étaler le coulis dans les joints autour des carreaux.*

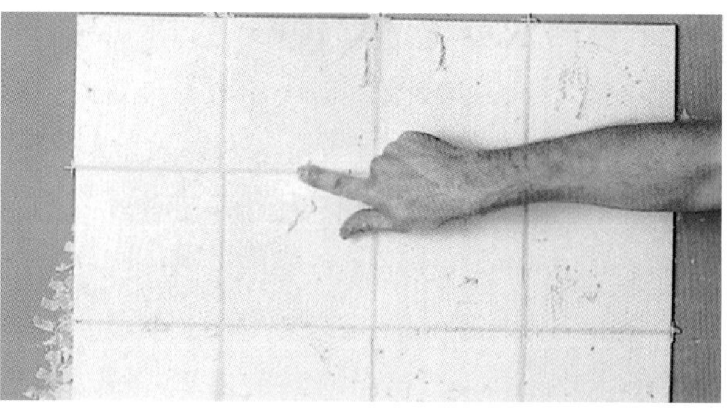

7 *Adoucir les joints avec un doigt et ajouter du coulis au besoin.*

CONSEIL

- Si vous devez couper des carreaux, assurez-vous qu'ils soient le plus larges possible et insérez-les aux endroits les moins évidents.

8 *Par la suite, polir les carreaux avec un linge propre et sec.*

Fleurs au pochoir

Si vous désirez changer votre décor sans trop investir dans l'achat de carreaux à motifs, une solution semi-permanente consiste à peindre quelques-uns de vos carreaux unis avec de la peinture-émail pour leur donner une deuxième vie.

Matériel requis :

- Carreaux unis
- Pochoirs
- Ruban-cache
- Carreaux blancs pour mélanger les couleurs
- Peinture à céramique rouge, jaune et verte
- Pinceaux à pochoir
- Stylet (couteau d'artiste)
- Ciment à céramique et truelle
- Carreaux de bordure
- Coulis

CONSEIL

- Plusieurs couleurs de peinture-émail sont spécialement conçues pour la céramique et même si elle dure des années en étant traitée avec soin et nettoyée délicatement, elle n'est pas permanente. Éventuellement, vous pouvez donc l'enlever avec un solvant à peinture et changer les motifs. Il est déconseillé de mettre ce type de céramique dans des endroits susceptibles d'être éclaboussés d'eau (douches, par exemple).

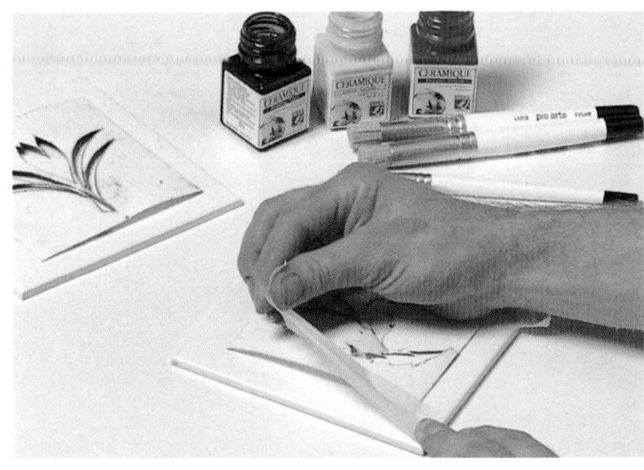

1 *Fixer le pochoir avec du ruban-cache.*

2 *Mélanger différents tons de verts au jaune sur un carreau blanc réservé à cet effet pour rehausser l'apparence des motifs.*

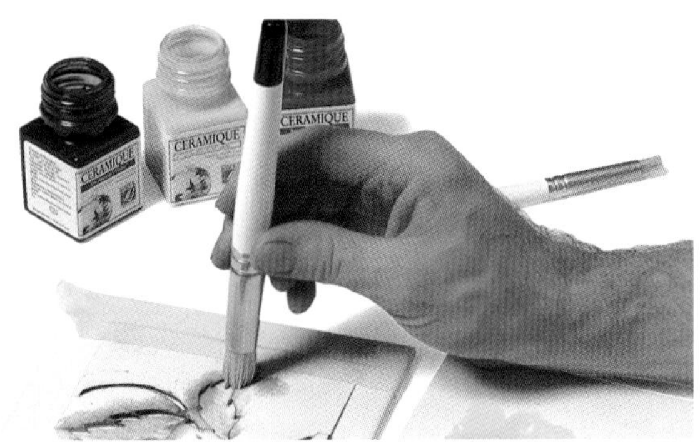

3 *Appliquer soigneusement la couleur avec un pinceau à pochoir en position verticale. Utiliser de petites quantités à la fois pour éviter les bavures.*

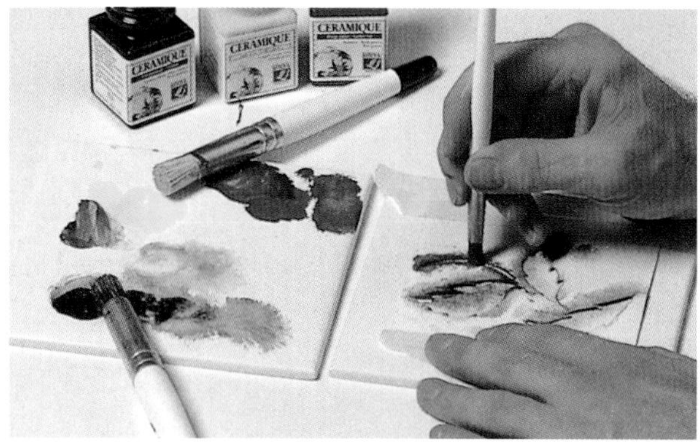

4 *Mélanger le rouge et le vert pour obtenir le brun des tiges et appliquer.*

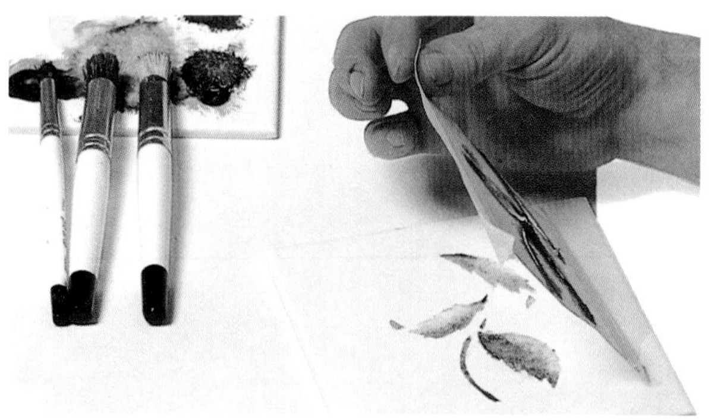

5 *Laisser sécher la peinture avant de retirer le pochoir.*

6 *Avec d'autres pochoirs, décorer la quantité désirée de carreaux. Enlever les surplus avec un stylet avant que la peinture ne sèche totalement, puis laisser sécher toute la nuit.*

7 *Étendre le ciment avec la truelle sur la surface à couvrir.*

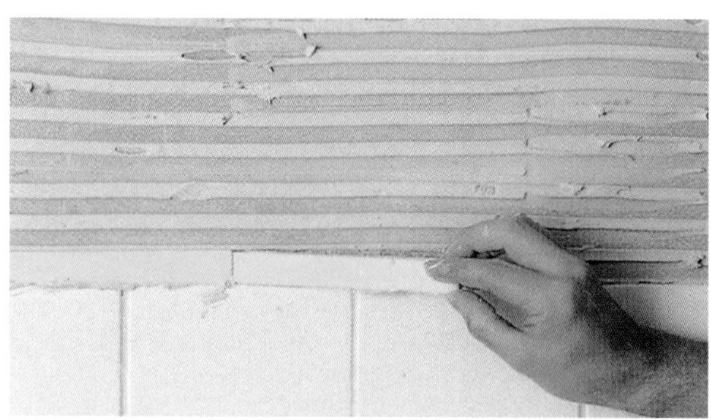

8 *Fixer d'abord les bordures et décaler les joints pour un plus bel effet.*

CONSEIL

- Cette peinture sèche vite ; ne mélangez pas de trop grandes quantités de couleurs à la fois.

9 *Ajouter les carreaux au-dessus de la bordure en les pressant fermement contre le mur. Ajouter une autre rangée de carreaux de bordure avant de fixer tout carreau uni. Laisser le ciment sécher toute la nuit.*

10 *Étendre le coulis dans les joints entre les carreaux en évitant la peinture-émail et saturer les joints. Ajouter du coulis au besoin.*

11 *Laisser sécher le coulis, puis polir avec un linge propre et sec.*

DÉCORER UN MUR COUVERT DE CÉRAMIQUE

- Il est possible de travailler directement sur des carreaux déjà installés. S'assurer que la surface est propre et avant de commencer la technique du pochoir, la nettoyer avec de l'alcool méthylique pour enlever toute graisse. Mettre très peu de peinture sur le pinceau et laisser sécher chaque couleur avant d'en ajouter une autre.

PANNEAU D'ENTRÉE TRADITIONNEL

En Grande-Bretagne, plusieurs entrées de résidences victoriennes et édouardiennes sont ornées de panneaux en céramique de chaque côté de la porte. Rien n'empêche d'en apposer ailleurs, dans la salle de bain ou toute autre pièce, afin de créer un décor tout à fait spécial.

Matériel requis :

- Deux jeux de carreaux à motifs (10 carreaux 15 x 15 cm, 6 x 6 po)
- Carreaux additionnels et de bordure
- Coupe-carreaux
- Niveau à bulle
- Latte, marteau et petits clous
- Ciment à céramique et truelle
- Éponges
- Coulis

1 *Mesurer l'aire à couvrir et étendre les carreaux sur une grande surface pour valider les mesures. Couper les carreaux si nécessaire.*

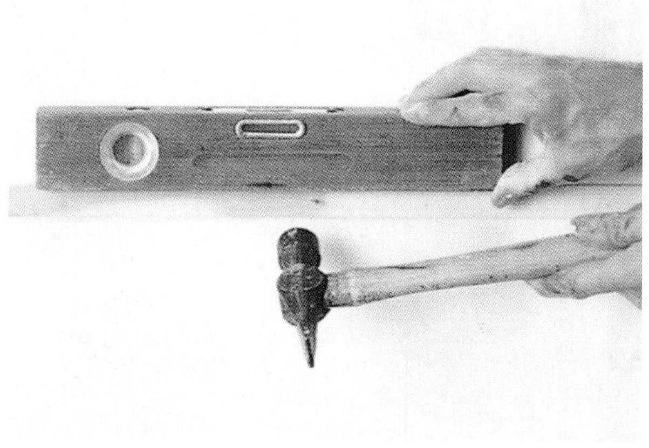

2 *Établir une ligne droite avec le niveau et la latte.*

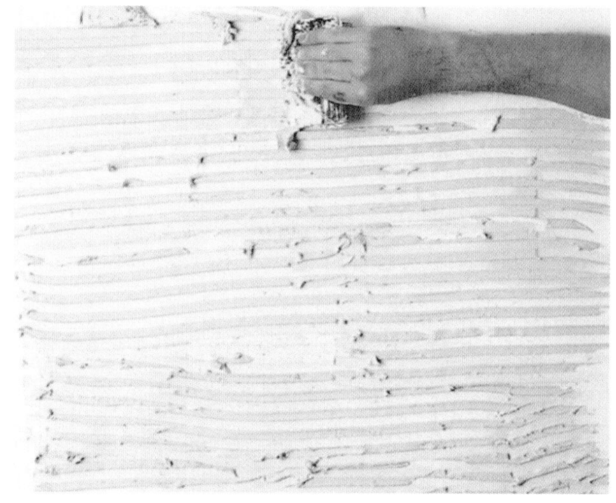

3 *Étendre le ciment sur le mur avec la truelle crantée.*

4 *Débuter avec les carreaux du bas et les presser fermement au ciment avec un léger mouvement rotatif.*

CONSEIL

- Si vous comptez installer le panneau à l'extérieur, utilisez un ciment hydrofuge spécialement conçu à cet effet.

6 *En appliquant chaque carreau, vérifier le bon sens du motif. Il arrive souvent qu'on les pose à l'envers et qu'on s'en aperçoive trop tard !*

5 *Travailler du bas vers le haut, en rangées horizontales, pour que les joints soient égaux. Dans le sens vertical, la pose est plus difficile.*

7 *Continuer à placer les carreaux et avec une éponge, enlever le ciment sur les carreaux avant qu'il ne sèche.*

8 *Lorsque le ciment est sec, enlever la latte de bois. Étaler le coulis sur tout le panneau et essuyer le surplus avec une éponge humide.*

9 *Laisser sécher le coulis, puis polir la surface avec un linge propre et sec pour en enlever toute trace.*

DESSOUS-DE-PLAT

La céramique est non seulement durable, mais elle résiste à la chaleur et est donc idéale pour y déposer poêles et plats chauds.

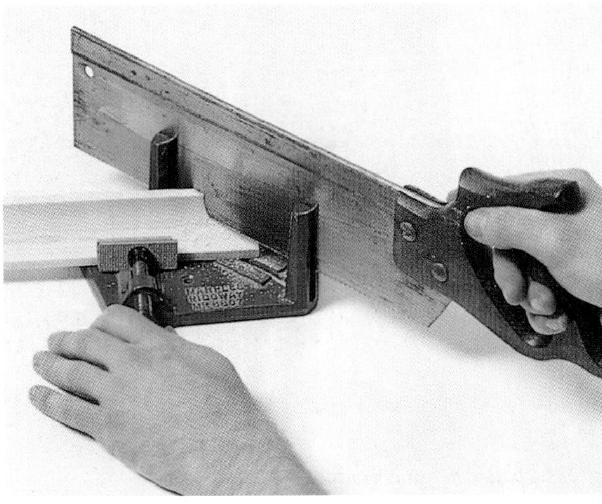

1 *Couper la moulure en quatre bouts, coins à onglets, pour que chacun mesure un peu plus de 20 cm (8 po) à l'intérieur, afin de faciliter la pose du carreau.*

Matériel requis :

- Moulure en bois 38 x 38 mm (1½ po x 1½ po) de large sur 1,5 m (5 pi) de long
- Scie
- Colle à bois
- Serre-joints
- Un carreau décoratif de 20 x 20 cm (8 x 8 po)
- Baguette de bois 4 x 20 mm (¼ x ⅞ po), 80 cm (32 po) de long
- Marteau et petits clous
- Peinture (couleur au choix) et glacis doré
- Pinceau
- Silicone adhésive

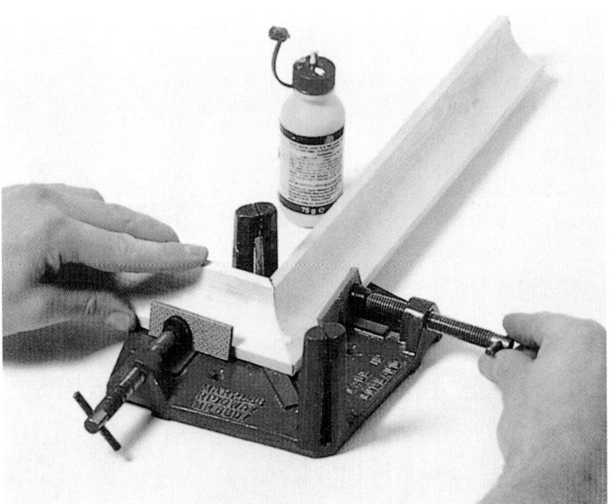

2 *Coller un coin et presser les pièces avec des serre-joints. Insérer des chutes de bois pour éviter les marques.*

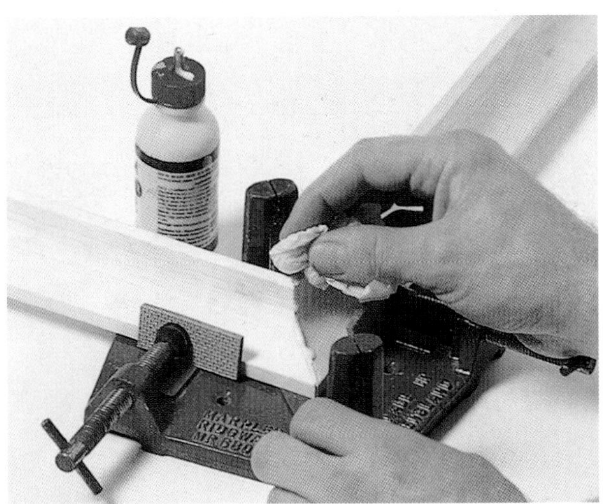

3 *Ôter le surplus de colle avec un linge humide et laisser sécher.*

4 *Répéter les étapes 2 et 3 pour les trois autres coins.*

5 *Placer le carreau sur une surface plane et le cadre à l'envers, par-dessus. Marquer la hauteur du carreau sur le cadre.*

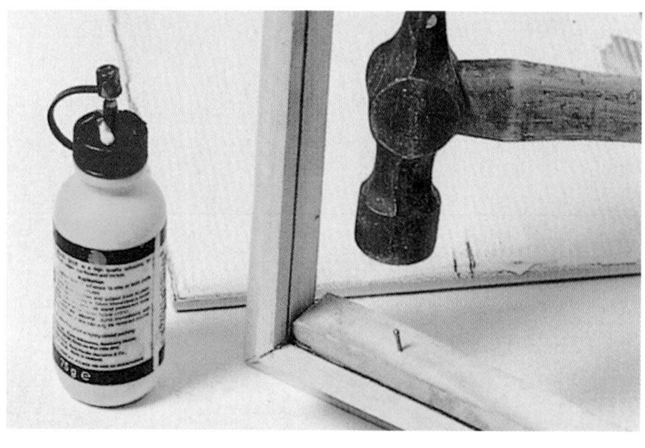

6 *Couper la baguette de bois en quatre longueurs et les clouer au cadre, alignées à la marque..*

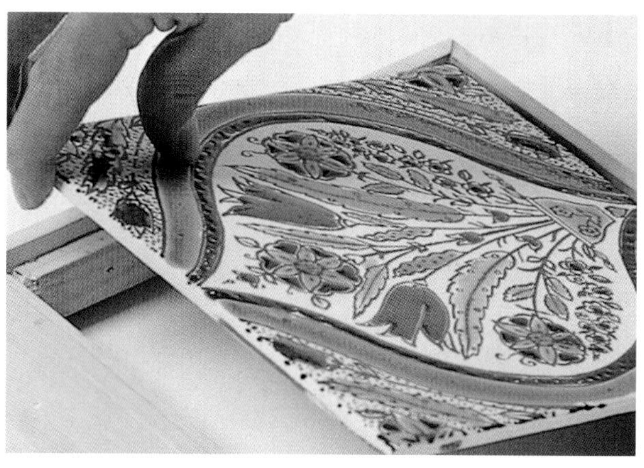

7 *Vérifier que le carreau est solide sur les supports.*

8 *Retirer le carreau et peindre le cadre avec la couleur de base choisie. Laisser sécher.*

9 *Avec les doigts, appliquer une couche uniforme de glacis doré sur les côtés extérieurs du cadre.*

CONSEIL

- Essuyez tout surplus de silicone avant qu'elle ne fige car une fois sèche, la tâche sera difficile.

10 *Laisser sécher le glacis, puis le frotter doucement avec une éponge sèche pour révéler la couleur de base.*

11 *Mettre de la silicone le long de l'arête supérieure..*

12 *Insérer le carreau dans le cadre en le pressant dans la silicone. Laisser sécher.*

PANNEAU « LUNI-SOLEIL »

Les murs ornés de céramique sont souvent très simples, particulièrement si un budget ne permet qu'une couleur de carreaux sur une grande surface. Ce projet, idéal pour la cuisine ou la salle de bain, n'exige que quelques carreaux de couleur pour créer un élément attrayant. Les quantités suggérées sont pour un panneau, mais vous pouvez en installer plusieurs dans une même pièce.

Matériel requis :

- 8 carreaux blancs de 15 x 15 cm (6 x 6 po)
- 3 carreaux jaunes de 15 x 15 cm (6 x 6 po)
- 1 carreau orange de 15 x 15 cm (6 x 6 po)
- Compas et stylo marqueur
- Coupe-carreaux
- Pinces de carreleur
- Pierre en carborundum
- Peinture à céramique brune
- Pinceau à pochoir
- Ciment à céramique et truelle
- Coulis

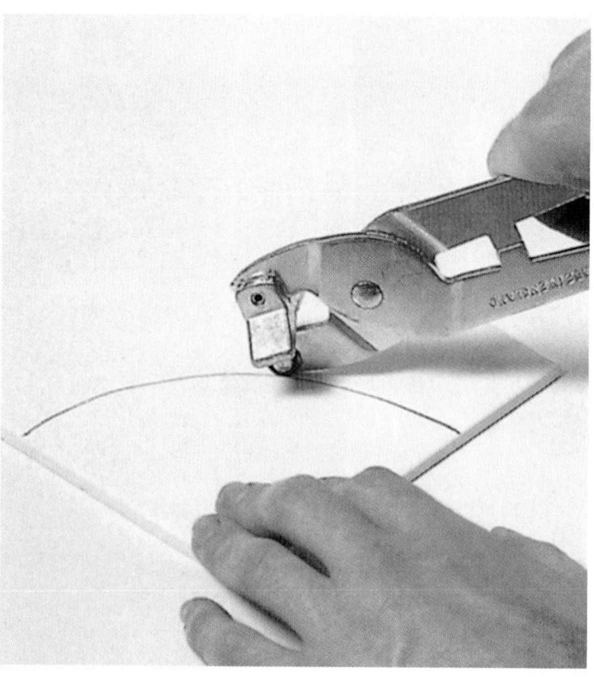

1 *Former un carré avec quatre carreaux et, en partant du centre, dessiner un cercle d'un rayon de 6,5 cm (2 po) pour que chaque carreau ait un quart du cercle marqué. Marquer une ligne de découpe sur chaque carreau en poussant le couteau vers l'avant pour bien voir la ligne à suivre. Tourner le carreau à l'envers et frapper le long de la ligne tracée pour faciliter la tâche suivante.*

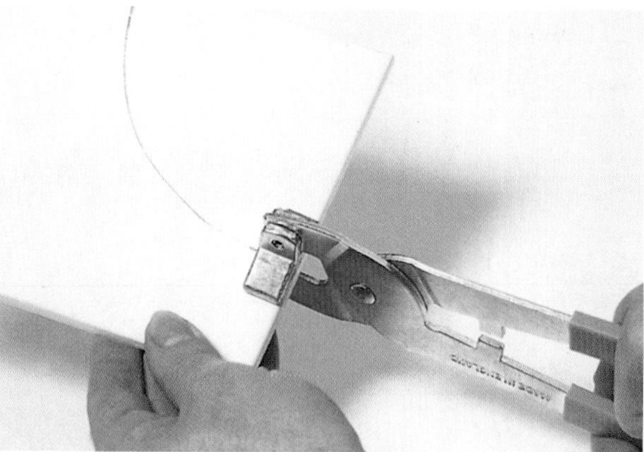

2 *Serrer doucement le coupe-carreaux pour faire craquer le carreau. Le craquement sera audible.*

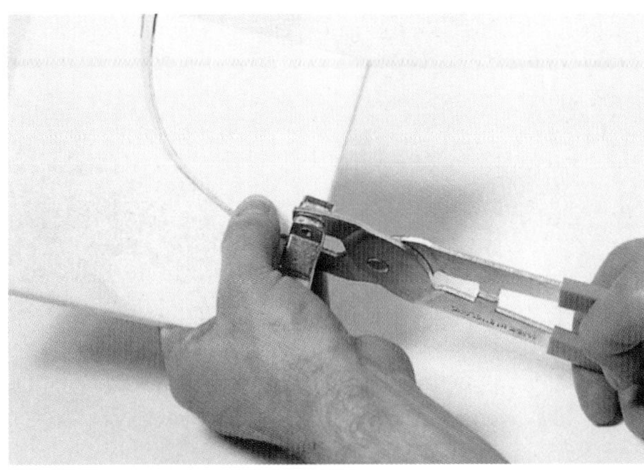

3 *Couper les quatre carreaux en suivant la courbe tracée, cette fois d'un rayon de 6,5 cm (2 ½ po) pour la lune.*

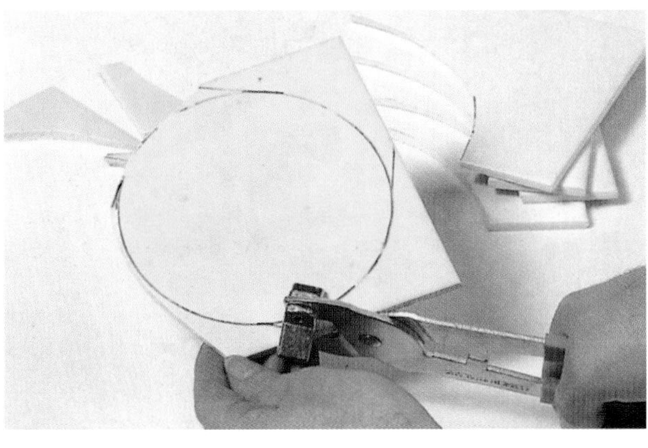

4 *Tracer un cercle sur un carreau jaune, puis le marquer et le couper.*

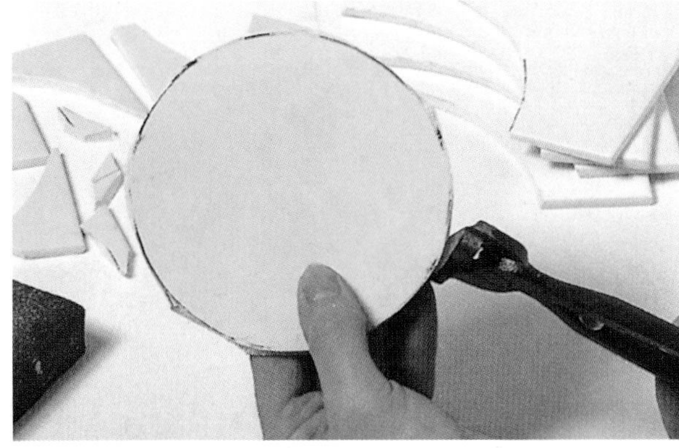

5 *Avec les pinces de carreleur, enlever l'excédent pour obtenir une belle ligne.*

6 *Adoucir les bords avec la pierre en carborundum. Faire un second cercle pour la lune.*

7 *Couper des bandes oranges et jaunes de 2,5 x 1 cm (1 x ⅜ po).*

8 *Avec la peinture à céramique et le pochoir, dessiner la face de la lune dans un cercle jaune et celle du soleil dans l'autre.*

9 *Placer les morceaux sur une surface plane pour s'assurer que tous les éléments s'assemblent. Au besoin, recouper les bandes de l'étape 8 pour qu'elles s'insèrent bien autour du soleil.*

10 *Fixer les pièces du carreau blanc au mur en formant des cercles égaux.*

11 *Placer le soleil au centre et alterner les bandes oranges et jaunes autour de lui.*

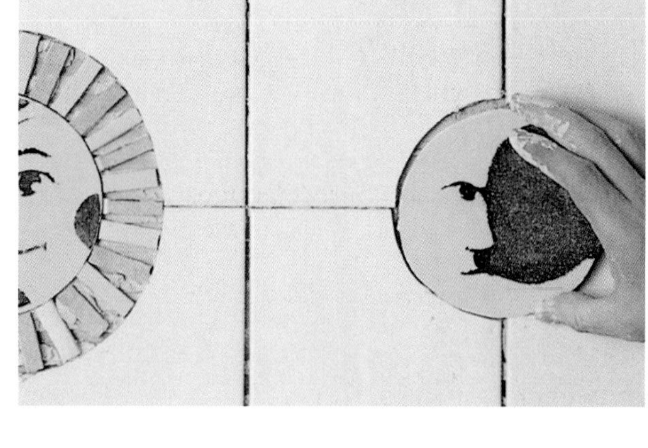

12 *Insérer la lune dans un autre cercle.*

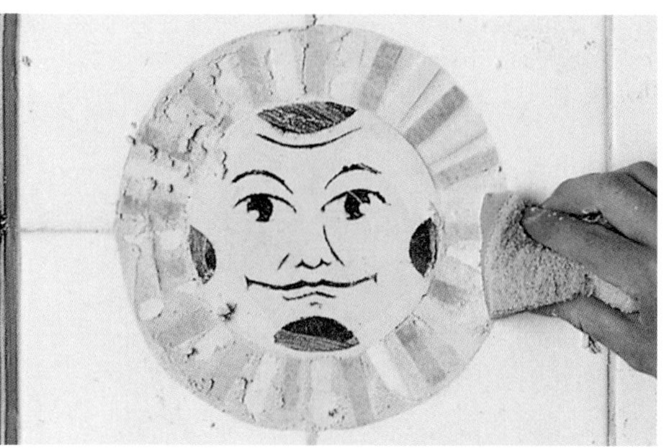

13 *Avec une éponge, remplir tous les joints avec le coulis..*

Cadre de miroir

Peu de gens admettent être vaniteux, mais personne ne conteste l'utilité d'un miroir. Celui-ci, bordé de dauphins, s'avère parfait pour la salle de bain, mais en visitant une boutique spécialisée, vous trouverez des motifs qui conviennent à toutes vos pièces.

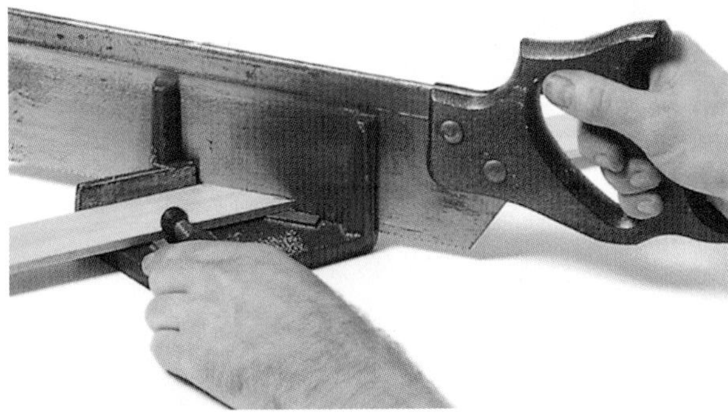

1 *Couper quatre baguettes de bois aux coins à angles, ajustées au contreplaqué.*

Matériel requis :

- Baguette de bois d'environ 50 x 5 mm (2 x ¼ po) sur 2 m (6 pi 6 po) de long
- Scie et onglets
- Un morceau de contreplaqué de 6 mm (¼ po), 45 x 45 cm (18 x 18 po)
- Un miroir carré de 36 x 36 cm (14 x 14 po)
- Règle et crayon
- Alêne
- Quatre coins de miroir et vis
- Tournevis
- Silicone adhésive
- Colle à bois
- Marteau et clous
- 12 carreaux de bordure, mesurant chacun 15 x 7,5 cm (6 x 3 po)
- Pierre en carborundum
- Coulis
- Deux vis à œillet

2 *Déposer les baguettes sur les contours de la base carrée et le miroir au centre.*

3 *Avec l'alêne, tracer les positions des vis des coins du miroir.*

4 *Le miroir bien en place, visser ses coins sur la base carrée.*

5 *Remplir les coins du miroir de silicone pour les protéger.*

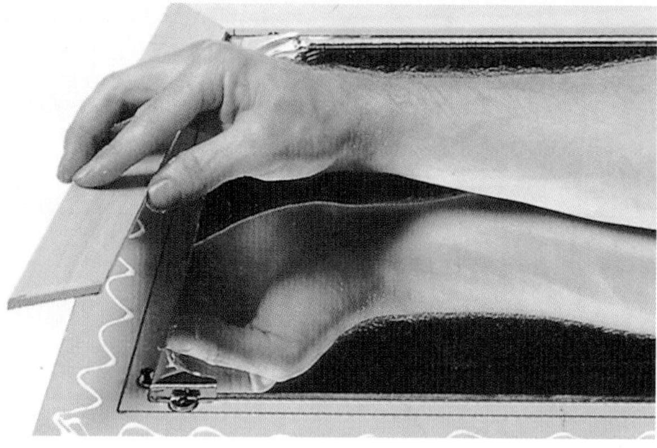

6 *Coller les baguettes de bois autour du miroir et aligner les bords avec le contour extérieur de la base.*

7 *Clouer quelques clous pour bien fixer les baguettes à la base carrée.*

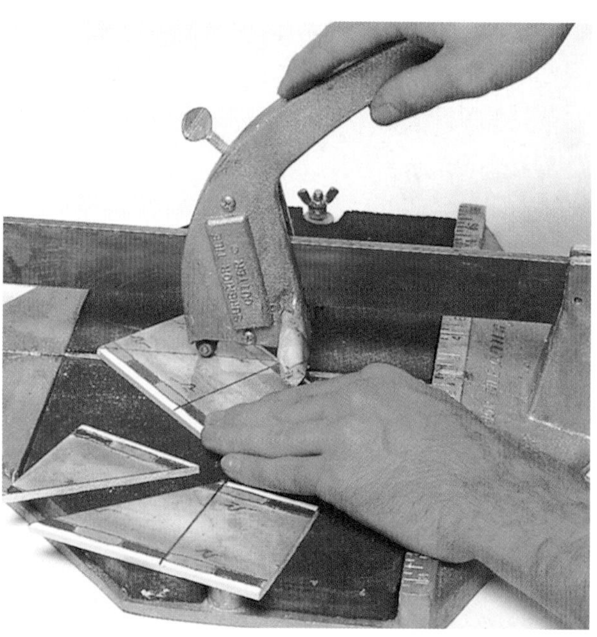

8 *Avec le coupe-carreaux, couper quatre morceaux à angles de 45° pour le côté droit et quatre pour le côté gauche. Adoucir les contours avec la pierre pour un bon ajustement.*

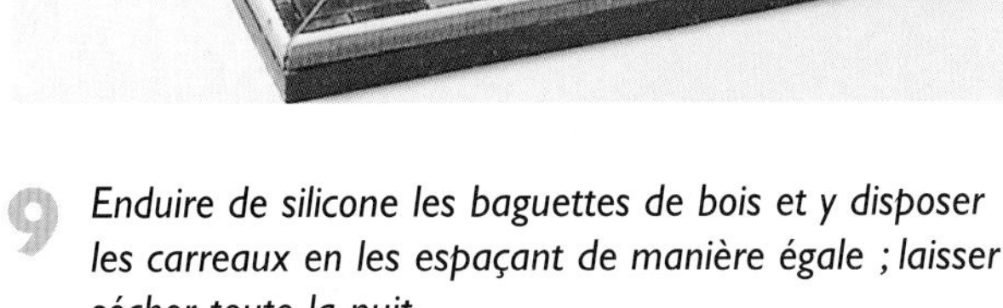

9 *Enduire de silicone les baguettes de bois et y disposer les carreaux en les espaçant de manière égale ; laisser sécher toute la nuit.*

10 *Appliquer le coulis sur les carreaux et le contour du miroir ; enlever le surplus avec une éponge. Fixer deux vis à œillet à l'arrière pour suspendre.*

Poisson art déco

Des motifs simples peuvent être coupés de tuiles contrastantes pour former des panneaux ou bordures intéressantes. Si le processus exige du temps, il est toutefois beaucoup plus économique. Vous pouvez créer toutes sortes de petits et gros motifs géométriques. Nous avons choisi un poisson, idéal pour la salle de bain.

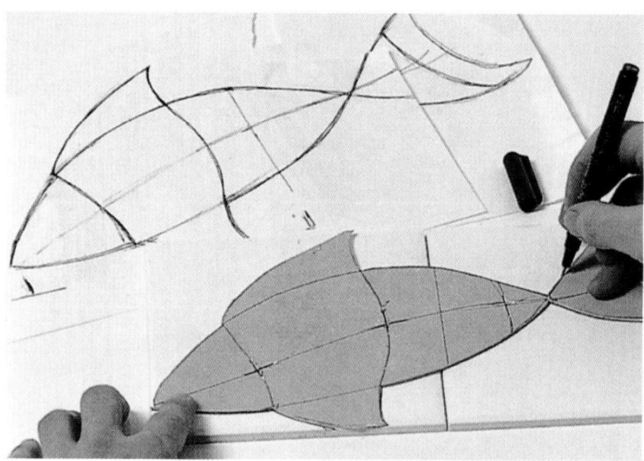

1 *Transférer le motif de poisson sur du carton et tracer le contour sur un carreau blanc.*

Matériel requis :

- Papier calque et crayon
- Morceau de carton
- Crayon feutre
- Deux carreaux blancs de 15 x 15 cm (6 x 6 po)
- Deux carreaux noirs de 15 x 15 cm (6 x 6 po)
- Coupe-carreaux
- Pinces de carreleur
- Pierre en carborundum
- Ciment à céramique et truelle crantée
- Carreaux de bordure étroits
- Coulis

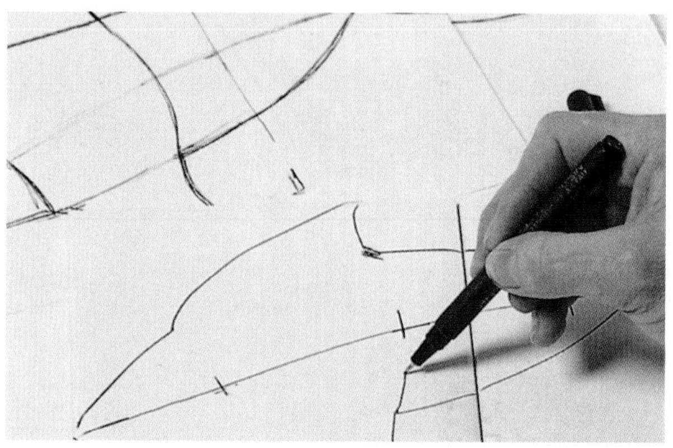

2 *Lier les points manuellement.*

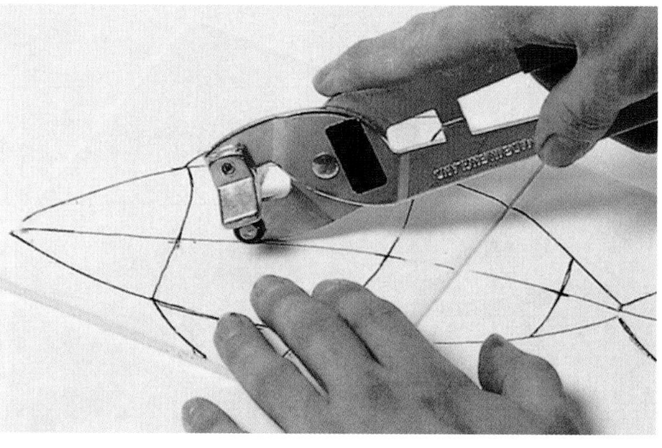

3 *Marquer délicatement les contours en suivant les lignes tracées en commençant par les plus longues.*

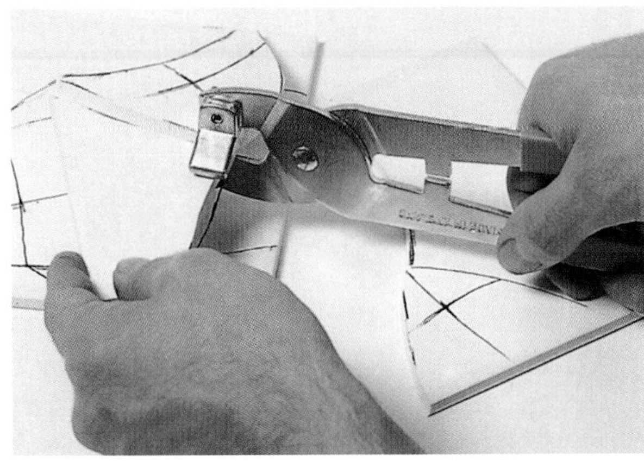

4 *En tapotant doucement, briser le long des lignes.*

7 *Disposer les carreaux blancs et noirs pour créer un effet d'échiquier.*

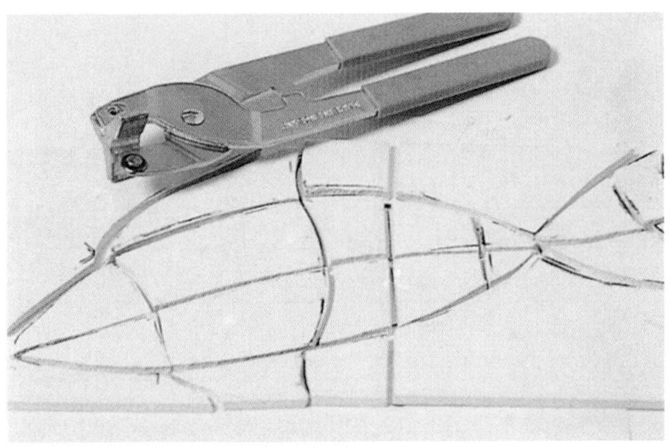

5 *Déposer les morceaux au fur et à mesure pour éviter la confusion.*

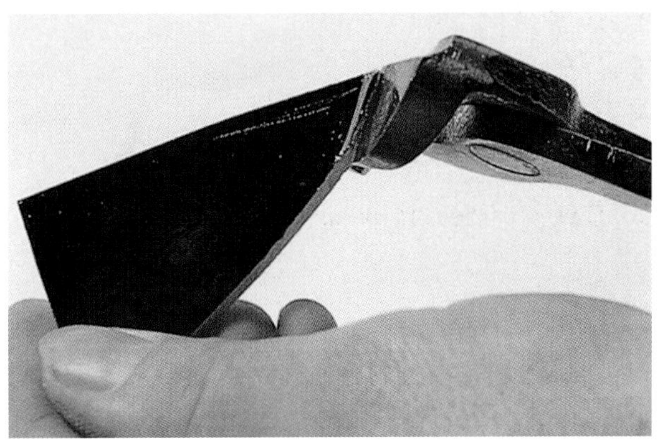

8 *Avec les pinces, enlever les bouts inégaux.*

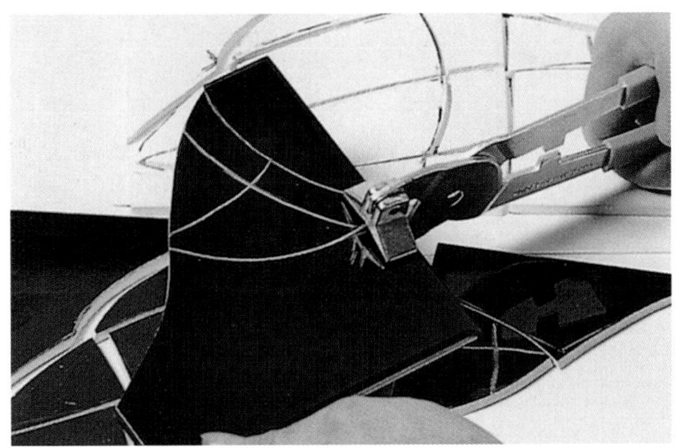

6 *Répéter les étapes 1 à 5 avec les carreaux noirs.*

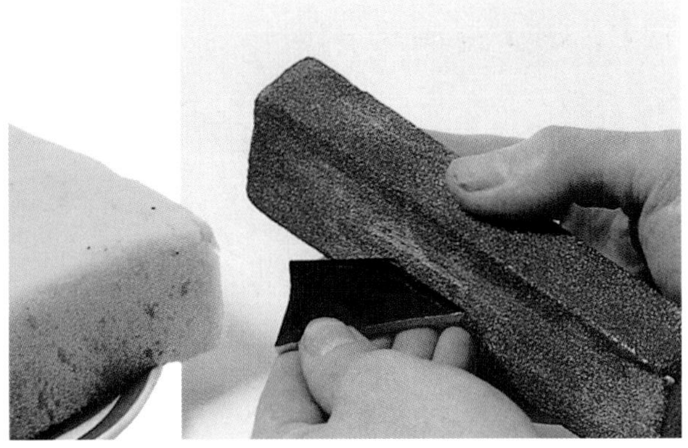

9 *Adoucir les contours avec la pierre en carborundum et de l'eau pour éviter qu'ils ne s'effritent.*

CONSEIL

- Lorsque vous utilisez une bordure au-dessus de carreaux unis, essayez de décaler les joints pour un bel effet.

10 *Appliquer le ciment sur une petite surface avec la truelle crantée et commencer à placer la rangée du bas de la bordure.*

11 *En travaillant de gauche à droite, placer les pièces de la mosaïque.*

CONSEIL

- Pour appliquer le coulis entre des carreaux coupés, utilisez une éponge pour éviter de vous blesser sur les contours coupants.

12 *Continuer à créer le motif de gauche à droite.*

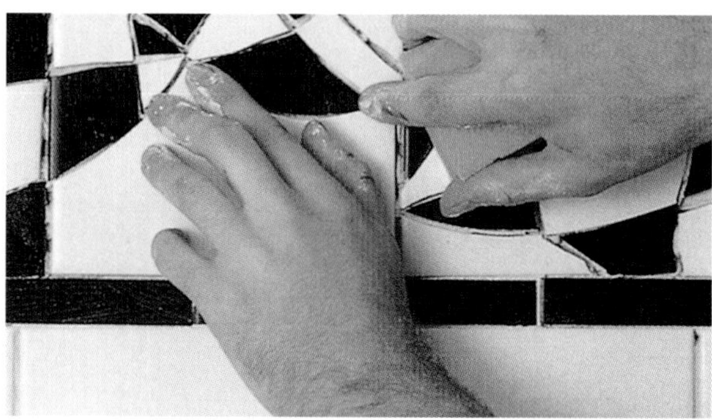

13 *Finir avec une autre rangée de bordure. S'assurer que les surfaces sont égales, que les pièces sont bien collées au ciment et que les espaces sont égaux entre les morceaux. Laisser sécher toute la nuit.*

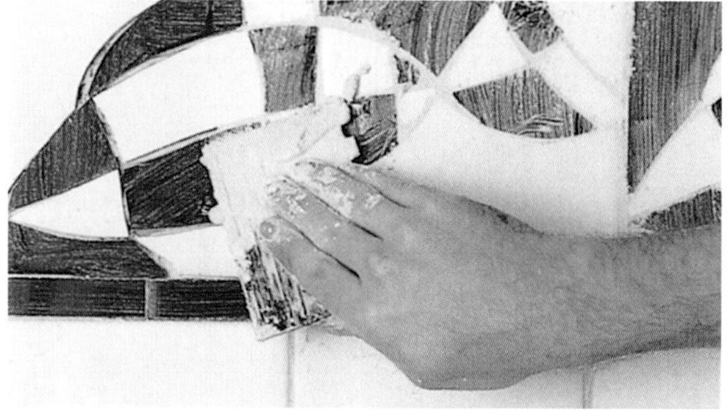

14 *Appliquer le coulis avec une éponge et enlever le surplus avant qu'il ne sèche, en s'assurant que les joints sont bien remplis. Lorsque le coulis est sec, nettoyer avec une éponge légèrement humide.*

JARDINIÈRE DE FENÊTRE

Une jardinière est une belle façon de raviver un seuil de fenêtre et elle peut être installée à l'intérieur ou à l'extérieur. Nos carreaux arborent un motif floral traditionnel, mais la jardinière serait aussi jolie avec des motifs géométriques ou abstraits. Un peu long à réaliser, ce projet en vaut bien l'effort.

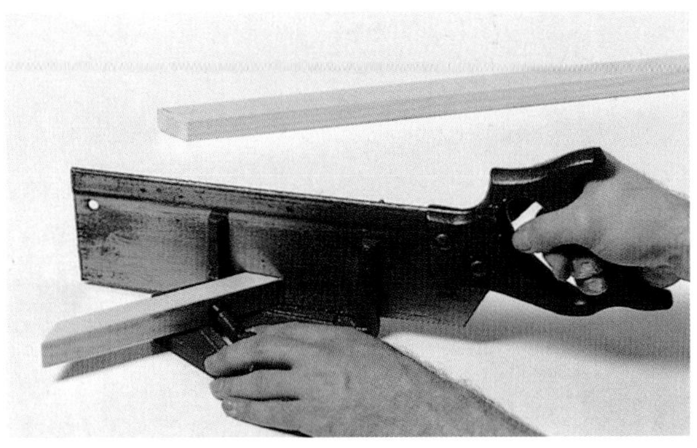

1 *Avec la scie et l'onglet, couper la baguette en deux, chaque bout ayant une longueur intérieure d'un peu plus de 60 cm (24 po), et deux autres d'un peu plus de 15 cm (6 po).*

Matériel requis :

- Scie et onglets
- Une baguette de bois 2,5 x 2,5 cm (1 x 1 po) sur 4,5 m (15 pi) de long
- Colle à bois
- Marteau et chevilles à panneaux
- Serre-joints
- Un morceau de contreplaqué de 6 mm (¼ po), 165 x 25 cm (5 pi 6 po x 10 po)
- Moulure linéaire de 1 m (3 pi) de long
- Deux baguettes de bois de 50 x 12 mm (2 x ⅜ po), 4,5 m (15 pi) de long
- Perceuse
- Huit petits boutons en bois
- Baguette de bois 18 x 4 mm (¾ x ¼ po), 2 m (6 pi) de long
- Papier abrasif
- Peinture à l'huile pour l'extérieur
- Scellant à base de silicone
- Coulis

2 *Le sens des angles de chaque extrémité des pièces doit être différent ; coller un bout court à un bout plus long avec la colle à bois.*

3 *Les serrer jusqu'à ce que la colle sèche. Insérer des clous en diagonale pour renforcer les coins. Refaire les étapes 2 et 3 jusqu'à la complétion du cadre.*

4 *Couper un morceau de contreplaqué aux dimensions du cadre, le coller et le clouer dessus. Répéter cette étape pour faire les deux côtés les plus longs de la boîte.*

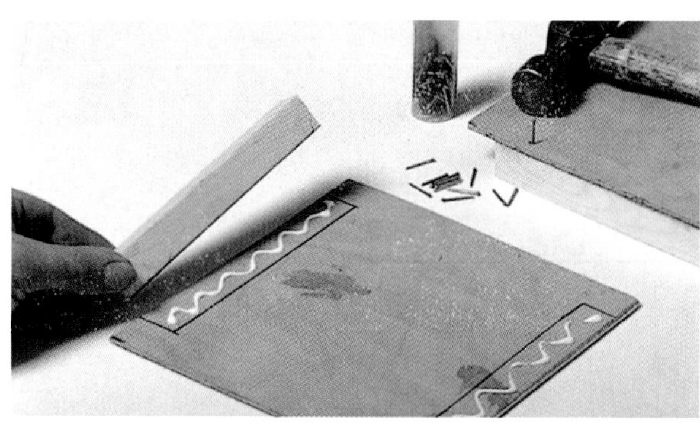

5 *Avec le reste du contreplaqué, couper deux carrés de 20 x 20 cm (8 x 8 po). Couper la baguette 2,5 x 2,5 cm (1 x 1 po) en quatre longueurs de 15 cm (6 po). Clouer les petites baguettes le long des côtés opposés aux carrés en les centrant pour finir les deux petits côtés.*

6 *Coller et clouer les deux petits côtés sur un long côté et laisser sécher.*

7 *Coller et clouer le 2e long côté aux petits pour créer une boîte. Laisser sécher.*

8 *Couper quatre bouts de moulure de 20 cm (8 po) chacun. Les clouer à chaque coin vertical.*

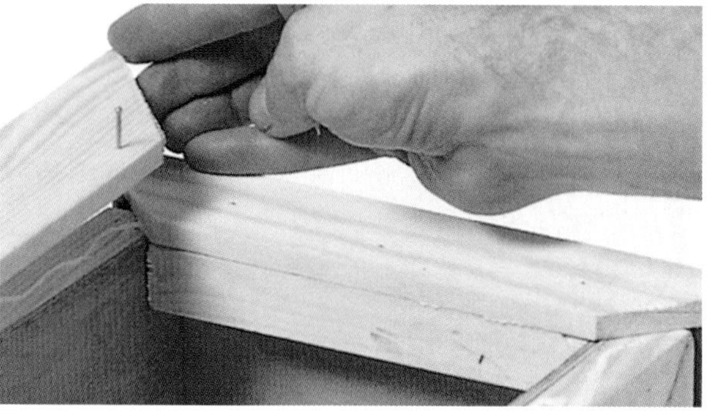

9 *Couper la baguette de 50 x 12 mm (2 x ¾ po) en deux longueurs d'un peu plus de 60 cm (24 po), et deux autres d'un peu plus de 15 cm (6 po). S'assurer que le côté interne s'insère bien dans la boîte et clouer les baguettes le long de l'arête supérieure et dans le fond.*

10 *Percer les coins du dessus pour insérer les boutons. Répéter dans les coins du bas.*

11 *De la baguette 18 x 4 mm (¾ x ⅙ po), couper deux longueurs de 65 cm (26 po). Les clouer du côté intérieure pour fournir du support aux pots.*

12 *Poncer les surfaces rugueuses et peindre l'intérieur et l'extérieur de la boîte avec une peinture à l'huile pour la protéger des intempéries.*

13 *Appliquer la silicone sur un des longs côtés et coller quatre carreaux. Une fois sec, répéter de l'autre côté.*

14 *Étendre le coulis dans les joints en essuyant le surplus. Laisser sécher puis enlever les traces de coulis avec un linge sec.*

CONSEIL

- Le matériel requis plus haut sert à fabriquer une jardinière ornée de quatre carreaux 15 x 15 cm (6 x 6 po) de chaque côté. Vous pouvez en créer de dimensions différentes de la même façon, en augmentant ou en diminuant le cadre de base.

2 PEINTURE DÉCORATIVE

La peinture est un médium agréable au potentiel presque infini. Elle peut transformer des objets ternes ou endommagés en accessoires uniques et ravissants. Quand vous saurez quel type de peinture utiliser, vous pourrez expérimenter et rajeunir toutes les pièces de votre résidence. Des objets familiers seront méconnaissables et des pacotilles deviendront des trésors qui susciteront l'admiration de tous. Ne perdez pas votre temps à transformer un objet que vous ne voudrez pas exposer. Par contre, les meubles et accessoires un peu usés, mais toujours élégants, valent la peine d'être revigorés. Ce chapitre explique comment préparer une vaste gamme de surfaces à recevoir de la peinture décorative, ainsi que les techniques d'application de multiples finis.

MATÉRIEL ET TECHNIQUES

PEINTURES

LA PEINTURE D'ARTISTE À L'ACRYLIQUE,
se vend en tubes et en plusieurs couleurs qui peuvent être mélangées. À base d'eau, elle est donc soluble à l'eau. Cependant, une fois sèche, elle devient hydrofuge et s'enlève uniquement avec de l'alcool méthylique (dénaturé).

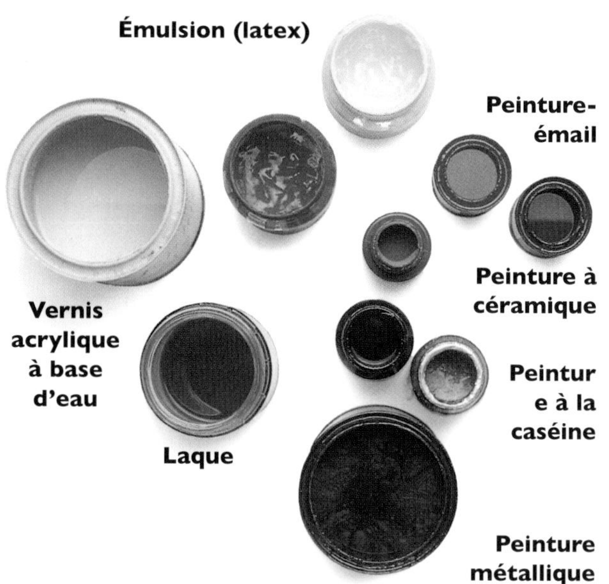

LA PEINTURE D'ARTISTE À BASE D'HUILE, aussi vendue en tubes, rappelle l'acrylique. Elle fait partie des peintures à l'huile car elle contient de l'huile de lin. Elle s'enlève à l'aide de térébenthine ou d'essence minérale.

LA PEINTURE-ÉMULSION (LATEX),
à base d'eau, est sans doute la plus utilisée en décoration. Elle adhère mieux à une surface poreuse, mais peut aussi couvrir les peintures et les vernis à base d'alcool.

L'APPRÊT/COUCHE DE FOND À L'ACRYLIQUE ressemble à l'émulsion, mais contient un liant acrylique qui le rend plus résistant.

LA PEINTURE À LA CASÉINE, OU BABEURRE, est fabriquée avec un sous-produit servant à la fabrication du fromage. À base d'eau, elle reste soluble à l'eau lorsque sèche. On peut la polir au brunissoir.

LA PEINTURE MÉTALLIQUE est très résistante et adhère à la plupart des surfaces. Certaines servent à isoler la rouille alors que d'autres devraient être appliquées seulement lorsque la rouille a été enlevée.

LA PEINTURE-ÉMAIL à base d'huile, couvre

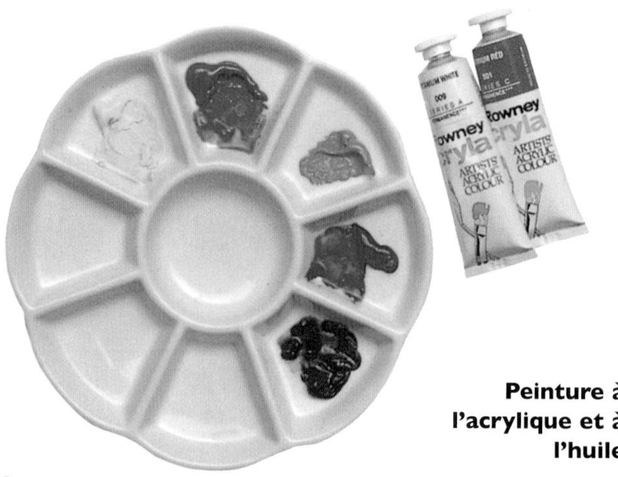

Peinture à l'acrylique et à l'huile

le métal, le verre, la céramique, le plastique et le bois. Diluer avec de la térébenthine ou de l'essence minérale.

LE VERNIS ACRYLIQUE est à base d'eau. Il sèche rapidement et ne jaunit pas. Il peut être teinté avec des acryliques d'artiste, de la gouache ou des colorants universels qui seront dilués dans l'eau avant d'être ajoutés au vernis.

LES LAQUES sont disponibles en différents grades de raffinement et sèchent rapidement. On peut les obtenir en écailles et les dissoudre dans l'alcool méthylique (dénaturé) même si elles sont sèches. Les laques adhèrent à la majorité des surfaces et servent souvent à former une couche isolante entre deux peintures incompatibles.

LE VERNIS BLANC, plus raffiné que les laques, donne un fini transparent. Il se dissout avec de l'alcool méthylique (dénaturé) même s'il est sec.

LE VERNIS À BASE D'HUILE, contient des résines et des huiles qui jaunissent avec le temps. Il adhère à la plupart des surfaces et peut être teint avec des peintures d'artiste à l'huile diluées avec de l'essence minérale avant d'être ajoutées au vernis.

LE VERNIS CRAQUELÉ, comporte deux étapes : la première couche sèche lentement et continue à sécher sous la seconde. L'effet craquelé provient de la deuxième couche qui sèche très rapidement, et est optimisé s'il est recouvert de poudre ou de peinture d'artiste à l'huile en tubes.

LA CIRE est utile pour les surfaces antiques et peut être teinte avec de la peinture à l'huile ou du cirage à chaussures. La cire doit toujours être la couche finale et ne se vernit pas.

LE LIQUIDE À PATINER (vieillissant) peut être acheté préparé ou fabriqué en mélangeant de la peinture à l'huile et de l'essence minérale. Sa consistance peut varier d'épaisse à très liquide. Les nuances naturelles (ocre, gris) sont les plus populaires.

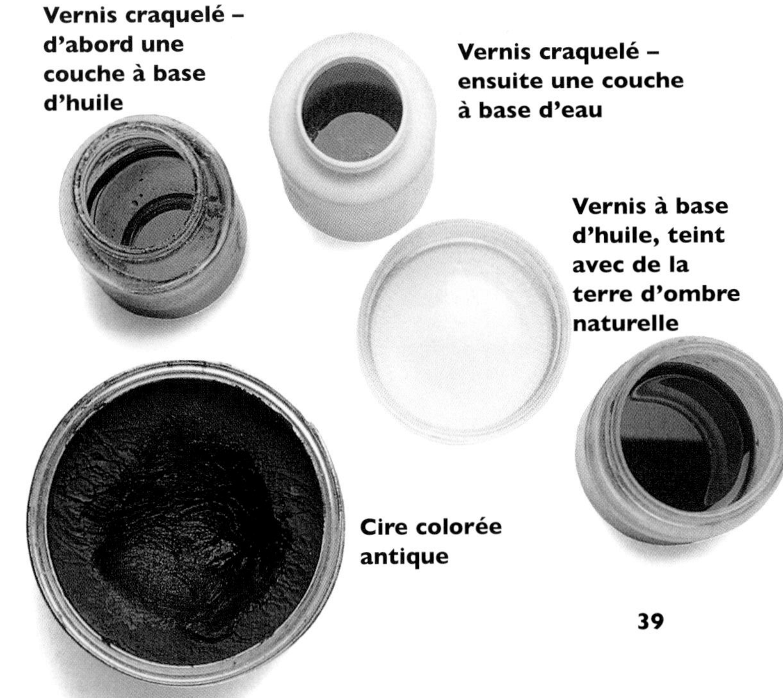

Vernis craquelé – d'abord une couche à base d'huile

Vernis craquelé – ensuite une couche à base d'eau

Vernis à base d'huile, teint avec de la terre d'ombre naturelle

Cire colorée antique

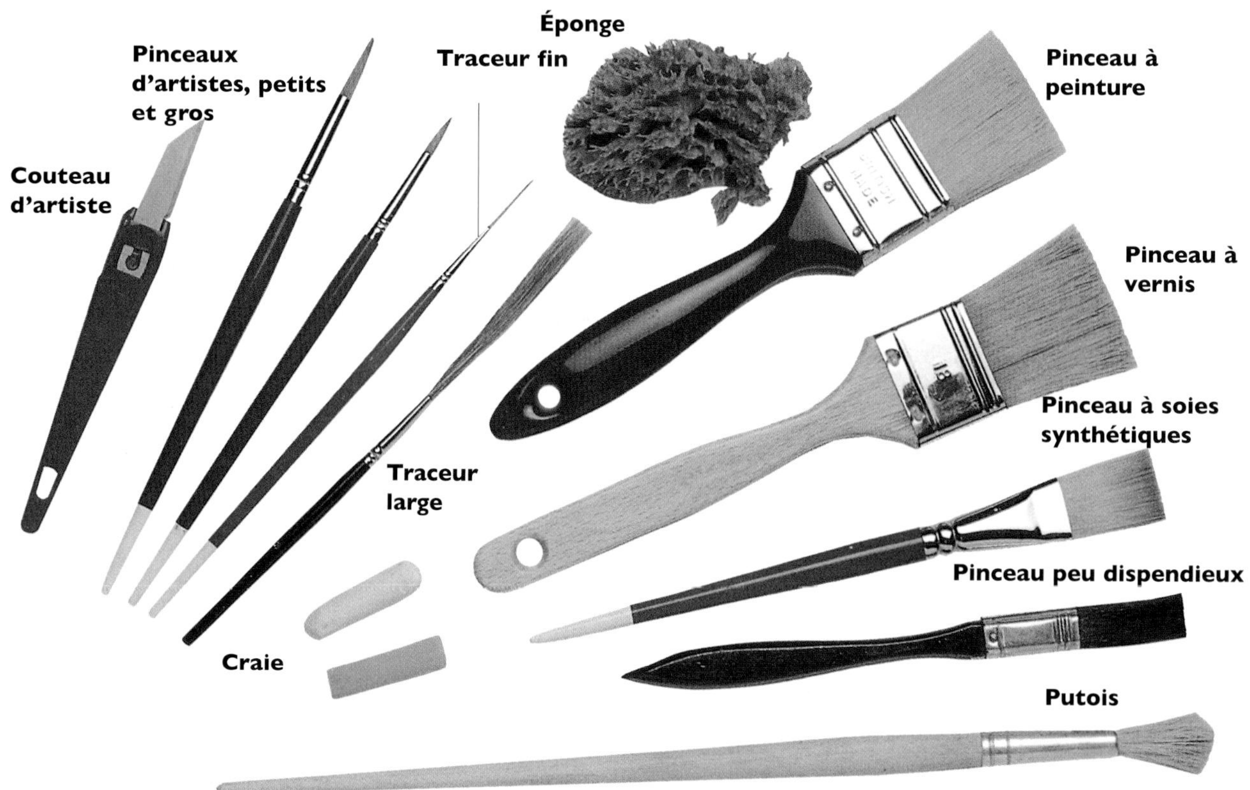

PINCEAUX

POUR LE VERNIS : ils sont plats, disponibles en plusieurs largeurs et leurs soies sont naturelles ou synthétiques. Ces dernières se prêtent bien aux peintures à base d'eau et aux vernis car elles donnent un fini lisse. Notez qu'il vaut mieux séparer les pinceaux qui servent à peindre et à vernir, ainsi que ceux qui sont utilisés pour la peinture à l'eau ou à l'huile.

POUR LA PEINTURE : ils sont plus gros que les pinceaux à vernis. En général, il vaut mieux utiliser un pinceau le plus large possible, simplement parce qu'il couvre une plus grande surface à la fois.

PUTOIS : idéal pour la peinture à l'huile. D'ordinaire, le manche est long et les soies sont plus courtes et raides. Il sert à éclabousser ou à mélanger les peintures et les vernis.

TRACEUR : Les traceurs sont offerts en plusieurs dimensions et les types de soies sont nombreux. Certains servent à peindre des lignes à main levée. Munis de longues soies et d'une extrémité en pointe, ils assurent une largeur uniforme aux lignes.

AUTRES FOURNITURES

- Éponge marine naturelle
- Couteau d'artiste
- Laine d'acier
- Papier abrasif
- Craie
- Papier graphite
- Papier calque
- Marqueur à pointe fine

PRÉPARATION DES SURFACES

BOIS NATUREL

Le bois naturel doit être scellé avec un apprêt à base d'huile, d'eau ou avec une laque/scellant à poncer. Il n'y a presque pas de limites aux peintures et vernis pouvant être utilisés.

BOIS VERNI

Avant d'appliquer de la peinture-émulsion (latex), poncez le bois verni pour qu'elle y adhère bien. Si le ponçage expose trop de bois naturel, appliquez une couche d'apprêt acrylique, de la laque ou du scellant à poncer. Avant d'appliquer la peinture à l'huile ou le vernis, la surface doit être lisse. Les cloques et écailles de vernis doivent être enlevées.

BOIS PEINT

Si une surface est déjà peinte avec un fini à l'eau et qu'elle est lisse, vous pouvez peindre par-dessus avec tout type de peinture. S'il s'agit d'une base à l'huile, il est possible de la couvrir avec une base à l'eau si la surface existante date de longtemps parce que les huiles résistantes à l'eau sont probablement asséchées.

Vous pouvez aussi poncer la surface et appliquer une couche isolante de laque qui est compatible avec les peintures à l'eau et à l'huile.

PANNEAU À FIBRES DE DENSITÉ MOYENNE (MDF)

Traiter comme s'il s'agissait de bois régulier.

MÉTAL

Utilisez une brosse métallique pour enlever la rouille et un produit décapant pour la prévenir. Appliquer une couche d'apprêt à métal et une peinture métallique ou à base d'huile

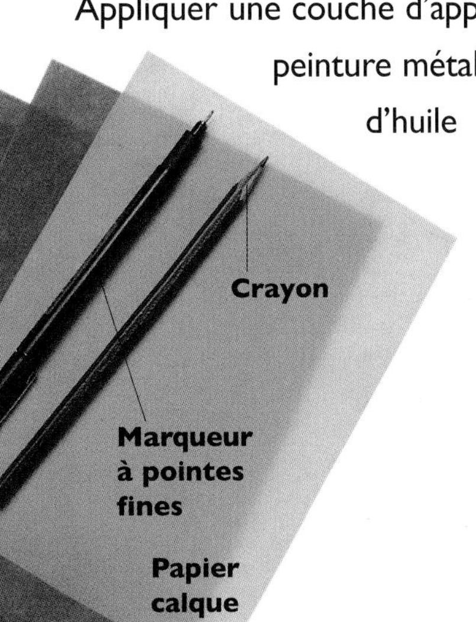

USAGE DES PINCEAUX

LIGNES À MAIN LEVÉE

Utilisez un putois fin car ses soies longues vous aideront à tracer une ligne droite et de largeur égale. Saturez les soies du putois en les trempant dans la peinture, sans les tordre et sans mouiller le bout en métal. Dessinez en faisant des gestes vers vous car le bras se déplace naturellement en arc si l'on peint d'un côté à l'autre. Si vous travaillez près du bord d'une surface, placez votre petit doigt sur le rebord pour supporter votre main. Gardez une règle à environ 2,5 cm (1 po) de la ligne tracée afin de guider vos yeux. Les petites coches peuvent se corriger en repassant sur la ligne une fois qu'elle sera sèche. En arrivant près de la fin de la ligne, commencez à soulever votre pinceau graduellement.

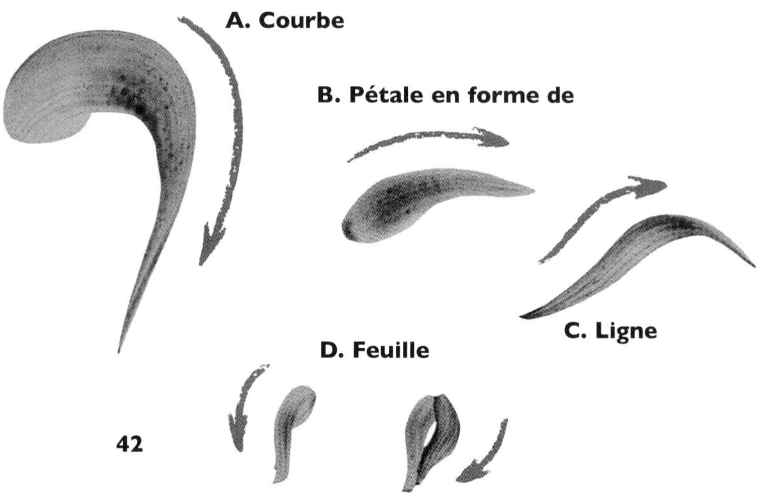

A. Courbe

B. Pétale en forme de

C. Ligne

D. Feuille

ROSES

Complétez chaque rose avant de passer à la prochaine car la peinture doit être humide pour mélanger les couleurs. Avant de commencer, mélangez deux tons de la même couleur sur votre palette. En peignant tout objet que l'on désire tridimensionnel, il faut établir sa position avec un éclairage imaginaire et être constant en peignant les parties éclairées et ombrées.

COURBES ET PÉTALES

Utilisez un pinceau à bout rond et l'appuyer fermement. Glissez-le en le tournant dans le sens antihoraire (A). Soulevez lentement le pinceau en dessinant l'arc, toujours en tournant les soies pour obtenir une belle pointe.

Pour peindre un pétale en forme de larme (B), utilisez le même modèle de pinceau. Appuyez le pinceau puis allez vers le haut en le tournant dans le sens antihoraire pour obtenir une pointe fine.

Utilisez un pinceau pointu pour peindre une ligne courbée (C). Placez le bout du pinceau sur la surface, appuyez graduellement en vous déplaçant pour élargir la ligne. Tournez le manche en mouvements antihoraires et en remontant pour former une pointe.

Une feuille se peint en donnant deux coups de pinceau (D) en forme de S.

PLATEAU

L'art naïf est d'une simplicité rafraichissante. Auparavant, ce style servait à illustrer les événements et les objets importants du quotidien et parce que les œuvres ne provenaient pas de grands artistes, elles avaient du charme et de l'humour. Le bétail était un sujet populaire et il se prête parfaitement à la décoration d'un plateau. Nous avons choisi un mouton que nous avons terminé à main levée.

Matériel requis :

- Plateau (le nôtre était en bois)
- Laque et pinceau
- Papier abrasif fin
- Peinture-émulsion (latex) – bleu-gris foncé
- Papier calque
- Crayon
- Ruban-cache
- Papier graphite
- Peintures d'artiste à l'acrylique (blanc, noir et terre d'ombre naturelle)
- Pinceaux d'artistes – no. 8 ou 9 et no. 4
- Soucoupe ou assiette (pour mélanger la peinture)
- Putois fin
- Vernis et pinceau à vernis

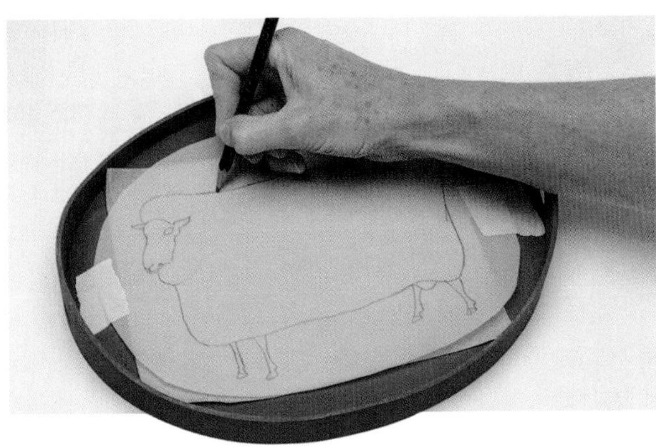

1 *Sceller le plateau avec une couche de laque. Poncer légèrement pour lisser la surface avant d'appliquer la couche de latex bleu-gris. Transférer le dessin sur du papier calque et le fixer au bon endroit avec du ruban-cache. Tracer le mouton sur le papier graphité pour le transférer sur le plateau.*

2 *Mélanger la peinture acrylique blanche avec l'ombre naturelle pour créer un blanc cassé et peindre le corps du mouton. Étant donné que le fond est foncé, une couche ne sera probablement pas suffisante.*

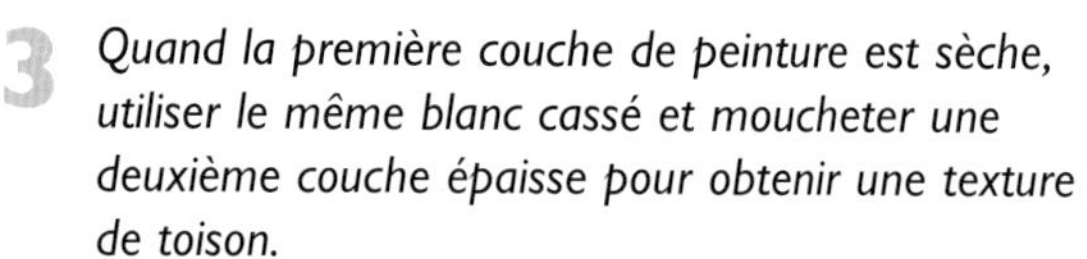

3 *Quand la première couche de peinture est sèche, utiliser le même blanc cassé et moucheter une deuxième couche épaisse pour obtenir une texture de toison.*

4 *Ajouter un peu plus d'ombre naturelle à la couleur pour peindre la forme du corps du mouton. Ajouter des ombres sur le ventre, le long du dos et autour du cou pour un effet tridimensionnel.*

5 *Mélanger du blanc et un peu d'ombre naturelle pour peindre les détails du visage : yeux, museau et oreilles, et créer un peu d'ombre au menton. Dessiner les yeux et les pattes avec de l'acrylique noir.*

6 *Ajouter de l'éclat aux yeux et aux sabots avec de la peinture acrylique blanche.*

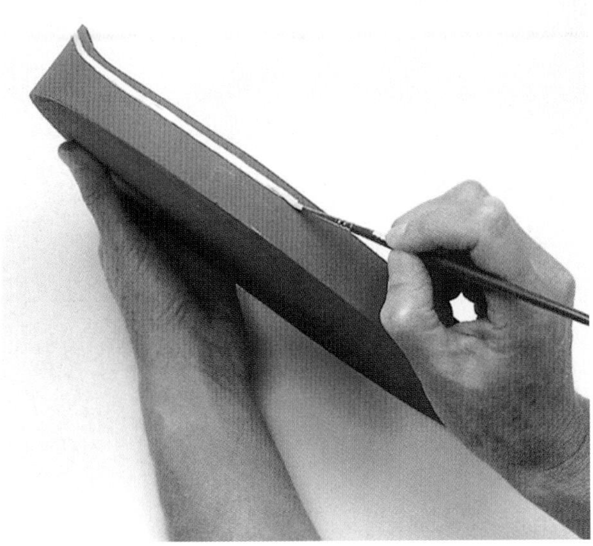

8 *Avec un pinceau fin, peindre la bordure du plateau. Tenir le pinceau de sorte qu'un côté plat balaie le contour. Appuyer doucement pour obtenir une belle ligne. Pour finir, appliquer une couche de vernis sur le plateau.*

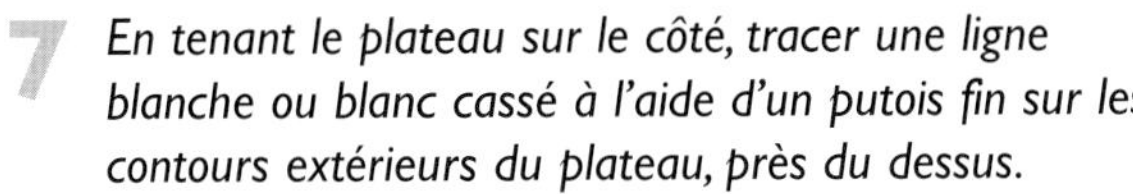

7 *En tenant le plateau sur le côté, tracer une ligne blanche ou blanc cassé à l'aide d'un putois fin sur les contours extérieurs du plateau, près du dessus.*

CONSEIL

- Lorsque vous tracez des lignes à main levée, ayez un linge humide près de vous. Les petites bavures s'enlèvent facilement lorsque la peinture n'est pas encore sèche.

CONSEIL

- Il existe une grande variété de vernis. Pour faire votre choix, songez à l'utilité de l'objet que vous fabriquez. Par exemple, vous déposerez probablement des tasses chaudes dans un plateau ; il nécessite donc un vernis résistant à la chaleur.

CHAISE

Nous avons tous des meubles plus ou moins défraîchis auxquels nous sommes tout de même attachés. S'ils ont toujours fière allure malgré l'usure, il existe de multiples façons de les embellir. Le fini décrit dans ce projet se prête parfaitement à une reconstitution d'époque. Lorsque la chaise sera terminée, elle s'agencera très bien à d'autres antiquités.

Matériel requis :

- Chaise
- Papier abrasif à gros grains
- Apprêt/couche de fond à l'acrylique
- Pinceau d'artiste – 2,5-4 cm (1 - 1½ po)
- Peinture-émulsion (latex) (blanc, bleu-vert foncé)
- Alcool méthylique (dénaturée)
- Vieux chiffon
- Craie
- Papier calque
- Crayon
- Papier graphite
- Ruban-cache
- Peintures acryliques d'artistes (vert Wedgewood, bleu phtalo, blanc)
- Assiette (pour mélanger la peinture)
- Pinceau d'artiste – no. 4
- Vernis et pinceau à vernis

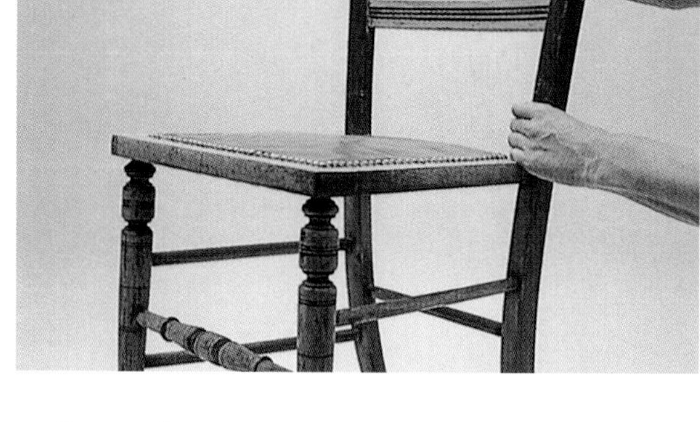

1 *Cette vieille chaise délabrée porte encore son vernis original qui est probablement de la laque en raison de son âge. Puisqu'elle recevra plusieurs couches de peinture, il vaut mieux enlever le vernis avec un papier abrasif à gros grains. Il serait préférable de travailler à l'extérieur. Si l'on doit travailler à l'intérieur, porter un masque et s'assurer que la pièce est bien aérée.*

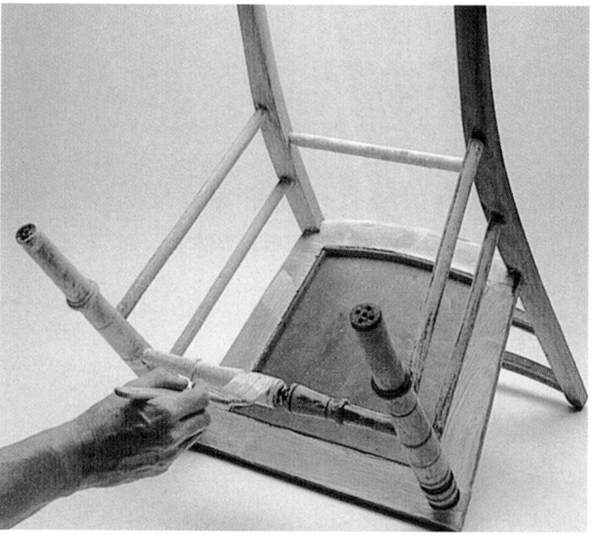

2 *Une fois le bois nu, le sceller avec un apprêt ou une couche de fond à l'acrylique. Commencer par peindre les pattes et les barreaux de soutien, puis continuer dans les stries. Si les pattes sont lisses, suivre le grain de bois et peindre de haut en bas. Ensuite, retourner la chaise et finir de l'apprêter.*

3 *Appliquer trois couches de latex en laissant bien sécher chaque couche. Peindre avec soin pour éviter les traits de pinceau qui seront visibles quand la peinture sera sèche. Lorsque le latex est sec, appliquer une couche du latex bleu-vert foncé ainsi mélangé : 1 partie de peinture pour 5 parties d'eau. Laisser sécher.*

5 *Ne pas pénétrer dans les endroits arrondis ou striés pour garder les raies bleu-gris foncé. Enlever davantage de bleu-gris aux endroits en relief pour qu'ils soient plus pâles que le reste de la chaise.*

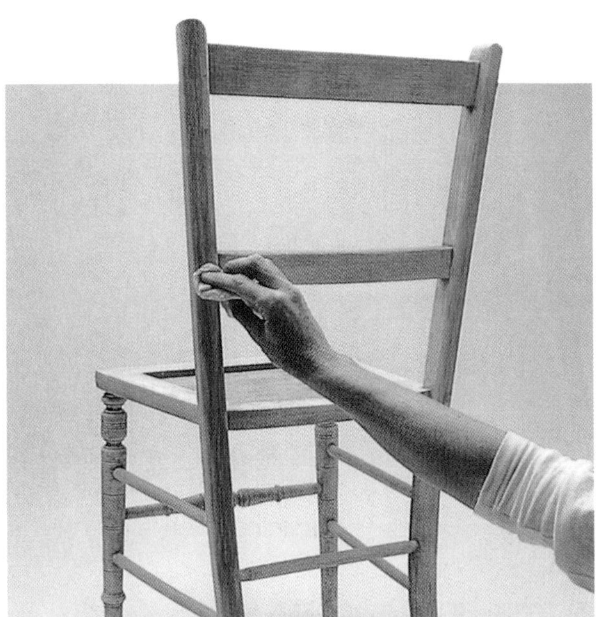

4 *Mouiller un chiffon avec de l'alcool méthylique et frotter la chaise, une section à la fois. L'alcool méthylique étant un solvant à peinture au latex, il enlèvera du bleu-gris et du blanc pour révéler le bois. Le but est d'obtenir une apparence grenue et de voir un peu de blanc sous le bleu-gris.*

CONSEIL

- Si vous avez enlevé trop de bleu-gris avec l'alcool méthylique, appliquez une autre couche et laissez sécher avant de continuer.

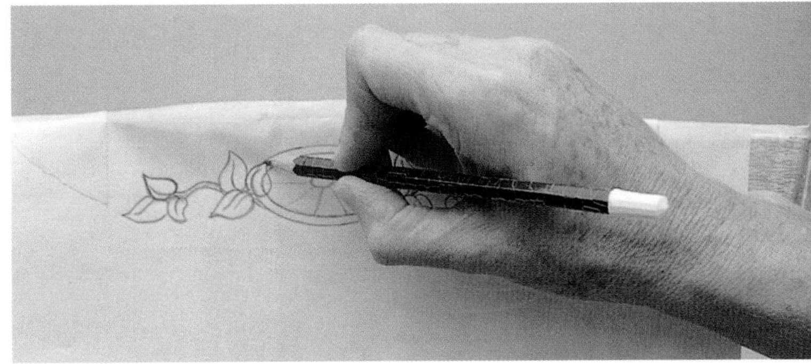

6 *Marquer le centre du dossier extérieur avec une craie. Transférer le dessin sur du papier calque et le fixer ensuite au centre du dossier avec du ruban-cache. À l'aide d'un papier graphite et d'un crayon pointu, transposer le dessin sur la chaise.*

7 *Mélanger les peintures acryliques vertes et bleues avec un peu de blanc et peindre le centre ovale. Pour donner un aspect de profondeur, créer des effets d'ombre et de lumière en imaginant une source d'éclairage et utiliser le vert foncé pour les endroits ombrés. Nous avons présumé que la lumière provenait d'en haut, à gauche et avons ajouté de l'ombre sous la forme ovale, à droite de la courbe et à l'intérieur de la courbe de gauche où une moulure aurait normalement créé de l'ombre. Peindre des lignes foncées qui irradient du centre vers les contours. Ajouter plus de blanc au mélange et éclaircir les facettes qui feraient face à la lumière, ici en haut à gauche, dans la partie inférieure de l'intérieur de l'ovale et le côté gauche de la forme ovale centrale.*

8 *Avec une couleur un peu plus verte, peindre les tiges et les feuilles situées à côté de la forme ovale. Avec un vert encore plus foncé, créer des ombres sur les feuilles en imaginant le même éclairage qu'à l'étape 7. Foncer également le dessous des tiges et ajouter une teinte plus pâle du côté opposé.*

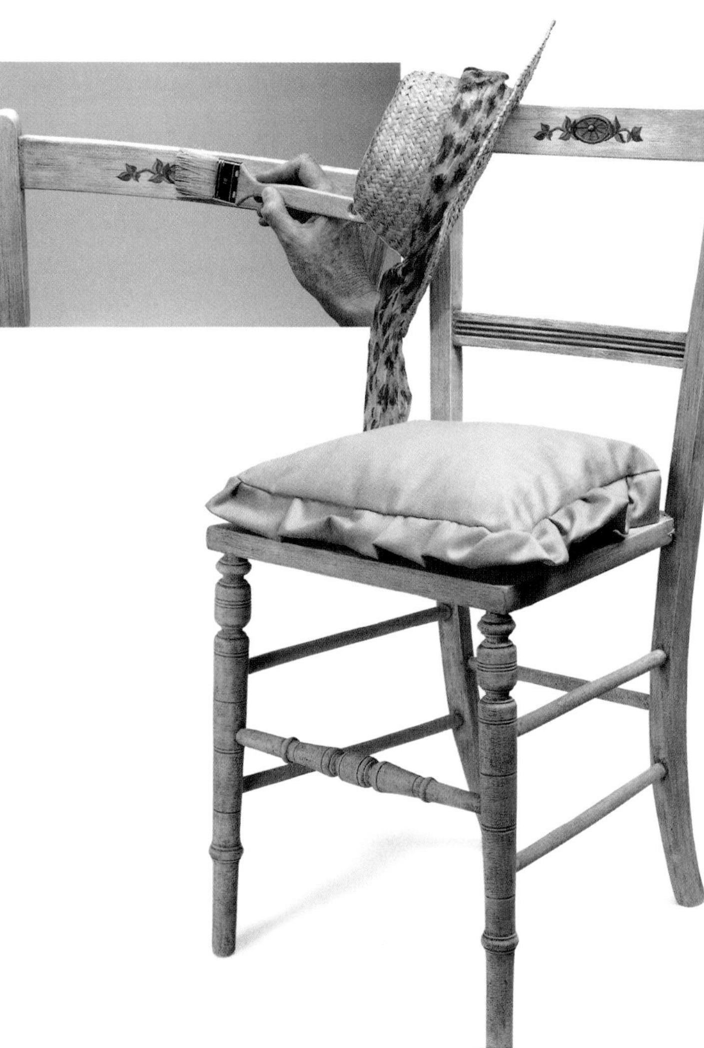

9 *Lorsque la peinture est sèche, appliquer le vernis. Puisque les chaises sont mises à rude épreuve, appliquer deux ou trois couches de vernis en laissant bien sécher chaque couche entre les applications.*

Assiette commémorative

Une assiette peinte à la main qui marque une occasion spéciale est une belle façon de montrer aux gens que vous avez pensé à eux. Vous pouvez l'offrir à quelqu'un qui emménage dans une nouvelle résidence et remplacer le nom de l'enfant de notre modèle par la nouvelle adresse. Nous avons utilisé une assiette en émail peu chère de type poterie. La même technique peut s'effectuer sur tout autre type d'émail.

Matériel requis :

- Assiette en émail blanc
- Craie de couleur
- Peintures pour émail (rouge, blanc, vert pâle, vert foncé)
- Pinceau d'artiste no. 4
- Essence minérale (pour nettoyer le pinceau)

1 *Avec une craie, indiquer la position des lettres du nom en laissant des espaces égaux entre chacune. Peindre le nom en vert pâle.*

2 *Ombrer les lettres avec du vert foncé selon un éclairage imaginaire. Dans notre exemple, la lumière provenait d'en haut, à gauche. Par conséquent, les ombres se trouvent du côté droit et sous les lettres.*

3 *Esquisser le motif central avec la craie en précisant les positions des feuilles et de la branche principale. Pour dessiner les roses, voir les croquis à la page 42. Profiler les feuilles avec le vert pâle.*

5 *Saturer le pinceau de peinture rouge et laisser tomber des gouttes pour créer les fruits. Avant de commencer, tester la quantité de peinture sur une autre surface. Pour enlever tout surplus, frotter le pinceau sur le chiffon imbibé d'essence minérale avant que la peinture ne sèche.*

CONSEIL

- Les objets en émail peints à la main résisteront à un lavage délicat, mais ne sont pas conçus pour être utilisés quotidiennement.

4 *Ombrer les feuilles pour leur donner un aspect tridimensionnel en gardant en tête l'éclairage imaginaire. Mélanger un peu de rouge au vert pour créer le brun de la branche.*

6 *Laisser sécher les fruits et avec le blanc, ajouter des points pour les rendre lumineux, ronds et brillants.*

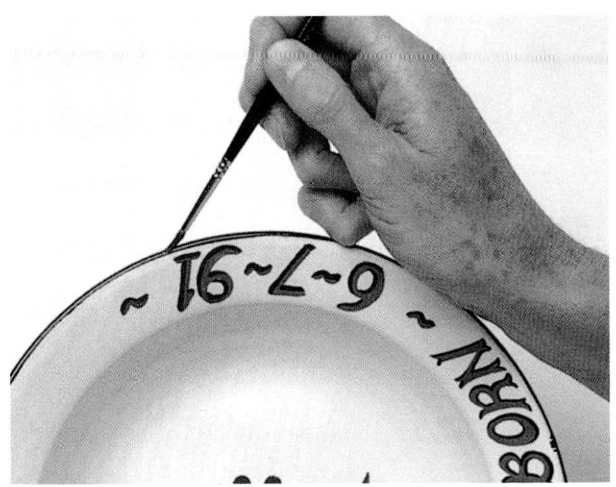

7 *Placer l'assiette pour que le nom soit en haut et trouver le centre du bas de l'assiette. Laisser assez d'espace pour le mot et la date et tracer les lettres à la craie de manière symétrique. Peindre les lettres et les chiffres.*

8 *Peindre en rouge le contour de l'assiette. Si elle arbore déjà une bordure bleue, vous pouvez peindre par-dessus. Même si l'assiette semble sèche au bout de 6 heures, attendre 24 heures avant d'y toucher.*

HORLOGE

Un morceau de panneau à fibres de densité moyenne (MDF) a servi à fabriquer le devant. Sachez que les aiguilles alimentées par piles sont disponibles dans plusieurs styles. Le navire est facile à dessiner avec une règle et un compas. La partie la plus difficile est probablement de tracer les lignes à main levée et vous devriez d'abord vous exercer sur du papier. Nous avons terminé en donnant une apparence antique avec un vernis craquelé.

Matériel requis :

- Aiguilles et mouvement d'horloge
- Apprêt/couche de fond en acrylique
- Papier abrasif
- Pinceaux pour l'apprêt et le vernis : 2,5 - 4 cm (1-1½ po)
- Peinture-émulsion (latex) (jaune)
- Carré de MDF 25 x 25 cm (10 x 10 po)
- Compas
- Règle et crayon
- Rapporteur d'angle
- Ciseaux
- Peinture acrylique (gris de Payne, terre de Sienne naturelle, rouge vénitien, blanc)
- Pinceau d'artiste no. 4
- Putois fin no. 1
- Papier calque
- Ruban-cache
- Papier graphite
- Vernis craquelé (facultatif)
- Vernis à base d'huile
- Peinture d'artiste à l'huile, (terre d'ombre naturelle)
- Essence minérale

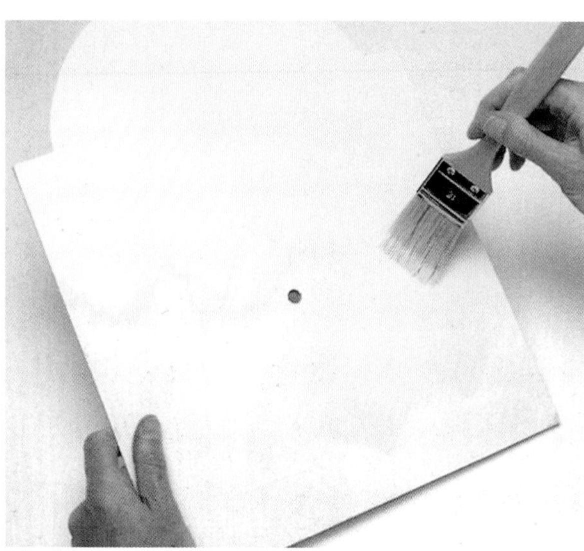

1 *Sceller le MDF avec une couche d'apprêt acrylique et lorsqu'il est sec, le poncer légèrement avant d'appliquer le latex jaune.*

2 *Dessiner un cercle de 25 cm (10 po) de diamètre sur le MDF. Tracer une ligne au centre et marquer des sections à tous les 30 degrés à l'aide d'un rapporteur d'angle. Lier les marques pour obtenir 12 sections. Subdiviser les sections en six pour les minutes. Couper le MDF.*

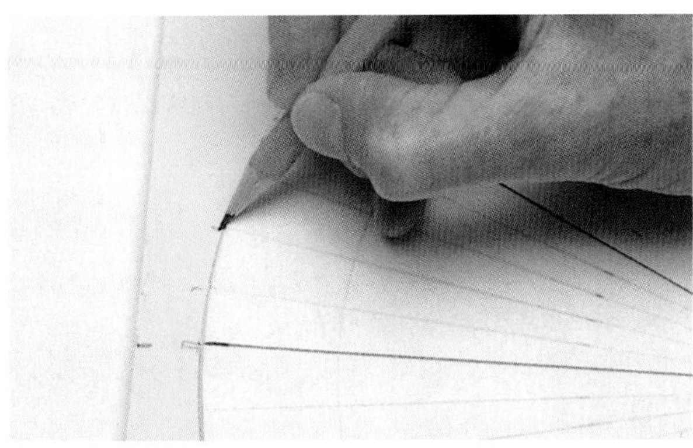

3 *Marquer les points centraux de chaque côté de l'horloge. Marquer et aligner ensuite les points indiquant 3h, 6h, 9h et 12h. Tracer les points à l'extérieur du cercle puis transférer les heures et les minutes sur la face de l'horloge.*

4 *Avec la peinture grise et le putois fin, peindre un premier cercle, puis un second à 3 mm (⅛ po) à l'extérieur du premier. Entre les deux, inscrire les minutes et les heures.*

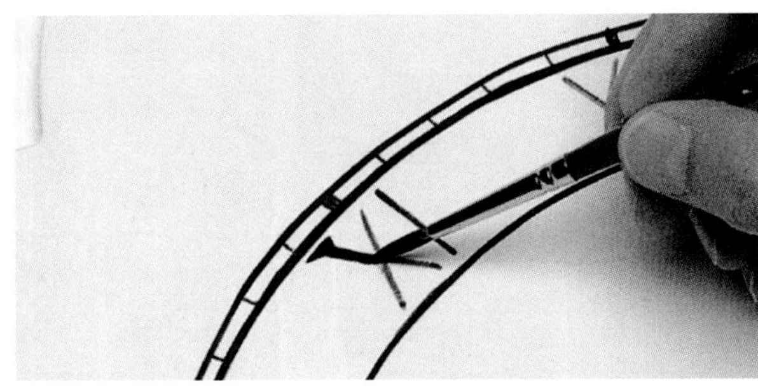

5 *Avant de peindre les chiffres, il vaut mieux les tracer au crayon. Commencer la ligne en haut, à gauche et respecter la largeur des traits des X et des I.*

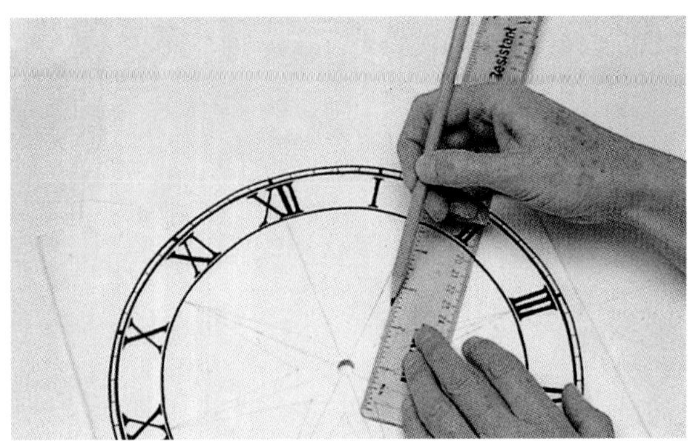

6 *Tracer une ligne du 9 au 3 et une autre du 12 au 6. Avec le rapporteur d'angle placé à l'intersection, marquer des angles de 45° entre chaque ligne et les tracer jusqu'au centre. À partir du centre, faire un point à environ 2,5 cm (1 po) au-dessus des lignes adjacentes et les relier pour former huit pointes d'étoile.*

7 *Peindre l'étoile terre de Sienne en imaginant une source de lumière.*

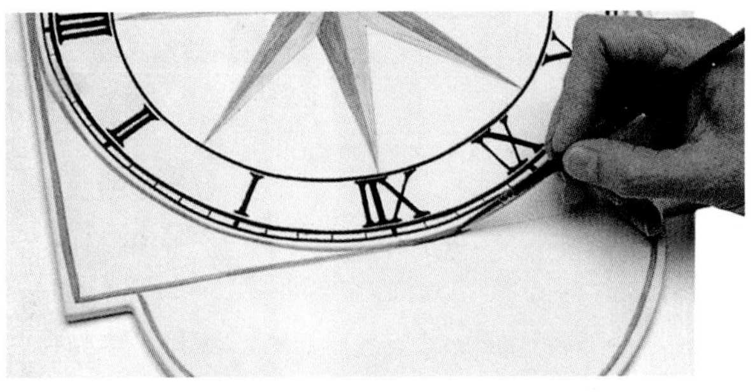

8 *Avec un putois et la couleur terre de Sienne, peindre un cercle à l'extérieur du cadran en suivant les arcs du haut et en reliant les lignes situées entre les coins supérieurs.*

9 *Sur du papier calque, tracer le navire et les étoiles filantes et les transférer sur l'horloge. Les étoiles seront plus foncées que leurs traînées lumineuses.*

10 *Peindre le navire, la lune et le soleil avec de la terre de Sienne diluée. Peindre les voiles en blanc et ombrer avec le gris de Payne.*

11 *Mélanger du rouge vénitien à la terre de Sienne pour épaissir la texture et peindre un peu plus d'ombres sur le navire. Laisser sécher.*

12 *Si vous utilisez du vernis craquelé, appliquer la première couche à l'huile. L'étendre modérément à partir du centre. Laisser le vernis devenir gluant, ce qui peut prendre entre 1 et 4 heures.*

13 *Au toucher, le vernis sera presque sec mais un peu collant. Appliquer la seconde couche à base d'eau sur toute la surface. Avant que celle-ci ne sèche, la frotter doucement pour qu'elle adhère bien à la première couche. Arrêter de frotter quand le vernis commence à se soulever et qu'il semble presque sec.*

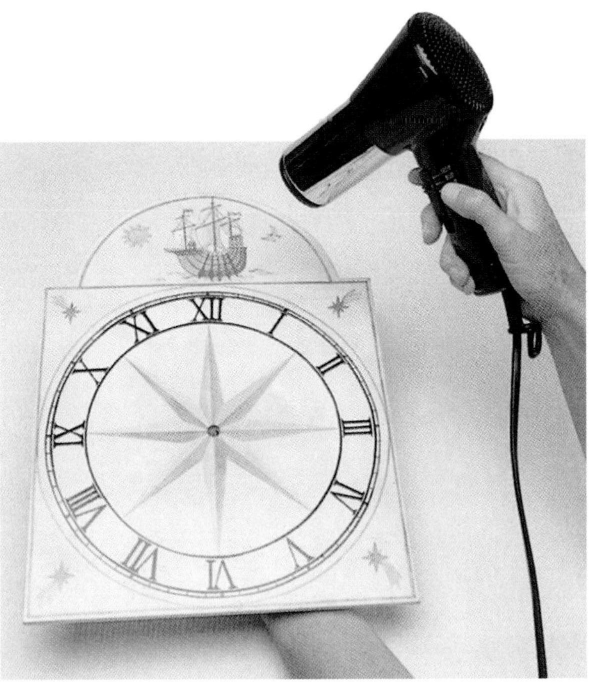

14 *Laisser sécher pendant au moins 30 minutes, préférablement toute une nuit. La seconde couche ne doit pas entrer en contact avec de l'eau. Chauffer légèrement au séchoir pour optimiser l'effet craquelé.*

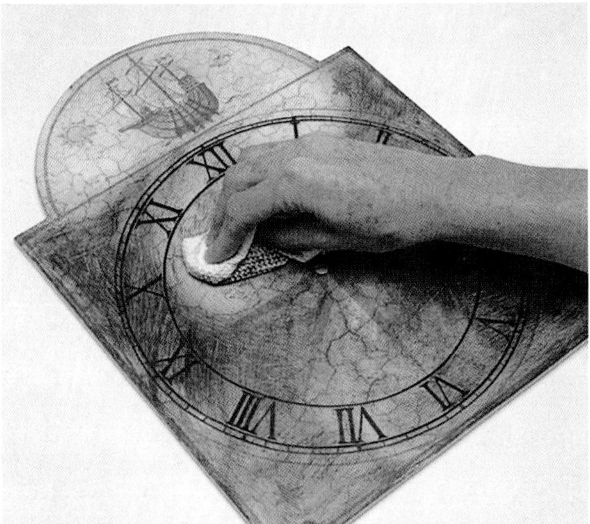

15 *Patiner la surface de l'horloge en y étendant environ 10 mm (½ po) de peinture à l'huile. Ne pas utiliser de l'acrylique qui enlèverait le fini. Mouiller un chiffon avec de l'essence minérale et frotter la surface en mouvements rotatifs pour bien l'étendre sur toute la surface. Enlever l'excédent avec un autre chiffon.*

16 *Les pigments différents sèchent à des vitesses variées. L'ombre naturelle exige 24 heures et certaines couleurs en exigent davantage. Lorsque tout est bien sec, sceller la surface avec un vernis à l'huile.*

CONSEIL

- Si vous n'obtenez pas l'effet craquelé voulu, enlevez la couche supérieure à base d'eau en l'essuyant. Vous pouvez alors recommencer avec la première couche de vernis, sans endommager la couche en dessous.

Planche de jeu

Ceci pourrait bien être le cadeau idéal pour la personne qui a tout. La planche est fabriquée avec un morceau de panneau de fibres à densité moyenne (MDF), mais la même idée convient à un dessus de table.

Matériel requis :

- Carré de MDF, 46 x 46 cm (18 x 18 po) ou une table
- Laque et pinceau
- Alcool méthylique (dénaturé) (pour nettoyer le pinceau)
- Papier abrasif
- Peinture-émulsion (latex) (rouge foncé)
- Pinceau d'artiste
- Longue règle et crayon
- Peintures d'artistes acryliques (noir, or, ombre brûlée et terre de Sienne naturelle)
- Pinceau d'artiste no. 8 ou 9
- Putois
- Craie
- Vernis et pinceau à vernis
- Feutre noir et colle tout usage
- Couteau d'artiste

CONSEIL

- Ce projet exige un certain degré de technique avec le pinceau. Vous devriez vous exercer sur une feuille de papier avant de commencer.

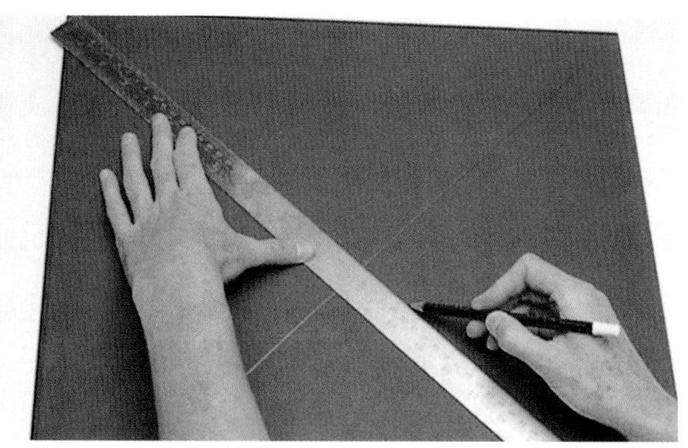

1 *Sceller le MDF avec une couche de laque. Lorsqu'elle est sèche, poncer le panneau et y appliquer une couche de latex rouge. Laisser sécher. Trouver le centre du panneau en traçant deux lignes diagonales.*

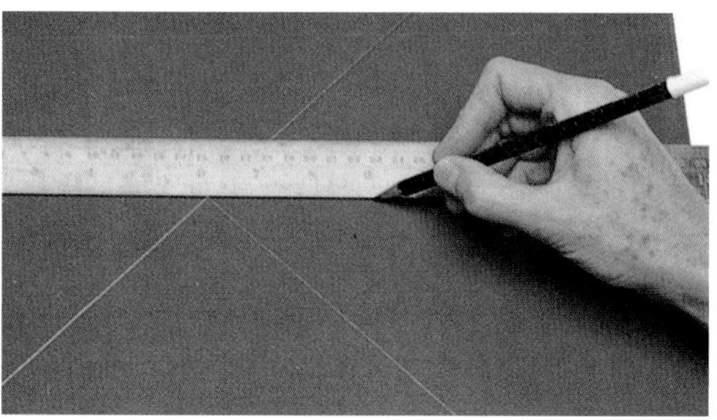

2 *À partir de l'intersection des deux diagonales, tracer les carrés sur la planche de jeu, huit dans un sens et huit dans l'autre.*

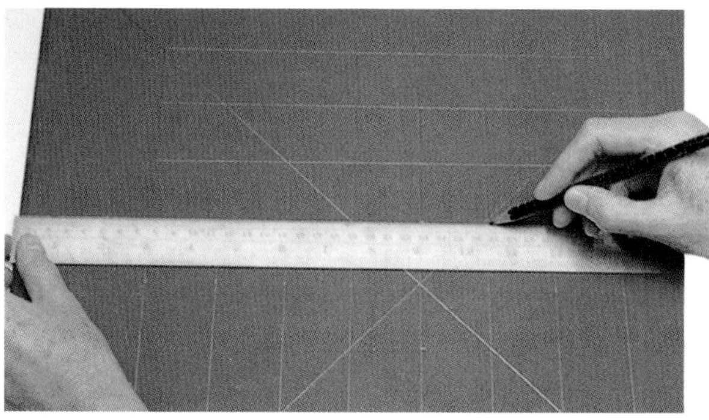

3 *Marquer les positions des 64 carrés. Les nôtres mesuraient 3,75 cm (1,5 po) et couvraient la surface totale de 30 x 30 cm (12 x 12 po).*

4 *Veiller à ce que les bordures soient égales des quatre cotés avant de dessiner les carrés.*

5 *En alternance, peindre les carrés noirs avec la peinture acrylique. Commencer par peindre le contour puis remplir l'intérieur. Repasser partout avant de soulever le pinceau.*

6 *Avec un putois et de l'acrylique noir, peindre une ligne autour des carrés et une autre juste à l'intérieur de la bordure de la planche de jeu.*

7 *Dessiner une ligne à la craie à environ 10 mm (2/5 po) de la bordure externe et, à partir du centre, faire un dessin symétrique en suivant une ligne qui aura été tracée au préalable pour servir de guide.*

CONSEIL

- Si vous avez de la difficulté à trouver de la laque, utilisez deux couches de latex en prenant soin de poncer légèrement la surface entre les applications.

8 *Avec un pinceau fin ou un putois, peindre par-dessus les lignes tracées à la craie en terre de Sienne. Lorsque la peinture est sèche, essuyer les marques de craie avec un linge humide.*

9 *Utiliser une craie pour tracer les feuilles à partir du centre vers les coins. Peindre les feuilles en terre de Sienne en un seul coup de pinceau.*

10 *Recouvrir les feuilles d'une couche de doré acrylique et appliquer d'un seul coup de pinceau.*

11 *Avec la couleur ombre brûlée, créer des ombres sous les feuilles selon un éclairage imaginaire. Lorsque sec, appliquer deux ou trois couches de vernis.*

12 *Enduire de colle l'endos de la planche et placer le feutre en le tapotant pour le rendre uniforme.*

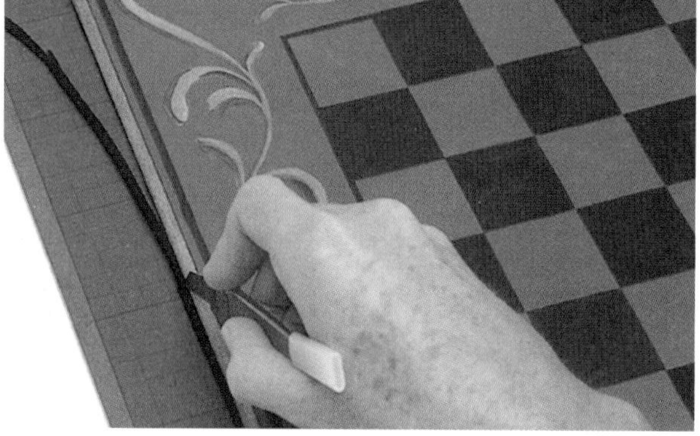

13 *Retourner la planche et couper le surplus de feutre avec le couteau d'artiste.*

Coffret à bijoux

Ce petit coffret à bijoux a été décoré joliment pour ranger des bijoux ou les nombreux objets qui s'amassent sur une coiffeuse. Un dessin plus gros pourrait orner un meuble plus imposant.

1 *Sceller le coffret avec un apprêt à l'acrylique et lorsqu'il est sec, le poncer légèrement. Appliquer une couche de latex turquoise. Pour que les fonds des tiroirs ne soient pas collants, ne peindre que les contours et les côtés extérieurs, ainsi que la façade intérieure des tiroirs.*

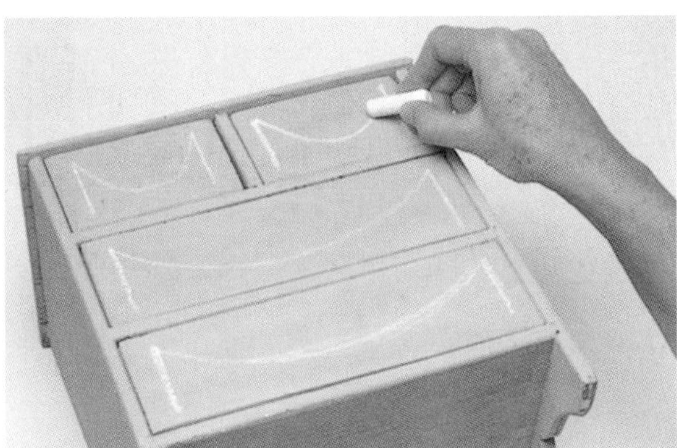

2 *Replacer les tiroirs et avec une craie, tracer les endroits où seront dessinées les guirlandes, en alignant les coins. Préciser la position des roses en traçant des cercles. Ne pas se préoccuper des feuilles à ce moment-ci.*

Matériel requis :

- Petit coffret ou commode miniature
- Apprêt/couche de fond en acrylique
- Pinceau d'artiste
- Papier abrasif
- Peinture-émulsion (latex) (turquoise)
- Craie
- Peinture d'artiste acrylique (vert Wedgewood, rouge vermillon, jaune vif et blanc)
- Pinceau d'artiste no. 4
- Liquide vieillissant (peinture d'artiste à l'huile, ombre naturelle mélangée à de l'essence minérale blanche pour liquéfier)
- Vernis à l'huile et pinceau à vernis

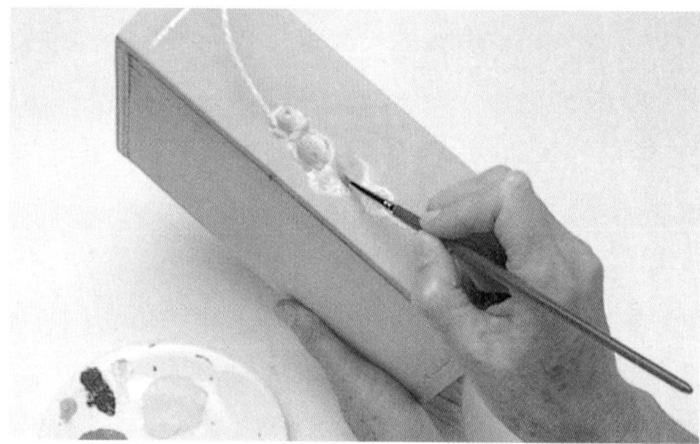

3 *Peindre les roses une par une. Mélanger trois nuances de rose corail au rouge, jaune et blanc. Ne pas oublier les ombres.*

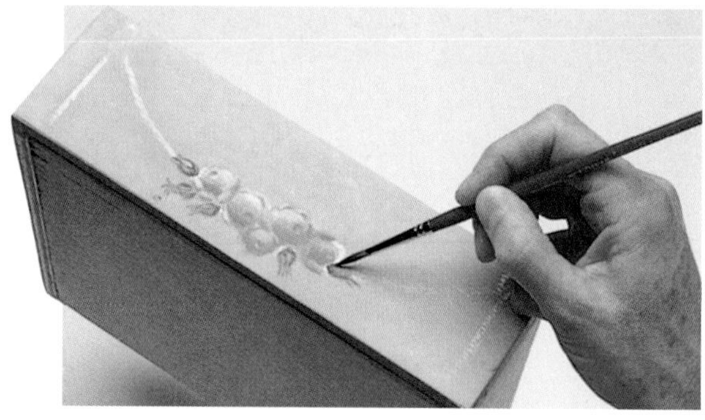

4 *Peindre les boutons en faisant une petite forme ovale avec la couleur corail. Peindre les sépales avec du vert foncé. En partant de la fin de la tige, descendre puis monter pour former les sépales.*

5 *Peindre les feuilles pour qu'elles soient à peine visibles derrière les roses. Les ombrer d'un côté en respectant l'éclairage imaginaire qui illumine les roses.*

6 *Peindre les tiges des guirlandes en vert. Les lier aux roses en partant du centre pour qu'elles semblent les soutenir.*

7 *Peindre les feuilles tout au long des guirlandes dans le sens indiqué sur l'image ci-dessus. Les tiges des guirlandes se terminent par une seule feuille au bout.*

8 *Ajouter du vert plus foncé sur les feuilles des guirlandes afin de les ombrer en respectant la même source de lumière qui éclaire les roses.*

9 *À la craie, tracer une forme ovale sur le dessus et de chaque côté du coffret, avec une assiette ovale si vous en avez une de dimension adéquate. Peindre les feuilles sur les côtés pour qu'elles semblent pousser à partir du bas et qu'elles se joignent en haut.*

10 *Peindre tout le coffret et les tiroirs avec le liquide vieillissant. Si cela ne donne pas l'effet escompté, il peut être enlevé avec de l'essence minérale sans endommager la peinture en dessous.*

11 *Utiliser un chiffon propre pour enlever l'excédent du liquide vieillissant. La quantité à enlever dépend des goûts de chacun, mais il est préférable d'en essuyer davantage autour du dessin principal et d'en laisser un peu plus près des bords. Laisser sécher 24 heures avant d'appliquer un vernis à l'huile.*

POCHOIR

Un pochoir est une forme découpée dans un morceau de carton, de métal mince ou d'une pellicule plastique. Lorsque de la peinture est appliquée dans la forme coupée, celle-ci est reproduite sur la surface en dessous. Le pochoir est utilisé depuis des siècles pour orner des tissus, des livres, de la poterie et bien sûr, des murs. On peut admirer des pochoirs anciens dans certaines résidences et plusieurs musées dans le monde. Plus récemment, les gens à la recherche de nouvelles façons esthétiques de décorer leur environnement ont redécouvert le pochoir, qui est maintenant très tendance.

Les projets présentés dans ce chapitre exploitent la polyvalence du pochoir. Que ce soit une étiquette-cadeau très simple ou des créations avec vos propres pochoirs, la séquence proposée vise à perfectionner graduellement vos connaissances et vos techniques.

MATÉRIEL ET ÉQUIPEMENT

TROUSSE DE PEINTURE

Pochoirs achetés

Il existe une vaste sélection de pochoirs. Pour faire votre choix, considérez la grandeur, la forme et la complexité d'un motif.

Pinceaux à pochoir

Des pinceaux à soies épaisses sont préférables pour travailler au pochoir, surtout les grandeurs 4, 8, 12 et 16.

Ruban-cache à faible adhérence

Il faut s'assurer que le pochoir est bien plat sur la surface à peindre ; le ruban-cache à faible adhérence réduit le risque de gâcher votre surface de travail. La colle en aérosol est une autre option.

Peintures à pochoir

Les acryliques d'artiste s'appliquent sur la plupart des surfaces ; d'autres peintures sont spécifiques à la céramique et au verre. Utiliser de la peinture qui sèche rapidement pour éviter les bavures ; celles à base d'eau se lavent plus facilement.

Bols

De petits bols sont utiles pour mélanger les couleurs.

Chiffons

Ils serviront à nettoyer et à enlever les surplus de peinture sur les pinceaux.

Papier brouillon

En avoir suffisamment pour pratiquer les techniques.

Règle

Pour mesurer et placer les pochoirs avec précision.

À droite : *matériel de peinture*

Ciseaux

En plus de découper le papier, les ciseaux auront une douzaine d'autres utilités.

Crayon, aiguisoir, efface en caoutchouc

S'assurer que le crayon est bien aiguisé pour tracer des lignes droites.

TROUSSE DE DÉCOUPAGE

Film polyester

Voici un excellent matériau pour fabriquer ses pochoirs. Le film glacé et transparent facilite le traçage du dessin et se prête bien aux superpositions. Il est également très résistant et peut être utilisé longtemps. Un papier ciré épais est une autre option.

Couteau d'artiste

Avoir sous la main plusieurs lames pour fabriquer ses propres pochoirs. Des lames très coupantes sont nécessaires. Les lames à angle sont idéales pour couper des arcs et des cercles.

> **CONSEIL**
>
> - Après chaque projet, nettoyez votre surface de travail et vos pinceaux ; lavez vos pochoirs en polyester avec de l'eau chaude et du savon.

Tapis de coupe

Les tapis de coupe résistants sont vendus dans la plupart des boutiques de matériel d'artisanat. Nous le recommandons pour couper les pochoirs sans endommager les surfaces et les lames.

Papier calque et papier quadrillé

Ils seront tous les deux très pratiques pour calquer et reproduire des motifs symétriques.

Nous avons maintenant tout le matériel nécessaire. Allons-y avec le premier projet !

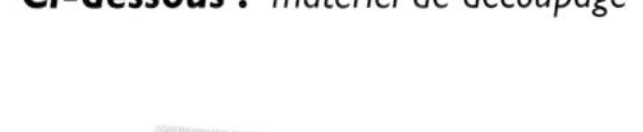

Ci-dessous : *matériel de découpage*

Étiquette amusante

Voici un beau projet d'initiation à l'art du pochoir car il est simple et efficace. Étonnez vos proches en rehaussant vos cadeaux d'étiquettes personnalisées.

Matériel requis :

- Trousse de peinture (acrylique)
- Bloc de papier couleur
- Perforateur
- Rubans à friser

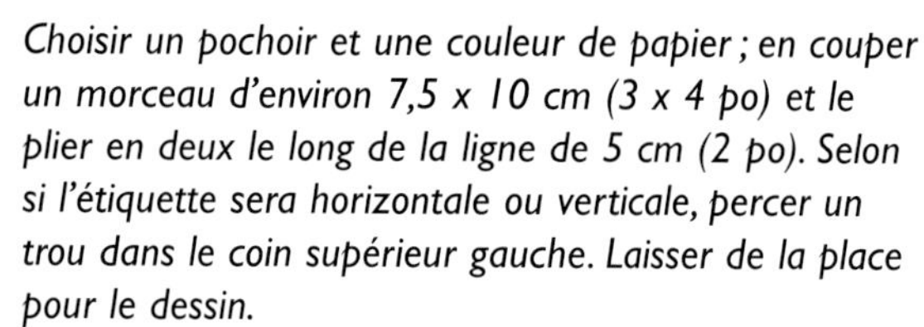

1 *Choisir un pochoir et une couleur de papier ; en couper un morceau d'environ 7,5 x 10 cm (3 x 4 po) et le plier en deux le long de la ligne de 5 cm (2 po). Selon si l'étiquette sera horizontale ou verticale, percer un trou dans le coin supérieur gauche. Laisser de la place pour le dessin.*

2 *Pour notre session de pratique, nous avons choisi un pochoir en cœur qui sera transféré sur une feuille blanche. Mettre une petite quantité de peinture dans un bol. Y tremper les soies d'un pinceau moyen et enlever l'excédent avec le chiffon. Le pinceau doit être sec.*

3 *Placer le pochoir au-dessus d'une feuille de pratique et le tenir avec une main. Tenir le pinceau droit et l'appuyer dans le motif découpé en faisant des rotations autour des contours. Foncer la couleur en frottant le pinceau autour des bordures. Ne pas laisser la couleur s'accumuler au centre du motif découpé.*

4 *Le succès repose sur la pratique ! Si le pinceau est trop imbibé de peinture, il risque d'y avoir des bavures autour du motif découpé. Le pinceau doit être sec. Sur l'image, le cœur aux contours foncés et au centre plus pâle est parfait.*

CONSEIL

- Lorsque vous coupez votre étiquette, placez votre couteau le long d'une règle pour faciliter la précision de la ligne et simplifier le découpage. Utilisez une règle en métal et tenez-la fermement en prenant garde de ne pas vous couper les doigts !

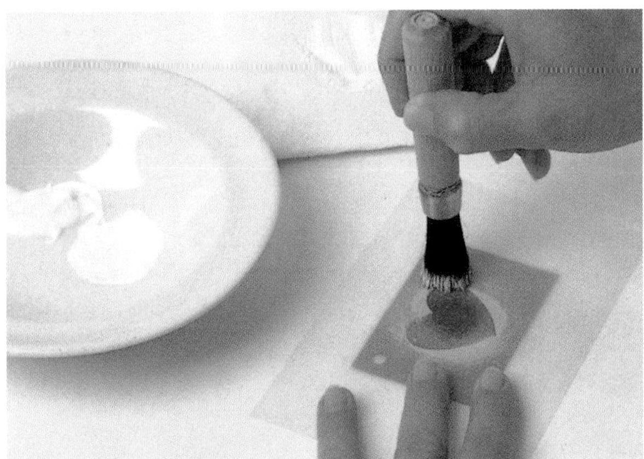

5 *Faire la même chose sur l'étiquette précoupée. Avec un pinceau propre et sec, mettre un peu de couleur dans un bol propre. Tremper le pinceau dans la peinture et essuyer l'excédent. Placer le pochoir au-dessus de l'étiquette, le tenir bien en place et appliquer la couleur en mouvements rotatifs, comme à l'étape 3.*

Finalement, friser une bonne longueur de ruban et l'insérer dans le trou. Voyez les étiquettes magnifiques que vous pouvez créer en un rien de temps ! Si le cœur vous en dit, pourquoi ne pas faire votre propre papier d'emballage avec un motif assorti !

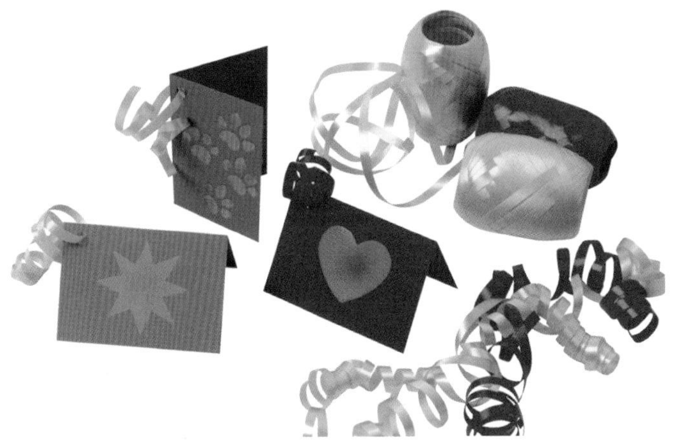

TASSE FESTIVE

Des tasses ornées de motifs au pochoir égaient les cuisines. Nous avons choisi de faire un ensemble de trois.

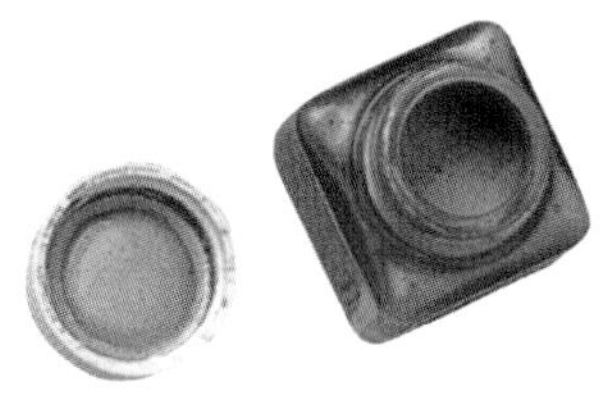

Matériel requis :

- Trousse de peinture (à céramique)
- 3 tasses assorties, de couleur unie

1 *Choisir un motif qui se prête à la forme et à la taille des tasses. Nous avons choisi des étoiles.*

2 *Jouer avec les couleurs sur une feuille de papier brouillon. Les nuances argent et or sont idéales pour des étoiles et vont parfaitement avec un fond bleu.*

3 *Fixer le pochoir avec du ruban-masque sur la surface courbe de la tasse pour faciliter le travail.*

4 *Procéder avec le premier motif selon la technique habituelle. La surface n'absorbant pas la peinture, il sera peut-être nécessaire de repasser sur les bordures.*

5 *Continuer d'appliquer la première image sur les trois tasses. Quand la troisième sera terminée, la première sera sèche et prête à recevoir le prochain motif.*

6 *Nous avons choisi des étoiles argentées plus petites. Placer les étoiles selon l'inspiration du moment.*

7 *Mettre un peu de peinture argent sur le pinceau et appuyer uniquement le bout des soies sur la tasse pour peindre des petits points, après avoir protégé les endroits où des éclaboussures gâcheraient le dessin, incluant l'intérieur de la tasse.*

8 *Finir les autres tasses avec la même technique d'éclaboussure qui se prête bien au pochoir d'étoile, donnant l'impression de galaxies distantes !*

CONSEIL

- Personnalisez une tasse en inscrivant le nom d'une personne au pochoir. Le cadeau parfait !

Voici votre ensemble de tasses. Gâtez vos proches... ou gardez-les !

Tee-shirt unique

Afin de vous familiariser avec la technique du pochoir sur tissu, choisissez un motif amusant et confectionnez votre propre tee-shirt griffé. Nous avons choisi une patte de chat.

Matériel requis :

- Trousse de peinture (à tissus)
- Tee-shirt propre, sec et uni

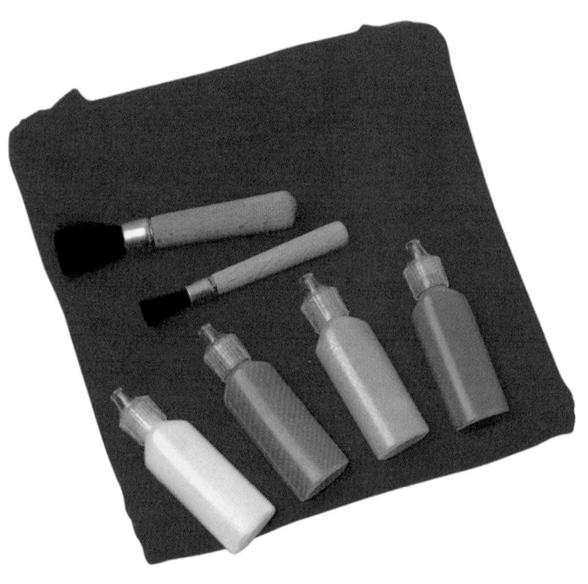

1 *Choisir un motif de pochoir et les couleurs qui s'agencent à votre tee-shirt.*

2 *Fixer une retaille de tissu sur une surface plane pour pratiquer la technique du pochoir sur tissu.*

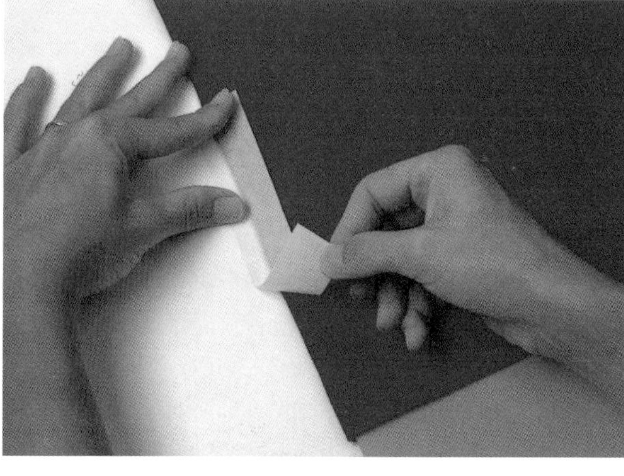

3 *Une fois à l'aise avec le procédé, placer une feuille de papier à l'intérieur du tee-shirt pour éviter que la peinture ne tache l'autre côté. Lisser le tissu et fixer le tee-shirt sur une surface plane avec du ruban-cache.*

CONSEIL

- Suivez les directives du fabricant en choisissant les peintures à tissus. Il faut parfois fixer les couleurs au fer à repasser.
- Travaillez délicatement pour ne pas étirer le tissu.

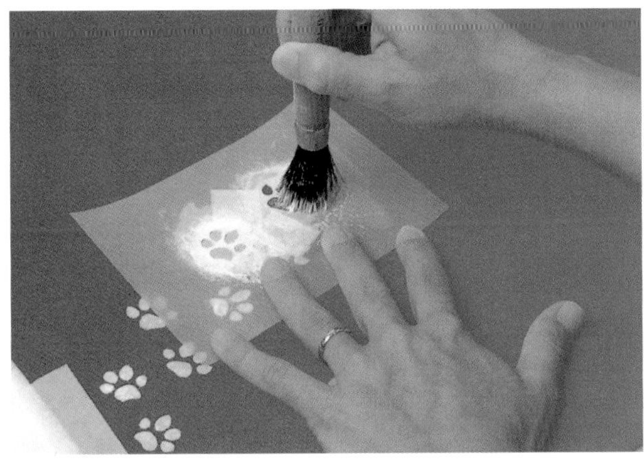

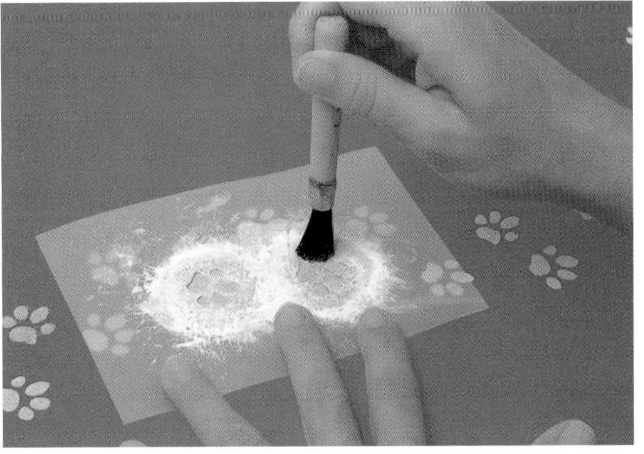

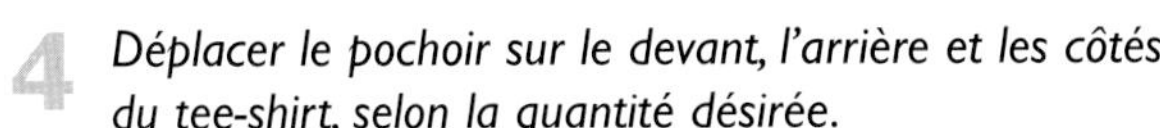

4 *Déplacer le pochoir sur le devant, l'arrière et les côtés du tee-shirt, selon la quantité désirée.*

5 *Pour plus d'éclat, ajouter de la peinture brillante en tapotant sur les motifs de base.*

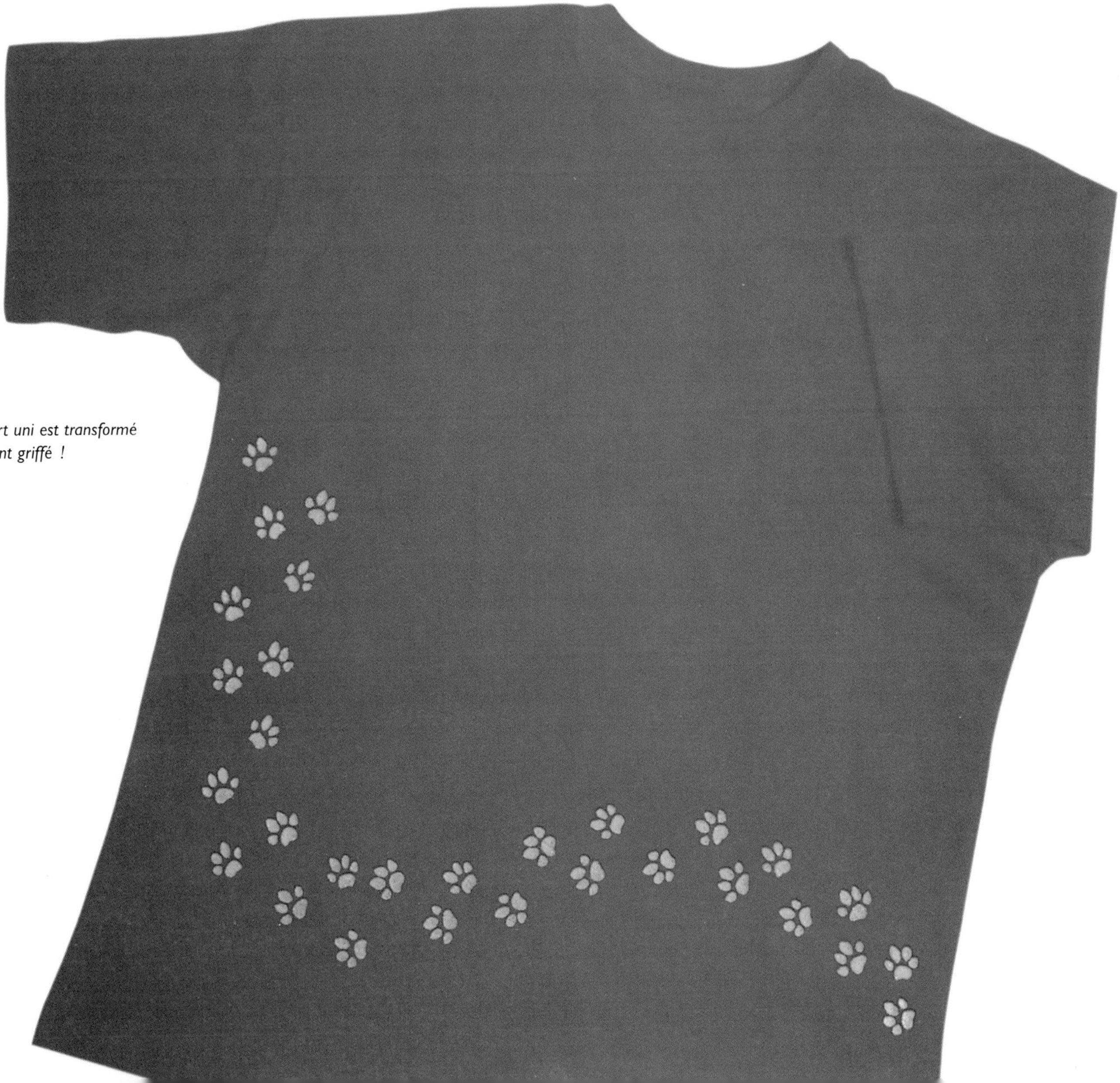

Un tee-shirt uni est transformé en vêtement griffé !

Tabouret d'enfant

Passons à la décoration d'un petit meuble. Un tabouret uni peut devenir une pièce unique grâce à la technique du pochoir. Les enfants en seront certainement ravis !

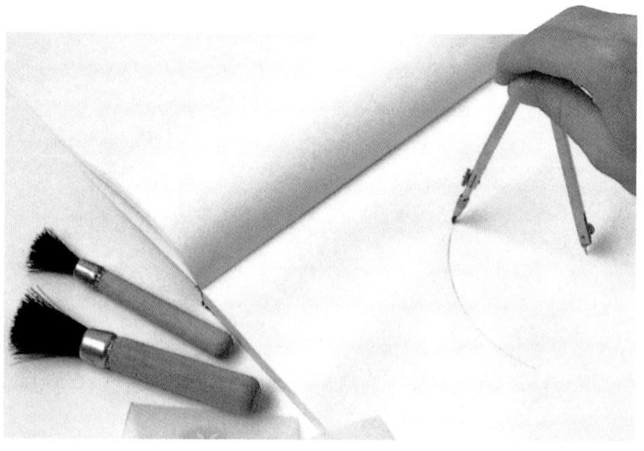

2 *Nous avons choisi des motifs floraux disposés en cercle. Commencer par tracer un cercle avec un compas sur du papier brouillon. Faire des points autour de la ligne du cercle pour déterminer la distance égale entre les fleurs, de manière à compléter le cercle.*

Matériel requis :

- Trousse de peinture (acrylique)
- Un banc en bois neuf et non traité (sans cire ni vernis)
- Compas
- Papier abrasif à grains fins
- Cire à parquets

1 *Choisir un motif de pochoir et des couleurs. Poncer légèrement le tabouret avec un papier abrasif à grains fins.*

3 *Appliquer la première couleur. Cette technique relevant de la création, vérifier l'espace entre les fleurs et la ligne du cercle au fur et à mesure.*

4 *Appliquer la deuxième couleur en suivant le contour du cercle. Encore une fois, bien aligner le pochoir, à l'œil, pour couvrir la circonférence.*

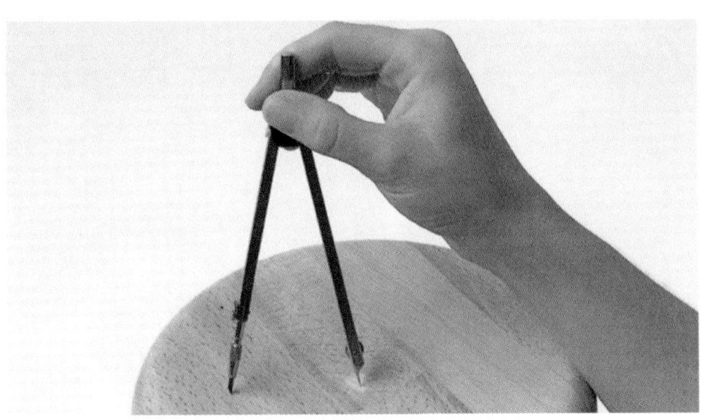

5 *Avec le compas, tracer un cercle pâle sur le tabouret. Laisser suffisamment d'espace entre le cercle et la bordure du tabouret pour dessiner le motif.*

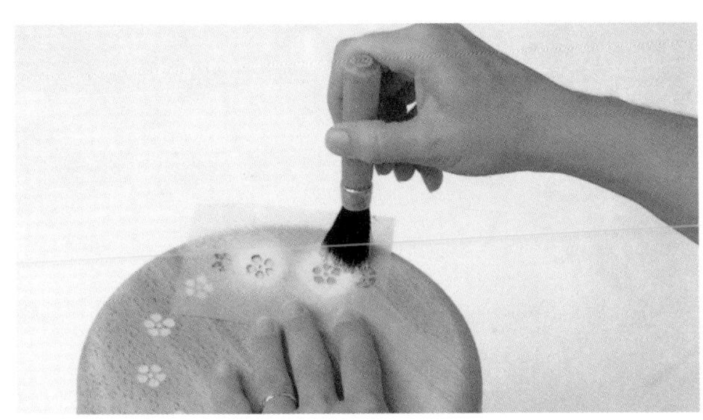

6 *Calculer sommairement la position du dessin et appliquer la première couleur en suivant le cercle tracé.*

7 *Lorsque le premier motif est terminé, appliquer le deuxième motif avec l'autre couleur.*

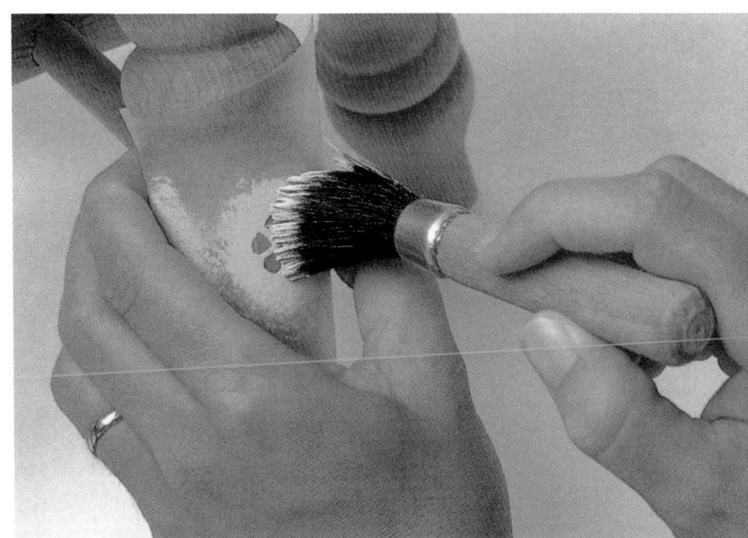

8 *Ajouter des touches finales au goût.*

CONSEIL

- Quand vient le temps de décider où sera peint un motif, il peut être utile de marquer des repères. Continuez de vérifier tout en travaillant.
- Les petits motifs nécessitent beaucoup de peinture pour optimiser les couleurs.

9 *Sceller en appliquant une couche de cire à parquets et frotter pour donner un aspect très lustré.*

Ce tabouret embellira la journée d'un enfant !

Une deuxième vie

Vous pouvez offrir une deuxième vie à votre mobilier en le parant d'un motif à pochoir. Ramenez dans votre quotidien un meuble rangé dans le grenier. Nous avons choisi de donner un air rustique à un vieux pupitre.

Matériel requis :

- Trousse de peinture (acrylique)
- Décapant
- Papier abrasif à grains fins
- Petite quantité de latex
- Vieux meuble
- Petite quantité de vernis

1 *Tout meuble usé par le temps peut être utilisé s'il est solide et bien préparé. Enlever d'abord le vieux vernis ou la vieille peinture.*

2 *Songer à un motif de pochoir et aux couleurs, puis assembler le matériel requis.*

3 *Le vieux vernis doit être enlevé. Appliquer le décapant et gratter. Il est important de respecter les directives du fabricant en utilisant ce genre de produit, et de porter des vêtements protecteurs.*

4 *Lorsque la surface est sèche, la poncer avec un papier abrasif fin pour donner un fini lisse, puis enlever la poussière.*

5 *Appliquer une couche de latex légèrement dilué de la couleur choisie. Laisser sécher.*

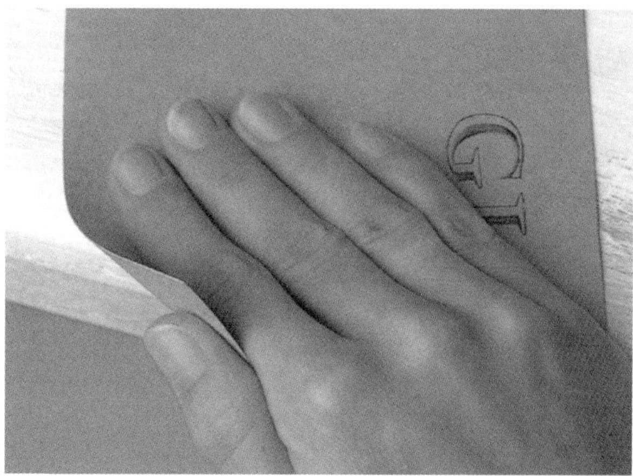

6 *Frotter la couche de latex avec un papier abrasif fin pour exposer le grain de bois.*

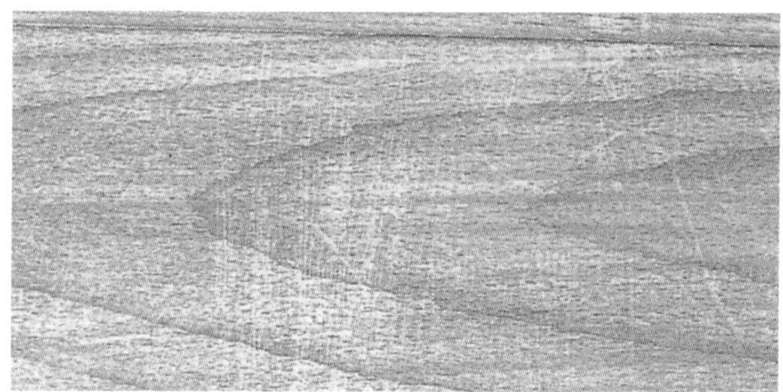

7 *La combinaison du bois de hêtre et de la peinture latex donne l'effet rustique désiré.*

8 *Nous avons choisi de peindre une bordure sur l'abattant du pupitre. Mesurer et tracer une ligne pâle pour placer le pochoir correctement.*

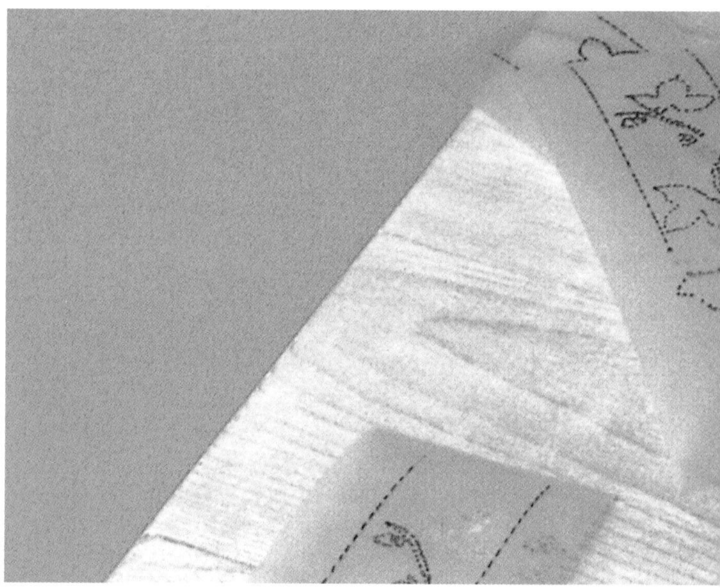

9 *S'assurer que le pochoir est placé au bon endroit avant de le fixer avec du ruban-cache.*

10 *Appliquer la première couleur sur toute la surface.*

11 *Aligner le deuxième pochoir et appliquer la deuxième couleur.*

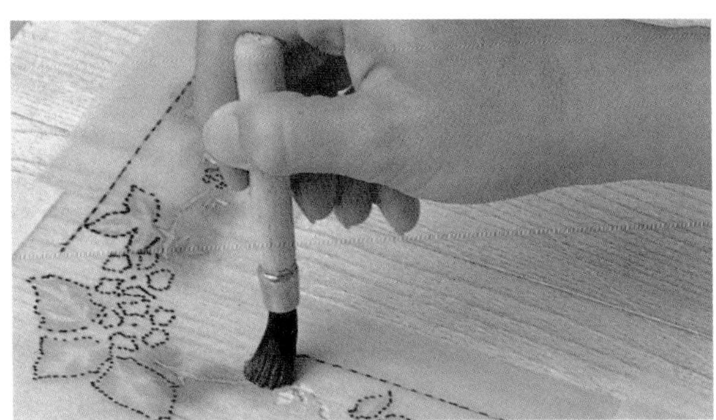

12 *Continuer avec une troisième couleur.*

13 *Un examen révèle que le jaune et le vert sont trop clairs pour l'effet recherché.*

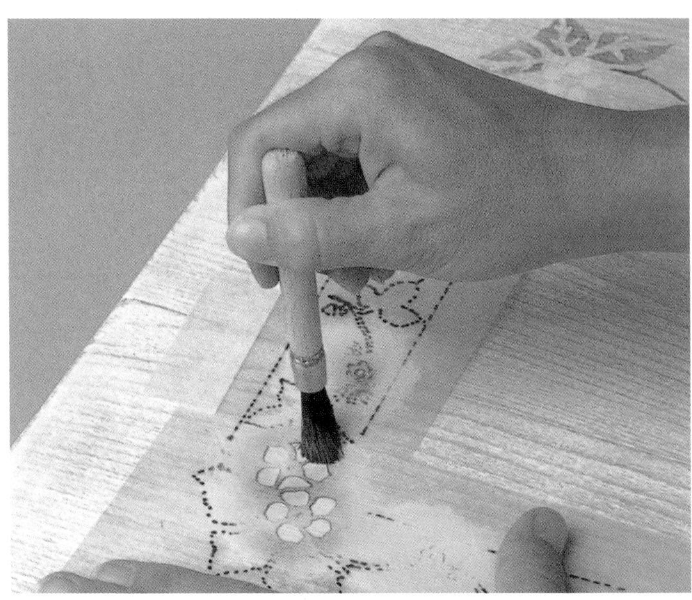

14 *Avec le pochoir, nous avons ajouté un peu de sienne brûlée sur les pétales pour atténuer les feuilles et leur donner de la profondeur.*

CONSEIL

- Si votre meuble n'a besoin que d'un bon lavage, utilisez du savon noir.
- Lorsque vous appliquez la couche de latex, suivez le grain du bois.
- Pour accentuer l'aspect rustique, poncez légèrement la surface terminée.

15 *Le résultat est un meuble vieillot beaucoup plus intéressant.*

16 *Ajouter des touches finales au goût.*

Une transformation extrême tout à fait réussie !

17 *Sceller en appliquant deux couches de vernis.*

Touches finales

Du pochoir sur un mur peut compléter le décor d'une pièce. Un dessin au-dessus d'un cadre ou d'une fenêtre peut s'avérer une touche finale parfaite. Ce projet permet aussi de faire le lien entre toutes les couleurs d'une pièce.

Matériel requis :

- Trousse de peinture (acrylique)
- Mur propre et sec
- Ruban à mesurer/ruban-cache
- Escabeau

1 *L'espace vide au-dessus de ce cadre se prête parfaitement à une bande au pochoir.*

2 *Laisser le cadre en place pour mesurer et marquer le centre.*

3 *Centrer le pochoir au-dessus du cadre bien droit et marquer les points principaux.*

4 *Retirer le cadre. Aligner le pochoir sur les points et le fixer au mur avec du ruban-cache*

5 *Nous avons choisi un doré nacré qui rappelle les reflets dorés du cadre. Procéder avec la technique habituelle.*

6 *Nous constatons rapidement qu'il nous faut rehausser la couleur car le fond est très foncé.*

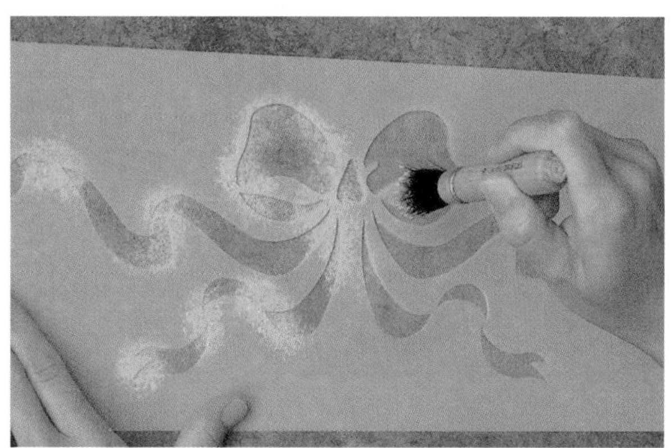

7 *Tapoter pour ajouter de la couleur ici et là.*

8 *Voilà qui est mieux !*

9 *Suspendre le cadre et admirer le résultat. Manque-t-il quelque chose ?*

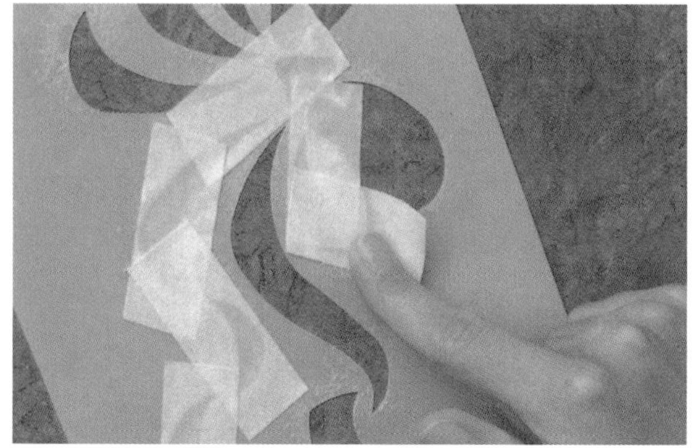

10 *Ajouter une touche finale en choisissant une partie du motif, puis fixer le pochoir en conséquence.*

Mesurer et marquer le centre et les points principaux, puis procéder.

CONSEIL

- Lorsque vous fixez votre pochoir sur une œuvre commencée, mettez du ruban adhésif de chaque côté pour qu'il n'endommage pas votre travail.

Le pochoir a permis de donner une touche finale élégante à ce projet.

DÉLICE D'ARTISTE

Le but de ce projet est de concevoir, de couper et d'appliquer une bordure avec un pochoir que vous créerez. Inspirez-vous de votre décor. Nous avons choisi un motif floral de lobélie qui servira à embellir un salon.

2 *Choisir des objets simples et s'exercer à les reproduire. Ne faire qu'un thème par feuille.*

Matériel requis :

- Trousse de découpage
- Trousse de peinture (acrylique)
- Espace mural
- Matériel de pochoir
- Crayons de couleurs
- Crayon-feutre permanent

3 *Tracer le dessin et le fixer sur du papier quadrillé à l'aide du ruban-cache. Choisir un motif simple pour le haut et le bas de la bordure.*

1 *S'inspirer de l'ambiance environnante pour créer une bordure personnalisée.*

4 *Faire des expériences pour élaborer le dessin principal et la bordure. Choisir les couleurs. Fixer le motif bien droit sur le papier quadrillé.*

5 *Transférer le motif sur un film en polyester transparent (un film par couleur), le côté givré sur le dessus, et tracer une ligne droite avec le papier quadrillé. Les formes peintes avec la première couleur vont sur une seule ligne.*

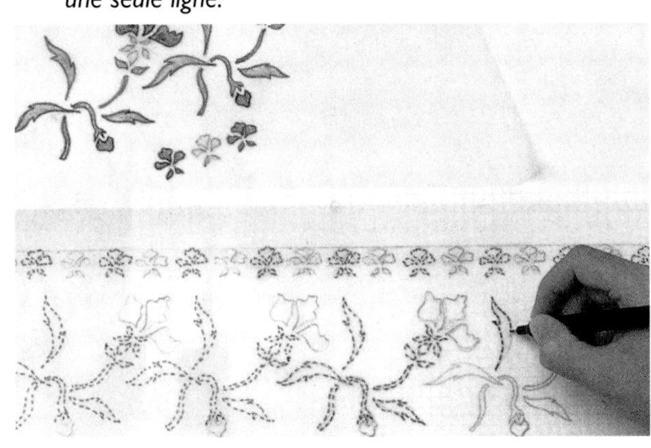

6 *Tracer le reste du dessin en pointillés avec un crayon-feutre permanent.*

7 *Répéter pour les motifs des 2e et 3e couleurs.*

8 *Sur un tapis de coupe et avec une bonne lame, commencer à couper le pochoir. Au besoin, tourner*

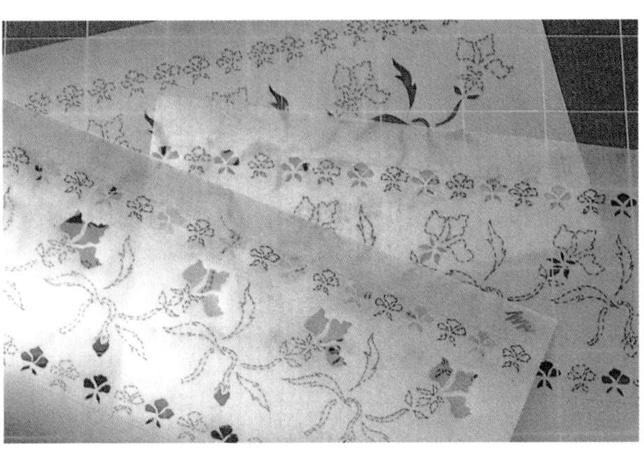

9 *Couper les formes de la ligne continue de chaque morceau de film. Ne couper aucune ligne pointillée.*

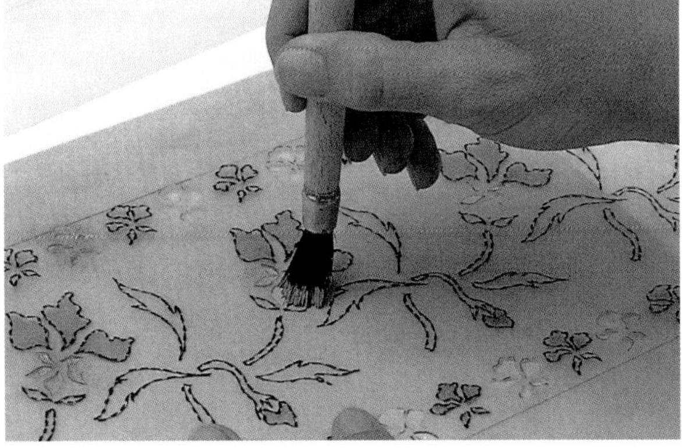

10 *Faire un test sur papier : peindre la première couleur, puis la deuxième et la troisième.*

11 *Il est temps de travailler sur le mur choisi.*

12 *Cette jolie pièce a besoin d'un peu d'originalité.*

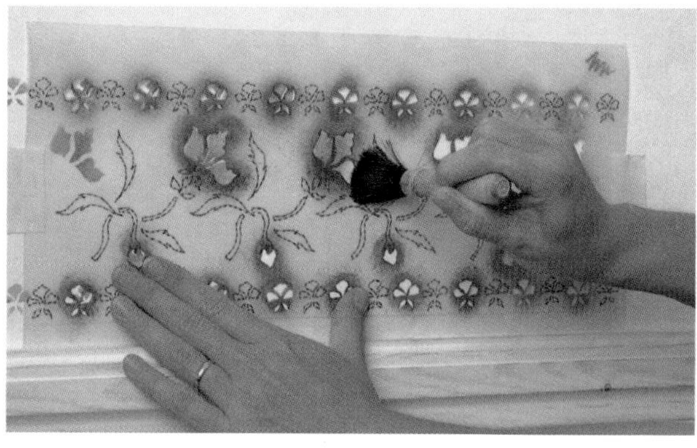

13 *Commencer avec le premier pochoir à l'endroit du mur le moins visible. La confiance augmentera à mesure que le travail avancera. Après avoir utilisé le premier pochoir une première fois, le déplacer et répéter les motifs à la suite de la dernière image.*

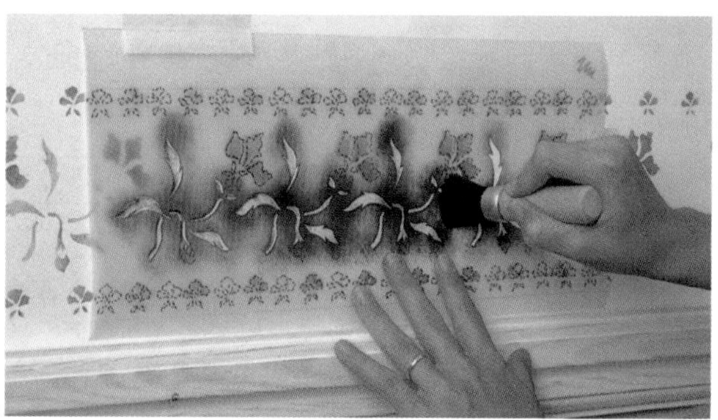

14 *Une fois toute la surface complétée avec la première couleur, procéder avec la seconde. Les pointillés facilitent l'alignement du pochoir.*

15 *Compléter avec la troisième couleur.*

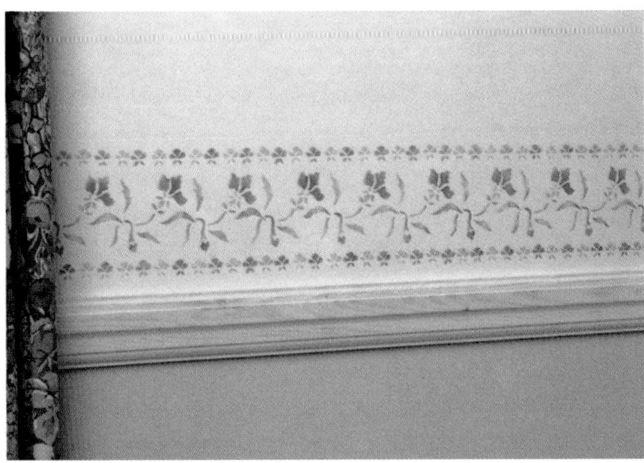

16 *Remettre la pièce à l'ordre.*

CONSEIL

- Plus votre pochoir contient de motifs, plus vous pourrez peindre sans le déplacer. Par contre, le temps de découpage sera plus long.
- Lorsque vous alignez le pochoir pour les répétitions, comme à l'étape 13, ne vous en faites pas si ce n'est pas parfaitement droit. Après tout, vous l'avez fait de vos mains.
- N'utilisez pas plus de trois couleurs.
- Si votre pochoir fend, il est simple à réparer : appliquez du ruban adhésif des deux côtés et enlevez l'excédent avec une lame.

Félicitations ! Voilà une œuvre d'art qu'il faut célébrer !

DÉCOUPAGE

La fascination du découpage provient de sa qualité de pouvoir réaliser des œuvres ravissantes avec de vieux objets ou meubles sans intérêt. Une fois la technique maîtrisée, vous voudrez transformer tout ce qui vous entoure ! Dorénavant, les marchés aux puces, ventes de garage et boutiques à 1$ vous sembleront regorger de trésors n'attendant qu'à devenir des chefs-d'œuvre, grâce à vous.

Bien préparées, toutes les surfaces se prêtent au découpage : métal, bois, terre cuite, poterie, verre, plastique et carton. À mesure que vous progresserez, vous constaterez que les nombreuses techniques et approches permettent une grande variété de résultats.

Avant de commencer, assurez-vous de choisir un objet qui vaut la peine d'être rajeuni. Si le découpage peut embellir tout accessoire usé ou rouillé, il n'en changera pas les dimensions ni l'apparence de base. Un objet foncièrement inesthétique risque de vous décevoir malgré le temps et les efforts que vous y investirez.

MATÉRIEL ET ÉQUIPEMENT

MOTIFS ET IMAGES

Pendant que grandira votre intérêt pour le découpage, vous porterez un nouveau regard sur tous les papiers imprimés.

L'artisanat connaît un grand essor depuis quelques années et plusieurs livres offrent maintenant des illustrations intéressantes et amusantes que vous pouvez reproduire et colorier. Vous constaterez également que le papier d'emballage et les cartes de souhaits sont des sources de motifs intarissables. Vous pouvez photocopier des photographies, de vieux imprimés, des feuilles de musique, des lettres et des timbres et leur donner un aspect antique avec une technique très simple. Les revues et les journaux renferment beaucoup d'illustrations et les magazines de mode et d'informatique regorgent d'images très colorées ! Quant aux livres d'histoire, ils contiennent souvent de vieilles cartes passionnantes.

Si vous utilisez des magazines ou des cartes de souhaits, vous pouvez simplement en découper les motifs. Par contre, si vous optez pour des illustrations issues de livres, il vaut mieux les photocopier. Dans plusieurs bibliothèques et librairies, vous pourrez photocopier des images, les réduire ou les agrandir et en faire plusieurs copies. Vous pouvez opter pour des copies en couleurs ou, pour moins cher, en noir et blanc et les colorier vous-même.

ÉQUIPEMENT DE DÉCOUPAGE

Vous aurez besoin d'une grosse paire de ciseaux, d'une plus petite pour les petits motifs de papiers d'emballage ou de magazines, et de ciseaux de manucure pour les formes plus complexes. Un couteau d'artiste peut aussi être utile si vous découpez du papier plus fragile. Installez-vous toujours sur un tapis de coupe.

SCELLANTS

Le papier doit être scellé avant d'être utilisé pour qu'il n'absorbe pas toute la peinture ou le vernis et pour empêcher l'altération des couleurs choisies. De plus, lorsqu'un adhésif à base d'eau, comme la colle blanche, est appliqué directement sur du papier, il a tendance à s'étirer et à causer des plis disgracieux et des bulles d'air.

Certains préfèrent un apprêt à poncer ou de la cire en boutons qui peuvent être appliqués des deux côtés de l'image pour donner un aspect légèrement froissé et faciliter l'étape du découpage.

ADHÉSIFS

Les projets présentés dans ce livre ont été confectionnés avec des motifs collés à la colle blanche (à base d'acétate de polyvinyle). Lorsqu'elle est humide, cette colle à base d'eau est blanche et elle devient transparente en séchant. On peut lui ajouter de l'eau et s'en servir comme vernis. Si vous en appliquez sur des motifs individuels, essuyez l'excédent avec un linge humide.

PEINTURES

Les peintures à l'eau, au latex et à l'acrylique sèchent assez rapidement. Les peintures d'artiste peuvent servir à colorier ou à peindre des objets. Toutefois, les acryliques sont déconseillés pour révéler l'effet craquelé d'un vernis. À base d'eau, ils adhèrent à la deuxième couche de vernis craquelé, qui est également à base d'eau, et forment des pics à l'étape de l'essuyage. Utilisez les peintures d'artiste en acrylique pour teindre la peinture blanche au latex qui servira à la couleur de fond et aux détails décoratifs.

Les peintures d'artiste à l'huile s'utilisent dans les glacis antiques et avec le vernis craquelé. La technique d'application consiste à tremper un linge dans l'essence minérale et à le frotter légèrement sur le motif découpé après la deuxième étape du vernis, c'est-à-dire lorsque les craquelures sont apparentes. La terre d'ombre peut alors rehausser les craquelures et la terre d'ombre brûlée créera des craquelures brun-rouge.

APPRÊTS ET COUCHES DE FOND

Utilisez un apprêt pour métal rouge oxyde. Dans le cas de bois non traité, optez pour un apprêt en acrylique suivi d'une couche de fond blanche en acrylique.

VERNIS ET FINIS

Une fois les motifs bien fixés et la colle sèche, appliquez plusieurs couches de vernis. Le but

consiste à « faire disparaître » les contours des motifs. Entre les applications, laissez sécher le vernis et frottez-le légèrement avec du papier abrasif fin avant d'appliquer la couche suivante. Ne poncez pas la dernière couche.

VERNIS ACRYLIQUE

Ce vernis à base d'eau est facile à utiliser. Il sèche rapidement, ne sent pas fort et ne jaunit pas. De plus, les pinceaux peuvent ensuite être lavés à l'eau.

VERNIS À BASE D'EAU

Un vernis à base d'eau sèche en 10 ou 15 minutes, ce qui est pratique lors d'une superposition de motifs découpés pour en effacer les contours.

VERNIS POLYURÉTHANNE

Le vernis à bois polyuréthanne tend à jaunir avec le temps ; il peut donc donner un effet vieillot.

LAQUE

La laque peut sceller la plupart des surfaces, mais n'est pas résistante à la chaleur. C'est pourquoi il faut appliquer une couche de vernis par-dessus. La laque de couleur miel est souvent utilisée pour vieillir des œuvres ou comme matériau isolant entre deux couches de peinture ou de vernis incompatibles.

CIRE BLANCHE

La cire blanche donne un fini transparent qui se dissout avec de l'alcool méthylique. Elle est idéale lorsqu'on ne veut pas un aspect antique.

VERNIS CRAQUELÉ

Le vernis craquelé se vend dans tous les bons magasins d'artisanat. La technique comporte deux étapes : la première couche à l'huile continue à sécher sous la seconde couche à l'eau, produisant des craquelures sur la couche supérieure. Les résultats sont toujours imprévisibles. Pendant qu'il sèche, le vernis peut être vieilli avec des peintures d'artiste qui accentueront les craquelures

GLACIS CRAQUELÉ

À utiliser entre deux couleurs différentes de latex pour faire craqueler la deuxième couche et révéler la couleur de base.

CIRE

De la cire à meubles ordinaire peut donner un fini lustré à un objet dont la finition est en vernis mat.

GLACIS VIEILLISSANT

Ce glacis donne une touche d'élégance. Agitez-le dans un petit pot en verre et appliquez-le avec un linge doux pour donner un léger aspect vieillot.

PONÇAGE

Non seulement faut-il préparer la surface de l'objet à décorer, mais poncer le produit fini avec du papier abrasif très fin lui assure une finition tout à fait professionnelle.

PINCEAUX

Vous aurez besoin de plusieurs pinceaux. Après avoir appliqué de la peinture au latex, nettoyez-les dans de l'eau savonneuse. Il vaut mieux séparer les pinceaux pour la peinture et le vernis.

ROULEAU

Un petit rouleau en caoutchouc ou en plastique pour lisser les contours du papier peint servira à enlever les bulles d'air en plus d'assurer une adhérence égale.

ÉQUIPEMENT ADDITIONNEL

ÉPONGES

Plus douces, les éponges naturelles donnent un meilleur effet. Si vous utilisez une éponge synthétique, déchirez des morceaux au lieu de les couper pour obtenir des coins plus irréguliers.

Couteau d'artiste

Pinceaux d'artiste

Pinceaux ordinaires

Éponge

Pinceau à

Pinceau à soies synthétiques

Pinceau de finition

TECHNIQUES

PRÉPARATION DES SURFACES

BOIS NEUF

Scellez le bois neuf avec un apprêt en acrylique ou un apprêt à poncer sous forme de laque. Ensuite, appliquez une couche de latex ou de peinture à l'huile.

BOIS VERNI

Utilisez du papier abrasif moyen pour poncer la surface afin de faciliter l'adhérence de la peinture.

BOIS PEINT

Si un objet a déjà été peint avec de la peinture à l'eau, il est possible de peindre par-dessus avec de la peinture à l'eau ou à l'huile. S'il s'agit de peinture à l'huile, elle est probablement assez desséchée pour y appliquer une peinture au latex après avoir poncé la surface délicatement.

PANNEAU DE FIBRES À DENSITÉ MOYENNE (MDF)

Traitez-le comme le bois naturel.

MÉTAL

Enlevez la rouille avec une brosse métallique et appliquez une couche d'apprêt à métal.

CÉRAMIQUE

Appliquez un apprêt à l'acrylique après avoir poncé la surface délicatement.

SÉPARATION DES IMAGES

Les images sur une carte de souhaits sont parfois imprimées sur un carton épais duquel il faut les séparer.

Appliquez une couche de laque sur toute la face de la carte où se trouve l'image. Insérez délicatement un couteau d'artiste entre l'image et le carton. Avec un pinceau ou une règle, tenez la carte en place pendant que l'image est découpée et soulevée du carton. Après avoir séparé l'image, appliquez une couche de laque à l'endos pour l'épaissir.

NAPPERONS

Ce projet présente les différents vernis craquelés qui sont offerts et les résultats variés que l'on peut obtenir.

Matériel requis :

- Morceaux de MDF de 30 x 25 cm (12 x 10 po)
- Apprêt/couche de fond à l'acrylique
- Papier abrasif fin
- Peinture-émulsion (latex) (nous avons choisi une couleur crème pour le fond et du marron pour les contours)
- Pinceau ordinaire
- Pinceau plat aux soies raides
- Motifs photocopiés
- Peintures à l'aquarelle (brun pâle, marron et vert, pour colorier les motifs)
- Pinceaux à aquarelle
- Séchoir à cheveux
- Laque
- Ciseaux à manucure
- Couteau d'artiste ou stylet
- Colle blanche
- Éponge ou rouleau
- Vernis craquelé (voir ci-dessous)
- Peinture d'artiste à l'huile (terre d'ombre naturelle)
- Vernis à l'huile (fini lustré ou satiné)

1 *Sceller le MDF avec un apprêt/couche de fond à l'acrylique. Lorsque l'apprêt est sec, appliquer une couche de latex de couleur crème. Laisser sécher, poncer légèrement et appliquer une deuxième couche.*

2 *Utiliser un pinceau plat pour peindre une bordure marron autour de chaque napperon. Laisser sécher.*

3 *Vieillir les motifs photocopiés en les couvrant avec du doré ou de l'aquarelle brun pâle, sans trop les mouiller. Enlever le surplus de liquide avec un chiffon.*

4 *Lorsque le fond est sec, colorier la cape du chevalier (nous avons choisi le rouge, mais le vert convient aussi) avec une couleur discrète car une couleur vive nuirait à l'effet antique. Pour accélérer le séchage, utiliser un séchoir à cheveux.*

5 *Lorsque la peinture est sèche, appliquer une couche de laque ou de cire blanche des deux côtés du papier. Faire sécher avec un séchoir.*

6 *Lorsque la laque est sèche, découper l'image avec des ciseaux de manucure.*

7 *Couper d'abord les formes complexes avec un couteau d'artiste ou un stylet, puis placer le motif sur le napperon en marquant sa position avec un crayon.*

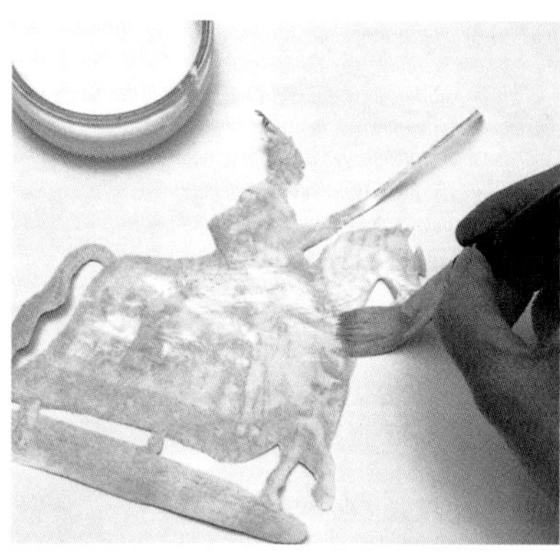

8 *Appliquer une fine couche de colle blanche à l'endos du motif, du centre vers l'extérieur, pour le couvrir uniformément.*

9 *Positionner le motif sur le napperon et l'aplanir uniformément avec une éponge humide ou un rouleau.*

10 *Une fois sec, vérifier s'il y a des bulles d'air ou des extrémités soulevées. Les bulles d'air peuvent être percées avec la pointe du stylet. Ajouter ensuite un peu de colle pour fixer les rebords soulevés.*

Application du vernis craquelé

Ce vernis sert à donner un effet antique. Les craquelures sont rarement égales et le résultat demeure imprévisible, ce qui contribue à donner aux œuvres un aspect authentique.

Matériel requis :

- Vernis craquelé à deux étapes, à l'huile et à l'eau
- Pinceaux à vernis
- Séchoir à cheveux (facultatif)
- Peinture d'artiste à l'huile (terre d'ombre naturelle)
- Essence minérale
- Vernis
- Papier abrasif fin

CONSEIL

- Lorsque vous appliquez du vernis, tenez l'objet près de la lumière pour vous assurer que sa surface est totalement couverte. Cela vous aidera aussi à voir les craquelures difficiles à détecter avant que la surface ne soit peinte avec la peinture à l'huile.

VERNIS À BASE D'EAU

VERNIS À BASE D'HUILE

Ce projet illustre les différences entre les vernis à l'eau et à l'huile.

VERNIS CRAQUELÉ À BASE D'HUILE

Ce vernis réagit à l'air parce que la deuxième couche à l'eau absorbe l'humidité. Si la seconde étape du vernis craquelé ne vous plaît pas, vous pouvez simplement tout essuyer et recommencer.

1 *Utiliser un pinceau à vernis plat pour appliquer la première couche de vernis à l'huile, du centre aux extrémités.*

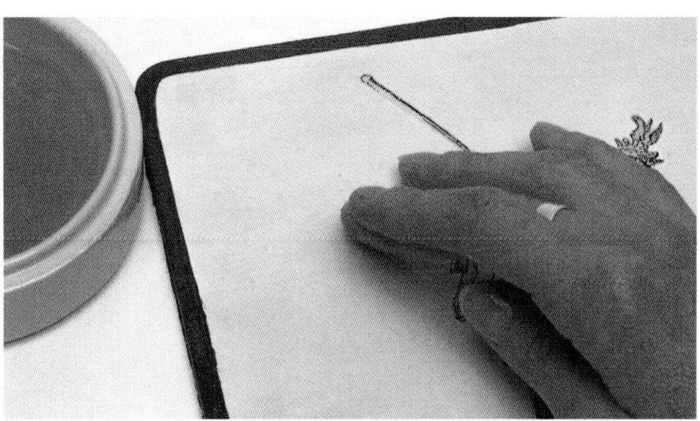

2 *Laisser sécher. Le vernis est prêt pour la deuxième étape lorsqu'il semble sec et doux, mais qu'il est un peu collant au toucher.*

VERNIS CRAQUELÉ À BASE D'EAU

Si vous achetez un vernis craquelé à base d'eau dans un bon magasin, vous pourrez choisir entre des craquelures fines ou larges. Pour rehausser l'effet craquelé, appliquez de la peinture d'artiste à base d'huile sur toute la surface.

1 *Le liquide de la première étape est laiteux, mais devient transparent lorsqu'il est sec, au bout d'environ 20 minutes. Pour obtenir de petites craquelures, appliquer une deuxième couche et laisser sécher 20 minutes de plus.*

2 *Quand le vernis de la première étape est sec, appliquer celui de la deuxième étape. Vérifier que la couche de base est bien sèche en l'approchant de la lumière. Laisser sécher 20 minutes. Les craquelures apparaîtront sur toute la surface.*

3 *Avec un pinceau propre, appliquer la deuxième couche de vernis, celui qui est à l'eau. Bien couvrir toute la surface et s'assurer que le vernis adhère bien à la première couche. Laisser sécher d'une à quatre heures, préférablement toute une nuit. Aussitôt que le vernis commencera à sécher, les craquelures apparaîtront mais seront difficiles à voir. Un séchoir à cheveux à chaleur moyenne tenu à une certaine distance de la surface accélèrera l'apparition des craquelures.*

4 *Mettre environ 1 cm (¾ po) de peinture d'artiste à l'huile dans une assiette et ajouter une petite quantité d'essence minérale pour la diluer. Avec un chiffon doux, étendre la peinture sur toute la surface du vernis. Essuyer l'excédent avec un linge propre. L'effet craquelé sera mis en évidence par la peinture plus foncée.*

5 *Laisser sécher 24 heures. Appliquer trois ou quatre couches de vernis en le laissant sécher et en ponçant la surface entre chaque application. Résistant, le vernis lustré est idéal pour des napperons*

3 *Avec un linge doux trempé dans de l'essence minérale, appliquer la peinture d'artiste à l'huile sur le vernis. Laisser sécher environ 24 heures.*

4 *Appliquer quatre couches vernis polyuréthanne lustré en ponçant délicatement entre chaque application.*

Lampe en céramique

Le pied de cette lampe a été acheté dans une vente de garage mais vous en trouverez dans les centres de rénovation et les magasins de meubles. Ce type de lampe se prête bien à des illustrations d'animaux. Nous avons donc photocopié, agrandi et colorié à la main des images de lézards.

Matériel requis :

- Pied de lampe en céramique
- Papier abrasif fin et moyen
- Peinture-émulsion (latex) (jaune)
- Pinceaux ordinaires pour peinture au latex et vernis
- Motifs photocopiés
- Peinture à l'aquarelle (vert olive)
- Ciseaux et couteau d'artiste
- Colle blanche
- Éponge
- Vernis craquelé à l'huile
- Séchoir à cheveux (facultatif)
- Peinture d'artiste à l'huile (terre d'ombre naturelle)
- Essence minérale
- Vernis polyuréthanne (fini satiné)

CONSEIL

- Si vous choisissez un vernis craquelé à l'huile, vous devez terminer avec du vernis à l'huile. Vous pouvez appliquer une couche de laque entre le vernis craquelé et le vernis acrylique.

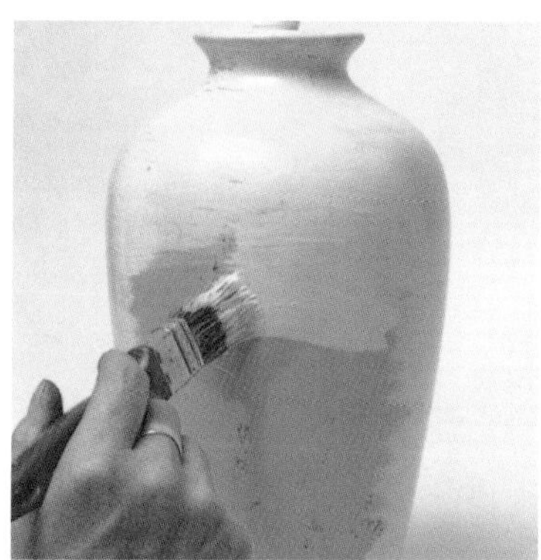

1 *Frotter la lampe délicatement avec un papier abrasif puis appliquer deux couches de peinture au latex.*

2 *Tandis que la peinture sèche, appliquer une mince couche d'aquarelle verte sur les lézards pour avoir un fini vieillot. Lorsqu'ils sont secs, couvrir les deux côtés des motifs avec la laque et laisser sécher.*

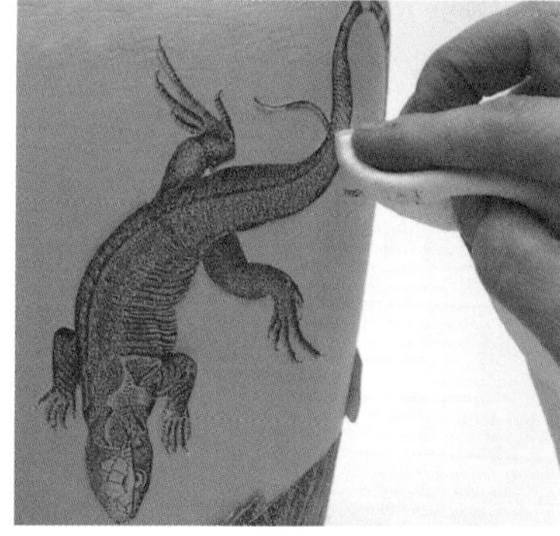

3 *Avec la colle blanche, coller les motifs découpés de lézards sur le pied de la lampe. Les fixer fermement et essuyer l'excédent de colle.*

4 *Lorsque la colle est sèche, procéder avec la première étape du vernis craquelé. Laisser sécher jusqu'à ce qu'il soit lisse, mais un peu collant au toucher.*

CONSEIL

- Nettoyez toujours l'excédent de colle autour des images parce qu'elle sera visible à travers le vernis craquelé et gâchera votre travail.

6 *Le temps de séchage dépend de la température et de l'humidité ambiantes. Après quelques heures, utiliser le séchoir pour accélérer la formation des craquelures.*

5 *Appliquer le vernis craquelé de la deuxième étape sur toute la surface.*

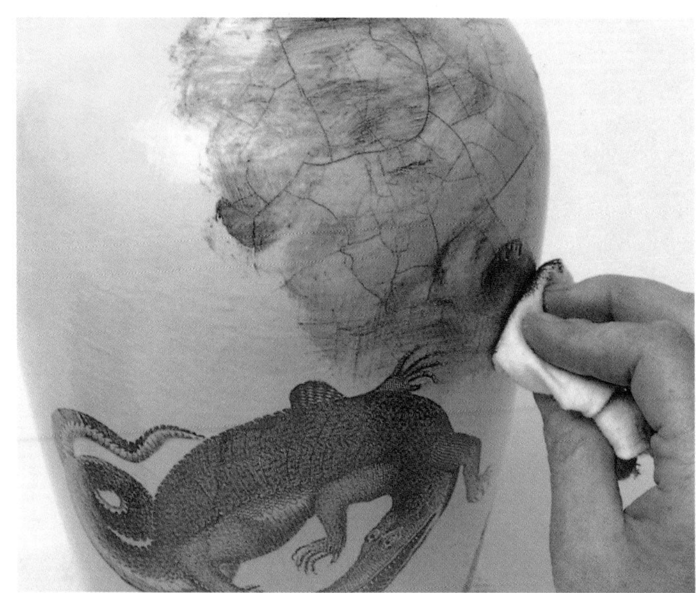

7 *Avec un linge, appliquer sur le pied de la lampe un mélange de peinture d'artiste à l'huile et d'essence minérale.*

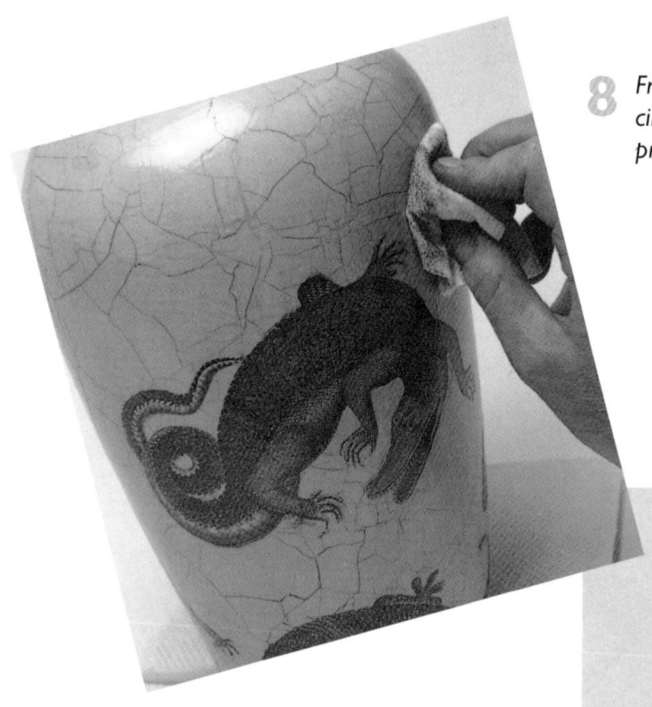

8 *Frotter le mélange sur les craquelures en mouvements circulaires et enlever tout excédent avec un linge propre. Laisser sécher deux heures.*

9 *Appliquer quatre ou cinq couches de vernis au fini satiné pour « effacer » les contours des dessins. Un vernis polyuréthanne donne un fini transparent idéal sur les lampes. Peindre l'abat-jour avec du latex vert foncé.*

Abat-jour en tissu

Les abat-jour sont offerts en plusieurs styles et formes. Le nôtre était usagé, mais un abat-jour neuf en tissu convient aussi. Vous pouvez utiliser n'importe quel motif, des oursons pour une chambre d'enfant, par exemple. Cette méthode est si facile que nous avons également créé un plateau assorti.

Matériel requis :

- Abat-jour
- Colle blanche
- Pinceau de 2,5 cm (1 po)
- Peinture-émulsion (latex) (bleu minuit)
- Pinceaux pour peinture au latex, à l'aquarelle, à l'acrylique et pour du vernis
- Motifs photocopiés
- Peinture à l'aquarelle (rose)
- Peinture d'artiste à l'acrylique (or)
- Ciseaux et couteau d'artiste
- Vernis

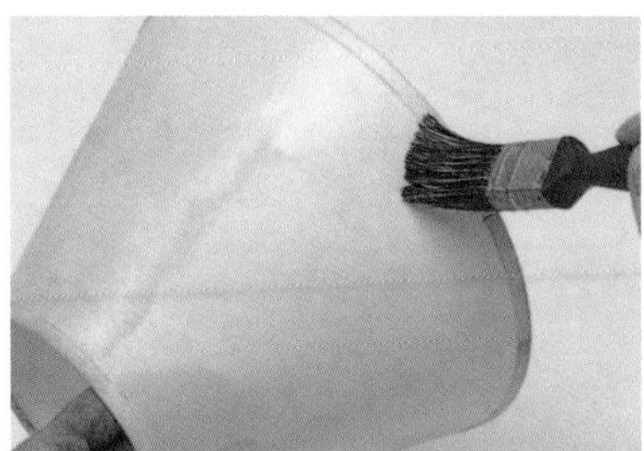

1 *Si le canevas est un abat-jour en tissu, étendre uniformément la colle blanche préalablement diluée jusqu'à l'obtention de la même consistance que la peinture. Cette colle résistera à la chaleur d'une ampoule de 60 W.*

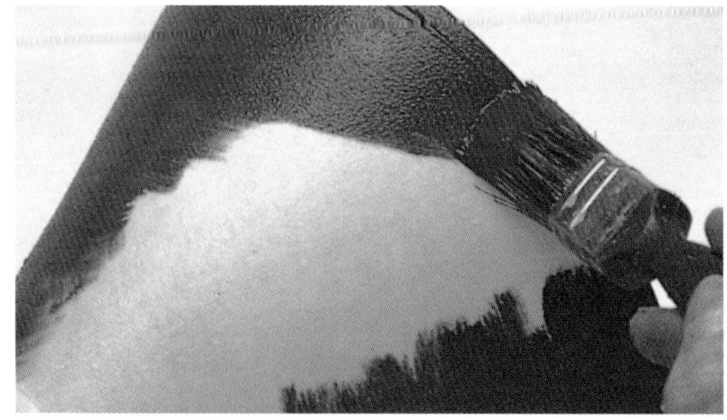

2 *Quand la colle blanche est sèche, appliquer deux couches de latex.*

3 *Peindre les anges avec l'aquarelle rose.*

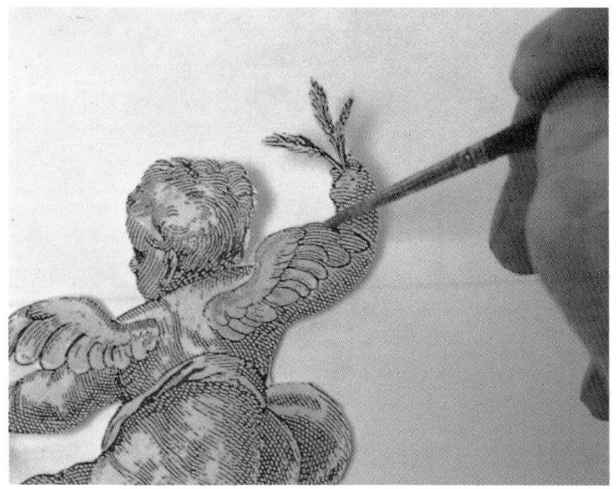

4 *Avec un pinceau fin, ajouter des ombres avec la peinture acrylique dorée.*

5 *Lorsque les anges sont secs, appliquer une couche de laque des deux côtés.*

6 *Découper et coller les anges sur l'abat-jour.*

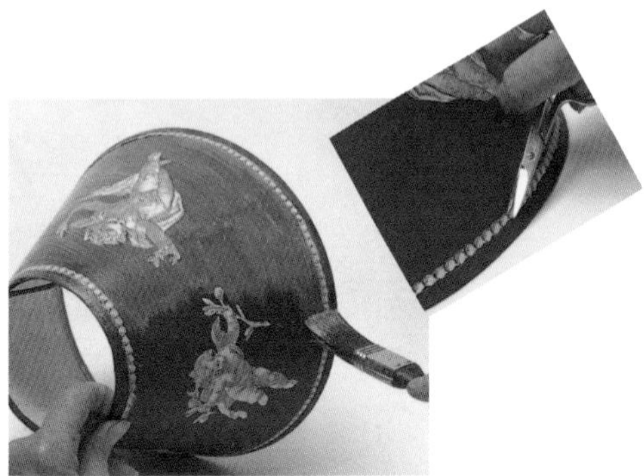

7 *Ajouter une bande en haut et en bas de l'abat-jour. À tous les 3 cm (1 po), faire une petite entaille pour éviter les bosses. Lorsque l'adhésif est sec, appliquer cinq couches de vernis pour que les contours deviennent invisibles..*

CONSEIL

- Lorsque vous collez des motifs sur une surface courbée, faites des petites entailles à tous les 2,5 cm (1 po) pour qu'ils soient bien plats.

PLATEAU

Nous avons appliqué une couche de peinture à l'acrylique, suivie de deux couches de latex bleu minuit. Une fois la peinture sèche, nous y avons collé des chérubins semblables à ceux qui ornent l'abat-jour avec de la colle blanche. Quand la surface a été sèche, nous avons appliqué une couche de vernis mat.

Un vernis craquelé à l'eau a ensuite été appliqué pour créer des craquelures discrètes (voir la page 96). Nous avons procédé avec les deux étapes habituelles de vernis craquelé et au bout de 20 minutes, les craquelures sont apparues. Nous avons ensuite frotté le plateau avec un peu de peinture d'artiste terre d'ombre naturelle et laissé sécher toute la nuit. Puis, quatre couches de vernis polyuréthanne ont été appliquées.

Porte-lettres

Ce porte-lettres en MDF uni a été acheté et décoré pour offrir en cadeau de mariage. Les motifs ont été photocopiés d'un registre de voyage du roi George V et de la reine Marie, datant de 1901. Nous avons ajouté quelques timbres provenant de la même époque.

Matériel requis :

- Porte-lettres
- Laque
- Pinceau à laque
- Peinture-émulsion (latex) (bleu foncé)
- Pinceau régulier de 2,5 cm (1 po)
- Peinture à l'aquarelle
- Ciseaux et couteau d'artiste
- Colle blanche
- Éponge et rouleau
- Pinceau à aquarelle
- Peinture à l'acrylique (or)
- Vernis polyuréthanne (fini satiné)
- Papier abrasif fin
- Laine d'acier fine

1 *Sceller le porte-lettres avec de la laque. Lorsqu'elle est sèche, appliquer deux couches de peinture-émulsion (latex).*

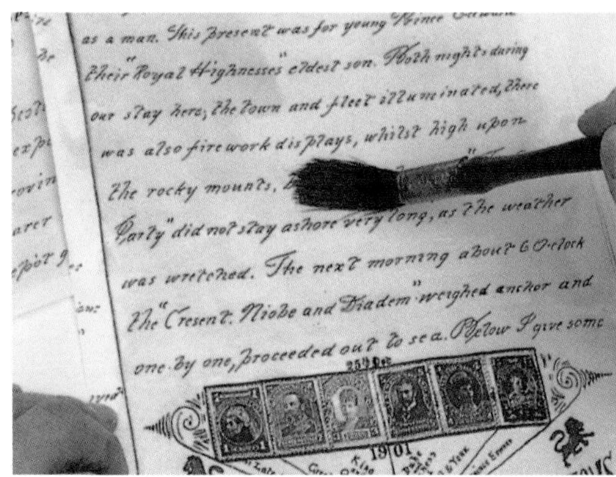

2 *Lorsque la peinture est sèche, peindre les photocopies à l'aquarelle brun pâle pour donner un effet vieillot, sans trop les mouiller. Laisser sécher.*

3 *Appliquer de la laque sur les deux côtés des motifs. Découper les motifs et les coller sur le porte-lettres avec de la colle blanche.*

4 *Avec un pinceau fin, appliquer la peinture à l'acrylique dorée sur les contours du porte-lettres.*

5 *Lorsque sèche, frotter les coins avec une laine d'acier fine pour donner un aspect antique.*

6 *Appliquer quatre couches de vernis polyuréthanne satiné en ponçant entre chaque application.*

CONSEIL

- Vous pouvez fabriquer un pot à crayons à partir d'un contenant en carton ou d'une boîte de conserve. C'est une belle façon de garder les cartes de souhaits que vous avez reçues et que vous ne voulez pas jeter. Voir la page 92 pour savoir comment séparer les images d'une carte de souhaits.

Coffre en métal

Ce vieux coffre en métal était rangé dans un garage depuis plusieurs années. Il appartenait à une tante qui l'utilisait pour envoyer ses bagages lors de ses nombreux voyages en Afrique. Nous avons d'abord enlevé la rouille, puis le coffre a été rajeuni pour servir à la fois d'espace de rangement et de table basse.

Matériel requis :

- Coffre en métal
- Papier abrasif à grains fins et moyens
- Décapant à rouille
- Pinceaux peu chers pour enlever la rouille, peindre à l'oxyde de fer et appliquer la laque
- Peinture à l'oxyde de fer antirouille
- Essence minérale
- Apprêt/couche de fond
- Peinture-émulsion (latex)
- Pinceaux pour la peinture et le vernis
- Papier d'emballage avec motifs au choix
- Laque
- Alcool méthylique
- Ciseaux et couteau d'artiste
- Ruban-cache
- Colle blanche
- Éponge ou rouleau
- Vernis polyuréthanne (mat)
- Peinture d'artiste à l'huile (terre d'ombre naturelle)
- Cire

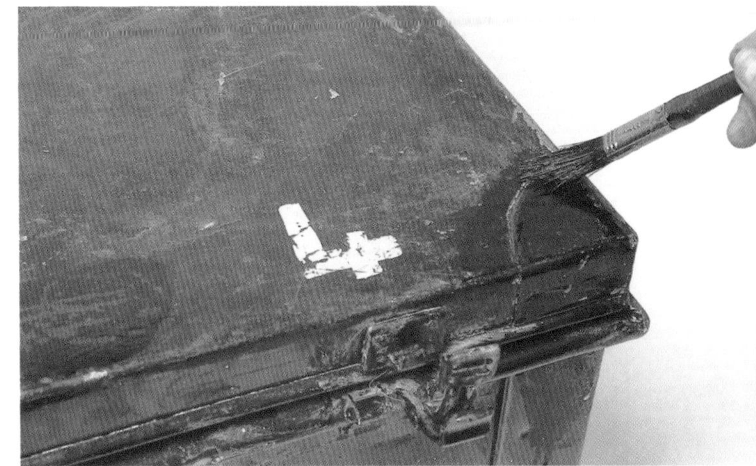

1 *Laver le coffre pour enlever la saleté et la graisse et laisser sécher. Avec un papier abrasif à grains moyens, enlever la vieille peinture et la rouille et épousseter avec un pinceau doux. Appliquer le décapant à rouille au besoin, en n'oubliant pas l'intérieur du coffre. Le décapant devient blanc lorsqu'il est appliqué sur la rouille ; procéder jusqu'à ce qu'il n'y ait plus de blanc.*

2 *Peindre le coffre à l'intérieur et à l'extérieur avec la peinture à l'oxyde de fer rouge. Nettoyer le pinceau à l'essence minérale.*

CONSEIL

- Prenez toujours le temps de retirer toute trace de rouille. Il serait dommage de travailler sur un objet qui serait vite gâché par les taches de rouille négligées qui réapparaîtront.

3 *Peindre le coffre avec une couche d'apprêt. Lorsqu'elle est sèche, appliquer deux couches de peinture-émulsion (latex) en hachures croisées pour donner une apparence antique et inégale.*

CONSEIL

- Lorsque vous utilisez des motifs de papier d'emballage, ayez toujours deux feuilles sous la main au cas où il se déchirerait ou si vous commettez une erreur.

4 *Utiliser un pinceau fin pour peindre les poignées et les bandes d'une couleur contrastante.*

5 *Appliquer la laque des deux côtés du papier et nettoyer le pinceau avec de l'alcool méthylique. Lorsque la laque est sèche, découper délicatement les motifs désirés.*

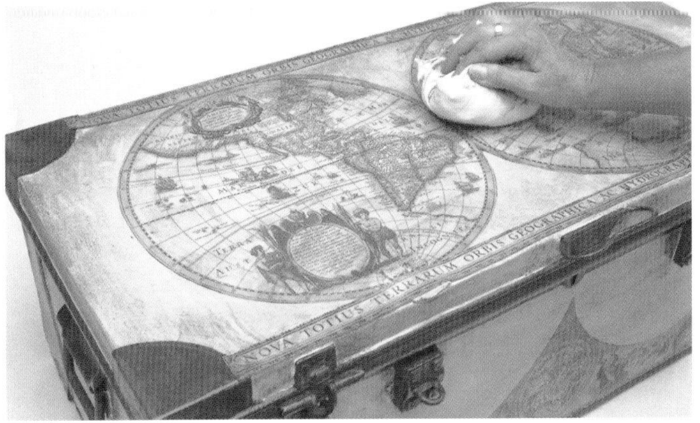

6 *Placer les motifs sur le coffre en les fixant avec du ruban-cache. Marquer leurs positions finales avec un crayon. Enlever le ruban-cache et appliquer une couche uniforme de colle blanche à l'endos des motifs. Les aplanir sur le coffre avec un rouleau ou une éponge. Lorsque la colle est sèche, appliquer une couche de vernis polyuréthanne mat pour éviter les accumulations de peinture autour des motifs découpés.*

7 *Avec un linge doux, appliquer ici et là un mélange de peinture d'artiste à l'huile et d'essence minérale sur la surface du coffre. Nous avons choisi de faire les bandes et les coins plus foncés et d'appliquer plus de peinture à l'huile sur les barrures et autres endroits qui seraient susceptibles de rouiller. Laisser sécher toute une nuit avant d'appliquer trois ou quatre couches de vernis en prenant soin de laisser sécher chaque couche et de poncer légèrement entre chaque application. Finalement, lustrer avec plusieurs couches de cire.*

Boîte à clés

Cette boîte à clés en bois naturel a été trouvée dans une boutique de meubles, mais on peut s'en procurer dans les grands magasins. D'autres objets, comme des petites étagères et armoires, se prêtent très bien au découpage.

4 *Appliquer deux couches de peinture-émulsion (latex) de couleur crème sur le panneau du devant, la première couche un peu plus foncée que la seconde. Ainsi, les lignes visibles du bois donneront de la profondeur au panneau. Laisser sécher.*

1 *Frotter délicatement la surface de la boîte avec du papier abrasif fin.*

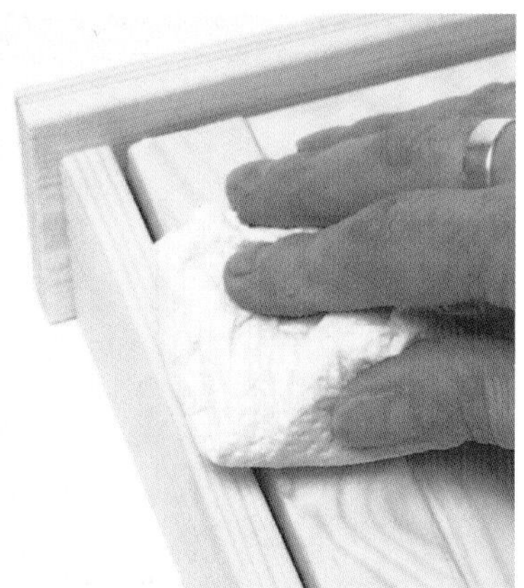

2 *Avec de l'essence minérale sur un linge propre, enlever la poussière et le gras, puis sceller la boîte. Nous avons utilisé de la laque à poncer au lieu d'un apprêt blanc pour conserver le grain du bois et obtenir un effet usé.*

3 *Peindre les panneaux extérieurs, le haut, le bas et l'intérieur de la boîte avec deux couches de peinture-émulsion (latex) rouge brique.*

Matériel requis :

- Boîte à clés non peinte
- Papier abrasif fin
- Essence minérale
- Laque ou apprêt à l'acrylique
- Pinceaux pour laque, vernis (2), peinture-émulsion (latex) et aquarelles
- Peinture-émulsion (latex) (rouge brique, bleue et deux nuances de crème)
- Bougie en cire
- Photocopies d'armoiries et d'anciennes clés
- Peintures à l'aquarelle
- Séchoir à cheveux (facultatif)
- Ciseaux et couteau d'artiste
- Colle blanche
- Éponge ou rouleau
- Laine d'acier fine
- Vernis craquelé à base d'eau
- Peinture d'artiste à l'huile (terre d'ombre naturelle)
- Essence minérale
- Vernis à l'huile (mat)

5 *Avec une bougie en cire, frotter les endroits qui auront l'air usé – près de la poignée et les contours de la porte. La cire facilite le retrait de la couleur contrastante avec la laine d'acier.*

6 *Peindre les contours de la porte avec de la peinture-émulsion (latex) bleue.*

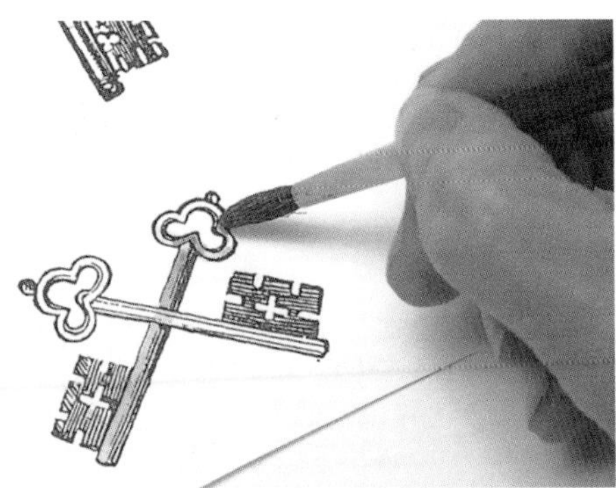

7 *Pendant que la peinture sèche, colorier les motifs et les faire sécher au séchoir à cheveux si désiré.*

8 *Lorsque les motifs sont secs, les découper et enduire les deux côtés de laque.*

9 *Appliquer de la colle blanche à l'endos des motifs et les placer au centre du panneau en les aplanissant avec une éponge humide ou un rouleau.*

10 *Lorsque la colle est sèche, utiliser une laine d'acier fine pour donner un aspect usé aux endroits frottés avec la bougie plus tôt. Enlever toute trace de poussière avec un pinceau sec.*

11 *Procéder avec la première étape du vernis craquelé et laisser sécher pendant 20 minutes.*

12 *Procéder avec la deuxième étape du vernis craquelé et laisser sécher complètement.*

13 *Avec un linge doux trempé dans l'essence minérale, appliquer la peinture d'artiste à l'huile dans les craquelures. Frotter l'excédent de peinture.*

14 *Laisser sécher toute une nuit, puis appliquer deux ou trois couches de vernis mat.*

Boîte en bois

Ces boîtes circulaires sont vendues dans les magasins d'artisanat et parfois en catalogues. Offertes dans un vaste choix de dimensions, elles sont idéales pour confectionner un cadeau personnalisé.

Matériel requis :

- Boîte en bois
- Laque
- Peinture-émulsion (latex) (noire)
- Pinceaux pour appliquer la laque, le latex, l'aquarelle et le vernis
- Motifs photocopiés
- Peinture à l'aquarelle
- Ruban-cache
- Colle blanche
- Ruban (facultatif)
- Vernis acrylique

1 *Sceller la surface de la boîte avec une couche de laque. Lorsqu'elle est sèche, appliquer une couche de peinture-émulsion (latex) noire qui deviendra gris foncé en séchant.*

2 *Pendant que la boîte sèche, peindre les motifs à l'aquarelle. Nous avons opté pour des lions trouvés dans un livre d'histoire et les avons peints en jaune. Lorsqu'ils sont secs, appliquer de la laque des deux côtés des motifs.*

3 *Placer les motifs sur la boîte en les fixant temporairement avec du ruban-cache. Ensuite, enlever le ruban-cache et coller les motifs avec la colle blanche.*

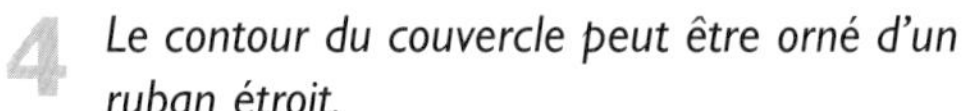

4 *Le contour du couvercle peut être orné d'un ruban étroit.*

5 *Lorsque la colle est sèche, appliquer au moins cinq couches de vernis acrylique à séchage rapide.*

Arrosoir

Ce type d'arrosoir est vendu dans les centres de rénovation et jardineries. Il est possible de l'utiliser une fois peint, à condition de protéger les motifs découpés avec plusieurs couches de vernis et en prenant soin de ne pas le cogner, ce qui ferait écailler le vernis.

1 *Enlever toute trace de gras en frottant doucement la surface avec une solution composée d'une partie de vinaigre pour une partie d'eau. S'il s'agit d'un vieil arrosoir, procéder comme pour le coffre (page 105).*

Matériel requis :

- Arrosoir en fer galvanisé
- Vinaigre
- Peinture à l'oxyde de fer antirouille
- Pinceaux peu chers pour appliquer la peinture antirouille et la laque
- Peinture-émulsion (latex) (bleu pâle)
- Pinceaux ordinaires
- Motifs de papier d'emballage ou autres
- Laque
- Ciseaux et couteau d'artiste
- Ruban-cache
- Colle blanche
- Éponge ou rouleau
- Pinceau à aquarelle
- Peintures acryliques
- Peinture d'artiste à l'huile (terre d'ombre naturelle)
- Essence minérale
- Vernis à séchage rapide
- Polyuréthanne (lustré)

2 *Appliquer une couche de peinture antirouille rouge avec un pinceau peu cher.*

3 *Lorsque sec, appliquer deux couches de peinture-émulsion (latex). Laisser sécher.*

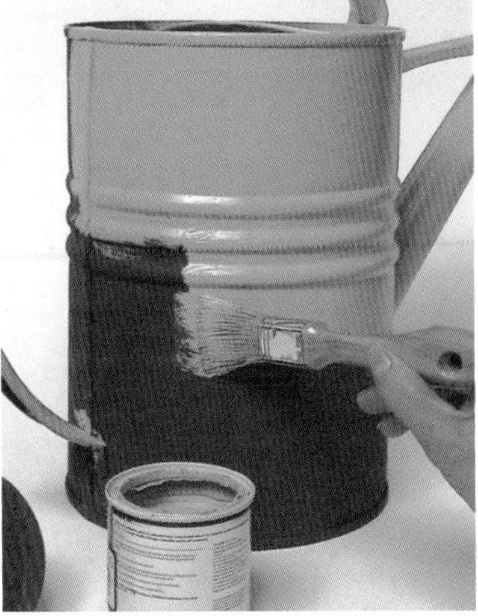

4 *Pendant que la peinture sèche, préparer les motifs en enduisant les deux côtés de laque. Découper les motifs lorsqu'ils sont secs.*

CONSEIL

■ De petites quantités de peintures acryliques vous seront utiles pour mélanger les couleurs avec le latex et ainsi obtenir de nombreuses nuances qui serviront aux retouches, aux ombres ou aux contours.

5 *Placer les motifs sur l'arrosoir en les fixant temporairement avec des petits bouts de ruban-cache. Ensuite, tracer discrètement leurs positions avec un crayon. Enlever le ruban-cache et coller les motifs avec la colle blanche en les aplanissant avec une éponge humide ou un petit rouleau.*

6 *Pendant que la colle sèche, peindre les contours avec la peinture d'artiste à l'acrylique en utilisant un pinceau à aquarelle, idéal pour les endroits peu commodes ou restreints.*

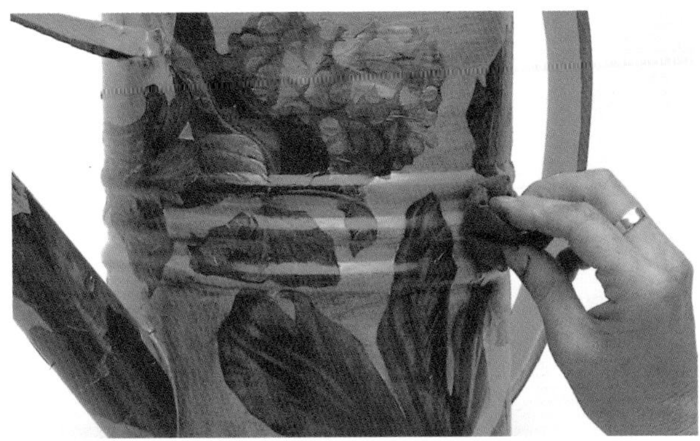

7 *Lorsque la colle et la peinture sont sèches, mélanger un peu d'ombre naturelle à de l'essence minérale et y tremper un linge propre. Frotter la surface de l'arrosoir pour lui donner un aspect vieillot. Ajouter du glacis vieillissant aux endroits qui, normalement, seraient plus usés.*

8 *Appliquer au moins quatre couches de vernis à séchage rapide pour « effacer » les contours des motifs. Donner une couche finale de polyuréthanne lustré. Pour pouvoir utiliser l'arrosoir, appliquer au moins cinq couches supplémentaires de vernis. Manier l'arrosoir de façon à ce que l'eau ne pénètre pas sous le vernis.*

Table peinte avec effet craquelé

Lorsque vous aurez commencé à transformer de vieux meubles avec la technique de découpage, rien n'échappera à votre attention. Cette vieille table était à l'extérieur depuis plusieurs années, mais en ponçant sa surface pour enlever le vieux vernis et en la préparant adéquatement, elle était prête à entamer sa deuxième vie.

Matériel requis :

- Petite table en bois
- Papier abrasif à grains fins et moyens
- Apprêt/couche de fond en acrylique
- Pinceaux pour l'apprêt, le glacis craquelé et la peinture-émulsion (latex)
- Peinture-émulsion (latex) (mauve et jaune)
- Glacis craquelé
- Pinceaux plats
- Motifs de papier d'emballage ou autres
- Laque
- Ciseaux et couteau d'artiste
- Ruban-cache
- Colle blanche
- Éponge ou rouleau
- Vernis acrylique à séchage rapide

1 *Poncer la surface de la table avec un papier abrasif à grains moyens, puis à grains fins. Après avoir enlevé la poussière, appliquer une couche d'apprêt à l'acrylique.*

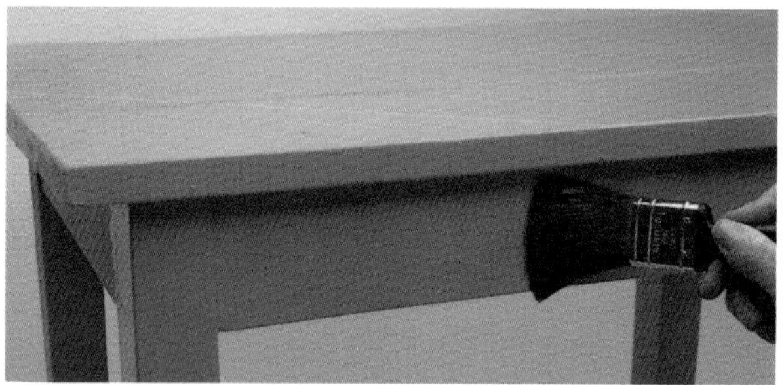

2 *Peindre la surface avec de la peinture-émulsion (latex). La couleur sera apparente dans les craquelures. Lorsque la peinture est sèche, appliquer une couche de glacis craquelé.*

3 *Lorsque le glacis est sec, après environ 30 minutes, appliquer une deuxième couche de peinture-émulsion (latex). Saturer le pinceau et couvrir la surface de la table en un mouvement. Si deux couches sont appliquées, l'effet craquelé échouera. Les craquelures apparaîtront pendant que la peinture sèche.*

4 *Avec un pinceau plat, peindre les contours de la table avec la couleur contrastante de peinture-émulsion*

CONSEIL

- Appliquez des couches de vernis sur les motifs jusqu'à ce que vous en « perdiez » les contours. Lorsqu'ils sont secs, vous pouvez les couvrir d'une couche de vernis à l'huile satiné.

5 *Pendant que la peinture sèche, appliquer la laque des deux côtés des motifs et les découper lorsqu'ils sont secs. Placer les motifs sur la table en les fixant temporairement avec du ruban-cache.*

6 *Avec la colle blanche, coller les motifs aux endroits désirés et les aplanir avec une éponge humide ou un rouleau. S'il s'agit d'une grande table, un rouleau à pâte peut aussi convenir.*

7 *Utiliser une éponge humide pour fixer les motifs dans les coins.*

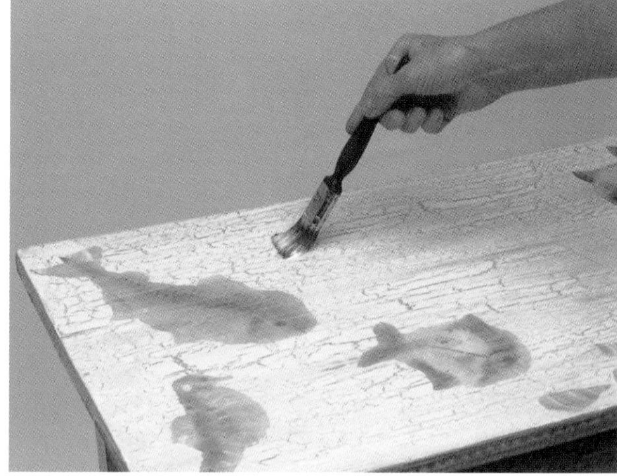

8 *Lorsque la colle est sèche, appliquer quatre ou cinq couches de vernis acrylique à séchage rapide.*

SEAU EN FER GALVANISÉ

Ce vieux seau en fer galvanisé a été trouvé dans les ordures, mais sa forme était si inhabituelle que nous avons décidé de lui donner une seconde vie. Inspirant, mais très taché, il fallait d'abord le nettoyer avant de le décorer.

1 *Enlever le plus de saleté possible avec une brosse raide, puis poncer avec du papier abrasif moyen pour enlever la rouille. Appliquer du décapant à rouille jusqu'à ce qu'il n'y ait plus de taches blanches lors de son application. Ensuite, peindre le seau à l'intérieur et à l'extérieur avec de la peinture antirouille.*

2 *Parce que nous voulions que la peinture d'oxyde de fer rouge soit visible dans les craquelures, nous l'avons choisie comme couche d'apprêt. Nous aurions pu appliquer toute autre couleur. Lorsque la couche d'apprêt est sèche, appliquer une couche de glacis craquelé sur toute la surface du seau.*

Matériel requis :

- Seau en fer
- Papier abrasif à grains fins et moyens
- Décapant à rouille
- Pinceaux peu chers pour le décapant et la peinture à oxyde de fer
- Peinture d'oxyde de fer antirouille
- Apprêt/couche de fond (facultatif)
- Glacis craquelé
- Pinceaux ordinaires de 3 cm (1¼ po) pour le glacis et la peinture
- Peinture-émulsion (latex) (vert océan et bleu foncé)
- Motifs de papier d'emballage ou autres
- Laque
- Ciseaux et couteau d'artiste
- Pâte adhésive (facultative)
- Colle blanche
- Éponge ou rouleau
- Peinture d'artiste à l'huile (terre d'ombre naturelle)
- Essence minérale
- Vernis à séchage rapide (mat)
- Vernis à l'huile (mat)
- Cire

3 *Lorsque le glacis est sec, appliquer une couche de peinture-émulsion (latex). Saturer le pinceau mais ne pas couvrir les endroits déjà peints pour ne pas nuire aux craquelures. Les craquelures commencent à apparaître durant que la deuxième couche sèche. Laisser sécher.*

5 *Appliquer la laque des deux côtés des motifs ou du papier d'emballage. La laque de couleur miel donne un aspect vieillot.*

4 *Lorsque les motifs sont secs, les découper et les coller sur le seau avec la colle blanche. Les aplanir avec une éponge humide ou un petit rouleau.*

6 *Avec la pointe du couteau d'artiste, vérifier que toutes les bordures sont bien collées et ajouter de la colle au besoin. Enlever les bulles d'air en faisant des petits trous avec le couteau d'artiste enduit d'un peu de colle.*

7 *Diluer une petite quantité de peinture d'artiste à l'huile dans un peu d'essence minérale. Appliquer ce glacis antique avec un linge propre sur toute la surface du seau.*

CONSEIL

- Le glacis craquelé, offert dans tous les bons magasins d'artisanat, peut servir à rehausser le fond d'un découpage. Il fera craquer la couche de peinture du dessus et révélera la couleur de la couche de fond.

8 *Avec un pinceau, appliquer le glacis antique aux endroits plus susceptibles d'être « sales ». Tremper le linge dans le glacis et en ajouter dans les coins et sur les bordures.*

9 *Appliquer cinq couches de vernis à séchage rapide pour « perdre » les contours des motifs. Une fois sec, le vernis sera transparent.*

CONSEIL

- Appliquez du glacis craquelé peut faire des dégâts et tacher les mains. Il est préférable de porter des gants de caoutchouc.

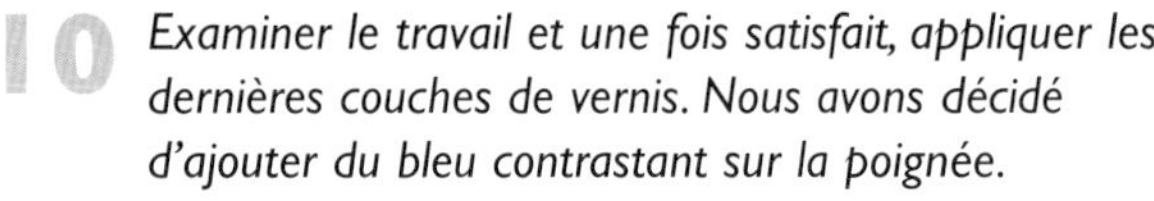

10 *Examiner le travail et une fois satisfait, appliquer les dernières couches de vernis. Nous avons décidé d'ajouter du bleu contrastant sur la poignée.*

11 *Appliquer une couche finale de vernis à l'huile satiné et lorsqu'il est sec, polir avec la cire pour donner un fini lustré.*

CONSEIL

- Puisqu'il y a de nombreux types de vernis offerts sur le marché, lisez toujours les directives du fabricant avant de commencer.

PORTE-REVUES

Ce vieux porte-revues a été transformé en cadeau pour un ami qui allait vivre à Paris. Les motifs antiques « journaux français » ont été photocopiés d'un livre de découpage. De nos jours, la variété des motifs disponibles est illimitée.

Matériel requis :

- Porte-revues
- Papier abrasif à grains fins et moyens
- Essence minérale
- Pinceaux pour apprêt, laque et peintures à l'aquarelle et lustrées
- Apprêts à l'acrylique
- Peinture lustrée (noire)
- Pages de journaux photocopiées
- Ciseaux
- Peinture à l'aquarelle (verte)
- Pinceaux ordinaires
- Laque
- Ruban-cache
- Colle blanche
- Vernis lustré

1 *Utiliser du papier abrasif moyen pour poncer le porte-revues et le nettoyer à l'essence minérale. Appliquer l'apprêt et lorsque sec, une couche de peinture lustrée noire. Laisser sécher toute une nuit.*

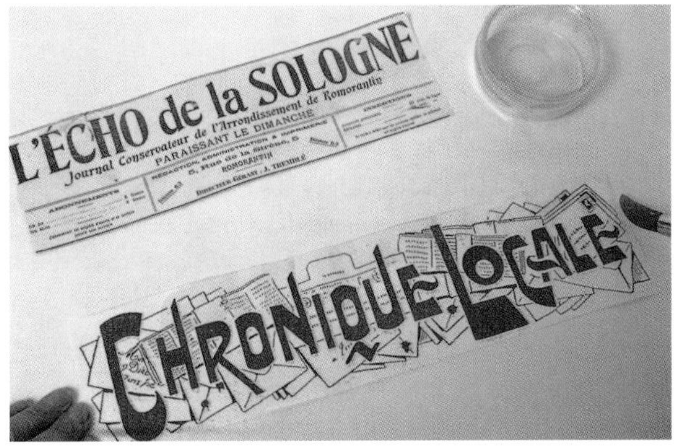

2 *Découper les motifs du papier journal et les peindre avec l'aquarelle verte pour les vieillir.*

3 *Lorsqu'ils sont secs, enduire de laque les deux côtés des motifs.*

4 *Placer les motifs au goût en les fixant temporairement avec des petits bouts de ruban-cache. Ensuite, enlever le ruban-cache et coller les motifs aux endroits choisis avec la colle blanche.*

5 *Laisser la colle sécher avant de vernir. Appliquer au moins cinq couches de vernis en ponçant légèrement entre chaque application.*

CONSEIL

- Lorsque vous désirez un fond noir, utilisez une peinture noire lustrée. La peinture-émulsion (latex) noire deviendra grise foncée en séchant.

PETIT BUREAU

Ce joli petit bureau a été trouvé lors d'un encan caritatif. Il avait été laissé sous la pluie, ce qui a soulevé le placage et révélé l'essence de pin. Sa dimension était si parfaite et son utilité si flagrante qu'il nous a été impossible d'y résister !

Matériel requis :

- Papier abrasif à grains moyens
- Essence minérale
- Apprêt à l'acrylique
- Pinceaux ordinaires larges et minces pour l'apprêt, le glacis craquelé et la peinture-émulsion (latex)
- Motifs de papier d'emballage ou autres
- Laque
- Peinture-émulsion (latex) (crème, bleu foncé et sable)
- Éponge naturelle
- Ciseaux et couteau d'artiste
- Ruban-cache
- Colle blanche
- Éponge ou rouleau
- Vernis acrylique
- Vernis craquelé à base d'huile (facultatif)
- Vernis à base d'huile (fini satiné)
- Cire

1 *Enlever le vieux vernis et la cire en les frottant avec le papier abrasif et de l'essence minérale.*

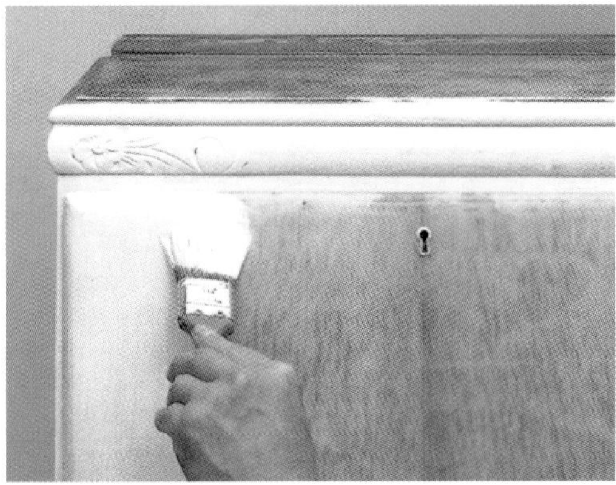

2 *Appliquer une couche d'apprêt à l'acrylique. Pendant le séchage, appliquer la laque des deux côtés des motifs.*

3 *Lorsque la couche d'apprêt est sèche, peindre le bureau avec la première couche de peinture-émulsion (latex) crème.*

4 *Laisser sécher la peinture, puis avec l'éponge, appliquer le bleu et le sable de façon aléatoire sur la couche de crème. Tourner le poignet pour faire varier les motifs. Si le résultat n'est pas satisfaisant, essuyer la peinture avant qu'elle ne sèche.*

5 *Avec un pinceau mince, peindre les contours du bureau avec la peinture-émulsion (latex) bleue.*

6 *Pendant que la peinture sèche, découper les motifs choisis et les placer sur la surface du bureau en les fixant avec des petits bouts de ruban-cache. Ensuite, enlever le ruban-cache et coller les motifs aux endroits désirés avec la colle blanche. Aplanir les motifs avec une éponge humide ou un rouleau.*

7 *Avec un couteau d'artiste, vérifier si les contours des motifs sont bien collés et percer les bulles d'air. Au besoin, insérer de petites quantités de colle avec le bout du couteau, puis aplanir les motifs à nouveau.*

8 *Appliquer au moins quatre couches de vernis acrylique pour « perdre » les contours des motifs. Lorsque tout est sec, appliquer une couche de vernis craquelé à l'huile. Terminer avec un vernis satiné et une couche de cire.*

CONSEIL

- Avant de coller un gros motif sur une surface, préparez-le soigneusement avec de la laque. En plus de prévenir les déchirures, la laque contribue à éliminer les bulles d'air et les faux-plis.

Corbeille à papier

Cette corbeille, parée d'un collage d'illustrations découpées dans des magazines d'humour et d'informatique, sera placée dans une chambre de garçon.

Matériel requis :

- Corbeille à papier en métal
- Apprêt en acrylique
- Peinture-émulsion (latex) (rouge)
- Pinceaux pour peinture et vernis
- Bandes dessinées et magazines
- Ciseaux et couteau d'artiste
- Laque
- Colle blanche
- Vernis acrylique à séchage rapide
- Vernis acrylique (lustré)

1 *Peindre l'intérieur et l'extérieur de la corbeille avec l'apprêt à l'acrylique, puis appliquer deux couches de peinture-émulsion (latex) d'une couleur vive qui sera visible entre les éléments du collage.*

2 *Pendant que la peinture sèche, découper les images des magazines. Enduire de laque les deux côtés des images. Il est parfois plus facile d'appliquer la laque avant de découper.*

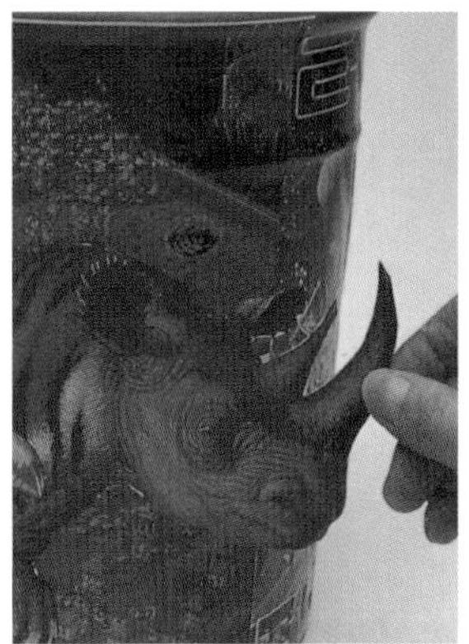

3 *En commençant par les plus grandes, coller les images sur la corbeille avec la colle blanche.*

4 *Lorsque la colle est totalement sèche, appliquer cinq couches de vernis à l'acrylique, puis une couche finale de vernis lustré.*

5

TRAVAIL DE LA TÔLE

Le travail de la tôle et la peinture sur tôle sont originaires de la France. En effet, ce sont les Français qui ont mis au point des matériaux sophistiqués ou « vernissures » pour imiter les superbes finis lustrés qui étaient importés du Japon à la fin du 17e siècle et au début du 18e. Des œuvres magnifiques ont été confectionnées, dont les célèbres plateaux Chippendale de style rococo, ornés de motifs floraux et de feuilles d'or.

On doit aux premiers colons américains l'apparition des articles en fer blanc qui n'était pas décoré à l'époque. Ce n'est qu'à la fin du 18e siècle que le fer blanc américain a été verni à la manière européenne.

Peu après, les ferblantiers ont commencé à peindre le fer blanc. Les objets privilégiés étaient alors les plateaux, les pichets, les cafetières et les coffres. Aujourd'hui, nous redécouvrons le plaisir des artistes du passé en créant des accessoires colorés et personnalisés qui embellissent nos demeures.

ÉQUIPEMENT ET MATÉRIEL

PEINTURES

Les peintures acryliques et les apprêts à base d'eau ont été utilisés pour tous les projets de ce chapitre parce qu'ils s'appliquent et sèchent rapidement et qu'ils ne contiennent pas de substances toxiques.

Jusqu'à récemment, il semblait préférable d'utiliser des produits à base d'huile sur le fer blanc en raison de sa surface non absorbante qui favorisait l'écaillage de la peinture. Toutefois, l'abandon graduel des produits à l'huile et au solvant privilégie l'utilisation de produits à base d'eau.

APPRÊTS

Il existe deux types d'apprêts, l'un pour le fer blanc galvanisé, ou recouvert de zinc, l'autre pour les métaux non ferreux (laiton, cuivre, etc.). La majorité des objets en fer blanc sont galvanisés.

COUCHES DE FOND

Les peintures acryliques peuvent être achetées en grands contenants dans les magasins d'artisanat.

Les peintures-émulsion, qui peuvent servir de couche de fond sur le bois, ne conviennent pas au fer blanc. Elles adhèrent aux surfaces en y pénétrant, ce qui est impossible avec le métal.

Des couches de fond à base d'huile sont possibles à condition d'appliquer d'abord un apprêt à l'huile.

Les peintures-émail peuvent être utilisées sur le métal. Elles donnent un fini lustré de style vernis-laque, similaire aux objets vernis d'antan. Ces peintures sont à base d'huile ; il est donc important d'appliquer une couche de laque ou de scellant à poncer pour isoler la couche de fond des motifs en acrylique. Finalement, vous pouvez utiliser les peintures à métal cellulosiques et **à voiture, en vaporisateur**. Compatibles avec les acryliques, vous pouvez peindre les motifs directement sur les finis.

AUTRES FOURNITURES

LIQUIDE ANTIROUILLE

« Peinture » qui contient des produits chimiques qui scellent et préviennent la rouille. Vous en aurez besoin pour préparer le vieux fer blanc rouillé.

LAQUE, SCELLANT À PONCER ET CIRE BLANCHE

Ces produits scellent et protègent. À base de solvant, ils sèchent rapidement et sont compatibles avec les préparations à base d'huile et d'eau.

ALCOOL MÉTHYLIQUE

En plus de nettoyer les pinceaux, l'alcool méthylique peut enlever les peintures acryliques et à base d'eau des surfaces, incluant les peintures diluées. Il sert aussi à enlever de la peinture pour obtenir un fini usé ou antique.

FEUILLES D'OR

Les feuilles d'or sont offertes en or véritable (très coûteuses) ou en tombac, choix plus économique. Elles sont vendues en feuilles libres ou en papier transfert. Ce dernier est plus facile à utiliser grâce à sa pellicule protectrice. Évitez de toucher aux feuilles car elles marquent facilement. Contrairement aux feuilles en or véritable, le tombac ternira s'il n'est pas verni ou laqué.

POUDRES DE BRONZE

Ces poudres métalliques sont faites de cuivre, d'aluminium ou d'alliages. On doit également les protéger avec un vernis ou une laque.

MIXTION À DORER

La mixtion à dorer adhère aux feuilles de métal et est disponible en différentes catégories de temps de séchage, allant de 30 minutes à 24 heures.

VERNIS

Les vernis à base d'huile exigent un long temps de séchage de 24 heures ou plus, et peuvent jaunir les couleurs parce qu'ils contiennent de l'huile de lin. Les vernis à base d'eau sèchent très rapidement et vous pouvez en appliquer plus d'une couche dans la même journée. Sans huile, ils ne jaunissent pas avec le temps.

PINCEAUX ET APPLICATEURS

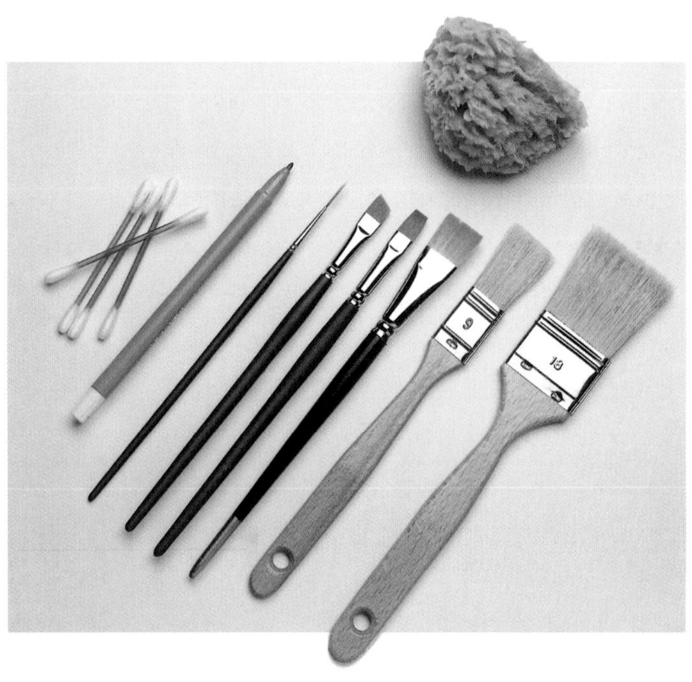

Il y a deux catégories de pinceaux : les pinceaux à vernis, ou à apprêt, et les pinceaux d'artiste.

PINCEAUX À VERNIS

Les pinceaux à vernis sont plats et disponibles en plusieurs grosseurs. Ceux de 2 cm (1 po) et de 4 cm (1½ po) sont les plus utilisés pour apprêter, appliquer une couche de fond et vernir les petits objets.

PINCEAUX D'ARTISTE

Les pinceaux d'artiste comprennent les pinceaux fins servent à tracer des lignes ou des vrilles fines et les pinceaux plats ou à angle servent à peindre des bordures plus larges.

STYLET

Cet outil polyvalent est utile pour tracer des dessins sur des objets ou pour peindre des petits points.

AUTRE MATÉRIEL

PAPIER ABRASIF

Le papier abrasif à gros grains sert à poncer les articles peints à l'émail avant de les apprêter. À grains fins, il est utile pour poncer entre les couches de vernis.

PAPIER

Le papier calque sert à tracer des dessins et des motifs qui seront ensuite transférés avec du papier graphité. Ce papier carbone sans cire est offert en plusieurs couleurs. Il est utilisé avec le papier calque pour transférer des dessins.

RUBAN-CACHE

Utilisé soit pour fixer temporairement le papier pour le transfert d'un motif, ou pour cacher les endroits à ne pas peindre. Il doit être à faible adhérence pour ne pas enlever la peinture au moment de le retirer.

TECHNIQUES

APPRÊTER

Les articles fabriqués dans ce chapitre sont classés en trois catégories : fer blanc neuf, fer blanc usé et fer blanc émaillé (incluant le fer blanc qui a déjà été peint).

La première étape consiste à bien laver. Un vieux fer blanc est souvent poussiéreux et s'il est neuf, il est probablement gras. Une fois bien nettoyés, vos objets doivent sécher complètement. Un petit objet peut aller au four à basse température. Autrement, laissez-le sécher dans une pièce chauffée pendant un jour ou deux.

Lorsque le métal neuf est propre, vous pouvez appliquer l'apprêt. S'il s'agit de vieux métal, regardez s'il arbore des taches de rouille. Enlevez-les en frottant avec une laine d'acier ou un papier abrasif grossier, puis traitez avec un antirouille. Si votre objet est émaillé ou peint, poncez-le avec un papier abrasif grossier pour que la peinture adhère bien à la surface.

L'apprêt peut ensuite être appliqué. S'assurer qu'il convient au type de métal à peindre. Lorsque l'apprêt est sec, appliquez votre propre couche de fond.

TRAITS DE PINCEAUX

La peinture décorative et l'art populaire dépendent des traits de pinceaux dont les plus communs sont la virgule et le « S ».

Pour peindre une virgule, tenez un pinceau rond perpendiculaire à votre surface. Délicatement, appuyez toutes les soies sur le papier, puis appliquez une légère pression ; en s'étalant, les soies créeront la forme ronde du

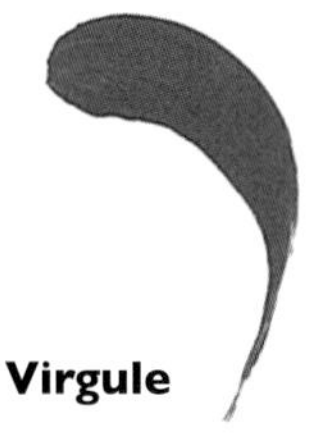

Virgule

haut. Soulevez le pinceau lentement pour le ramener vers vous en relâchant la pression pour que les soies se regroupent. Continuez à soulever le pinceau vers vous jusqu'à ce que les soies forment une pointe, puis arrêtez.

Pour peindre un « S », appliquez d'abord la pointe des soies. Puis, en ramenant le pinceau vers vous, accentuez la pression.

Trait en « S»

Changez de direction jusqu'à ce que vous soyez à mi-chemin du « S ». Commencez à relâcher la pression en soulevant le pinceau graduellement. Revenez à la direction de départ et remettez de la pression ; en finissant la forme, relâchez jusqu'à faire la dernière pointe avec le bout des soies. Arrêtez et enlevez le pinceau.

Le stylet ou le bout d'un pinceau peut servir à ajouter des points. Pour obtenir des points égaux, trempez le stylet dans la peinture avant chaque point.

GLACIS CRAQUELÉ

Il est appliqué entre deux couches de peinture. Appliquez d'abord la couche de base puis, quand elle est sèche, le glacis craquelé. Laissez sécher et appliquez la seconde couche de peinture. Le glacis commencera à « travailler » immédiatement en faisant craqueler la peinture. La couche de fond et celle du dessus doivent être de couleurs contrastantes pour que la première soit visible.

VERNIS CRAQUELÉ

Son effet est optimal quand deux couches de vernis spéciaux sont appliquées sur la peinture. Lorsque les motifs sont en place, appliquez une couche de vernis à l'huile. Une fois presque sec, ajoutez une couche de vernis à l'eau. Laissez sécher et pour accélérer l'effet craquelé, faites chauffer au séchoir à cheveux. Terminez avec une couche de vernis à l'huile.

ARROSOIR

Une découverte, un peu d'imagination et un de mes motifs préférés pare maintenant cet arrosoir aussi décoratif qu'utile. Le feuillage du fond a été simple à faire avec une éponge. Ne soyez pas effrayé par les fleurs peintes : avec un peu de pratique, elles s'échapperont joyeusement de votre pinceau.

Matériel requis :

- Arrosoir (apprêté et peint avec une couche de base vert foncé)
- Papier calque
- Papier transfert
- Ruban-cache
- Stylet
- Éponge
- Papier essuie-tout
- Pinceaux d'artistes ronds, no. 2 et no. 4
- Pinceau d'artiste pointu no. 5/0
- Palette ou assiette pour la peinture
- Peintures acryliques (fauve, blanc antique, ombre naturelle, vert Wedgwood, vert océan, vert feuille et jaune oxydé)
- Vernis
- Pinceau à vernis

1 *Tracer les motifs de marguerites sur du papier calque et le fixer sur l'arrosoir avec du ruban-cache. Glisser du papier transfert en dessous. Ne tracer que les contours sur l'arrosoir en faisant des points.*

CONSEIL

- Avant de peindre un arrosoir usagé, enlevez d'abord toutes traces d'écaillage et de rouille. Un liquide antirouille adéquat préviendra toute détérioration future.

2 *Mouiller avec l'éponge. Pour le feuillage, peindre l'espace sous les points tracés avec les trois nuances de vert. Appliquer le vert plus foncé dans le bas, à environ 4 cm (1½ po) du fond. Enlever l'excédent avec un essuie-tout.*

3 *Appliquer ensuite le vert moyen à l'éponge et le vert pâle à la fin, le long des lignes pointillées tracées. Ne pas laisser d'espace entre les couleurs pour donner un aspect naturel au feuillage.*

4 *Lorsque la peinture est sèche, fixer à nouveau les motifs à tracer sur l'arrosoir avec du ruban-cache et glisser le papier transfert entre les deux. Tracer le reste du dessin avec le stylet et répéter les plus petits motifs dans le haut.*

5 *Avec la peinture fauve et le pinceau no. 4, donner la couche de fond des pétales.*

6 *Avec la couleur ombre naturelle et le pinceau no. 2, donner la couche de fond au centre des fleurs.*

7 *Terminer les pétales en appliquant le blanc antique avec le pinceau no. 4.*

8 *Compléter le centre des marguerites en ajoutant des zones de lumière. Avec le pinceau no. 2, ajouter du jaune oxydé, en tapotant dans les centres des fleurs où frapperait normalement la lumière.*

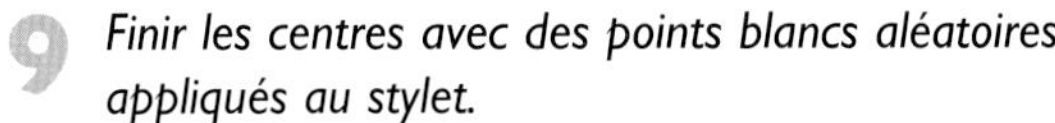

9 *Finir les centres avec des points blancs aléatoires appliqués au stylet.*

10 *Avec le vert le plus pâle, peindre les tiges et les sépales.*

LANTERNE

Cette lanterne de style turc avait besoin d'une cure de rajeunissement. Pour lui rendre son caractère exotique, le fond bleu nuit convient parfaitement aux étoiles dorées et argentées.

Matériel requis

- Lanterne (apprêtée et peinte avec une couche de fond bleue)
- Éponge
- Papier essuie-tout
- Palette ou assiette pour la peinture
- Peintures acryliques (or, argent, jaune oxydé)
- Papier calque
- Papier transfert
- Ruban-cache
- Stylet
- Pinceau d'artiste rond no. 2
- Vernis

1 *Mouiller l'éponge et la tremper dans la peinture dorée. Enlever l'excédent en la tapotant sur un essuie-tout et appliquer le reste sur la lanterne avec des mouvements « de pochoir ».*

CONSEIL

- Les pinceaux à soies synthétiques sont parfaits pour peindre à l'acrylique sur de la tôle ou du métal. Il est inutile de dépenser pour des pinceaux à soies naturelles ou à poils de martre.

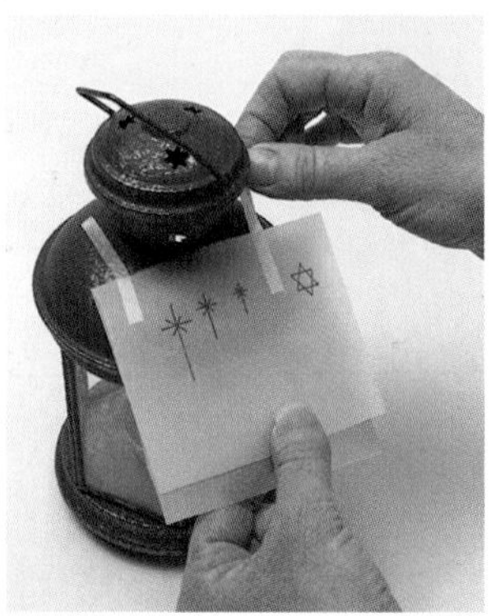

2 *Tracer le motif sur un papier calque. Le fixer ensuite avec du ruban-cache, insérer le papier transfert et transférer le dessin sur la lanterne avec le stylet.*

3 *Avec le pinceau d'artiste, peindre des étoiles argentées à six pointes.*

4 *Pour créer des traînées lumineuses d'étoiles filantes, peindre une courbe de points argentés sous chaque étoile avec le stylet.*

5 *Pour créer les étoiles dorées à quatre pointes, peindre d'abord les formes avec le jaune et le pinceau no. 2. Laisser sécher.*

6 *Rincer le pinceau et avec la peinture dorée, passer par-dessus le jaune pour compléter les étoiles. Lorsque la peinture est bien sèche, appliquer une couche de vernis.*

ENSEMBLE DE PICHET

Voici un de mes dessins préférés, inspiré d'un motif français du 19e siècle. Je l'ai modifié pour convenir aux différentes tailles des pichets. Après avoir donné une couche de fond, je l'ai peint de manière à créer un effet vieillot et usé.

Matériel requis :

- Ensemble de pichets (apprêtés, prêts aux couches de fond)
- Couches de fond (orange foncé, ombre brune)
- Pinceau pour appliquer les couches de fond
- Papier calque
- Papier transfert
- Ruban-cache
- Stylet
- Pinceau d'artiste pointu, no. 5/0
- Pinceaux d'artistes ronds, no. 2 et no 4
- Pinceau plat no. 4
- Palette ou assiette pour la peinture
- Peintures acryliques (ombre brûlée, vert feuille, or antique, bleu Bonnie, corail, blanc antique et vert Wedgwood)
- Vernis
- Pinceau à vernis

CONSEIL

- Ne négligez pas la préparation : appliquez deux couches de base sur le métal avant de le décorer, en laissant la première couche sécher avant d'appliquer la seconde.

1 *Peindre d'abord les pichets avec une base orange foncé, suivie d'une couche d'ombre brûlée diluée (moitié peinture, moitié eau). Laisser sécher.*

2 *Tracer le motif approprié à la taille du premier pichet sur du papier calque et le fixer avec du ruban-cache. Glisser le papier transfert en dessous et transférer le motif avec le stylet.*

3 *Avec le pinceau pointu, peindre les tiges en ombre brûlée.*

4 *Bien rincer le pinceau et peindre l'intérieur des tiges avec le vert Wedgwood.*

5 *Avec le pinceau no 2, peindre les feuilles avec le vert feuille.*

6 *Rincer le pinceau no. 2 et peindre les pétales des petites marguerites avec le bleu Bonnie.*

7 *Avec le pinceau no. 4, peindre en corail la base des pétales de la rose, le cœur et les boutons*

8 *Avec le pinceau no. 2, peindre en ombre brûlée le centre de la rose et ceux des marguerites.*

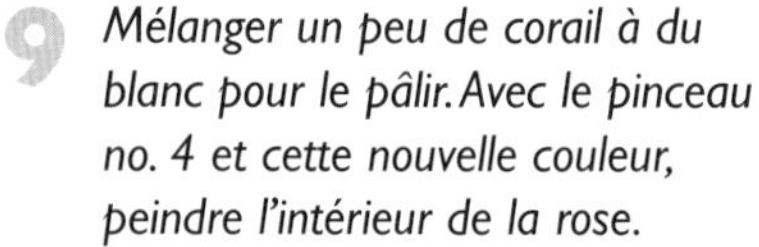

9 *Mélanger un peu de corail à du blanc pour le pâlir. Avec le pinceau no. 4 et cette nouvelle couleur, peindre l'intérieur de la rose.*

10 *Terminer en ajoutant des effets de lumière au centre des marguerites et de la rose avec le blanc antique et le pinceau no. 2.*

11 *Ces pichets sont mis en valeur par une bordure dorée. Utiliser le pinceau plat no. 4 et la couleur or antique pour peindre une ligne en haut et en bas des pichets et de chaque côté des anses. Lorsque tout est sec, appliquer une couche de vernis.*

Fontaine d'eau

Cette fontaine est conçue pour rincer les mains sales dans le jardin ou le garage. Je l'ai imaginée avec un style campagnard et j'ai opté pour un effet craquelé afin d'ajouter un cachet vieillot et usé. La vigne de lierre se prête parfaitement au thème du jardin.

Matériel requis :

- Fontaine d'eau (apprêtée et peinte avec une base rose)
- Craie
- Glacis craquelé
- Pinceau pour glacis
- Couleur de finition contrastante (nous avons choisi crème)
- Pinceau pour appliquer la couche de finition
- Papier calque
- Papier transfert
- Stylet
- Pinceau d'artiste pointu no. 5/0
- Pinceaux d'artistes no. 2 et no. 4
- Palette ou assiette pour la peinture
- Peintures acryliques (vert Wedgwood, vert océan, vert jade, vert feuille, blanc antique, fauve et ombre naturelle)
- Vernis et pinceau à vernis

CONSEIL

- Certains solvants pour peinture à l'huile sont coûteux. Il est parfois plus économique d'utiliser des pinceaux peu chers et de les jeter ensuite.

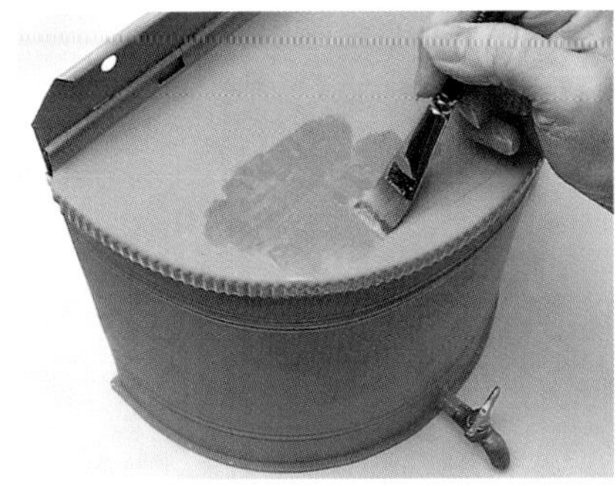

1 *Choisir les endroits qui seront craquelés, les marquer avec la craie et y appliquer le glacis craquelé. Laisser sécher.*

2 *Sur toute la fontaine, appliquer la couche du dessus de couleur contrastante crème. En passant sur les endroits enduits de glacis craquelé, y aller doucement, en un ou deux traits. S'il est trop peint, le glacis ne craquellera pas.*

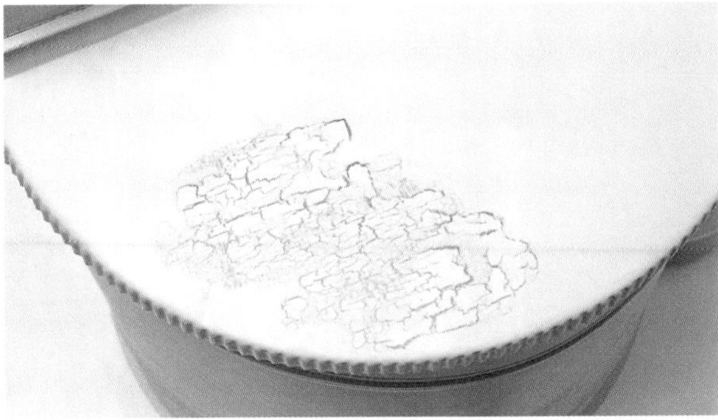

3 *Laisser sécher la fontaine, préférablement toute une nuit. Le glacis commencera à travailler immédiatement.*

4 *Tracer la vigne sur le papier calque. À ce moment-ci, ne transférer sur la fontaine que les contours des feuilles et non les nervures.*

5 *Avec le pinceau no 4, peindre les feuilles avec les verts Wedgwood, océan et jade. Peindre le dessous des feuilles avec le vert feuille. Laisser sécher.*

6 *Replacer les motifs tracés et glisser le papier transfert en dessous. Transférer les nervures des feuilles et les peindre en vert feuille.*

7 *Compléter le dessin en peignant les racines en ombre naturelle et les vrilles en vert Wedgwood avec le pinceau pointu. Lorsque sec, appliquer une couche de vernis.*

Plateau doré

Ce projet vous permet de vous familiariser avec les feuilles d'or. Le noir et le doré donnent un fini riche. Nous avons utilisé une technique russe avec un motif américain d'époque.

Matériel requis :

- Plateau (apprêté et peint en noir)
- Feuilles de tombac à transférer
- Mixtion à dorer
- Pinceau pour appliquer la mixtion
- Tampon d'ouate
- Laque ou scellant à poncer
- Pinceau pour appliquer la laque
- Papier calque
- Papier transfert
- Stylet
- Ruban-cache
- Pinceaux d'artistes ronds, no. 2 et no. 4
- Pinceau d'artiste pointu, no. 5/0
- Palette ou assiette pour la peinture
- Peintures acryliques (noir, turquoise et jaune oxydé)
- Cire blanche
- Pinceau pour appliquer la cire
- Linge doux

CONSEIL

- Contrairement aux véritables feuilles d'or, le tombac est peu cher, mais il ternit s'il n'est pas recouvert d'une couche de laque.

1 *Appliquer une couche de mixtion à dorer au centre du plateau où seront placées les feuilles d'or (regarder ci-dessus).*

2 *Avec les jointures, tester l'épaisseur qui devrait être semblable à celle d'un ruban adhésif.*

3 *En ne touchant qu'à sa pellicule protectrice, placer délicatement une feuille de tombac sur le plateau.*

4 *Avant d'enlever la pellicule protectrice, frotter pour vérifier si la feuille est bien en place. Ajouter l'autre feuille en chevauchant la première de ½ cm (¼ po).*

5 *Répéter les étapes 1 et 2 pour couvrir les contours du plateau. Couper les feuilles de tombac en lanières et les superposer en les appliquant. Laisser toute la nuit.*

6 *Avec l'ouate, effleurer le plateau et enlever le surplus de tombac. Appliquer une couche de laque/scellant à poncer.*

7 *Tracer le dessin sur le papier calque et le fixer au plateau avec du ruban-cache. Glisser le papier transfert en dessous et tracer le dessin avec le stylet.*

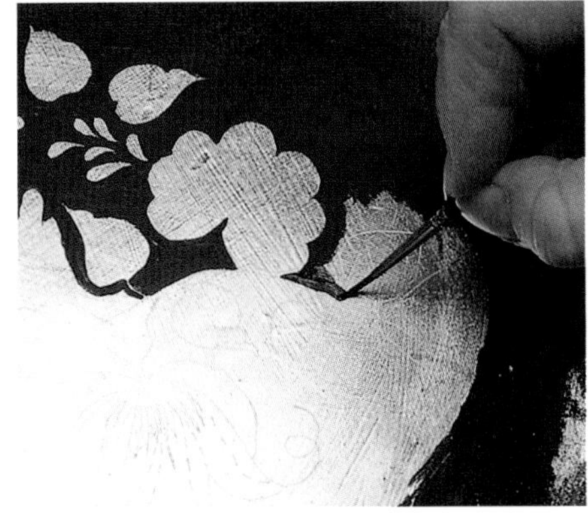

8 *Peindre le fond du dessin en noir avec le pinceau no. 4.*

9 *Peindre les traits fins avec le pinceau pointu.*

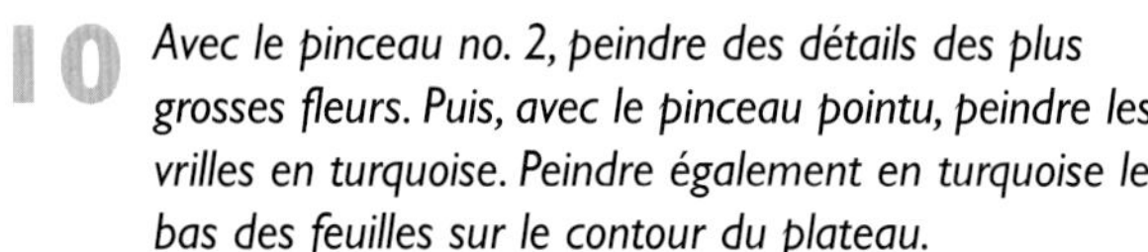

10 *Avec le pinceau no. 2, peindre des détails des plus grosses fleurs. Puis, avec le pinceau pointu, peindre les vrilles en turquoise. Peindre également en turquoise le bas des feuilles sur le contour du plateau.*

11 *Avec le pinceau no. 2, peindre en jaune oxydé les extrémités des boutons. Appliquer de la cire blanche sur le plateau et le polir avec un linge doux.*

BOÎTE FER BLANC

Vieillie avec du vernis craquelé, cette jolie boîte de rangement a été décorée avec un dessin crème et bleu d'inspiration suédoise. Les couleurs s'agencent bien car les différentes nuances de bleu créent une belle harmonie..

Matériel requis

- Boîte (avec couche d'apprêt)
- Couches de fond en crème et bleu
- Pinceau pour les couches de fond
- Vieille brosse à dents
- Essuie-tout
- Papier calque
- Papier transfert
- Ruban-cache
- Stylet
- Pinceau d'artiste pointu no. 5/0
- Pinceau d'artiste rond no. 4
- Palette ou assiette pour la peinture
- Peintures acryliques (bleu Adriatique, bleu voilé, bleu Bonnie, bleu Cape Cod)
- Vernis craquelé à deux étapes
- Pinceaux pour le vernis craquelé
- Tube de peinture à l'huile ombre naturelle
- Essence minérale
- Linge doux
- Vernis à base d'huile
- Pinceau à vernis

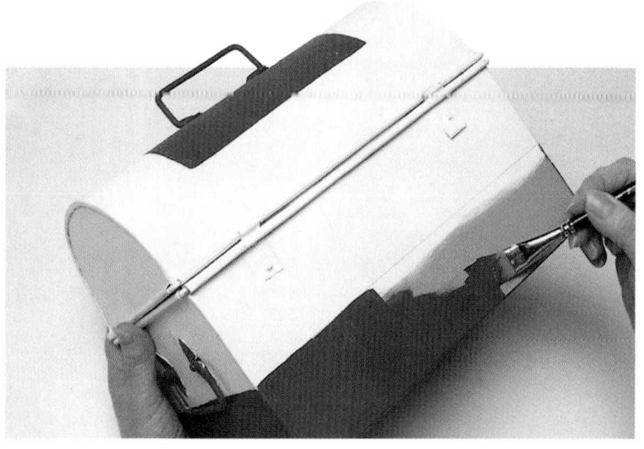

1 *Mesurer la moitié de la boîte sur la hauteur et marquer avec une craie ou un crayon. Peindre avec deux couleurs contrastantes.*

2 *Avec la brosse à dents, moucheter le dessus et la moitié supérieure de la boîte avec la couleur la plus foncée. Tremper le pinceau dans la peinture coupée d'eau, enlever l'excédent sur un essuie-tout et gratter les soies avec un doigt. Pratiquer avant de procéder sur la boîte.*

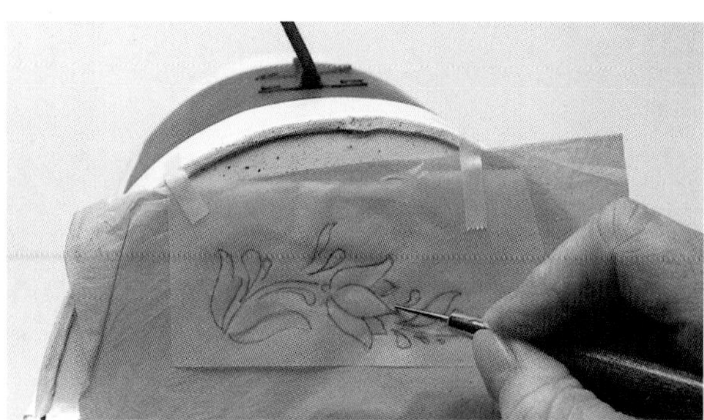

3 *Tracer le dessin sur du papier calque et le fixer à la boîte. Glisser le papier transfert en dessous et transférer le dessin sur le devant et les côtés.*

4 *Peindre en bleu Adriatique les feuilles les plus petites avec le pinceau no. 4 et les tiges avec le pinceau pointu.*

5 *Peindre les feuilles plus grosses avec le bleu Bonnie.*

6 *Peindre les tulipes en bleu clair.*

7 *Peindre des virgules sur les tulipes avec le bleu Cape Cod.*

8 *Appliquer une première couche de vernis craquelé sur la boîte et laisser jusqu'à ce qu'il soit presque sec.*

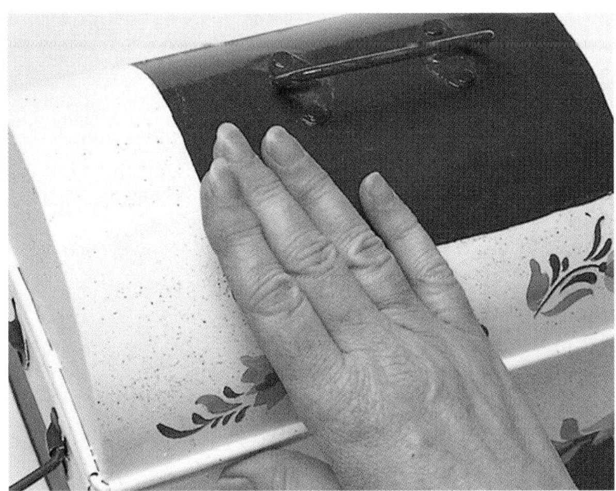

9 *Vérifier si le vernis est prêt pour la deuxième étape en touchant légèrement du doigt. S'il est presque sec et un peu collant, appliquer la seconde couche et laisser sécher toute une nuit. Chauffer avec un séchoir à cheveux pour accélérer l'effet des craquelures qui seront plus visibles une fois l'ombre naturelle appliquée.*

10 *Frotter la boîte avec un mélange d'ombre naturelle à l'huile et d'une goutte d'essence minérale. Enlever l'excédent avec un essuie-tout et appliquer une couche de vernis.*

CONSEIL

- Si le vernis craquelé ne donne pas l'effet désiré, enlevez la couche du dessus à l'eau en l'essuyant. Vous pouvez recommencer avec la première couche sans endommager la peinture en dessous.

Boîte fruitée

Voici une technique simple pour utiliser les poudres de bronze. Le beau fini lustré des poudres métalliques rend toute création extraordinaire. J'ai choisi un motif d'époque de la Nouvelle-Angleterre.

Matériel requis :

- Boîte ronde en fer blanc (apprêtée et peinte en noir)
- Papier calque
- Papier transfert
- Ruban-cache
- Stylet
- Mixtion à dorer
- Petit pinceau usé pour appliquer la mixtion
- Essence minérale
- Poudres de bronze (or, bronze et bronze antique)
- Pinceaux d'artistes rond no. 4 et plat no. 4
- Pinceau large et doux
- Tampon d'ouate
- Palette ou assiette pour la peinture
- Peintures acryliques (vert sarcelle, vert anglais, rouge adobe, paille, vert feuille, prune et rose antique)
- Vernis
- Pinceau à vernis

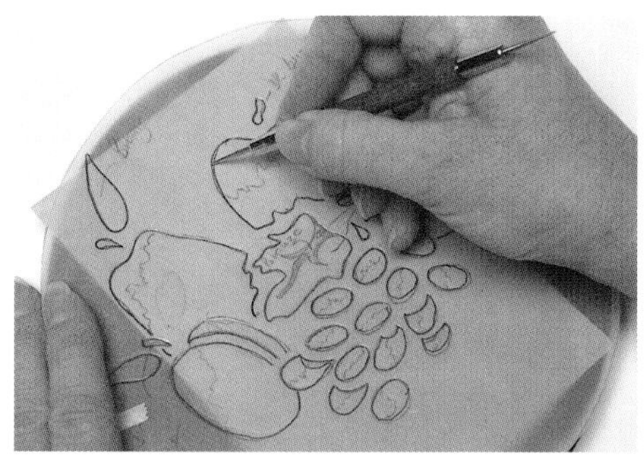

1 *Tracer les fruits sur du papier calque et le fixer sur les côtés et le couvercle de la boîte avec du ruban-cache. Glisser le papier transfert en dessous et transférer les motifs avec le stylet.*

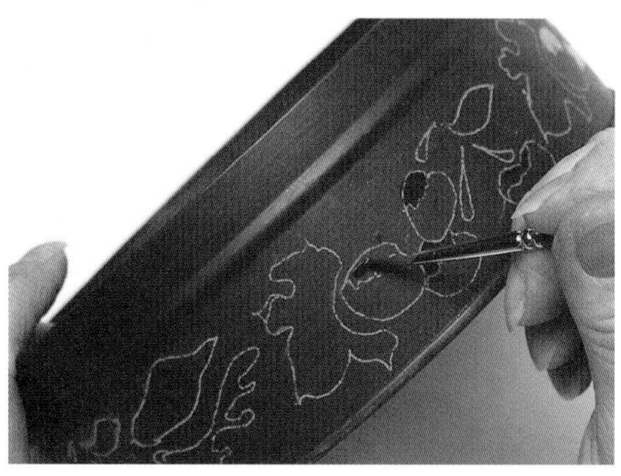

2 *Appliquer la mixtion à dorer au hasard sur des petites parties des fruits. Laisser « figer » pendant cinq minutes. En attendant, nettoyer le pinceau avec l'essence minérale*

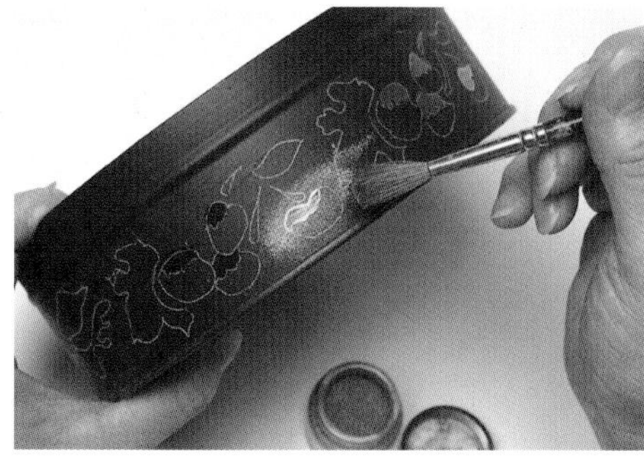

3 *Avec le pinceau large, saupoudrer la poudre de bronze sur un côté des cerises. Laisser reposer une heure, puis enlever l'excédent de poudre avec un tampon d'ouate mouillé.*

4 *Appliquer la mixtion à dorer sur le couvercle comme à l'étape 2. Avec le pinceau large, saupoudrer du bronze antique sur les feuilles et les tiges. Répéter avec la poudre or sur les fruits. Au bout d'une heure, enlever l'excédent avec l'ouate.*

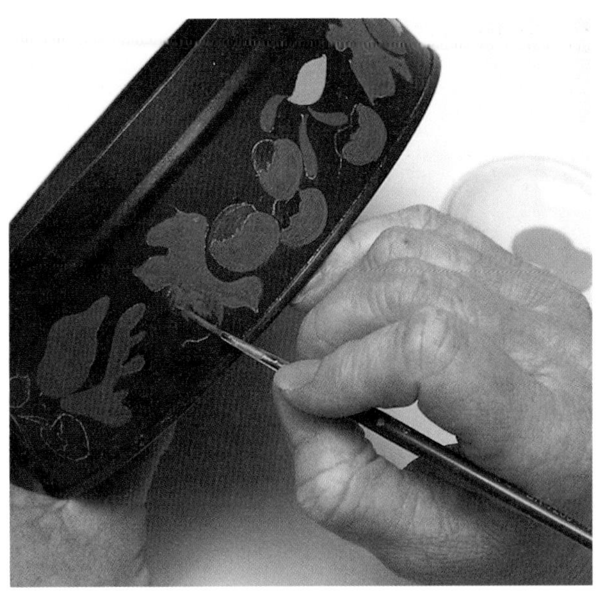

6 *Peindre les feuilles et les tiges avec le vert sarcelle, le vert anglais et le vert feuille (sans les diluer).*

5 *Avec le pinceau rond no 4, appliquer la première couleur diluée (50 % d'eau, 50 % de peinture) en faisant des reliefs. Lorsque sec, donner une deuxième couche.*

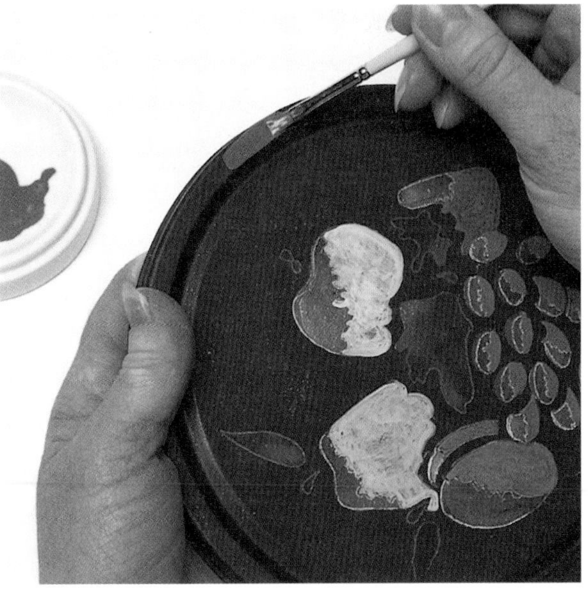

7 *Avec le pinceau plat no. 4, peindre une bordure sur le couvercle avec le rouge adobe. Lorsque tout est sec, vernir la boîte.*

Porte-parapluie

Un vase à fleurs a inspiré ce porte-parapluies. En plus d'être très pratique, il agrémente une entrée de belle façon. L'idée des bandes décoratives provient d'un vieux plateau de la Nouvelle-Angleterre.

1 *Pour placer la bande droite, mesurer d'abord avec une règle et tracer une ligne à la craie.*

Matériel requis :

- Contenant (apprêté et peint avec une couche de fond vert kaki)
- Papier calque
- Papier transfert
- Ruban-cache
- Stylet
- Craie et règle
- Pinceaux d'artistes ronds no. 2 et no. 4
- Pinceau d'artiste pointu no. 5/0
- Palette ou assiette pour la peinture
- Peintures acryliques (rouge brique, paille, vert feuille, vert sarcelle, Cayenne, mastic, ombre brûlée et or antique)
- Vernis
- Pinceau à vernis

2 *En suivant la ligne de craie, tracer le motif sur du papier calque fixé au contenant avec du ruban-cache. Glisser le papier transfert en dessous et transférer le dessin avec le stylet. À ce moment-ci, ne pas se préoccuper des feuilles ou des roses.*

3 *Avec le pinceau no. 4 et la couleur mastic, peindre l'intérieur des « virgules ».*

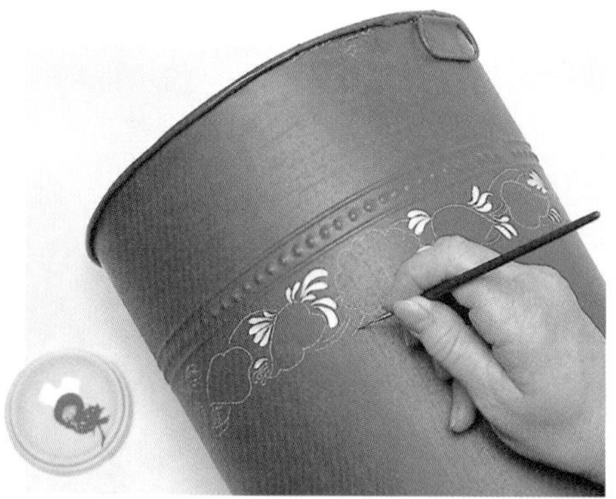

4 *Avec le pinceau pointu, peindre les bordures avec la peinture Cayenne.*

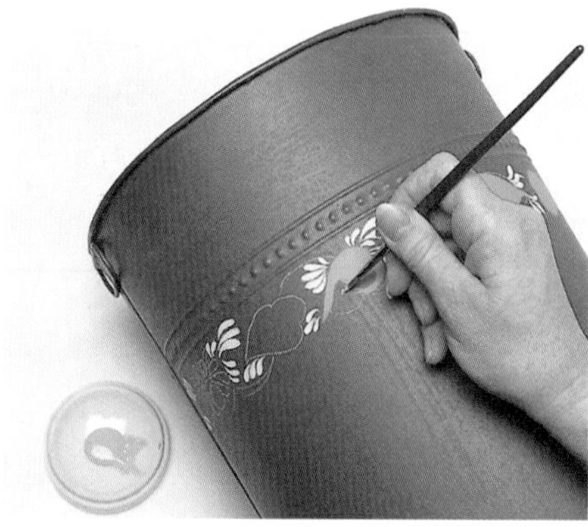

5 *Avec le pinceau no. 4, peindre les feuilles avec la peinture vert feuille.*

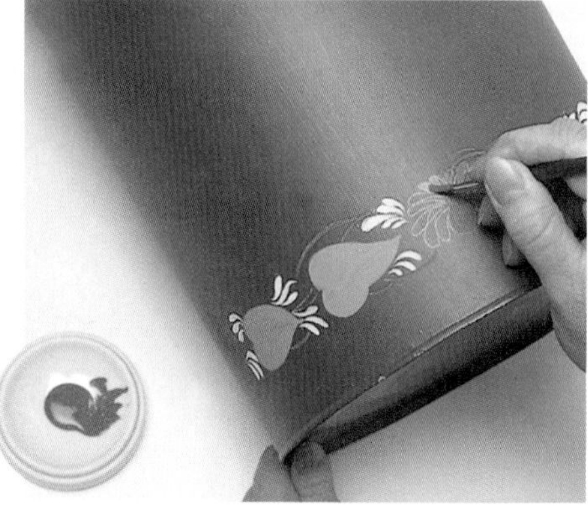

6 *Bien rincer le pinceau no. 4 avant de peindre les marguerites en rouge adobe.*

7 *Compléter les marguerites en peignant le centre avec le pinceau no. 2 en or antique.*

8 *Avec le pinceau no. 4, peindre les roses avec la peinture paille.*

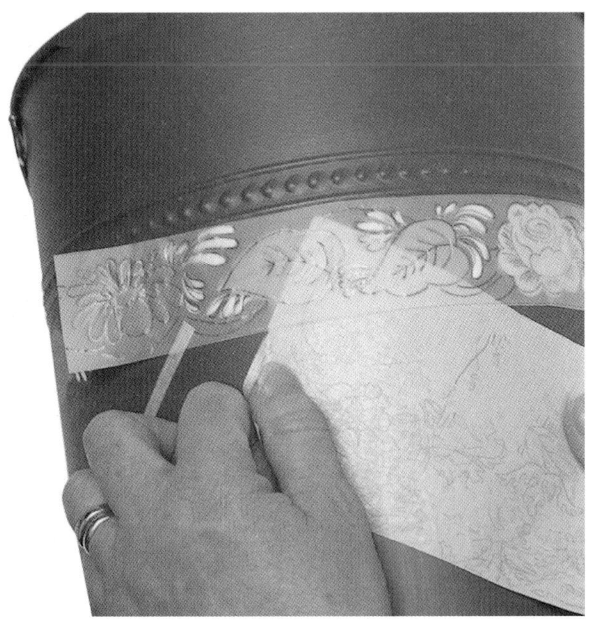

9 *Replacer le motif tracé sur les endroits peints. Glisser le papier transfert en dessous et transférer les détails des feuilles et des roses.*

10 *Finalement, avec le pinceau pointu, peindre les nervures des feuilles en vert sarcelle et les détails des roses en ombre brûlée. Lorsque le contenant est sec, appliquer au moins une couche de vernis.*

LOUCHE

Un nid d'oiseaux bleus dans le creux d'une louche et des cœurs décoratifs sur la poignée rendent cet outil de cuisine tout à fait irrésistible. Ornez la louche de beaux rubans multicolores et exposez-la dans votre cuisine ou votre salle à manger.

Matériel requis :

- Louche (apprêtée et peinte avec une couche de fond crème)
- Papier calque
- Papier transfert
- Ruban-cache
- Stylet
- Pinceaux d'artistes ronds no. 2 et no. 4
- Palette ou assiette pour la peinture
- Peintures acryliques (blanc antique, bleu azur, rouge clair, jaune oxydé et noir)
- Vernis
- Pinceau à vernis

CONSEIL

- Ce projet requiert une certaine technique avec le pinceau. Exercez-vous sur du papier brouillon avant de commencer.

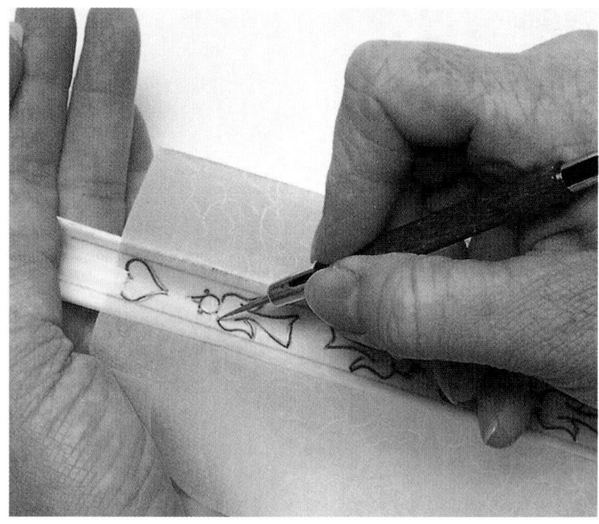

1 *Transférer les trois parties du motif sur du papier calque. Fixer la première partie sur le manche de la louche avec du ruban-cache. Insérer le papier transfert en dessous et copier le motif sur le manche à l'aide du stylet.*

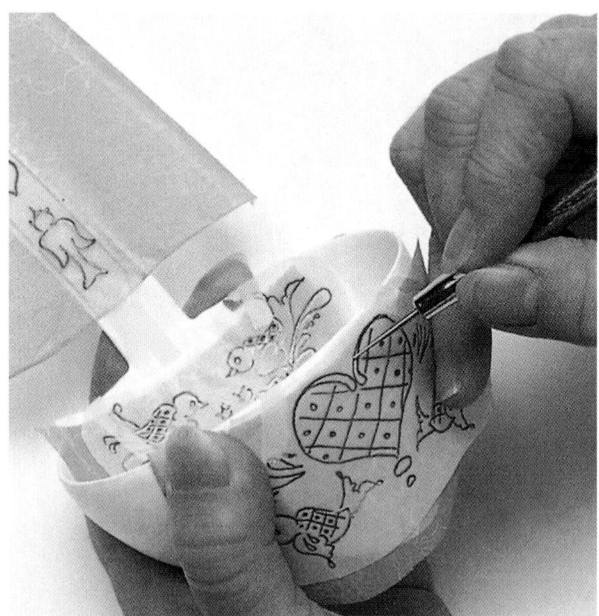

2 *Transférer les deux autres parties du motif à l'intérieur et à l'extérieur du bol de la louche de la même manière qu'à l'étape 1.*

3 *Avec le pinceau no. 4, peindre sur le manche les oiseaux en bleu azur et les cœurs en rouge clair.*

4 *À l'extérieur du bol, peindre les oiseaux en bleu azur ; peindre le cœur, le nid et les feuilles en rouge clair.*

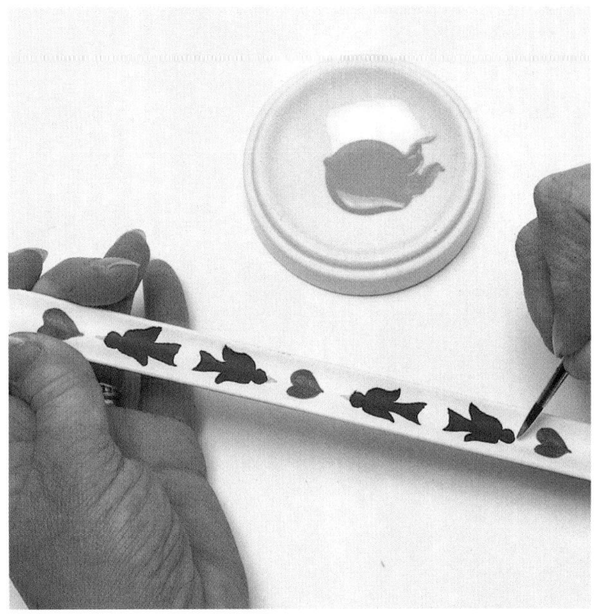

5 *La peinture acrylique sèche rapidement. Peindre les becs d'oiseaux sur le manche et le bol avec le pinceau no. 2 et le jaune oxydé.*

6 *Mélanger du blanc antique au bleu azur pour obtenir du bleu pâle. Avec le pinceau no. 2, peindre les lignes sur les ailes de tous les oiseaux.*

7 *Avec le manche du pinceau no. 2 et la couleur rouge clair, peindre des points dans le cœur et le nid.*

8 *Avec le stylet et le bleu pâle, peindre des petits points sur les ailes des oiseaux. Nettoyer le stylet et avec la peinture noire, peindre leurs yeux. S'assurer que les dessins sont complétés avant d'appliquer une couche de vernis. Garnir le manche de rubans.*

Fer à repasser

Ce vieux fer rouillé a été trouvé chez un brocanteur. Il a été nettoyé et frotté avec une brosse d'acier, enduit d'antirouille et apprêté. Les motifs s'inspirent d'authentiques peintures de barges cérémonielles anglo-saxonnes, un style naïf confectionné avec des gros traits de pinceaux.

Matériel requis :

- Vieux fer à repasser (apprêté et peint avec une couche de base noire)
- Papier calque
- Papier transfert
- Ruban-cache
- Stylet
- Pinceaux d'artistes ronds no. 2 et no. 4
- Pinceau d'artiste plat no. 6
- Palette ou assiette pour la peinture
- Peintures acryliques (vert clair, vert houx, rouge clair, rouge cramoisi, blanc antique et jaune beurre)
- Vernis
- Pinceau à vernis

1 *Avec le vert houx et le pinceau plat, peindre le manche tel qu'indiqué et une bande verte sur la base du fer.*

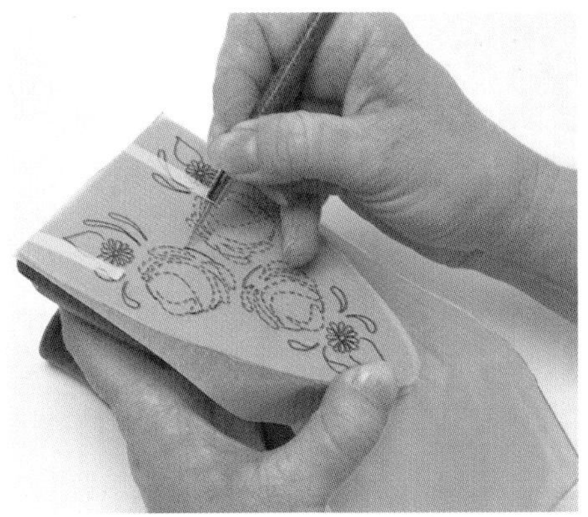

2 *Tracer les trois parties du motif (manche, base et pied) sur du papier calque. Avec le ruban-cache, fixer le papier transfert sous le papier calque et tracer les dessins sous le fer, sans faire de lignes pointillées pour le moment.*

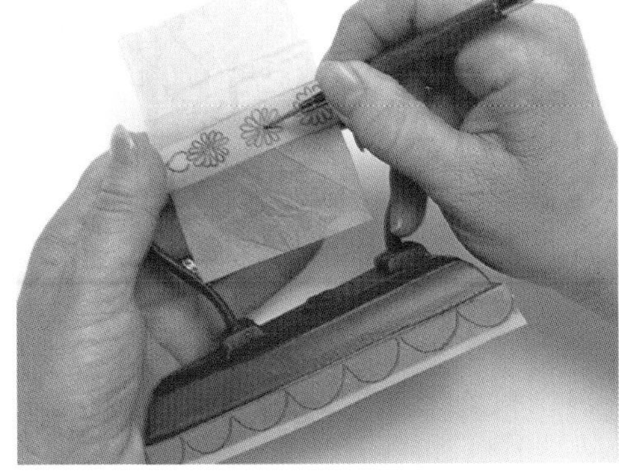

3 *Tracer les feuilles et les marguerites sur le manche et la bordure festonnée sur la base, comme à l'étape 2.*

4 *Avec le pinceau no. 4, peindre en rouge cramoisi les cercles qui deviendront les roses sous le pied du fer.*

6 *Avec le rouge clair et le pinceau no. 4, peindre les pétales avec la technique des virgules.*

5 *Replacer les papiers à calquer et transfert sur le pied du fer et tracer des lignes sur les roses.*

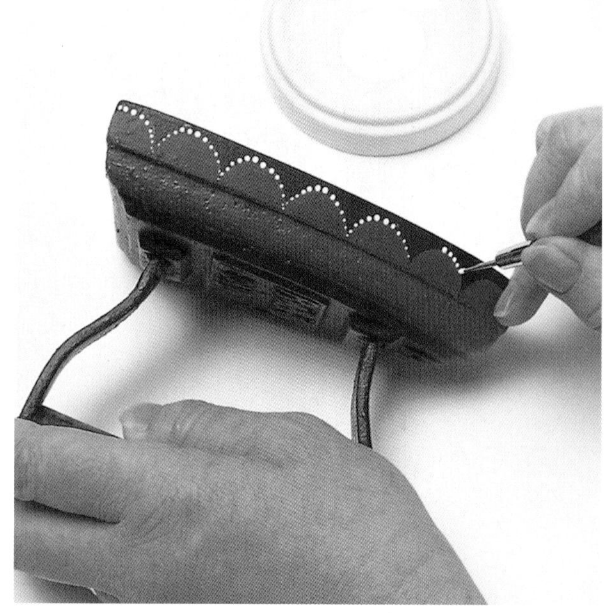

7 *Peindre le bas de la bordure festonnée en rouge clair et avec le stylet, compléter avec des points blancs tout au long de la bordure.*

8 *Sur le manche et le pied du fer, peindre les feuilles en vert clair avec le pinceau no. 4. Avec le pinceau no. 2 et le blanc antique, faire des virgules pour former les pétales des marguerites. Laisser sécher.*

9 *Appliquer le jaune beurre avec le pinceau no. 4 en utilisant la technique des virgules. Puis, avec le pinceau no. 2 et la même couleur, peindre les étamines des roses. Avec le stylet, peindre le centre des marguerites sur le manche et le pied.*

Contenant utile

Ce vase mural a été transformé en contenant à gros ustensiles. Pour lui donner un air de cuisine, je l'ai vieilli avec une technique de frottage qui enlève une couche de peinture pour révéler celle du dessous. Le motif s'inspire d'une boîte à biscuits du 17e siècle.

Matériel requis :

- Contenant (apprêté et peint de deux couches de base de couleurs contrastantes)
- Alcool méthylique
- Essuie-tout
- Papier calque
- Papier transfert
- Ruban-cache
- Stylet
- Pinceaux d'artistes ronds no. 2 et no. 4
- Pinceau d'artiste pointu no. 5/0
- Palette ou assiette pour la peinture
- Peintures acryliques (bleu clair, grès, bleu Adriatique, jaune oxydé, peau de porc, bleu voilé, jaune beurre, ombre brûlée et brun satiné)
- Vernis
- Pinceau à vernis

1 *Avec un essuie-tout, faire une boule et la tremper dans l'alcool méthylique, puis frotter le contenant en rotations aux endroits qui auront un aspect plus « usé ». Plus on frotte, plus la peinture du dessous est exposée.*

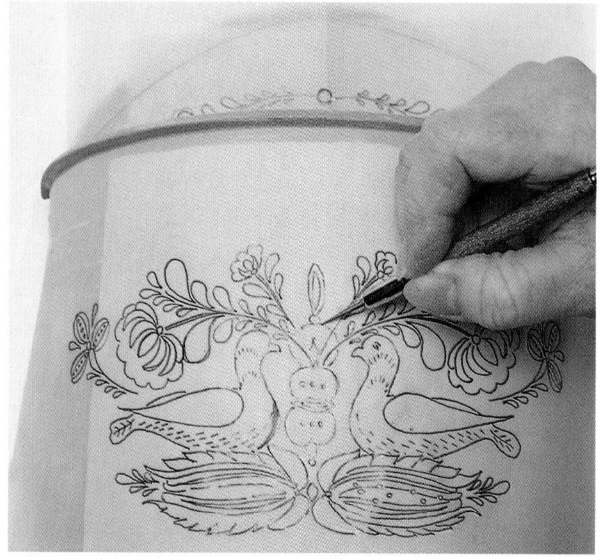

2 *Avec le papier calque, tracer les dessins et les fixer au contenant avec le ruban-cache. Glisser le papier transfert en dessous et tracer au stylet. Ne pas tracer les oiseaux tout de suite.*

3 *Tracer en brun satiné les tiges et le motif central avec le pinceau pointu.*

5 *Peindre les oiseaux et les fleurs à l'arrière du contenant. Utiliser le pinceau no. 4 et les bleus Adriatique et clair.*

4 *Avec le pinceau no. 4, peindre l'intérieur des feuilles en ombre brûlée.*

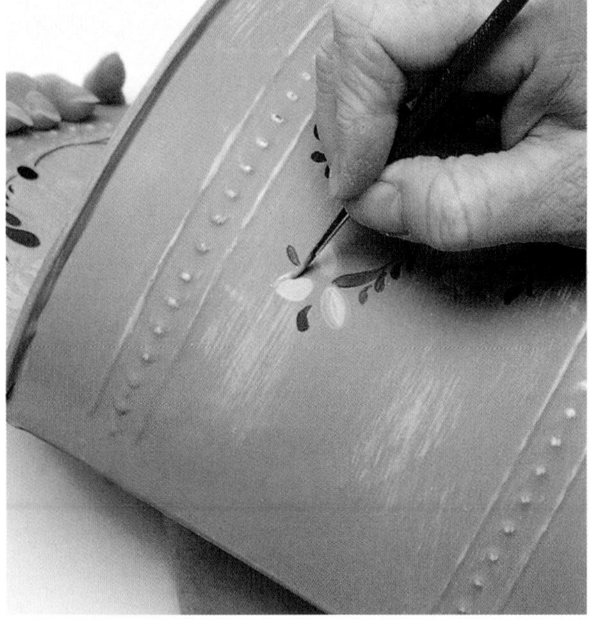

6 *Peindre l'intérieur des petites fleurs avec le pinceau no. 2 et les jaunes beurre et oxydé.*

7 *Peindre les grosses fleurs de couleur grès.*

9 *Avec le pinceau pointu et le bleu voilé, peindre les détails sur les oiseaux. Avec le même bleu, faire des points sur les fleurs à l'arrière du contenant à l'aide du stylet.*

8 *Avec le pinceau no. 2, peindre les sépales des grosses fleurs avec la couleur peau de porc*

10 *Rincer le stylet et appliquer des points jaune oxydé dans le bas des feuilles. Vernir lorsque tout est bien sec.*

TEINTURE BATIK

La teinture batik est une vieille méthode d'application de couleurs sur les tissus. Elle est surnommée la méthode « résistante » car traditionnellement, on faisait pénétrer de la cire dans le tissu avant de le teindre pour empêcher les couleurs de se mélanger. La pâte de riz et la boue remplacent parfois la cire. Les motifs peuvent arborer une ou plusieurs couleurs, selon le nombre de procédés de réserve et le nombre de fois où le tissu a trempé dans les bacs à teindre. Les teintures modernes facilitent la technique de trempage batik. Ici, la cire a été appliquée pour entourer les motifs et empêcher la teinture de s'étaler sur les autres couleurs, leur permettant de se côtoyer.

L'origine de la teinture batik est vague. Elle pare des vêtements d'anciennes peintures indiennes ; des toiles de lin du 5e siècle ont été trouvées en Égypte ; au Japon, la teinture batik couvrait les écrans de soie au 8e siècle et à Java, des temples du 13e siècle montrent des personnages portant des vêtements teints au batik. Il est fort probable qu'aussi tôt qu'en 581 de notre ère, l'art batik était pratiqué en Chine et qu'il a été exporté au Japon, en Asie Centrale, au Moyen-Orient et en Inde par la route de la soie.

Les Javanais ont développé les cantings pour faciliter l'application de la cire. Il s'agit d'un outil en bois muni d'une petite coupe de métal à son bout, où l'on met la cire.

Le mot « batik » vient du mot javanais titik, qui signifie tache ou point. Au début, l'art était exécuté avec des petits points de cire. À partir du 13e siècle, l'art a évolué et est devenu le passe-temps des femmes nobles.

Le tissu batik est arrivé en Europe par la Hollande après la colonisation de Java par les Néerlandais, au début du 17e siècle. En 1830, plusieurs manufactures sont établies en Europe.

Dans les années 1840, les Javanais utilisent des caps (prononcer tchap), un type de bloc pour appliquer la cire, adaptés selon une technique indienne qui accélère le procédé. Dans les années 1920, les colorants commencent à remplacer les teintures végétales traditionnelles, changeant l'apparence du tissu batik en lui donnant plus de variétés de couleurs.

Puis, la teinture batik renaît en Occident. En plus des usages traditionnels sur tissus et textiles d'ameublement, elle se prête à l'art exploratoire des beaux-arts et de nombreux artistes délaissent la peinture pour s'exprimer davantage avec les teintures.

ÉQUIPEMENT ET MATÉRIEL

Grâce aux projets de ce chapitre, vous perfectionnerez graduellement vos techniques et connaissances pour créer des œuvres batik. Tous les projets demandent différents équipements et matériaux qui sont énumérés plus bas, ainsi que les quantités dont vous aurez besoin.

Produits chimiques, colorants et cire chaude doivent être maniés avec prudence. À cet égard, lisez bien tous les conseils prodigués.

Ci-dessous : *tissu batik traditionnel d'Indonésie.*

Matériel requis :

- Feuille de plastique pour protéger les surfaces de travail, gros sacs à ordures
- Tampons d'ouate
- Éponge carrée de 2,5 cm (1 po) d'épaisseur, 30 cm (12 po) de longueur
- Gants de caoutchouc – les minces sont parfaits
- Fer à repasser – un vieux de préférence, pour repasser la cire
- Journaux
- Cuillères à mesurer
- Colorants – pots de 40 ml (1 oz) de jaune vif MX 4G, turquoise MX G, bleu paon MX G, cerise MX 5B et noir 2647. À part le noir, ce sont des colorants Procion qui réagissent aux fibres ; il n'existe pas de noir Procion préparé
- Grosse tasse à mesurer, 1 litre (33 oz)
- ½ kg (1 lb) de carbonate de sodium (pour nettoyer)
- ½ kg (1 lb) de bicarbonate de soude (« soda à pâte » ou « sel de Vichy »)
- ½ kg (1 lb) d'urée
- 2 kg (4,4 lb) de cire batik – cette quantité devrait suffire à tous les projets
- Pot à cire – si vous planifiez effectuer plusieurs projets batik, l'achat d'un pot chez un spécialiste vaut le coût. J'ai utilisé les mêmes pots de qualité pour tous les projets du livre
- Pinceaux à soies naturelles, petits et moyens, plats et ronds
- Cantings – avec becs verseurs - petit, moyen et gros ou un polyvalent
- Linges doux et absorbants (les chiffons conviennent)
- Bac de trempage : une grosse casserole avec poignée en bois
- Tissu – 5,5 m (6 verges) sur 90 cm (36 po) de coton fin suffiront pour tous les projets du livre. Il doit être 100 % coton et non en polyester-coton. Vous aurez également besoin de 1 m (1 verge) de soie, plus exactement de 46 cm (18 po). Tous les tissus doivent être préparés, c'est-à-dire propres et repassés, avant de commencer votre travail.

Ne pas faire bouillir la soie.

À gauche : *Un pot de cire, des caps, des cantings et des pinceaux à cire*

Ci-dessus : *Les cinq couleurs de base dont vous aurez besoin.*

Produits chimiques, colorants et cire chaude doivent être maniés prudemment. Lisez nos conseils et vous aurez du plaisir et la paix d'esprit.

CONSEIL

- Ne pas inhaler la fine poudre colorante. Si elle vient en contact avec vos yeux, rincez-les abondamment sans tarder.

Cartes de souhaits

Le batik le plus simple à faire est sur papier avec des feuilles et des bougies blanches ordinaires pour appliquer la résistance. Vous pouvez utiliser tout type de papier à condition qu'il ne soit pas lustré ni trop mou (le papier à photocopier convient très bien). Ce projet vous permettra de travailler avec les solutions au sodium, les mélanges et les applications de colorants, ainsi que le repassage sur la cire.

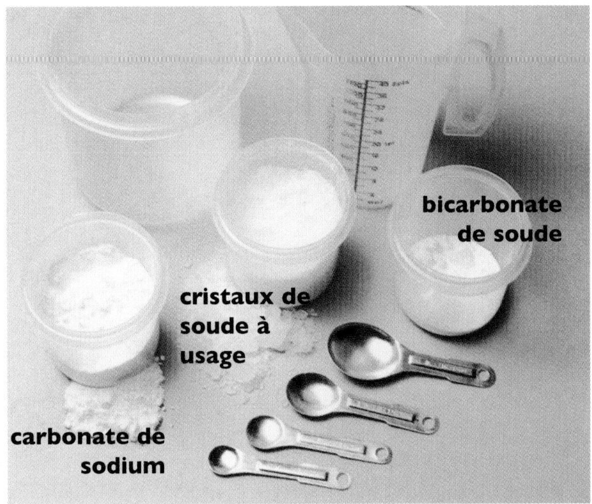

1 *Pour que le colorant pénètre dans le papier, le préparer avec une solution d'une cuillère à thé de bicarbonate de soude et une cuillère à thé de cristaux de soude dans 900 ml (30 oz) d'eau chaude. Le carbonate de sodium est deux fois plus fort alors en mettre ½ cuillère à thé dans l'eau. Rangée dans un contenant étanche, cette solution est utilisable pendant 10 à 14 jours.*

Matériel requis :

- Équipement de base, 11 premiers articles, plus :
- Feuilles de papier (format lettre)
- Séchoir à cheveux (facultatif)
- Deux ou trois bougies blanches à usage domestique
- Carton (une boîte de céréales vide)
- Carton découpé et ajouré pour assembler votre travail terminé
- Colle en bâton ou en aérosol

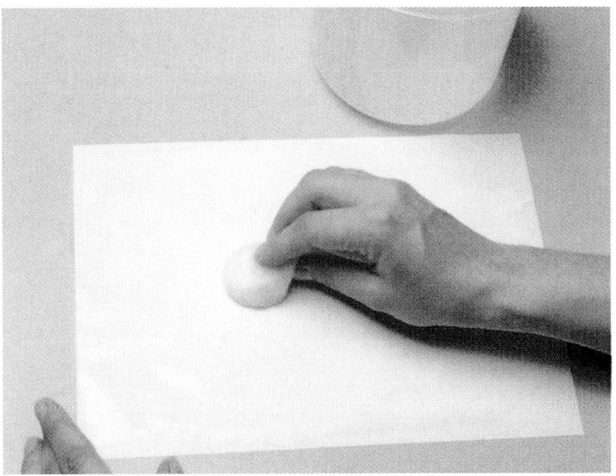

2 *Mettre une feuille de papier sur une surface plane et non absorbante, comme du verre ou du formica. Avec la ouate, appliquer la solution uniformément. Imbiber le papier sans trop frotter. Le laisser sécher ; la cire ne pénètrera pas où il y a de l'eau. Pour accélérer le séchage, utiliser un séchoir à cheveux ou repasser entre deux feuilles de papier journal - le fer à intensité minimum. Cette opération peut entraîner des plis intéressants.*

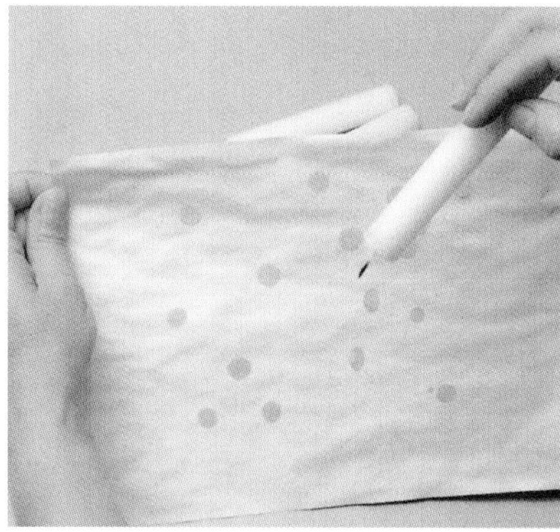

3 *Allumer une bougie. Placer le papier sur la surface de travail et y laisser tomber la cire chaude. Expérimenter à 7,5 cm (3 po) de hauteur, puis à 30 cm (12 po). Soulever le papier en angles et déplacer rapidement la bougie.*

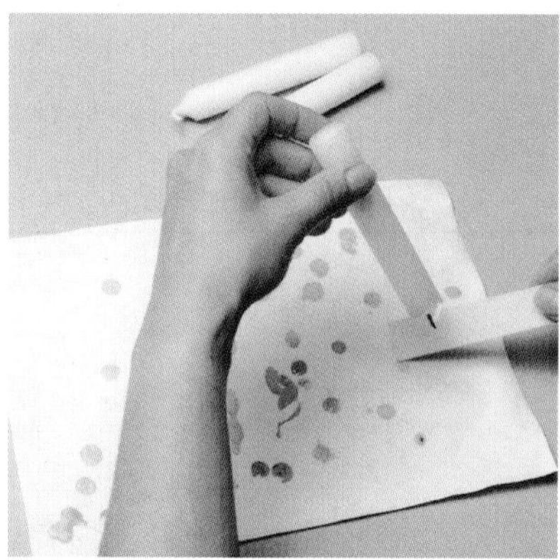

4 *Avec un morceau de carton, déplacer les gouttes de cire.*

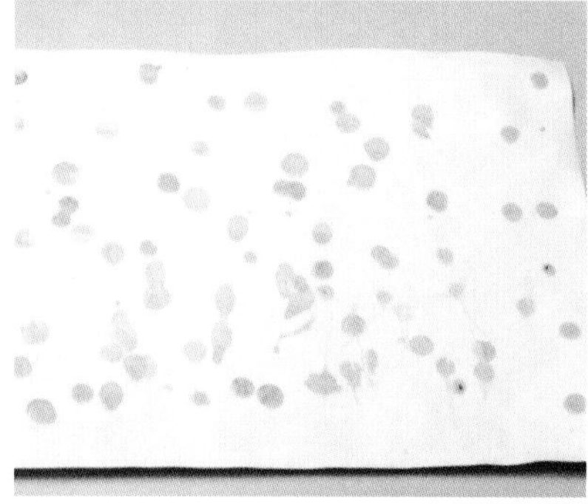

5 *Remarquer les changements de tons et de transparence pendant que la cire refroidit.*

6 *Couvrir la surface de travail avec du plastique pour la protéger des colorants. Faire une pâte avec ¼ de c. à thé de poudre jaune et quelques gouttes de la solution sodée. Ajouter 2 c. à table (30 ml) de solution sodée à la pâte. Pour une couleur plus pâle, diluer la poudre davantage.*

7 *Avec un pinceau large ou un morceau d'éponge, étaler le jaune en deux lisières sur le papier ciré. Il vaut mieux porter les gants pour ne pas se tacher les doigts.*

CONSEIL

- Une bonne ventilation est essentielle en tout temps lorsque vous repassez de la cire. Travaillez avec le côté du fer opposé à votre visage. Vous pouvez aussi porter un masque pour vous protéger de la fumée libérée par la chaleur du fer.

8 *Mélanger de la poudre turquoise de la même façon et peindre ou éponger deux lisières bleues. Laisser sécher.*

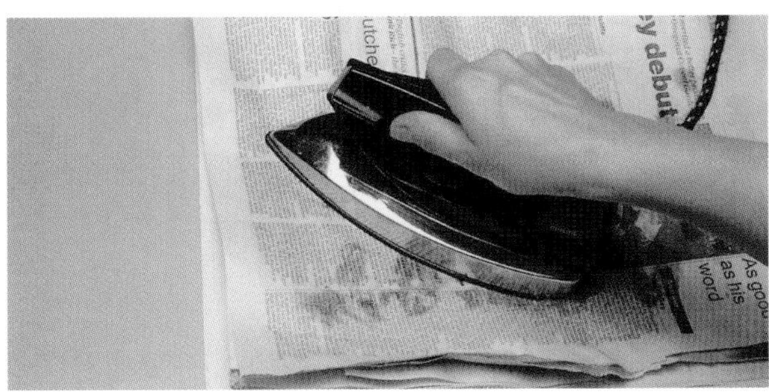

9 *La cire s'enlève en repassant le motif glissé entre des feuilles de journal. Placer deux feuilles de journal et le coton sur le motif. La cire fondra et sera absorbée par le papier journal. Continuer à repasser jusqu'à ce qu'il n'y ait plus de cire qui sorte. Changer le papier journal de temps en temps.*

10 *Toute la cire ainsi lissée s'étend sur le papier autour des endroits cirés, créant des halos. Ces halos résistent aux colorants, créant des formes abstraites qui peuvent être teintes avec une troisième couleur.*

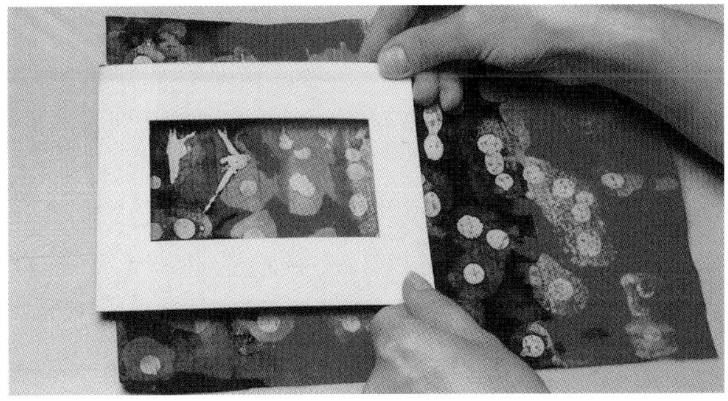

11 *Lorsque le colorant est sec, utiliser un carton ajouré pour choisir jusqu'à quatre cartes de souhaits uniques à envoyer à vos amis.*

Papier d'emballage

Je vous propose de fabriquer votre propre papier d'emballage ou une couverture de livre. Vous pouvez faire fondre des bougies ou utiliser la cire batik en granules, composée d'un mélange de paraffine et de cire d'abeille. La paraffine est fragile et a tendance à casser. La cire d'abeille est douce et se plie facilement lorsqu'elle est froide et elle adhère bien aux tissus. La combinaison des deux fait en sorte que la cire craque un peu pour donner un effet batik traditionnel si elle est pliée. Elle contient environ 70 % de paraffine et 30 % de cire d'abeille. Les étapes de ce projet exigent un fond doux, des mélanges de couleurs et l'application de cire pour enlever les halos.

Matériel requis :

- Équipement de base
- Feuilles de papier traitédes au soda, de format légal
- Petite couverture ou serviette

Création des caps

- Ruban-cache
- Ciseaux/couteau d'artiste
- Boîtes de céréales vides
- Boîtes
- Carton ondulé
- Rouleau d'essuie-tout
- Bouchons de liège

CONSEIL

- Pour enlever de la cire chaude sur la peau, trempez-la immédiatement dans l'eau pour la solidifier et la refroidir. Elle est ensuite facile à peler.

1 *Peu importe la cire utilisée, il faut la faire fondre et la garder chaude. L'équipement le plus sécuritaire et fiable sont les pots à cire électriques à contrôle thermostatique, disponibles dans les boutiques spécialisées. Ici, les granules de cire batik commencent à fondre.*

2 *Pour appliquer la cire, confectionner des caps de type indonésien comme ceux utilisés par les Javanais pour reproduire les motifs sur de longs morceaux de tissu. Vos caps peuvent être faits à partir de rouleaux d'essuie-tout en carton et de ruban-cache. Les découper avec des ciseaux à cranter ou utiliser du carton ondulé pour que les courbes servent de petits réservoirs à cire.*

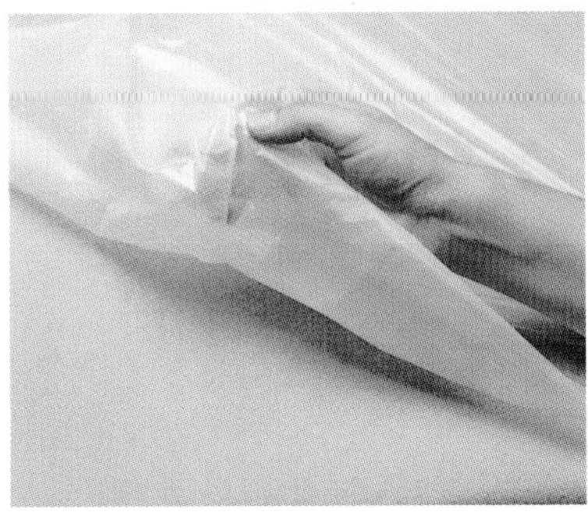

3 *Pour optimiser les imprimés, placer une surface douce sous le papier. En guise de fond doux, étendre une couverture ou une serviette sous le plastique qui recouvre la surface de travail.*

4 *Mettre une feuille de papier sur le fond. Faire fondre la cire et y tremper le cap. Le carton peut fumer un peu lors de la première application.*

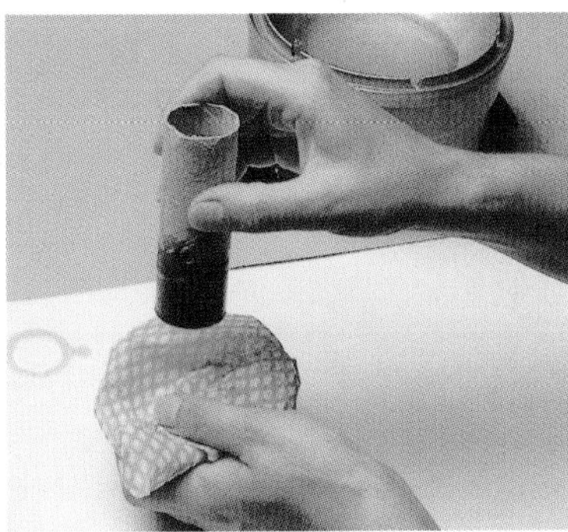

5 *Soulever le cap en l'agitant doucement et mettre un chiffon en dessous pour capter les gouttes qui tombent.*

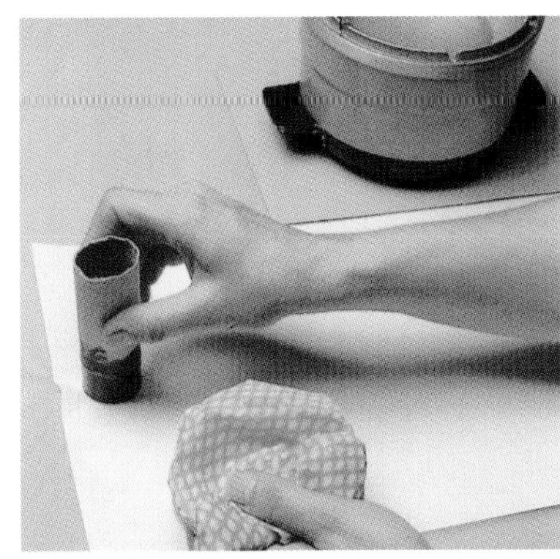

6 *Imprimer la cire sur le papier en pressant fermement sur le cap. Si la cire reste blanche et opaque, elle n'est pas assez chaude. Le papier devrait foncer et devenir plus translucide au contact de la cire.*

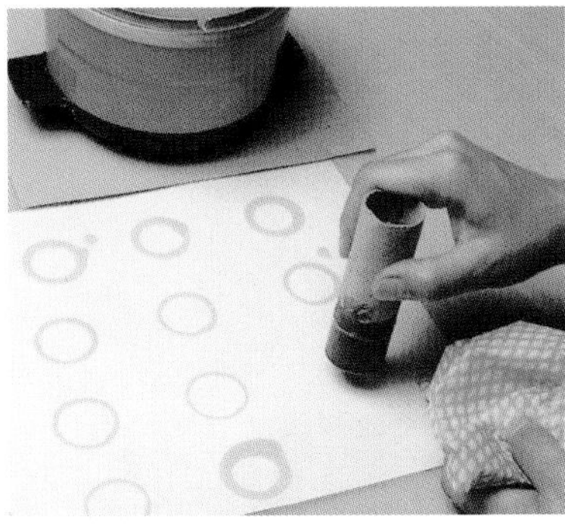

7 *Il est possible de faire plus d'un imprimé avant de retremper le cap dans la cire, mais chaque imprimé subséquent en laissera moins sur le papier. Quatre impressions sont généralement le maximum.*

CONSEIL

POTS DE CIRE

Alternatives peu chères aux pots achetés en boutique :

- Un bain-marie ; assurez-vous que le récipient du dessous contient toujours de l'eau.
- Une vieille casserole sur une plaque à contrôle thermostatique. Enlevez régulièrement la cire tombée sur la plaque.
- Une poêle électrique avec contrôle des températures.

8 *Combiner différents caps pour créer un motif original.*

9 *Mélanger ¼ de c. à thé de poudre colorée et 2 c. à table (30 ml) de solution sodée pour chaque couleur (voir la page 173). Nous avons utilisé le rouge, le jaune et le bleu. Appliquer en lisières ou peindre différentes couleurs à l'intérieur des formes variées crées par la cire.*

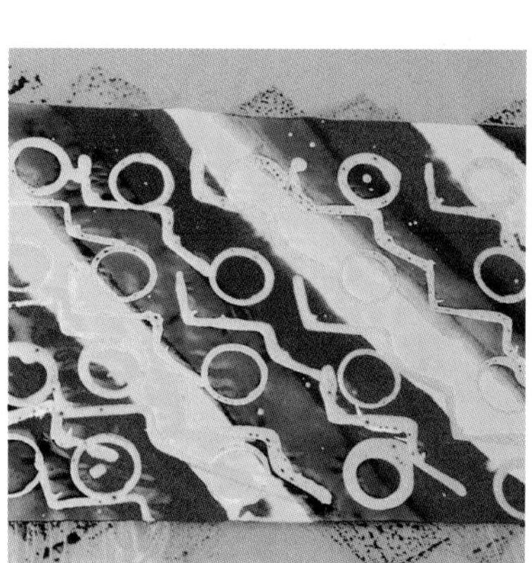

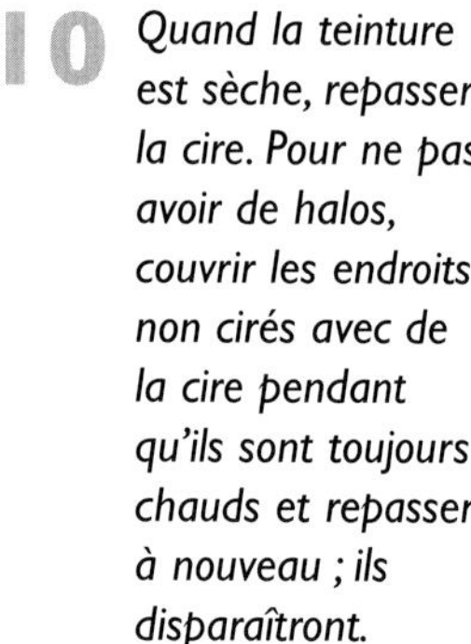

10 *Quand la teinture est sèche, repasser la cire. Pour ne pas avoir de halos, couvrir les endroits non cirés avec de la cire pendant qu'ils sont toujours chauds et repasser à nouveau ; ils disparaîtront.*

11 *Mélanger les couleurs pour créer de nouvelles nuances.*

Les couleurs et les motifs sont aussi illimités que votre imagination.

CONSEIL

- Peu importe votre moyen pour faire fondre la cire, ne la laissez pas fumer. Cette fumée est désagréable et il est risqué et inutile d'en inhaler trop longtemps. La température idéale est de 132° C (270° F). Vous pouvez la vérifier avec un thermomètre.
- Si la cire a trop chauffé et qu'elle brûle, étouffez le feu en déposant un couvercle hermétique sur la casserole. Ne la mettez pas dans l'eau car la cire vous éclabousserait.
- Travaillez toujours dans un endroit bien aéré.

CALENDRIER SOLEIL

Travailler sur du tissu est un peu plus compliqué que sur du papier. Le tissu doit être fait de fibres 100 % naturelles (coton, lin, soie) ou en rayonne de viscose. Les tissus à fibres synthétiques peuvent sembler bien absorber les teintures mais celles-ci se délaveront lors du rinçage final. Lorsque les colorants sont mélangés avec une solution alcaline (ou sodée), une réaction chimique se fait pour permettre l'adhérence permanente entre les colorants et les tissus, d'où le nom « colorant réagissant aux ». Cette réaction chimique dure de deux à quatre heures ; ensuite, le colorant ne cause plus de réaction.

1 *Brûler un morceau de tissu est un bon moyen d'en tester les fibres. Dans un évier, tenir une allumette allumée sous un morceau de tissu. Les fibres synthétiques brûleront vite et laisseront des résidus de plastique ; les naturelles brûleront lentement et laisseront un peu de cendre.*

Matériel requis :

- Équipement de base, plus :
- 2 carrés de tissu préparés, 20 x 20 cm (8 x 8 po) et 7,5 x 7,5 cm (3 x 3 po)
- Petite couverture ou serviette

Création de caps

- Ruban-cache
- Ciseaux/couteau d'artiste
- Boîtes de céréales vides
- Boîtes
- Carton ondulé
- Rouleau d'essuie-tout

2 *Prendre un morceau de coton préparé de 20 x 20 cm (8 x 8 po). Toute tache d'huile ou de vinaigrette doit être lavée à fond car la teinture n'adhèrera pas. Faire bouillir le tissu pendant cinq minutes dans 2 c. à thé de détersif et 1 litre (2 pt) d'eau. Rincer ensuite à l'eau claire, laisser sécher et repasser. Le tissu est maintenant bien préparé et prérétréci.*

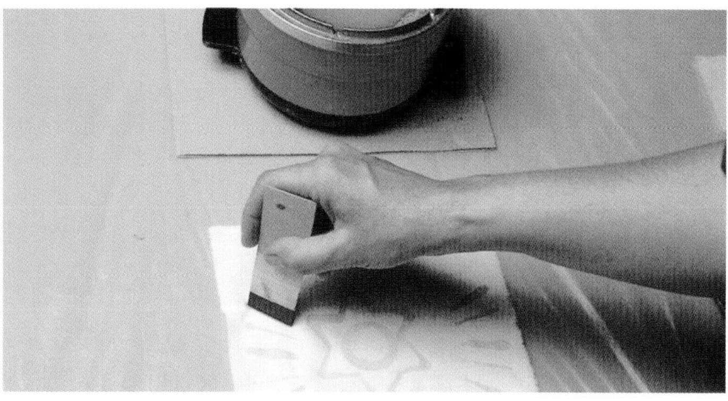

3 *Étendre le tissu sur un fond doux et faire chauffer la cire jusqu'à environ 132° C (270° F). Avec les caps, cirer les endroits que l'on veut blancs. Si la cire est à la bonne température, le changement de ton du tissu sera apparent, comme dans le cas du papier.*

CONSEIL

PINCEAUX

- Les cires chaudes usent rapidement les pinceaux ; les fibres naturelles sont les plus résistantes. Toutefois, ne les laissez pas tremper dans la cire chaude ni dans la cire froide qui fige car ils perdront leur forme.
- Tremper les pinceaux dans l'eau bouillante après avoir travaillé la cire les fera durer plus longtemps. Assurez-vous qu'ils soient bien secs avant de les remettre dans la cire pour ne pas créer de bavures.
- Trempez le pinceau dans la cire fondue pendant quelques secondes, enlevez l'excédent sur le bord du pot à cire et allez vers le tissu en tenant un chiffon sous le pinceau pour éviter les gouttes indésirables.

4 *Mélanger ¼ de c. à thé de teinture jaune avec 2 c. à table (30 ml) de solution sodée (voir page 173).*

5 *Appliquer le colorant avec un morceau d'éponge coupé. Rappel : porter des gants.*

6 *Teindre un échantillon pour pratiquer la surteinture plus tard. Laisser sécher à l'air ; le temps de séchage dépend de la température de la pièce. Accélérer le séchage en mettant le tissu près d'une source de chaleur ou avec le séchoir à cheveux, en prenant soin de ne pas faire fondre la cire. Appliquer la cire sur le tissu sec aux endroits que vous voulez jaunes. Les détails faciaux seront peints plus tard.*

7 *Mélanger le rouge tel qu'expliqué plus haut pour le jaune. Tester le mélange sur le tissu. Ajouter de la poudre s'il est trop pâle ou de la solution sodée s'il est trop foncé. Appliquer sur le carré et laisser sécher.*

8 *Utiliser un pinceau et un cap pour cirer les endroits qui resteront oranges.*

9 *Mélanger le colorant bleu et le tester sur l'échantillon avant de l'appliquer. Lorsque c'est sec, enlever le tissu du plastique et repasser la cire entre deux feuilles de papier journal.*

Vous pouvez encadrer votre travail et coller un calendrier en dessous. Vous pouvez acheter un cadre ou le faire vous-même avec du matériel de boutique d'artisanat.

Sac à cordonnet

Peindre sur la teinture dans des « piscines » de tissu entouré de cire donne des combinaisons infinies de couleurs. Utiliser la cire de cette façon demande l'ajout d'urée, un sous-produit du gaz naturel. Lors de ce procédé, de petites quantités de teinture pénètrent dans le tissu au lieu d'être immergés complètement dans un bac de teinture, et l'urée retarde le procédé de coloration. Les fibres et la teinture réagissent quand le tissu est mouillé et plus le trempage est long, plus la couleur sera fixée. L'urée aide aussi à dissoudre la teinture plus uniformément, optimisant l'intensité des couleurs.

1 *Pour faire la solution d'urée, dissoudre 1 c. à thé d'urée dans 600 ml (1 pt) d'eau chaude. Pour l'utiliser immédiatement, l'eau ne doit pas dépasser 50° C (122° F) puisque les teintures qui réagissent aux fibres sont froides. La solution est utilisable pendant 10 à 14 jours si gardée dans un contenant hermétique.*

2 *Avec la méthode sélective de coloration, vous pouvez faire trois sacs différents. Les bases mesurent 12 cm (5 po) de diamètre et les côtés, 12 x 38 cm (5 x 15 ¾ po). Marquer les bandes et les bases sur le coton préparé avec un crayon et déposer le tissu sur un fond doux.*

Matériel requis :

- Équipement de base, plus :
- Coton préparé, 52 x 39 cm (21¾ x 16½ po)
- Matériel pour doublure, 52 x 39 cm (21¾ x 16½ po)
- Couverture ou serviette
- 2 bâtons en bois de 15 cm (6 po) de long
- Petit pinceau (facultatif)
- Crayon délicat 4B
- Règle

Création de caps

- Ruban-cache ; cylindres en carton
- Papier ondulé/boîte de céréales en carton
- Ciseaux/couteau d'artiste

Confection de la bourse

- Ciseaux
- Punaises
- Machine à coudre ou aiguilles et fils
- 1 m (1 verge) de lacet pour les cordonnets

3 *Insérer l'un des bâtons dans un morceau d'éponge et le fixer avec du ruban-cache. L'éponge absorbe plus de cire qu'un pinceau. Cet outil fait maison est aussi excellent pour appliquer les teintures. Chauffer la cire et utiliser « l'éponge-brosse » pour l'appliquer en suivant les lignes du crayon pour séparer les trois bandes.*

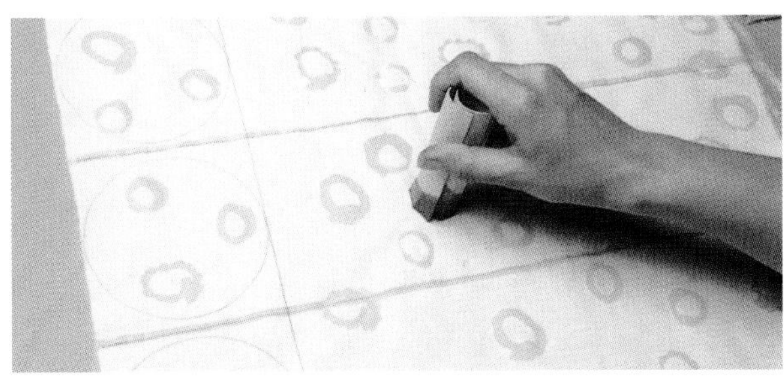

4 *Faire les imprimés avec le cap dans chaque section en s'assurant que chaque forme de cire a un contour bien défini. La cire qui colle au plastique en dessous indique qu'elle a pénétré correctement et elle gardera le tissu en place lors du travail.*

5 *La solidité de la couleur s'obtient en combinant les solutions d'urée et de soda en un ratio d'une partie d'urée pour deux parties de soda. Pour ce projet, ajouter quelques gouttes de la solution d'urée à ¼ de c. à thé de poudre colorante et 2 c. à thé de solution d'urée à 4 c. à thé de solution sodée. Pour pâlir les couleurs, réduire la poudre colorante.*

6 *Lorsque la cire et la teinture sont sèches, enlever le tissu du plastique protecteur et repasser la cire. Le tissu devient très doux lorsqu'il est chauffé par le fer, mais se raidit lorsque les résidus de cire refroidissent. Pour que le tissu soit moins raide, enlever plus de cire en le faisant bouillir dans l'eau pendant cinq minutes, puis le plonger dans un bol d'eau froide en le tenant avec deux bâtons de bois. La cire durcie sur le tissu peut être enlevée en frottant ou en grattant. Ce procédé peut être répété pour enlever davantage de cire. Finalement, faire bouillir dans de l'eau savonneuse pour enlever tout surplus de teinture. Permettre à la teinture de pénétrer dans le tissu pendant 24 heures avant d'utiliser cette méthode. Laisser la casserole refroidir ; la cire formera une peau sur le dessus et sera facile à enlever. Faire sécher la cire pour un usage futur. Avant de réutiliser la cire, elle doit être bien sèche.*

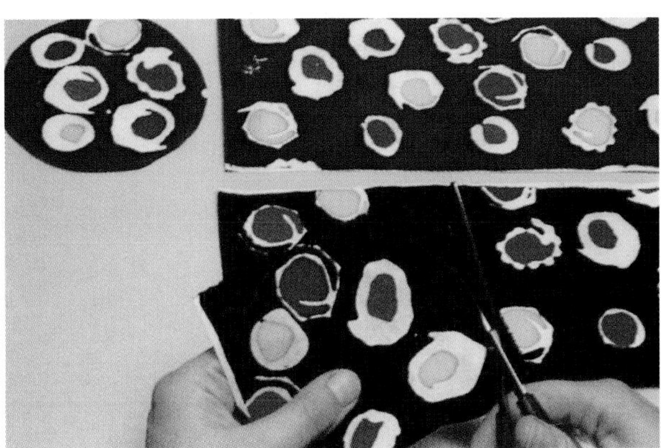

7 *Une fois la cire enlevée, couper le tissu qui est prêt à la confection des sacs. Laisser 5 mm (¼ po) pour les coutures intérieures et coudre les côtés ensemble. De chaque côté, faire une boutonnière de 1 cm (½ po) de long allant de 2 cm (¾ po) à 3 cm (1 ¼ po) dans le haut du sac.*

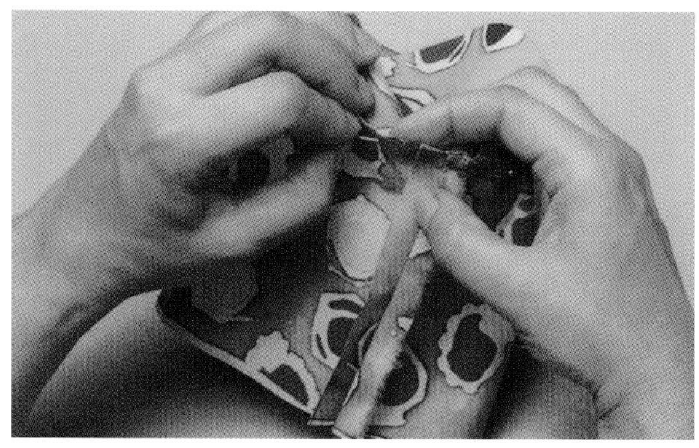

8 *Les deux côtés droits ensemble, coudre la base au fond. Tourner à l'envers. Couper et coudre le matériel de doublure de la même façon en omettant les boutonnières. Laisser à l'envers.*

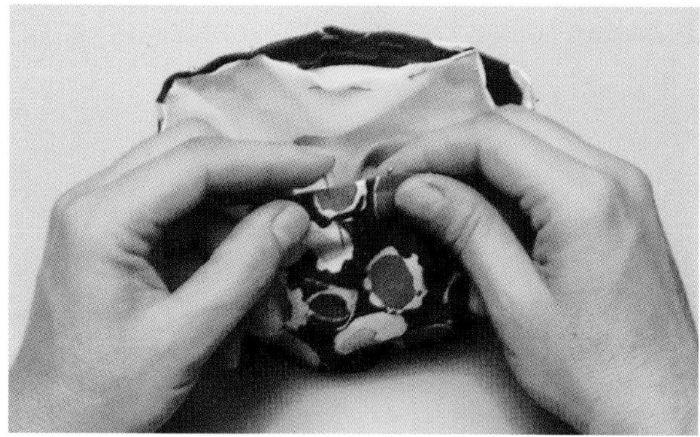

9 *Mettre la doublure dans le sac, replier une bordure de 5 mm (¼ po) et coudre ensemble. Faire deux coutures autour du dessus du sac, une à l'extrémité du haut des boutonnières et l'autre à l'extrémité du bas des boutonnières pour le passage du cordonnet. Enfiler le cordonnet, un bout entrant et l'autre sortant des boutonnières. Pour avoir un sac plus gros, multiplier le rayon de la base par 6,284 pour obtenir la bonne longueur des côtés.*

CONSEILS DE TEINTURE

- Si vous voulez mélanger toutes vos couleurs avant de commencer, mélangez-les avec 2 c. à thé de solution d'urée. Elles seront utilisables pendant 24 heures et vous pouvez ajouter la solution sodée à chaque couleur juste avant de les utiliser pour avoir des teintures fraîches et puissantes.
- Ne saturez pas le tissu jusqu'à ce que des nappes de teintures se forment en dessous car les couleurs risquent de traverser les « frontières » de cire et de souiller les régions autour. L'eau n'a qu'une certaine tension de surface avant de s'étaler.
- Si vous peignez les couleurs pâles en premier, vous pourrez ensuite corriger des erreurs avec les plus foncées
- Si vos frontières de cire permettent à la teinture de suinter, laissez sécher la teinture et cirer la couleur que vous voulez garder, puis surteignez avec une couleur plus foncée.

CONSEIL

ENLEVER LA CIRE

- Un moyen efficace et facile d'enlever la cire consiste à mettre votre travail dans un appareil de nettoyage à sec. Les produits chimiques dissolvent toute la cire sans altérer les couleurs

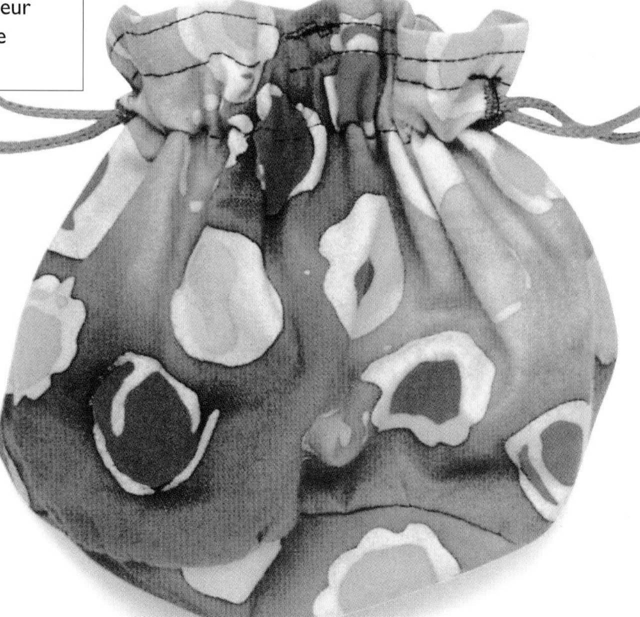

Tissu coloré

Il est facile de « batiker » de grands morceaux de tissus. Le cirage se fait en étapes sur un fond doux et le tissu est ensuite trempé dans la teinture pour assurer une bonne pénétration et une uniformité des couleurs.

Matériel requis :

- Équipement de base, plus :
- Couverture
- Seau en plastique de capacité minimale de 4,5 litres (1 gallon)
- Bol de capacité minimale de 4,5 litres
- Papier et tissu pour s'exercer à manier les caps et les colorants
- 2 m (2 verges) de coton préparé

Création de caps

- Ruban-cache
- Ciseaux/couteau d'artiste
- Boîtes de céréales vides
- Carton ondulé
- Rouleau d'essuie-tout
- Rouleau vide de gros ruban adhésif, en carton

CONSEIL

FIXER LES COULEURS

- Le fixage est optimal dans un endroit humide. Des courtes expositions intermittentes à de la vapeur d'eau bouillante durant les 2-3 heures du séchage peuvent procurer l'humidité nécessaire.
- L'uniformité des couleurs est rehaussée en ajoutant du sel lors des 15 premières minutes des trois étapes de coloration. Toutefois, le tissu doit être retiré chaque fois que du sel est ajouté.

1 *Fabriquer des caps en cartons et faire des tests jusqu'à ce qu'ils conviennent.*

2 *Tester les caps sur du tissu pour voir combien d'imprimés on peut en tirer par trempage dans la cire et comment le motif change à chaque fois.*

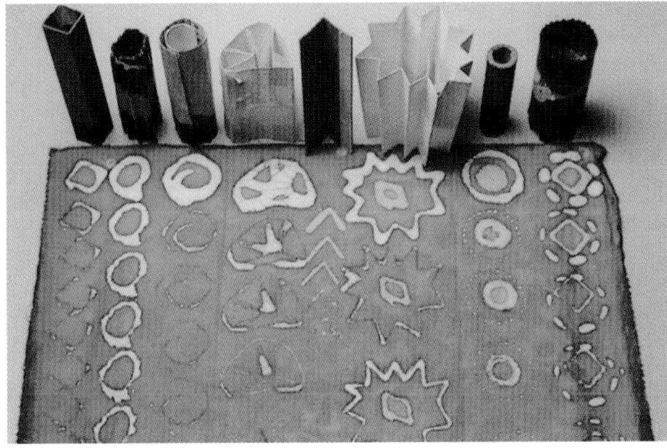

3 *Faire un fond doux le plus gros possible avec une couverture. Déposer la première section du tissu et placer une chaise à l'une des extrémités pour le suspendre pendant l'étape du cirage. Soulever le tissu à intervalles réguliers pour l'empêcher de coller au plastique.*

CALCUL DES INGRÉDIENTS DU BAIN DE TEINTURE

Multiplier le poids sec du tissu (avant le cirage) par 20. Exemple : 170 g (6 oz) x 20 = 3,4 kg (120 oz) / 3,400 ml (3,4 litres). Pour chaque litre (2 pt) de bain de teinture, vous avez besoin de :

- ½ à 2 c. à thé de poudre de teinture
- 2 c. à table (50 g) de sel
- 2 c. à thé (5 g) de carbonate de sodium ou 4 c. à thé (10 g) de cristaux de soda

4 *Lorsque la première étape de cirage est complétée, préparer le bain de teinture. Ces ingrédients suffisent pour 170 g (6 oz) de tissu sec, ce qui représente environ 2 m (2 verges) de coton. Dissoudre 6 c. à table (150 g) de sel dans 100 ml (3 oz) d'eau chaude et laisser reposer. Dissoudre 6 c. à thé (15 g) de carbonate de sodium (ou 12 c. à thé/30 g de cristaux de soda) dans 100 ml (3 oz) d'eau chaude et laisser reposer.*

5 *Faire une pâte avec 1 ½ à 6 c. à thé de poudre de teinture jaune dans une eau pas plus chaude que 50° C (122° F). Ajouter de l'eau pour faciliter le versage.*

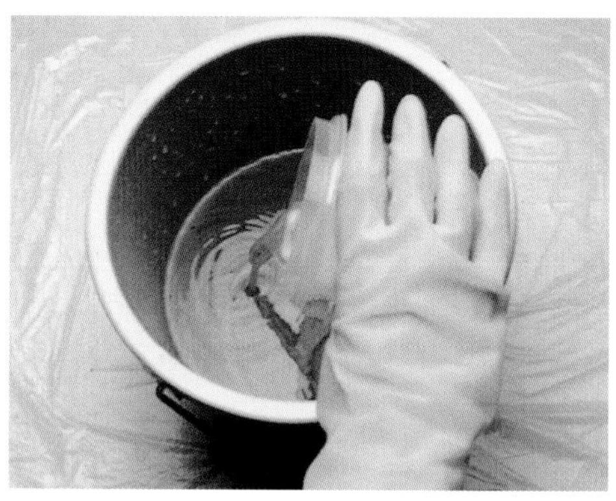

6 *Ajouter 3 litres (6 pt) d'eau à la teinture et agiter. Ajouter le sel dissout et brasser. Le sel est ajouté pour faciliter la pénétration et favoriser l'uniformité de la couleur.*

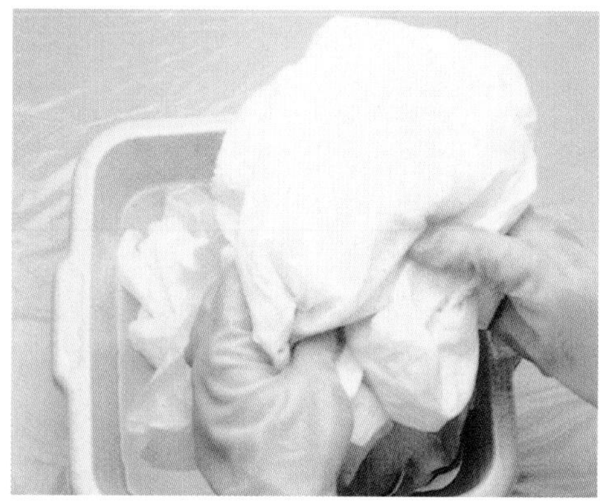

7 *Immerger le tissu ciré et tester un bout dans de l'eau froide ; ensuite, tordre l'excédent.*

8 *Transférer le tissu dans le bain de teinture. L'agiter pour assurer la pénétration uniforme de la teinture.*

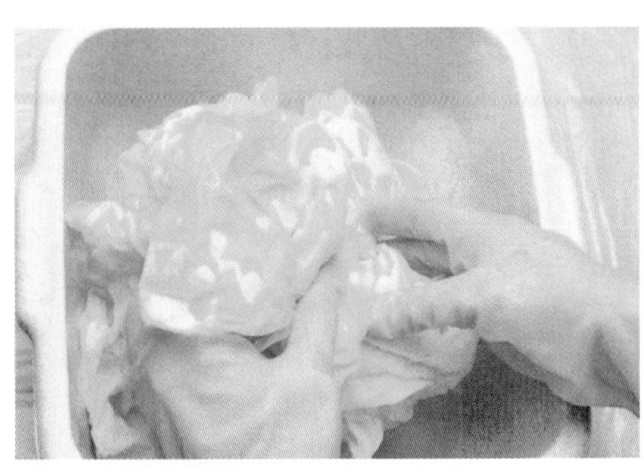

9 *Retirer au bout de 15 minutes et placer dans un bol.*

10 *Ajouter le soda dissout dans le bain de teinture et y immerger le tissu pendant 45 minutes ; l'agiter de temps en temps. Retirer le tissu, le rincer à l'eau froide jusqu'à ce que l'eau reste claire, puis suspendre pour sécher.*

11 *Lorsque le tissu est sec, le replacer sur le fond doux et appliquer le deuxième cirage. Cirer tout ce qui doit rester jaune.*

12 *Suivre la même recette et méthode pour la teinture bleue. Tester la couleur sur l'échantillon.*

13 *Pendant que le tissu trempe dans le bain, un peu de cire craquera et permettra à la teinture de pénétrer. C'est ce qui donne l'effet batik. La cire craque plus facilement et proprement quand elle est froide, c'est pourquoi le tissu est trempé dans l'eau froide avant d'être immergé dans la teinture. L'effet craquelé se contrôle davantage en froissant le tissu avant et pendant qu'il est teint.*

Housse à coussin

Comme nous l'avons vu, ce sont les Javanais qui ont inventé les cantings. Bien qu'ils ne soient pas faciles à utiliser, vous les trouverez très pratiques une fois la technique maîtrisée. Les cantings permettent l'écoulement continu de la cire chaude et des formes qui seraient impossibles à effectuer autrement. Ces petits réservoirs en métal sont offerts en plusieurs modèles, tous munis d'un ou plusieurs becs verseurs. Le diamètre du trou établit la largeur d'une ligne ou du point de cire appliqué sur le tissu. La vitesse, la chaleur et les angles sont d'autres facteurs déterminants.

La cire s'applique plus facilement sur des cotons fins et de la soie car elle y pénètre plus rapidement que dans des tissus plus épais ou tissés plus serrés. Vous tracerez des lignes avec plus de confiance et de précision si votre outil se déplace facilement au-dessus du tissu. En allant plus lentement, la cire pénètrera dans des tissus plus épais et produira des lignes plus épaisses et moins droites. La chaleur de la cire influence également la vitesse à laquelle elle coule du bec verseur et la quantité appliquée sur le tissu, ce qui est plus évident avec des tissus fins comme la soie.

Un dessin abstrait donne la liberté totale d'expérimenter avec la technique du canting. Étendre le morceau de coton préparé sur la surface de travail et avec un crayon, marquer une ligne diagonale et une autre horizontale qui traversent le carré pour garder le dessin symétrique.

Matériel requis :

- Équipement de base, plus :
- Crayon délicat 4B
- Cadre en bois
- Punaises
- Coton préparé, 43 x 43 cm (17 x 17 po)

CONSEIL

UTILISATION DES CANTINGS

- Si des gouttes indésirables s'échappent, faites-en d'autres pour assurer la symétrie de l'autre côté pour que votre « erreur » fasse partie du motif.
- N'allez pas trop vite et laissez le temps à la cire de pénétrer dans le tissu. Exercez-vous avec les différents cantings.

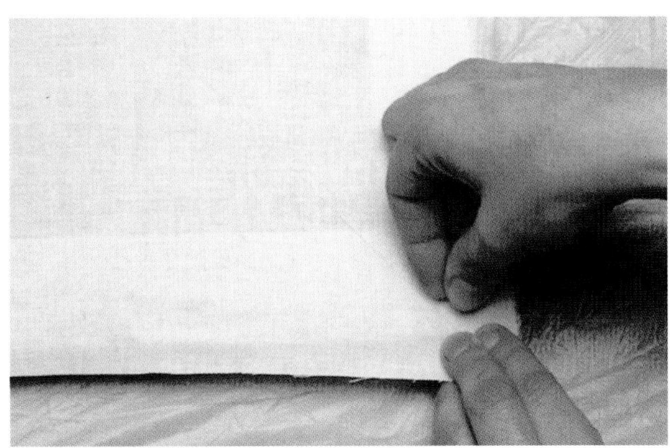

2 *Au début, manier les cantings est plus facile sur du tissu étiré. Vous pouvez utiliser un vieux cadre s'il est bien droit. Fixer le tissu avec des punaises autour du cadre en prenant soin de ne pas trop l'étirer pour éviter une distorsion de l'image.*

3 *Avant de commencer le cirage, mélanger les couleurs : 6 c. à table (90 ml) de chacune. Nous avons utilisé le rouge, le jaune et le turquoise. Appliquer les couleurs sur le tissu en permettant aux contours de se mélanger un peu pour créer un effet diffusé.*

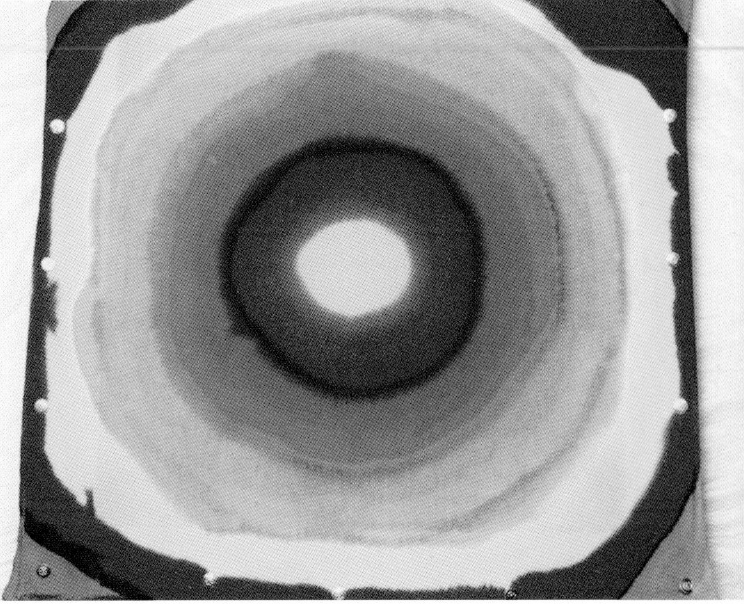

4 *Garder les couleurs claires et vives et laisser sécher le tissu complètement.*

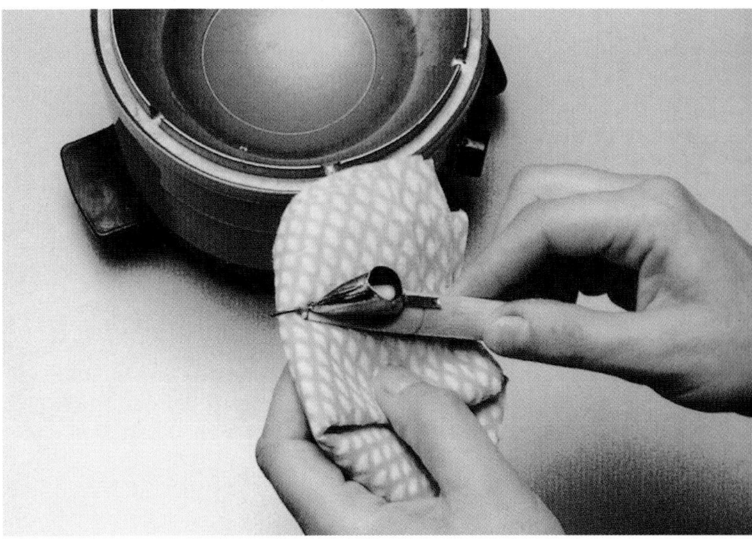

5 *Faire chauffer la cire et y déposer un canting pendant 30 secondes pour que le petit bol en métal se réchauffe et qu'il garde la cire chaude. Remplir le réservoir à moitié pour ne pas que la cire déborde pendant le travail. Utiliser un chiffon absorbant pour enlever l'excédent de cire et capter les gouttes pendant que le déplacement du canting du pot vers le tissu.*

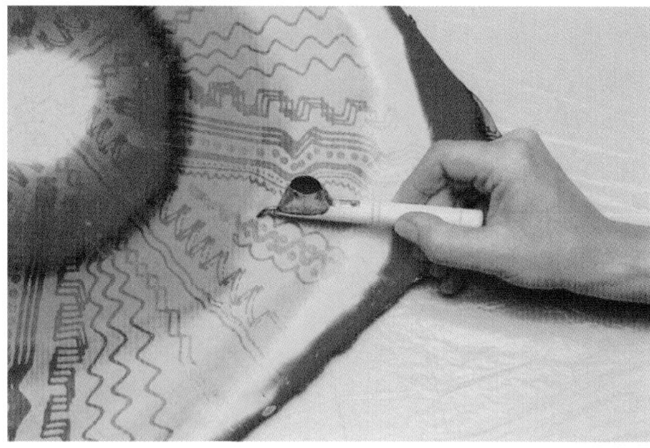

6 *Placer le cadre en angle, ainsi que le canting pendant que vous travaillez. L'angle influence le débit de la cire qui sort et seule l'expérience vient à bout de la technique. Ne pas tenir dans un angle tel que la cire tombe sur les doigts.*

7 *Lorsque le cirage est terminé, mélanger 90 ml (3 oz) de colorant noir en utilisant ½ c. à thé de poudre de teinture. Mettre des gants. Appliquer le noir sur le tissu avec une éponge. Placer une pellicule de plastique en dessous pour capter les gouttes. Les teintures qui réagissent aux fibres s'intensifient en étant surteintes, surtout le noir qui paraît plus riche lorsque appliqué deux fois sur les couleurs vives. Lorsque le tissu est sec, repasser et nettoyer à sec avant de le transformer en housse de coussin.*

Store

Placé devant la lumière, l'effet batik rappelle celui d'un vitrail. Un store est donc un bon moyen d'exhiber votre expertise en art batik.

Ce projet couvre une superficie de 66 cm (26 po) de large sur 112 cm (44 po) de long. Le matériel suggéré laisse 12 mm (½ po) de tissu de chaque côté pour les coutures et 10 cm (4 po) dans le haut et le bas pour le mécanisme. Le tissu peut rétrécir en bouillant alors coupez-le environ 2,5 cm (1 po) de plus que les mesures données.

Matériel requis :

- Équipement de base, plus :
- Tissu préparé, 69 x 132 cm (27 x 52 po)
- Cadre en bois, 69 x 69 cm (27 x 27 po)
- Punaises
- Ruban à mesurer
- Longue règle
- Ruban-cache
- Crayon délicat 4B

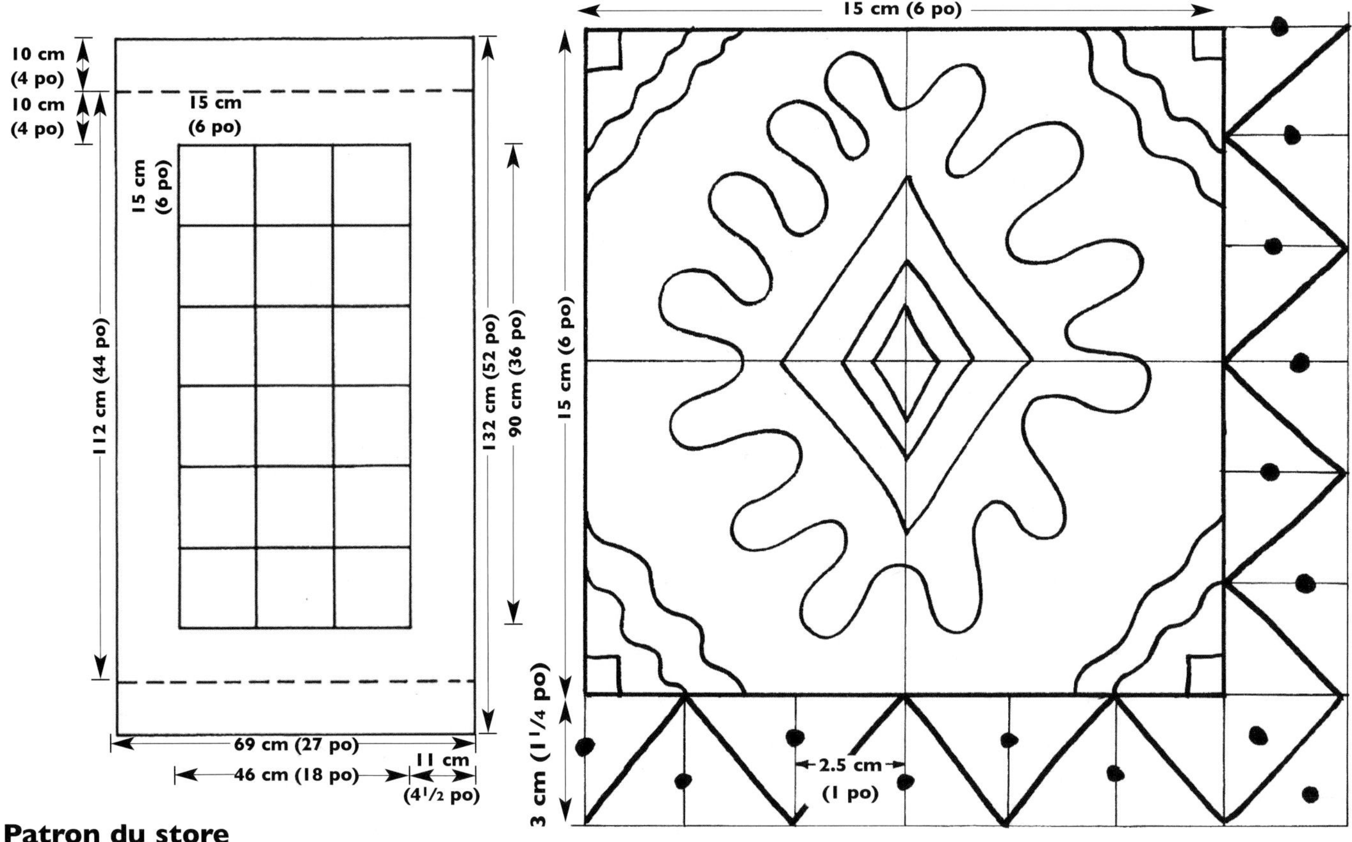

Patron du store

1 *Étendre le tissu sur une surface ferme et utiliser le crayon pour marquer 10 cm (4 po) en haut et en bas. Dessiner une marge dans ces lignes, de 10 cm (4 po) additionnels une autre de 11 cm (4 ½ po) sur les côtés. L'aire à l'intérieur mesure donc 46 cm (18 po) sur 90 cm (36 po) alors le motif répété a été fait en carrés de 15 cm (6 po) pour entrer trois fois en largeur et six fois en hauteur. Marquer ces carrés. Le motif de la bordure ne nécessite qu'une largeur de règle ; à 2,5 cm (1 po), marquer des pointillés en traçant une ligne tout autour et ensuite, une ligne qui servira de guide.*

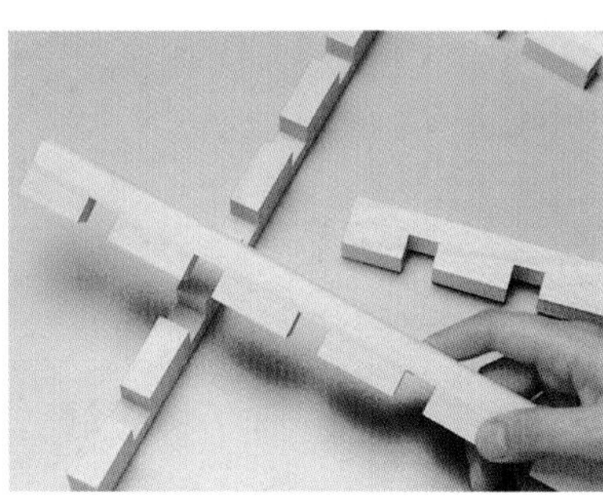

2 *Un cadre ajustable d'environ 68 x 68 cm (27 x 27 po) serait idéal pour étendre le tissu et le séparer en deux sections. Ce type de cadre est disponible dans les boutiques d'artisanat en dimensions variées. Vous pouvez toujours utiliser un cadre régulier.*

3 *Cirer le motif de la bordure. Lorsque la première section est terminée, déplacer le tissu sur le cadre et faire la deuxième section. Manipuler le tissu soigneusement pour ne pas faire de plis dans la cire. Autrement, les couleurs pénètreront dans des endroits imprévus. Se guider avec les lignes verticales et horizontales pour placer les points de formes de diamants dans chaque carré. Déplacer les cantings librement ; si l'on veut des lignes semblables, elles n'ont pas à être identiques, c'est la beauté du batik.*

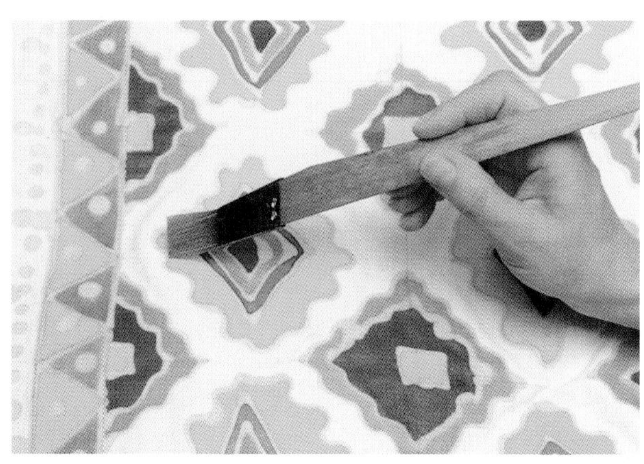

4 *Il est plus facile d'appliquer la teinture si le tissu est pleine longueur. S'il est sur une feuille de plastique, la teinture peut s'amasser et traverser les lignes de cire. On peut éviter cela en l'étendant sur une surface absorbante, comme du papier journal, mais celui-ci risque d'absorber de la couleur. Si possible, suspendre le tissu pour minimiser les bavures et obtenir le dessin désiré. Il peut être suspendu à une étagère ou un linteau de porte ; c'est ainsi que j'ai appliqué les couleurs dans les endroits plus petits. Rappel : teindre d'abord en pâle puis en foncé et les cirer à mesure que les teintures sèchent pour prévenir toute erreur avec les couleurs foncées.*

5 *La couleur de fond finale a été appliquée avec une éponge pendant que le tissu était fixé entre deux longueurs de bois de 5 x 5 cm (2 x 2 po) placées sur la surface de travail.*

6 *Il est plus facile de travailler horizontalement lorsque de larges sections de tissus doivent être teintes car le tissu retiendra la teinture et celle-ci ne coulera pas vers le bas, entraînant des pertes de couleurs dans le haut.*

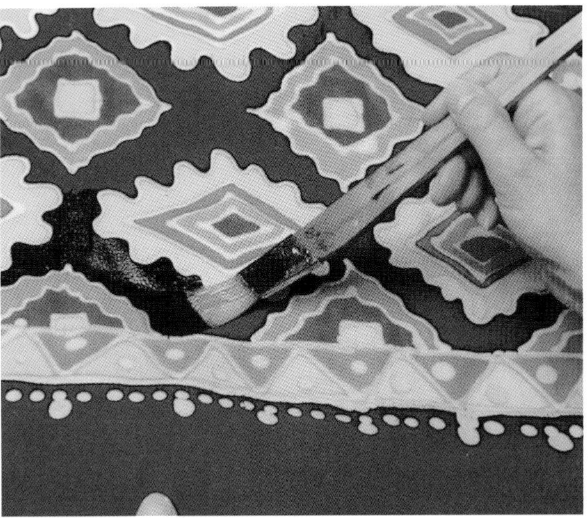

7 *Lorsque la teinture est sèche, cirer partout pour éviter les halos en soulevant le tissu entre les applications. Repasser et laisser le tissu raide et hydrofuge, ou le faire nettoyer à sec après l'avoir repassé et vaporisé de protecteur à tissu et d'une substance hydrofuge pour que le store puisse être rabattu. Votre tissu batik est prêt à être transformé en store à rouleau.*

Portraits

Les techniques du calendrier soleil servent également à ce projet. Cette fois, au lieu d'utiliser des caps, vous appliquerez la cire sur la soie avec les cantings. La soie vous permet de voir les images facilement à travers le tissu. Choisir une image avec de beaux contrastes, en couleurs ou en noir et blanc.

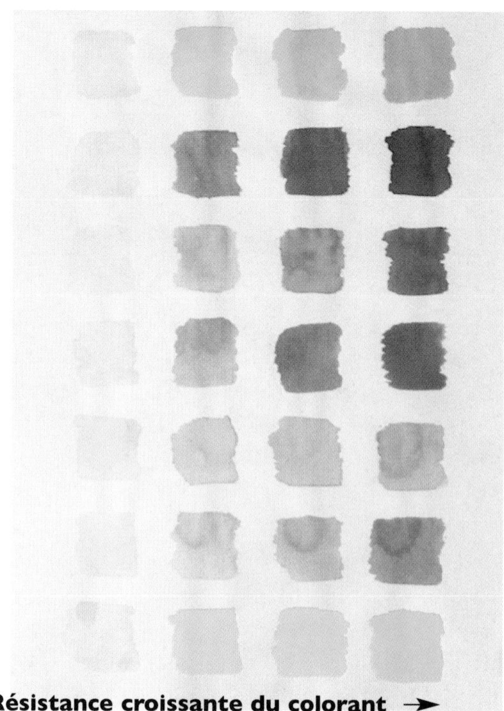

Résistance croissante du colorant →

2 *Planifier trois tons, en plus du blanc. On peut utiliser une couleur et la diluer pour des résistances différentes.*

Matériel requis :

- Équipement de base, plus :
- Image
- Photocopie agrandie de l'image choisie
- Acétate
- Soie préparée, 2,5 cm (1 po) plus large que l'image finale
- Cadre en carton aux dimensions intérieures de l'image choisie
- Papier journal non imprimé

1 *Agrandir l'image avec une photocopieuse. Comme guide, augmenter le visage pour qu'il mesure au moins 15 cm (6 po) du dessus de la tête au menton. Couvrir l'image d'un acétate.*

3 *Préparer et attacher la soie à un cadre en carton. Positionner l'image derrière la soie étirée et faire une ligne de cire autour l'image. Cirer les endroits qui resteront blancs avec un pinceau ou une éponge. Adoucir les contours en appliquant des points de cire avec le canting.*

4 *Enlever la soie de l'image prête à recevoir le premier ton de teinture. Mélanger le plus pâle (ton 1) et l'appliquer avec un morceau d'éponge. Ne pas saturer l'éponge car les limites de cire n'arrêteront pas la teinture. Rappel : porter des gants.*

5 *Avec la technique des pointillés, cirer les endroits sauvegardés en tant que « ton 1 ».*

6 *Mélanger la teinture du ton 2 et la tester derrière l'image.*

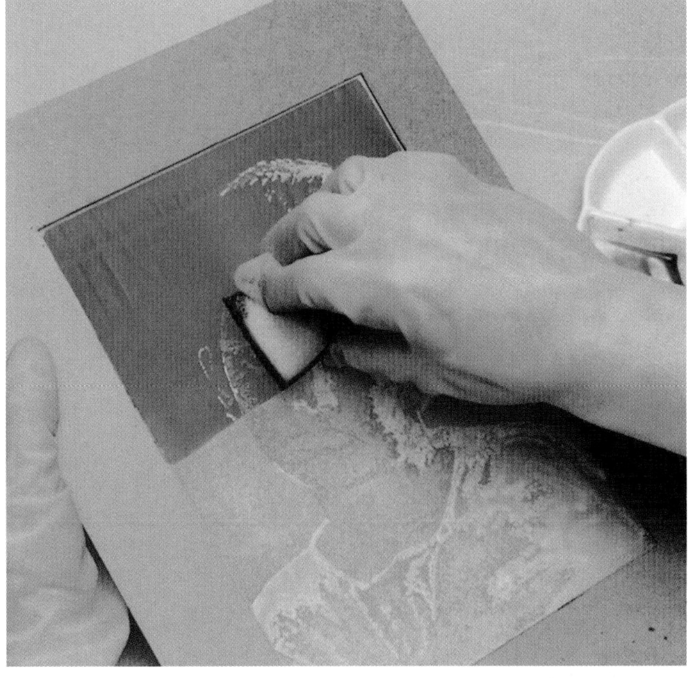

7 *Appliquer le ton avec une éponge douce.*

8 *Appliquer la cire pour protéger les endroits réservés au ton 2.*

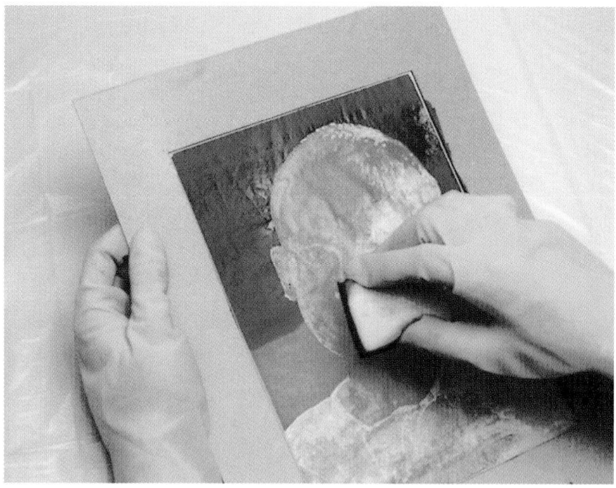

9 *Mélanger le ton le plus foncé, le 3, et appliquer. Lorsque sec, cirer les endroits qui restent pour éviter les halos.*

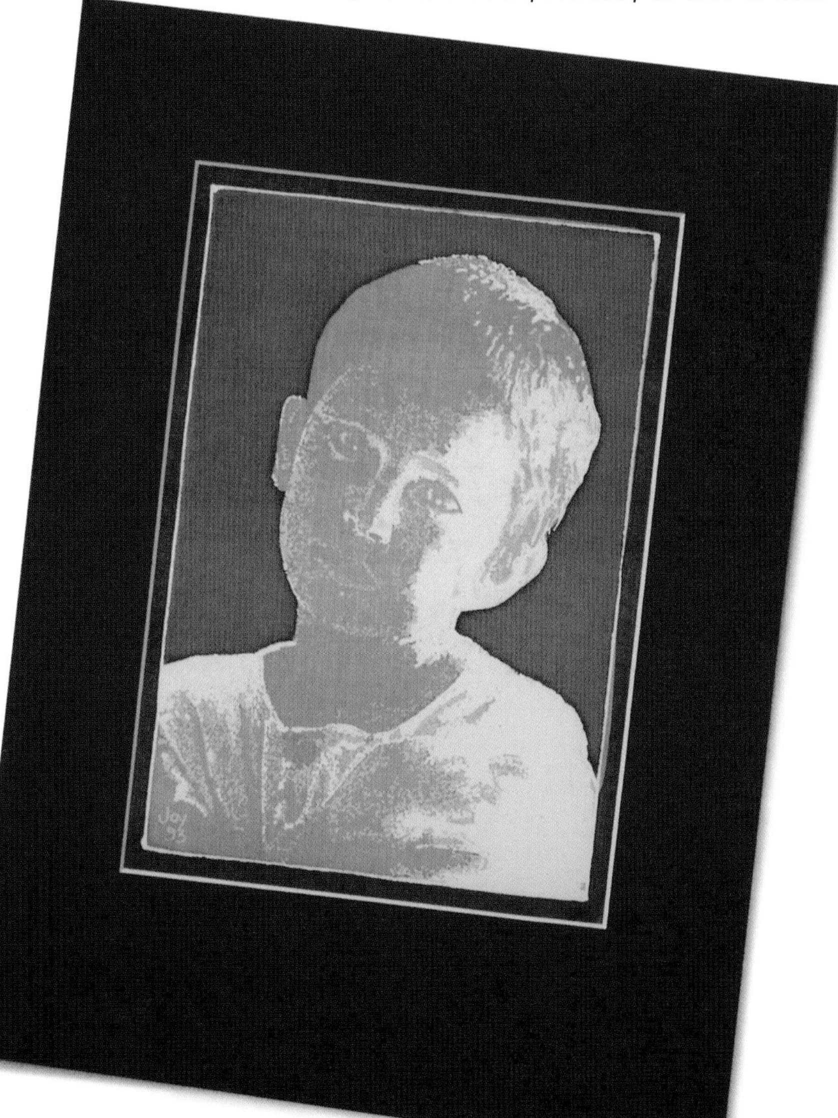

Mélanger le ton le plus foncé, le 3, et appliquer. Lorsque sec, cirer les endroits qui restent pour éviter les halos.

Pièce murale

Un agent de blanchiment peut augmenter les gammes des couleurs lorsque vous travaillez sur des images et que vous ne voulez pas que les contours soient en cire blanche.

En faisant des immersions consécutives dans la teinture, des couleurs se perdent : si la première couleur est le jaune, un bain subséquent de bleu créera du vert. Ce projet présente la technique d'enlevage avec le bleu et le rouge.

Matériel requis :

- Équipement de base, plus :
- Coton préparé, 60 x 90 cm (24 x 36 po)
- Crayon délicat 4B
- Couverture
- Seau en plastique de capacité minimale de 4,5 litres (1 gallon)
- Bol de capacité minimale de 4,5 litres
- Bouchon de liège
- Rouleau d'essuie-tout en carton
- Plateau en plastique
- Agent de blanchiment
- Métabisulfite de sodium
- 2 goujons de 14 mm (½ po) et 60 cm (2 pi) de long

Assemblage final :

- Ciseaux
- Punaises
- Machine à coudre ou aiguilles et fils

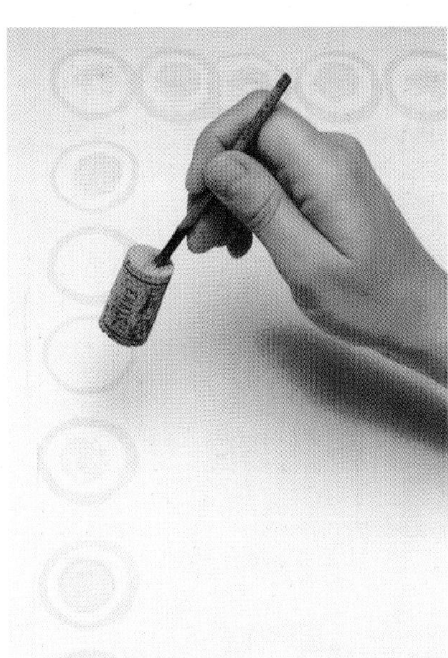

1 *Sur le tissu préparé, marquer au crayon des marges de 6,5 cm (2 ½ po) en haut et en bas pour glisser une tringle à la fin, et une marge de 2,5 cm (1 po) de chaque côté pour les ourlets. Ces lignes guideront le cirage. Étendre le tissu sur un fond doux et cirer la bordure blanche avec du liège et un cap rond (rouleau d'essuie-tout).*

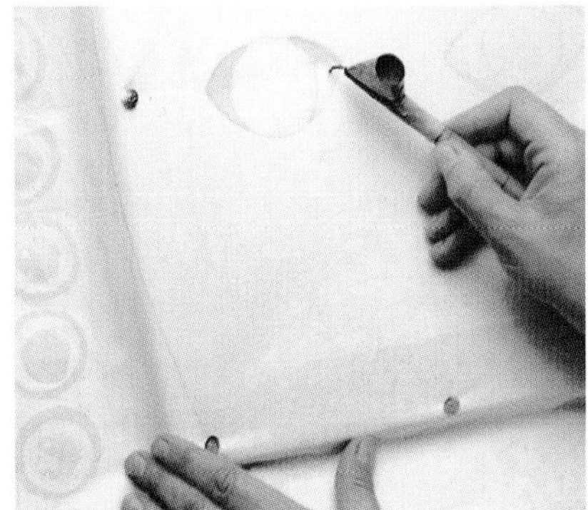

2 *Dessiner une forme ovale au centre. Positionner les yeux à mi-chemin du « visage ». Soutenir cette partie sur un cadre pour pouvoir tenir le tissu en angle lors du cirage du blanc des yeux.*

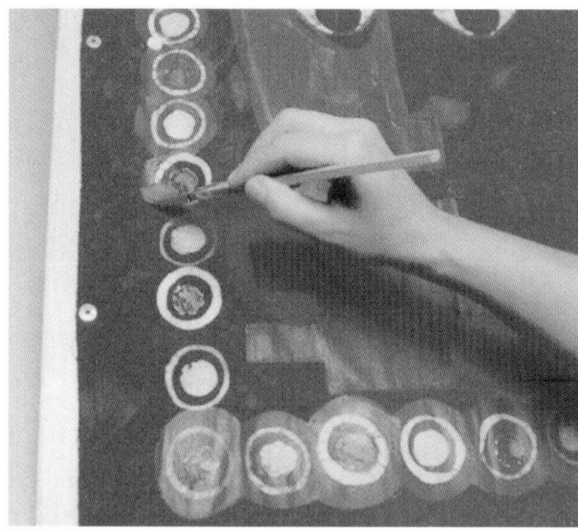

3 *Préparer un bain de teinture rouge. Tester la surteinture et l'enlevage. Pour la bordure, cirer avec un pinceau les endroits qui doivent rester rouges. Étendre la cire à l'éponge sur le côté du masque qui doit rester rouge.*

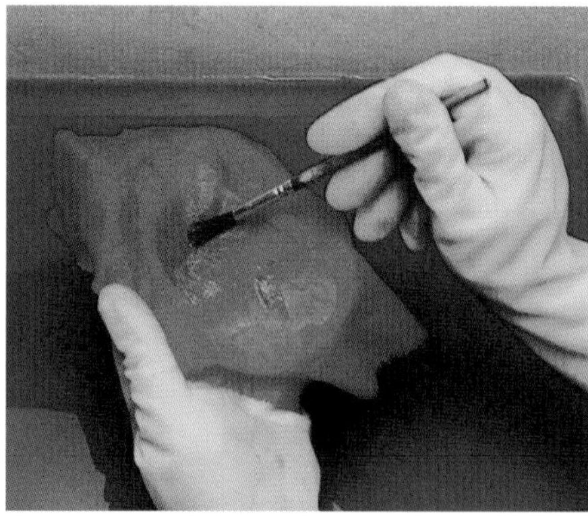

4 *Préparer un bain bleu et le tester sur l'échantillon.*

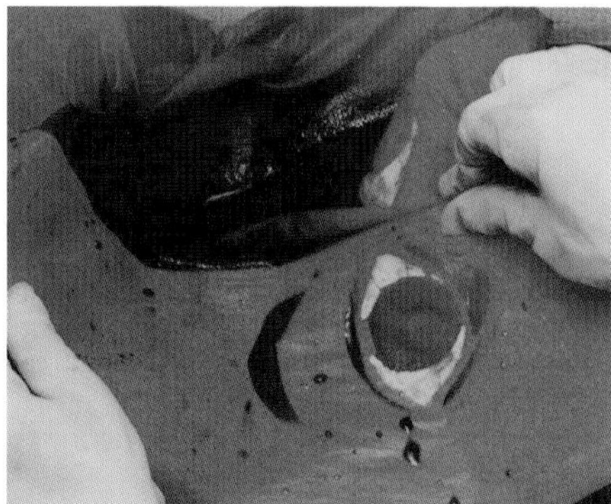

5 *Pour minimiser les craquelures sur le visage, mettre la teinture dans un plateau, il sera alors plus facile de garder le tissu plat.*

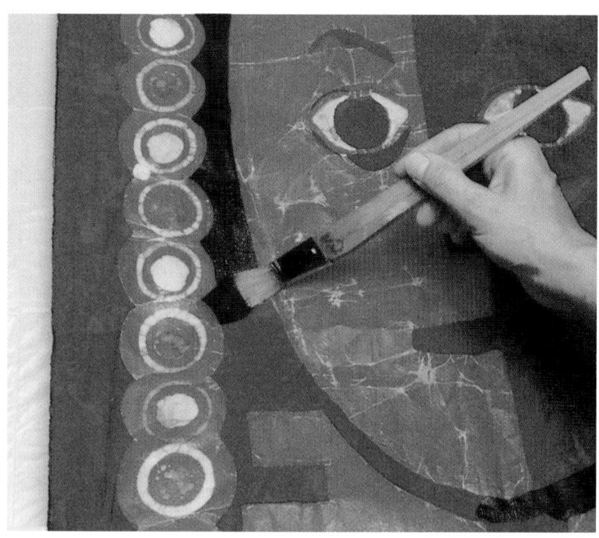

6 *Lorsque le tissu est rincé et totalement sec, revenir à la partie supérieure et cirer les endroits qui resteront mauves. Pour éviter que la cire ne colle au plastique, soulever le matériel en le cirant, ou encore mieux, le fixer à un cadre.*

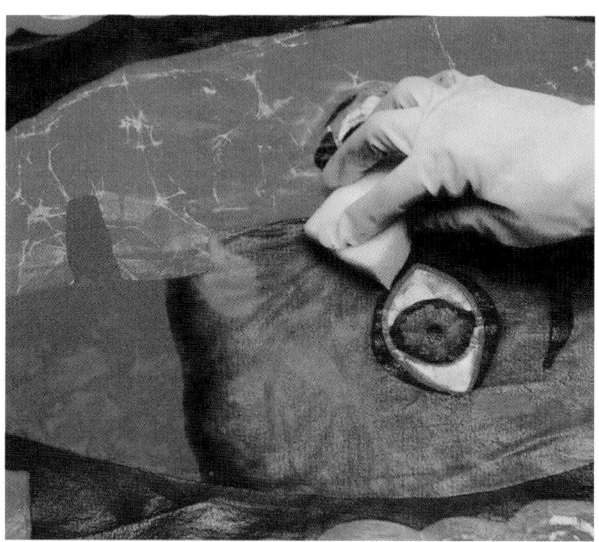

7 *Mélanger une solution de force moyenne avec agent de blanchiment en quantité suffisante pour couvrir les endroits non cirés avec un ratio de 1 c. à table d'agent de blanchiment pour 6 c. à table d'eau. Tester sur l'échantillon pour établir une minuterie. Le rouge s'enlèvera complètement avant le bleu alors aussitôt que le rouge est parti, rincer pour enlever la solution blanchissante. Neutraliser et rincer.*

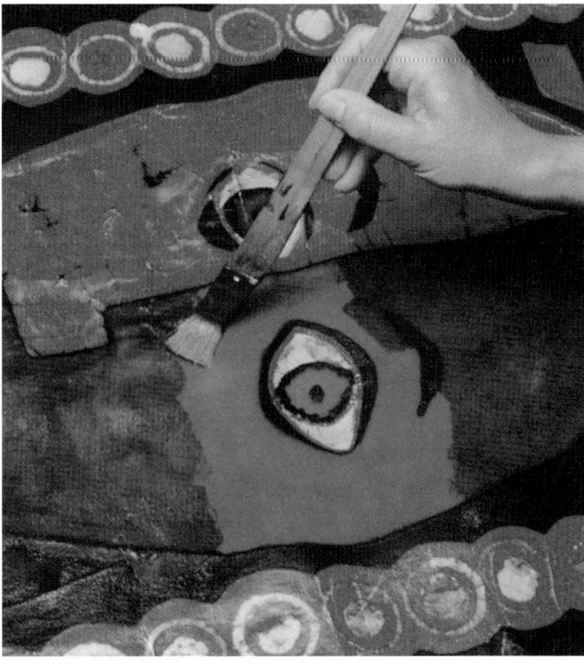

8 *Pour intensifier le bleu, l'appliquer comme dans une piscine batik. Lorsque sec, cirer pour éviter les halos qui pourraient se former suite au repassage.*

9 *Pour repasser le tissu de manière à ce qu'il garde des résidus de cire afin d'être hydrofuge, le repasser sur une surface assez large pour qu'il refroidisse à plat. Autrement, un morceau aussi grand peut déformer la soie.*

Coudre les côtés, ainsi que des ourlets larges dans le bas et le haut. Glisser une tringle en bois et suspendre l'œuvre. La tringle du bas assurera un meilleur soutien de la pièce murale. Si vous préférez un fini plus léger, faites-la nettoyer à sec et vaporisez un protecteur à tissus.

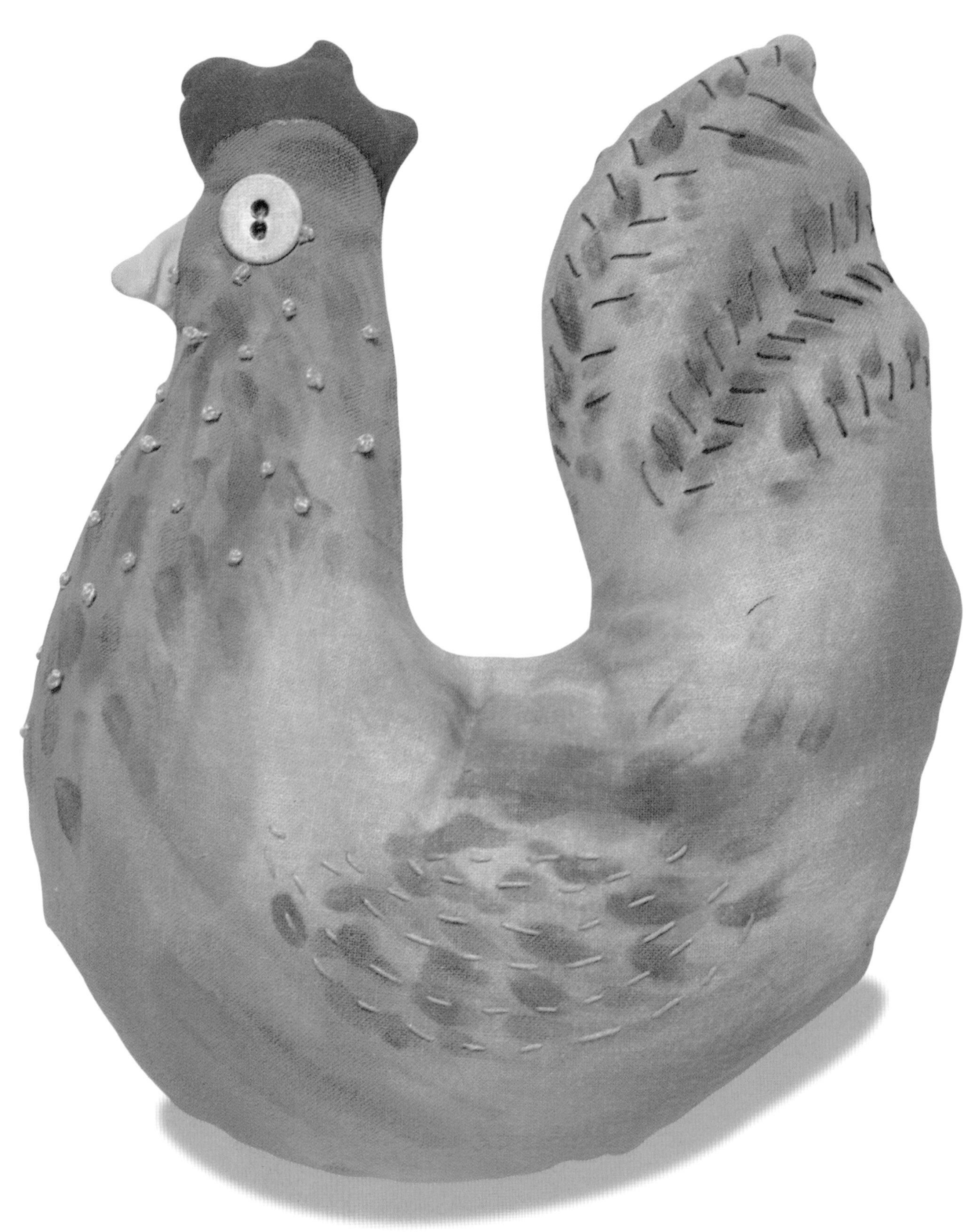

7 PEINTURE SUR TISSUS

Peindre sur du tissu permet de créer des effets sensationnels sur des objets ordinaires. Ravivez un tee-shirt ou un jean uni, une nappe qui fera valoir votre vaisselle préférée ou des coussins qui s'harmoniseront à votre papier peint. Plusieurs dessins et motifs peuvent se faire à main levée. En pratiquant, vous perfectionnerez vos techniques et pourrez bientôt reproduire de belles images d'une revue ou même inventer vos propres motifs.

Il y a plusieurs façons d'appliquer la peinture sur le tissu. Le pochoir permet de couvrir une grande surface et de répéter un motif. Imprimer avec des légumes ou des fruits tranchés et des fleurs est une nouvelle façon de créer des dessins abstraits : vous n'avez qu'à peindre la surface de l'objet choisi et l'imprimer directement sur le tissu. Ce chapitre vous présente les procédés de cache, d'éponge, d'imprimerie et de peinture sur tissus foncés pour vous familiariser avec plusieurs techniques de peinture sur tissus.

ESPADRILLES

Les espadrilles unies sont offertes en différentes couleurs vives et sont généralement peu coûteuses. Décorer des couleurs pâles comme le bleu, le vert, le rose et le blanc est plus facile que des couleurs foncées. Je propose d'utiliser du ruban-cache, mais si vous êtes suffisamment confiants, laissez-le de côté.

Matériel requis :

- Une paire d'espadrilles unies
- Journal
- Ruban-cache
- Ciseaux
- Peintures à tissus
  (j'ai utilisé rouge, jaune et bleu)
- Palette pour mélanges
- Pinceaux (petits et moyens)
- Craie de tailleur ou crayon de couleur
- Fer
- Chiffon

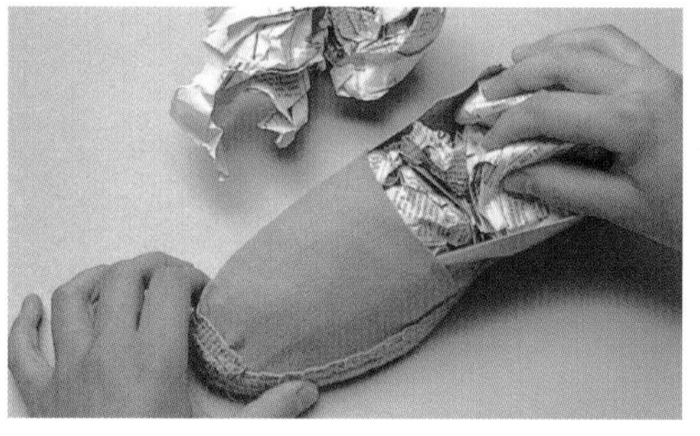

1 *Mettre du papier journal chiffonné dans chaque espadrille pour que la surface soit rigide.*

2 *Placer trois bandes de ruban-cache sur le dessus d'un soulier en variant les distances qui les séparent ou utiliser du ruban-cache de différentes largeurs.*

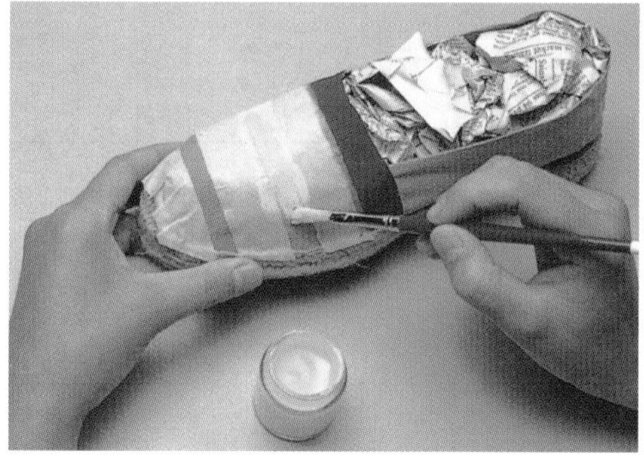

3 *Commencer à appliquer la peinture bleue avec des petits traits de pinceau. Ne pas diluer la peinture car elle coulerait.*

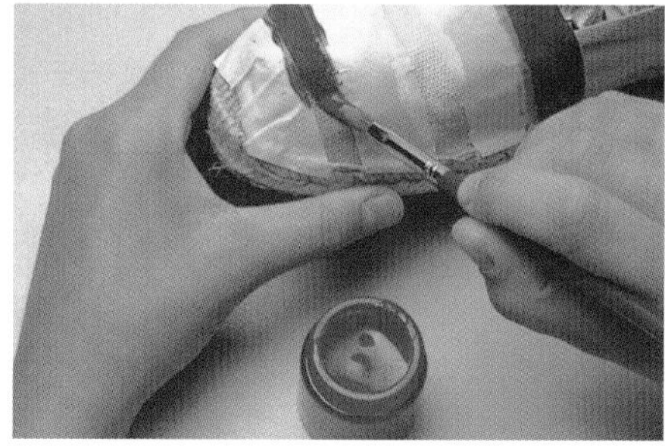

4 *Après avoir peint les bandes jaunes et rouges, laisser sécher avant d'enlever le ruban-cache*

5 *Ajouter des détails aux bandes.*

7 *Avec une craie de tailleur ou un crayon de couleur, dessiner des cercles aléatoires de chaque côté.*

6 *J'ai peint des vagues à main levée.*

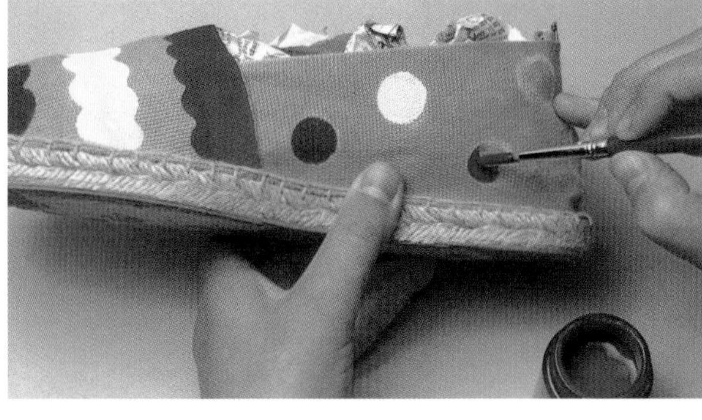

8 *Peindre les cercles avec un petit pinceau pour avoir des contours bien droits.*

9 *Placer un morceau de tissu sur l'espadrille et repasser pour sceller la peinture.*

JEANS PERSONNALISÉ

Ce projet est idéal pour essayer des peintures sur tissus plus spécialisées dont la peinture relief, pailletée et fluorescente. C'est également l'occasion de rajeunir une vieille paire de jean puisque les possibilités sont infinies.

Matériel requis :

- Un jean
- Journal
- Peintures à tissus (incluant la peinture relief, pailletée et fluorescente)
- Palette à mélanges
- Pinceaux à peinturer (tailles variées)
- Séchoir à cheveux

1 *Placer quelques feuilles de journal à l'intérieur du jean pour ne pas que la peinture le traverse.*

2 *Avec la peinture relief, dessiner des zigzags autour des poches.*

3 *Ajouter des points verts dans les zigzags.*

4 *Peindre une pièce avec un mélange de jaune et de blanc. Dessiner des carreaux avec un mélange de bleu et de mauve.*

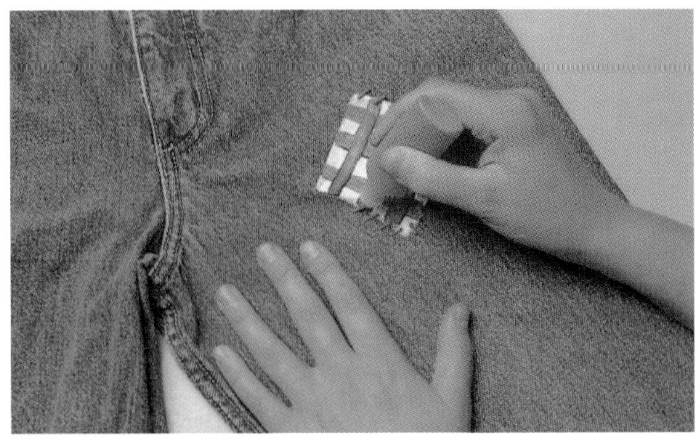

5 *Peindre des « coutures » autour de la pièce avec la peinture relief rose.*

6 *Dessiner un motif différent sur l'autre jambe. J'ai opté pour un cœur rose. Avec la peinture relief verte, faire les contours du cœur.*

7 *Ajouter de la peinture relief verte à l'intérieur du cœur et des points blancs autour. Ajouter d'autres pièces sur les jambes, au goût. Lorsque la peinture est sèche, la faire gonfler au séchoir à cheveux.*

MOTIFS ABSTRAITS

Voici une belle façon de décorer du tissu uni et de le transformer en rideaux, nappe, coussin ou même en vêtements. Regardez autour de vous et vous trouverez une panoplie d'objets avec lesquels vous pouvez imprimer des motifs : éponges, peignes, couvercles de pots, pinces à linge, etc. Les pâtes et autres aliments peuvent aussi créer des motifs intéressants.

Matériel requis :

- Objets pour imprimer (peignes, bobines de fil vides, bouchons à stylos, etc.)
- Journal
- Tissu
- Ruban-cache
- Peinture à tissus
- Palette à mélanges
- Pinceau (moyen)
- Fer
- Chiffon

1 *Assembler les objets qui feraient de belles formes. Il peut être utile de faire des tests avant de commencer.*

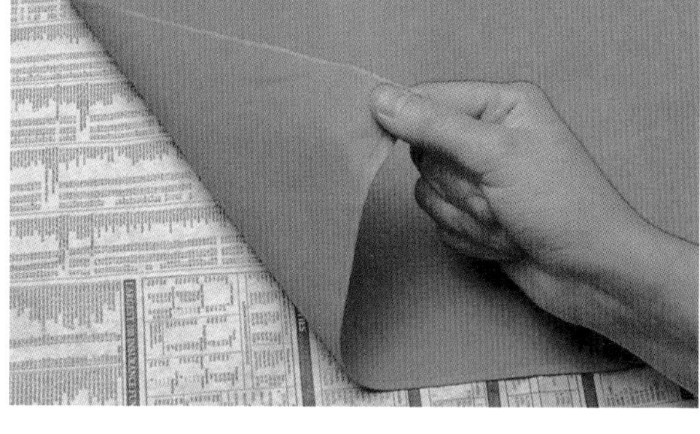

2 *Couvrir la surface de travail avec du papier journal et étendre le tissu. Pour le garder en position, le fixer avec du ruban-cache.*

3 *Mélanger les couleurs voulues dans une palette.*

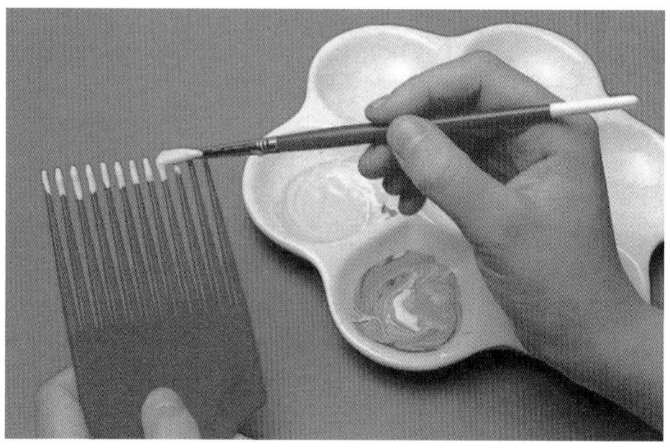

4 *Appliquer la peinture sur l'objet qui servira à peindre les motifs. Éviter d'en mettre trop pour assurer des motifs bien définis.*

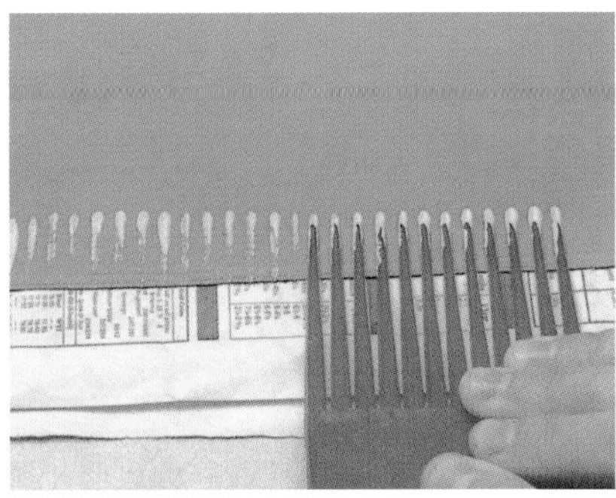

5 Avec le peigne, transférer la peinture sur le tissu. Continuer tout autour de la bordure et laisser sécher 20 minutes..

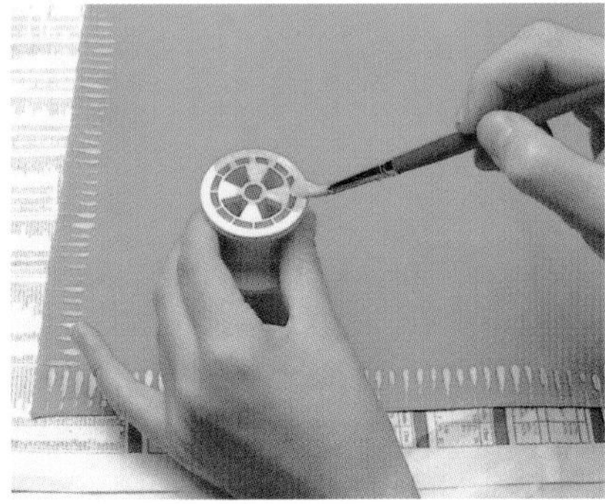

6 Avec le deuxième objet (ici, une bobine de fil), peindre la surface avec une couleur différente.

7 Incorporer la forme à votre dessin. Laisser sécher.

8 Avec une autre couleur, colorer votre prochain objet. J'ai utilisé une petite éponge qui donne une texture inégale intéressante.

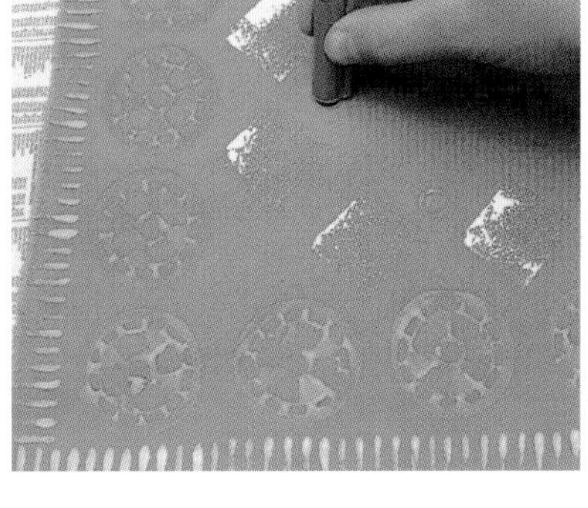

9 Laisser sécher la troisième couleur avant d'appliquer la prochaine série de formes colorées. Lorsque terminé, repasser le tissu placé sous un linge pour fixer la peinture.

Tablier imprimé aux légumes

Certains légumes qui ont des formes distinctes, comme les champignons, les piments et les brocolis, ainsi que certains fruits, sont parfaits pour la peinture sur tissus. Coupez-les en deux et égayez un tablier en calicot vendu dans tous les bons magasins d'articles de cuisine.

Matériel requis :

- Différents légumes
- Couteau de cuisine
- Crayon
- Papier uni
- Tablier en calicot uni
- Journal
- Peintures à tissus
- Palette à mélanges
- Pinceau (moyen)
- Marqueurs de peinture pour tissus
- Fer
- Chiffon

1 *Couper les légumes en deux avec un bon couteau. Inclure les tiges et en couper plusieurs pour les imprimer en différentes couleurs.*

2 *Dessiner le résultat final sur une feuille de papier.*

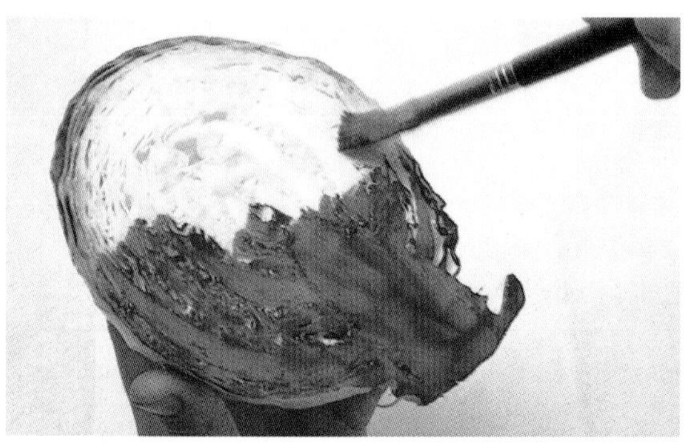

3 *Placer le tablier sur des feuilles de papier journal et préparer les peintures. Utiliser un pinceau pour enduire la surface du chou.*

4 *Tester le chou sur une feuille de papier pour en vérifier la texture. Presser fermement pour obtenir un bon imprimé. Ne pas mettre trop de peinture sur les légumes car les détails se perdront.*

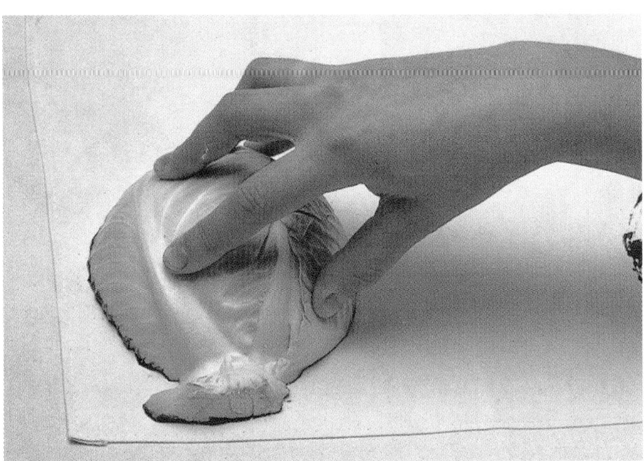

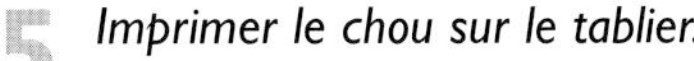

5 *Imprimer le chou sur le tablier.*

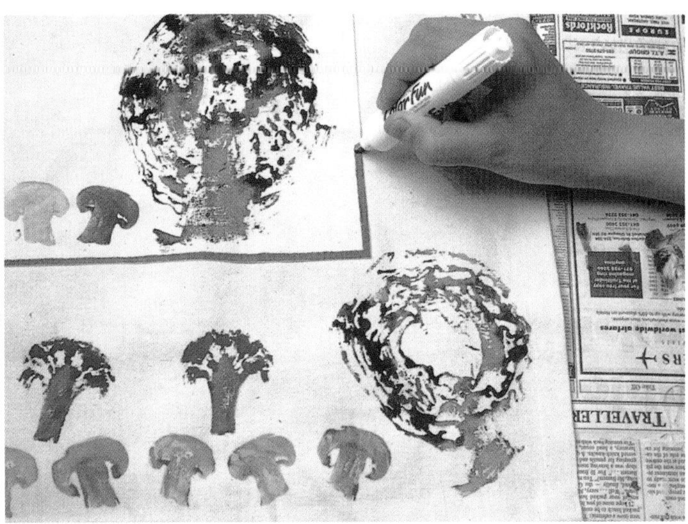

7 *Utiliser un marqueur de peinture pour dessiner le contour du tablier et de la pochette. Repasser sous un linge pour fixer la peinture.*

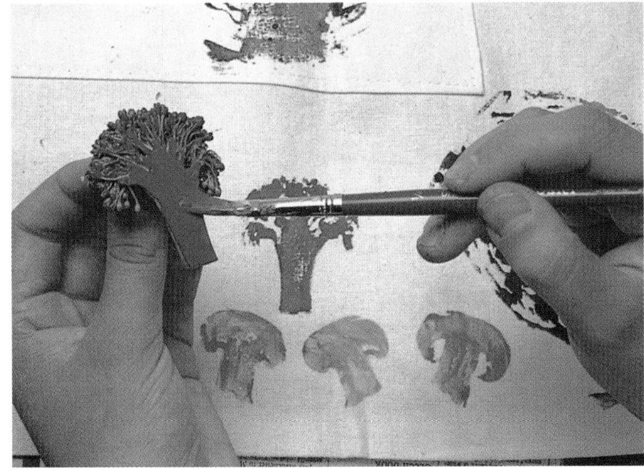

6 *Ajouter les imprimés des autres légumes en prenant soin de ne pas bouger au moment de la pression sur le tissu. Ajouter de la peinture fraîche chaque fois.*

Imprimés de fleurs

Ce projet met en vedette des imprimés de fleurs et de feuilles, idéaux pour des housses à coussins, des nappes et même des rideaux. Les contours bien définis sont plus efficaces que les formes plus délicates. Essayez le lilas, le lierre, les marguerites et les tiges de conifères. Pour les feuilles, le côté des nervures permet d'imprimer plus de détails.

Matériel requis :

- Papier brouillon
- Crayons de couleurs
- Journal
- Tissu au choix
- Ruban-cache
- Fleurs et feuilles
- Peintures à tissus
- Palette à mélanges
- Pinceau (moyen)
- Fer
- Chiffon

1 *Avec les fleurs et les feuilles, créer un arrangement et en faire une esquisse pour avoir une référence tout au long du travail.*

2 *Couvrir la surface de travail avec du papier journal, étendre le tissu et le fixer si nécessaire. Mélanger les couleurs et commencer à peindre des feuilles.*

3 *En suivant l'esquisse, placer une feuille sur le tissu en appuyant fermement mais délicatement. Au bout de 10 secondes, soulever un coin pour voir si elle est imprimée. Si oui, enlever doucement la feuille pour éviter de faire des pics. Continuer avec les autres feuilles.*

4 *Peindre une fleur en la plaçant selon l'esquisse. Peindre les espaces vides au pinceau si désiré, ou laisser les motifs abstraits. Laisser sécher et repasser sous un linge pour fixer la peinture.*

TABLEAU « ART POPULAIRE »

Ce charment dessin s'effectue en appliquant une série de pochoirs, l'un après l'autre, et en les peignant de différentes couleurs. Vous pouvez encadrer le résultat final ou en peindre deux pour en recouvrir un coussin.

Matériel requis :

- Papier calque
- Crayon
- Pochoir
- Ruban-cache
- Couteau d'artiste ou scalpel
- Morceau de canevas ou de calicot d'environ 33 x 28 cm (13 x 11 po)
- Ciseaux
- Journal
- Pinceau à pochoir 5 mm (¼ po) ou 12 mm (½ po)
- Peintures à tissus
- Palette à mélanges
- Fer
- Chiffon
- 4 boutons

1 *Tracer les motifs des pochoirs en dessinant chaque contour sur des feuilles de papier égales pour qu'ils s'ajustent avec précision.*

2 *Fixer au ruban-cache chaque pochoir sur un carton de pochoir différent en les plaçant chacun dans la même position. Découper les trous dans chaque pochoir.*

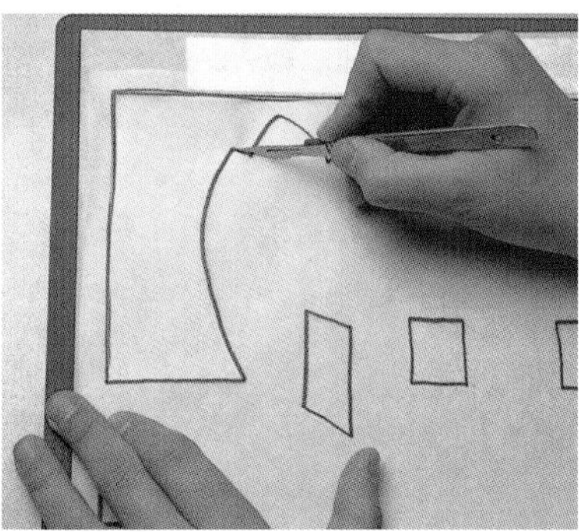

3 *Découper un morceau de canevas ou de calicot et le placer sur du papier journal. Fixer le premier pochoir – le fond de l'image – sur le canevas et le peindre (je l'ai peint en bleu). Enlever le pochoir doucement et laisser sécher quelques minutes.*

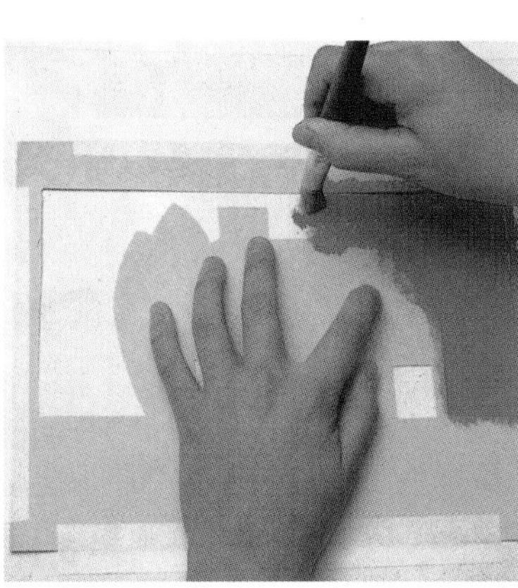

4 *Fixer le deuxième pochoir – le devant de la maison et la cheminée – et appliquer la peinture bleu foncé. Utiliser un pinceau pour peindre le contour des fenêtres.*

5 *Laisser sécher la peinture avant d'utiliser le prochain pochoir.*

6 *Fixer le pochoir suivant – la porte avant et le toit. Cette fois, peindre en brun. Laisser sécher.*

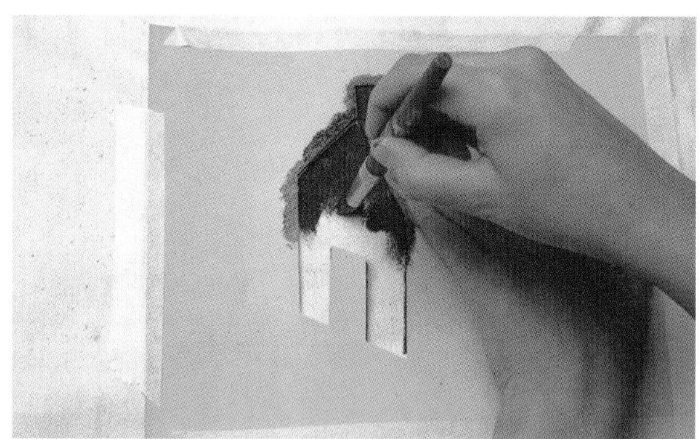

7 *Fixer le prochain pochoir et peindre le côté de la maison en mauve. Laisser sécher avant d'utiliser le pochoir suivant – des arbres qui seront peints en vert.*

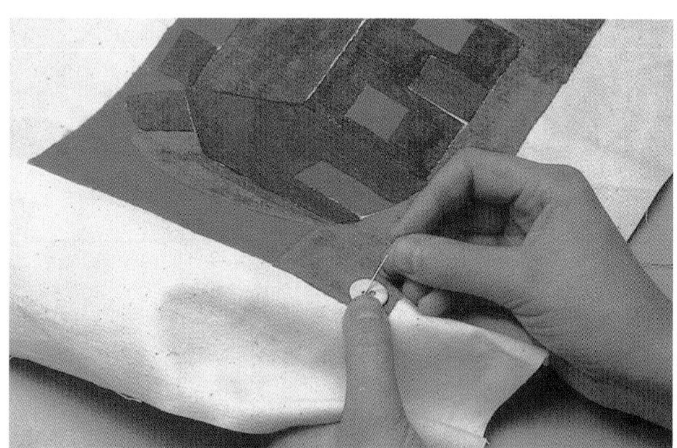

8 *Repasser sous un linge pour fixer les peintures et coudre un bouton dans chaque coin.*

Pièce murale pour enfant

Cette jolie parade d'animaux pourrait agrémenter les murs d'une chambre d'enfant. Ce projet inclut un peu de couture à la main et des pochoirs simples pour donner un aspect légèrement rétro. Vous pouvez remplacer les animaux par des lettres.

Matériel requis :

- Papier calque
- Crayons
- Pochoir
- Ruban-cache
- Couteau d'artiste ou scalpel
- 8 morceaux de tissu crème, chacun mesurant environ 12,5 x 12,5 cm (5 x 5 po)
- Peintures à tissus
- Palette à mélanges
- Pinceaux à pochoir 5 mm (¼ po) et 12 mm (½ po)
- Éponge (naturelle de préférence)
- Fer
- Chiffon
- 2 morceaux de tissu de couleur, chacun mesurant environ 128 x 20 cm (50 x 8 po) (j'ai choisi du tissu bleu)
- Punaises
- Ciseaux
- Aiguilles
- Fils de soies de différentes couleurs
- 2 boutons
- Biais ou ruban d'environ 10 cm (4 po)

1 *Tacer huit formes d'animaux. Placer chaque animal sur un morceau de pochoir et le tenir en place avec du ruban-cache.*

2 *Avec un couteau d'artiste, découper chaque forme et disposer sur du papier calque.*

3 *Découper huit carrés dans le tissu de couleur crème.*

4 *Avec le ruban-cache, fixer chaque animal découpé sur un carré de tissu.*

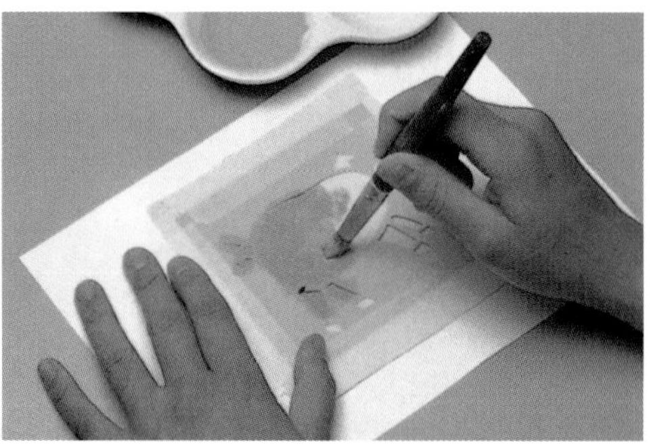

5 *Préparer les peintures, puis colorer le corps du cochon avec un pinceau à pochoir.*

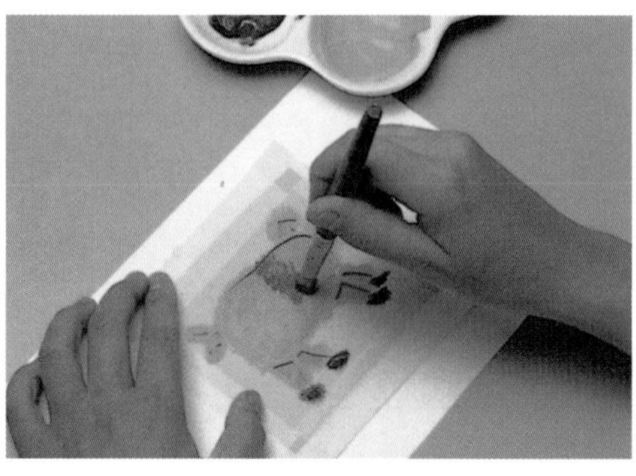

6 *Colorer les pattes du cochon en brun et ajouter une bande de brun sur son corps.*

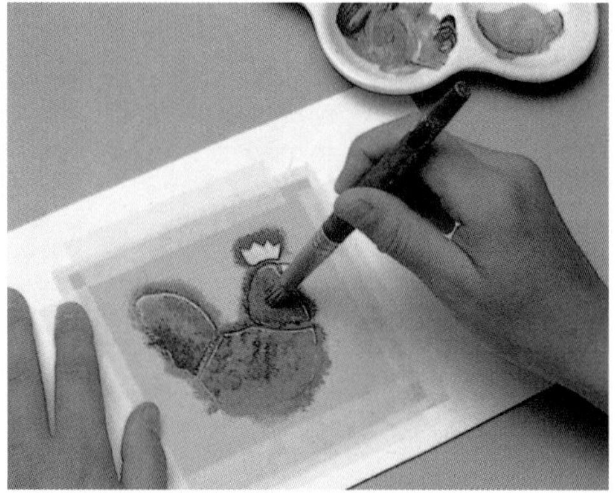

7 *Le coq a un corps bleu vert et une crête rouge clair.*

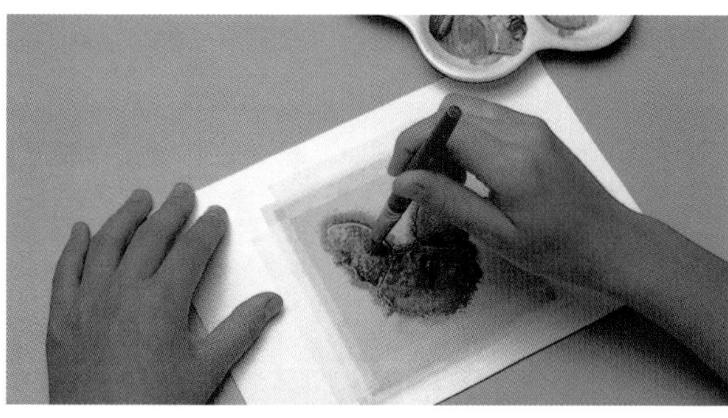

8 *Ajouter un peu de jaune et d'orange à la queue du coq.*

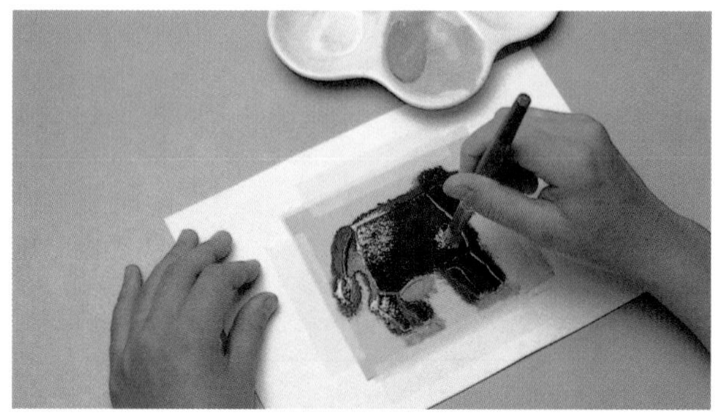

9 *Colorer le corps de la vache en noir et ses sabots et ses pis en rose. Faire des taches blanches avec une éponge.*

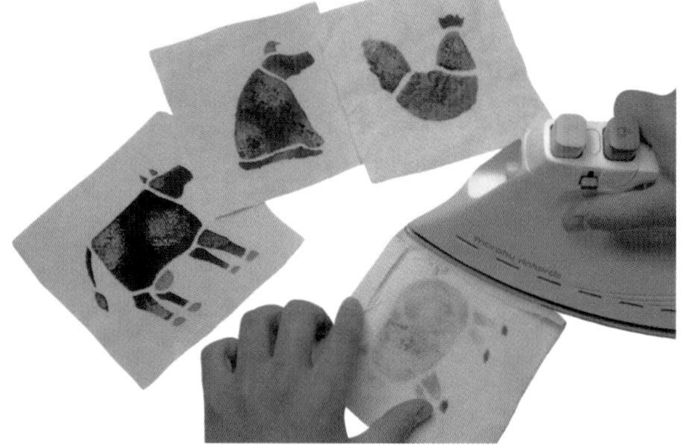

10 *Peindre les autres animaux en se fiant sur des photographies au besoin. Tourner les contours de chaque image et repasser sous un linge pour fixer les couleurs en appuyant sur les contours repliés.*

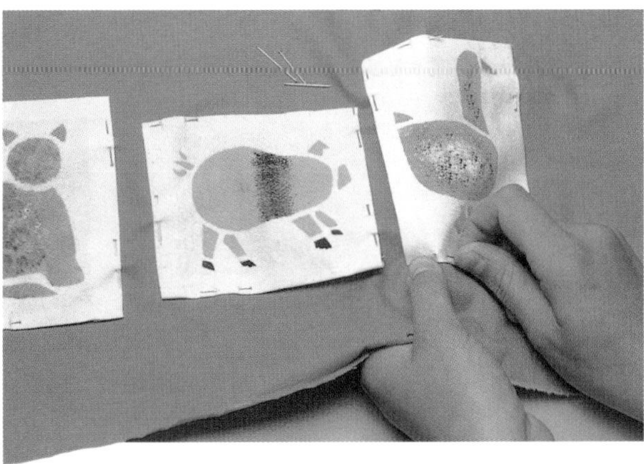

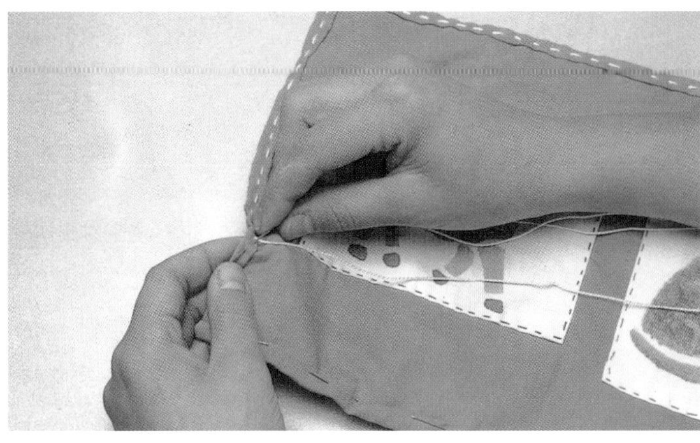

11 *Placer les deux rectangles de tissu ensemble et les fixer. Espacer les huit animaux sur les rectangles et les fixer avec des aiguilles aux endroits désirés.*

13 *Coudre à la main un ourlet tout autour du grand rectangle avec du fil de soie jaune.*

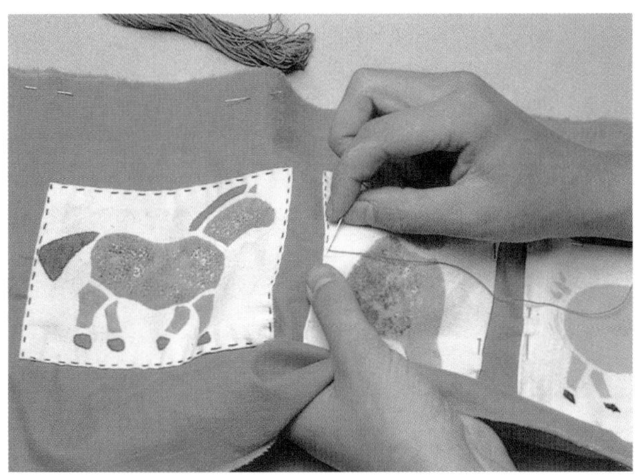

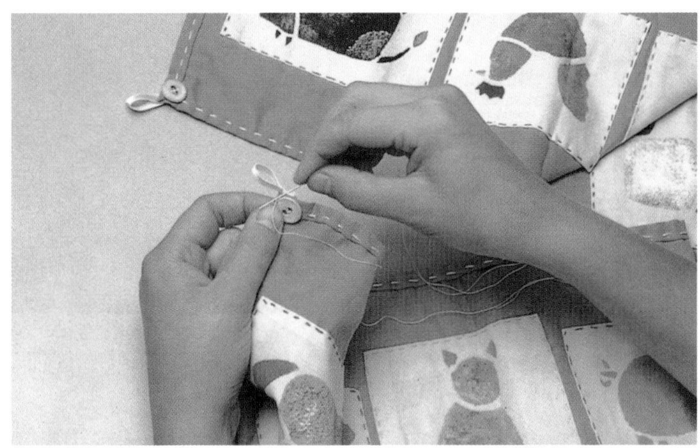

12 *Avec des fils de soie de différentes couleurs, coudre chaque carré en place.*

14 *Coudre un bouton dans les deux coins supérieurs et y ajouter un bout de biais ou de ruban pour suspendre.*

Coussins en forme d'animaux

Mettez ces coussins sur un lit d'enfant ou groupez-les sur une chaise. Différentes couleurs de peinture ont été diluées pour les arrière-plans, alors que des textures plus épaisses ont servi aux traits plus importants. Des coutures simples faites avec du fil coloré rehaussent les détails des plumes, des moustaches, etc.

Matériel requis :

- Papier calque
- Crayon
- Ciseaux
- Punaises
- Coton blanc, environ 51 x 25 cm (20 x 10 po) pour chaque coussin
- Journal
- Peintures à tissus
- Palette à mélanges
- Pinceaux (petit et moyen)
- Fils de soie de différentes couleurs
- Aiguilles
- Machine à coudre
- Kapok ou autre type de rembourrage
- Boutons pour les yeux
- Ficelle pour la queue du cochon

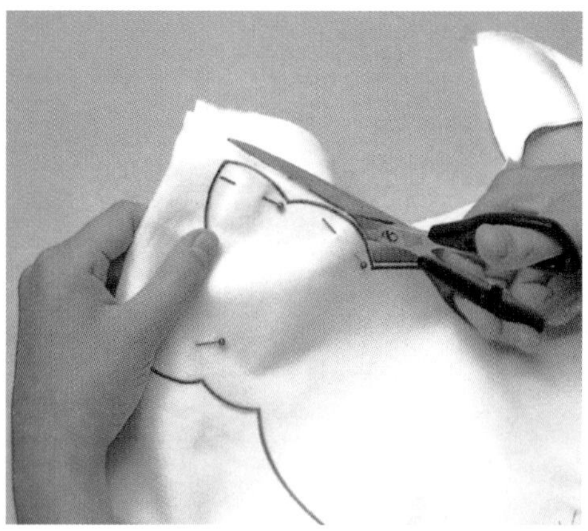

1 *Tracer les formes des animaux et les découper. Fixer chaque modèle à un morceau de tissu doublé et découper.*

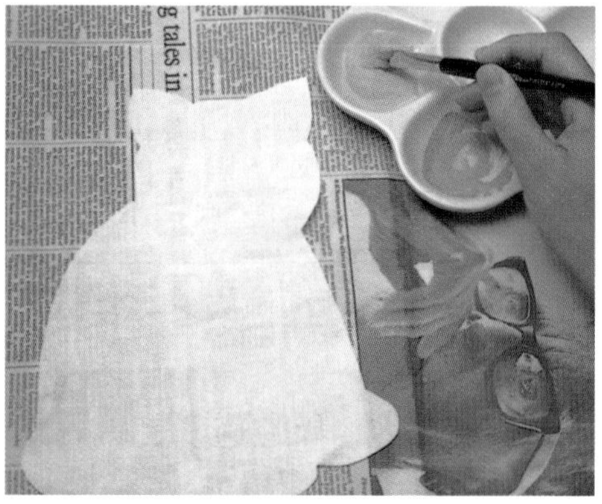

2 *Placer chaque animal sur du papier journal et préparer les peintures.*

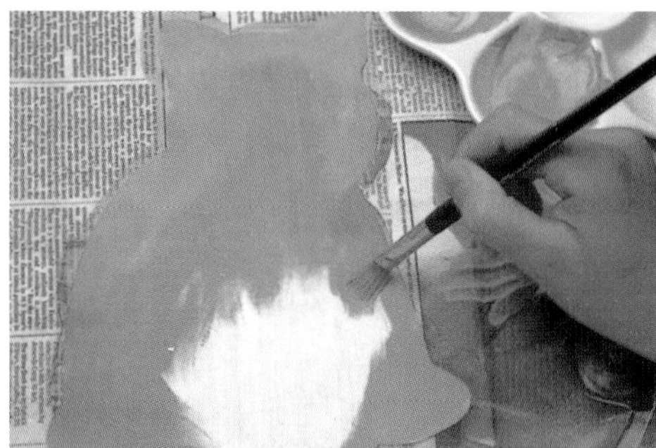

3 *Diluer les couleurs qui seront utilisées pour les fonds (j'ai choisi du orange pour le chat) et créer des stries en les appliquant pour obtenir un effet plus naturel.*

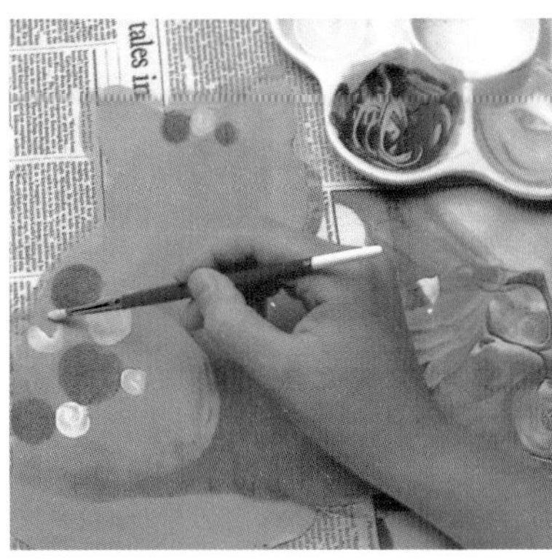

4 *Ajouter des taches sur le dos et la tête, ainsi qu'un museau et une queue.*

5 *Faire le cochon de la même façon, sans oublier ses oreilles.*

6 *Peindre les pattes du cochon en brun et lui ajouter des taches brunes.*

7 *Le coq est plus difficile. Le fond est une combinaison de vert, mauve, rose et jaune. Appliquer chaque couleur séparément et tenter de donner un effet de plumes sans contours définis.*

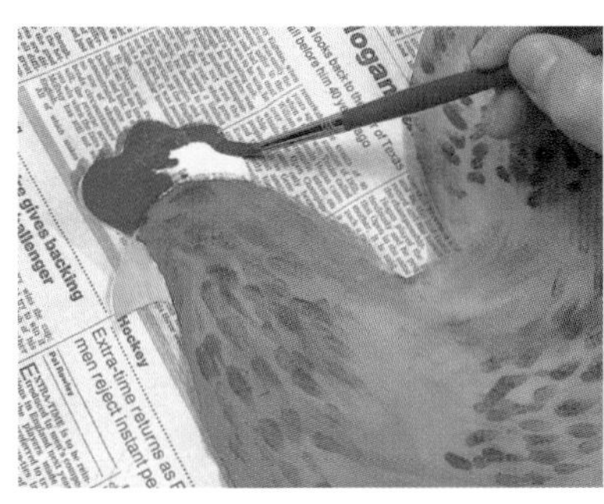

8 *Ajouter un bec jaune et une crête rouge.*

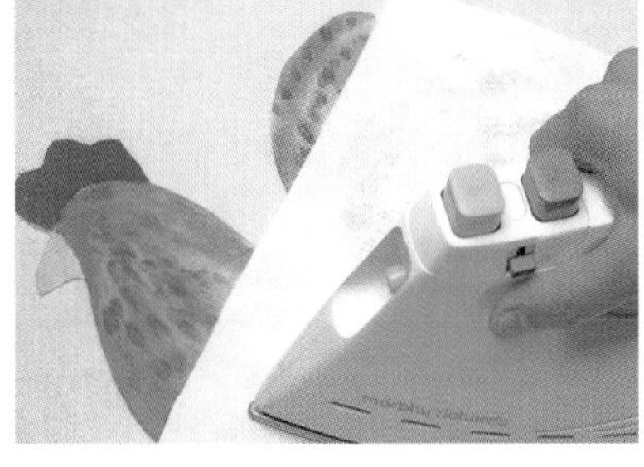

9 *Afin de sceller les couleurs, repasser les deux côtés des animaux sous un linge.*

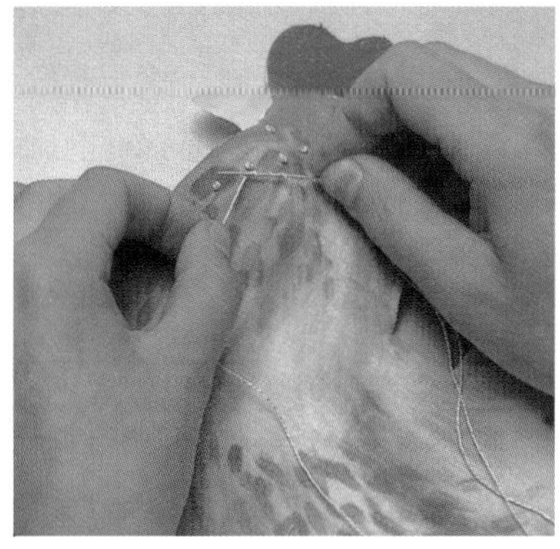

10 *Avec du fil de soie, coudre des détails sur le cou du coq.*

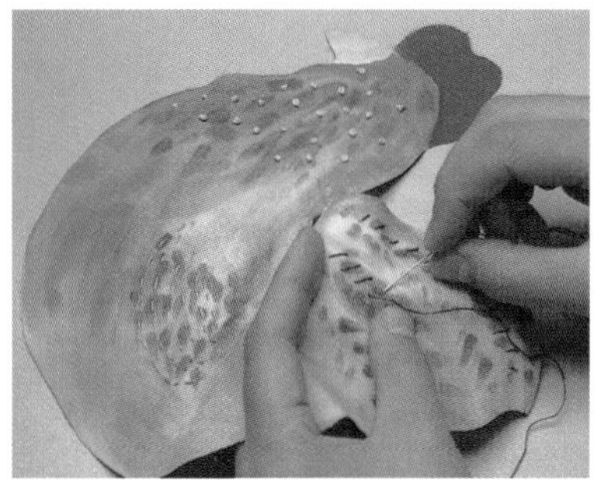

11 *Coudre d'autre fils sur le dos du coq.*

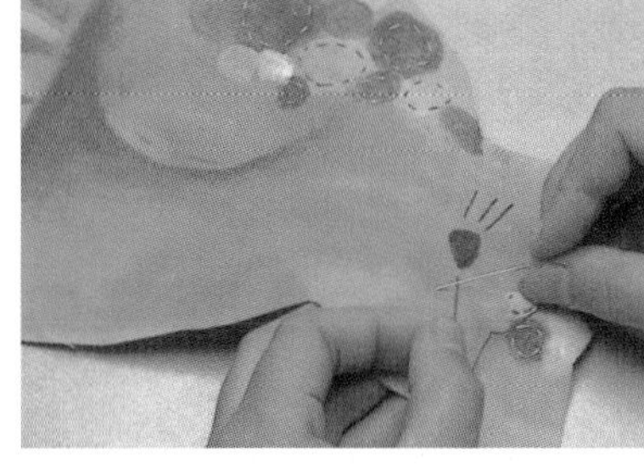

12 *Coudre du fil autour des taches du chat et piquer des moustaches, sans oublier ses pattes.*

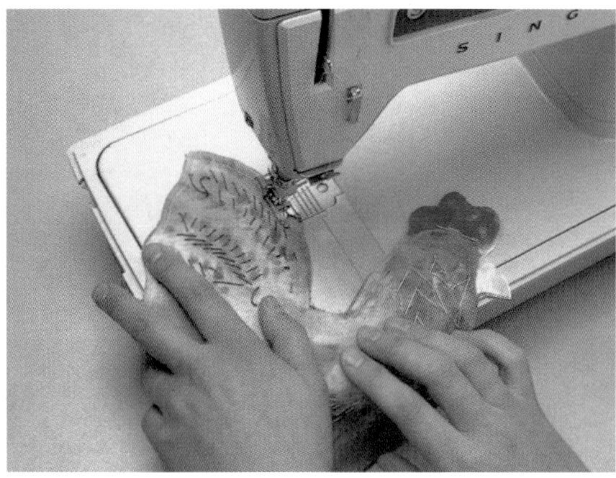

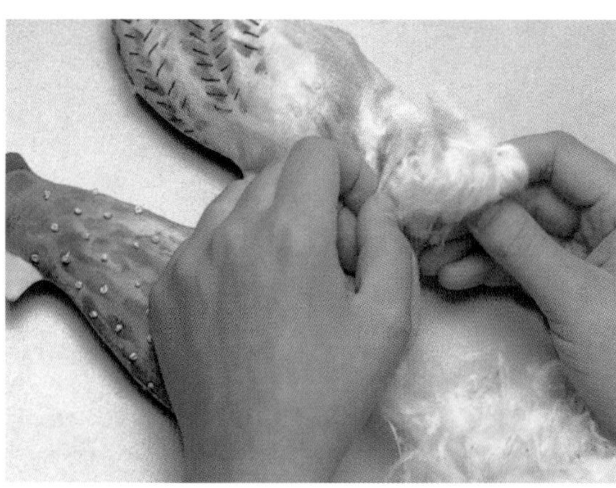

13 *Épingler les deux morceaux du coussin et utiliser une machine à coudre pour les contours, en laissant une ouverture d'environ 5 cm (2 po) au bas.*

15 *Tourner le coussin du côté droit et en utilisant le manche d'un pinceau pour écarter l'ourlet, surtout autour du bec et de la crête du coq. Remplir le coussin de rembourrage en le poussant vers la tête et la queue avec un goujon en bois.*

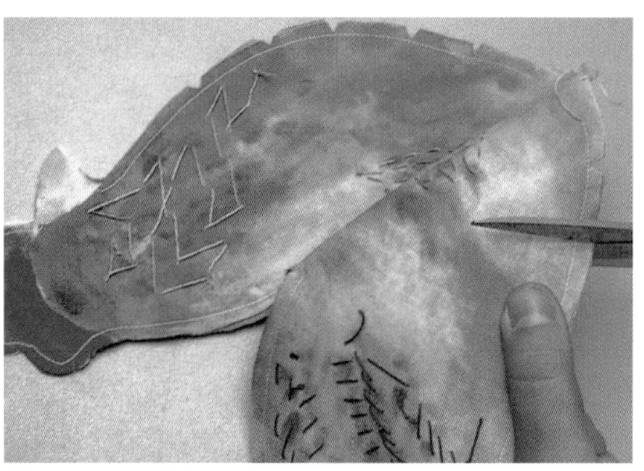

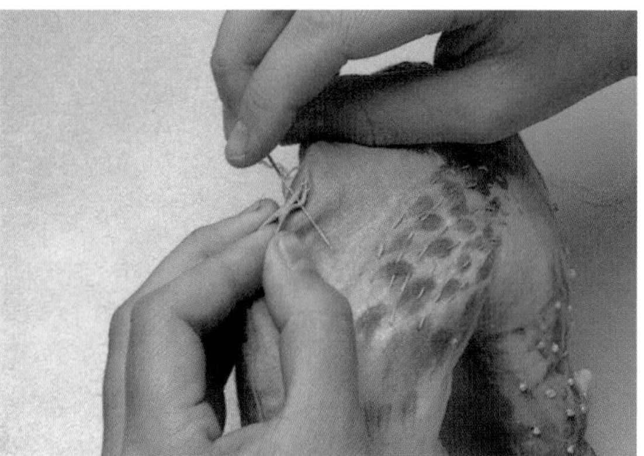

14 *Entailler légèrement les contours courbés pour assurer des coutures plates.*

16 *Coudre le bout ouvert. Répéter les étapes 13 à 16 pour le cochon et le chat.*

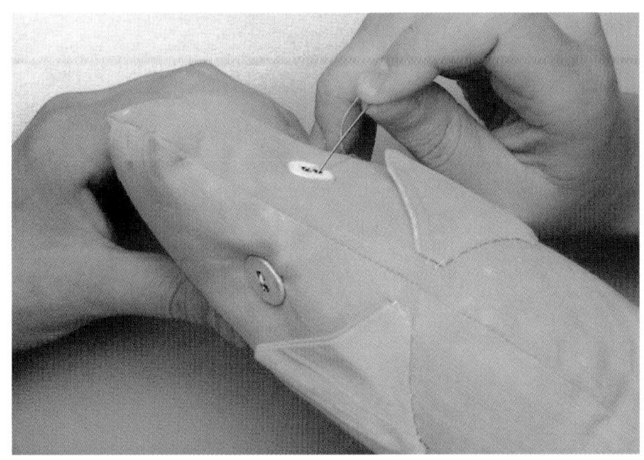

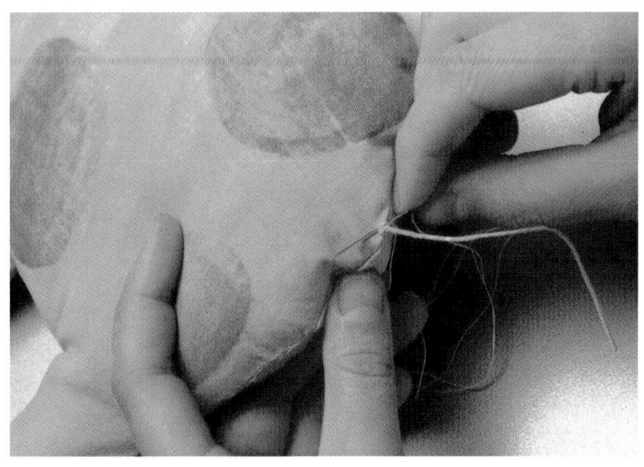

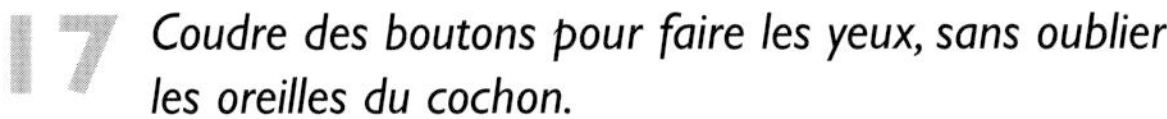

17 *Coudre des boutons pour faire les yeux, sans oublier les oreilles du cochon.*

18 *Faire la queue du cochon en peignant du fil rose, puis le coudre sur son dos.*

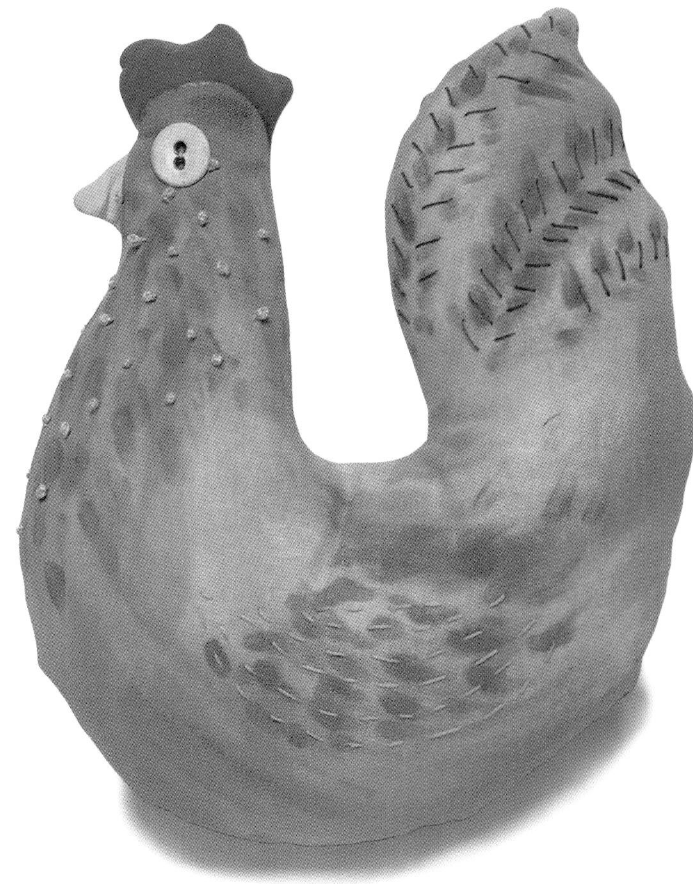

Poupée

Cette poupée est simple à confectionner et fera très plaisir à un enfant de cinq ou six ans. Vous pouvez choisir de l'habiller différemment ou de baser son apparence sur quelqu'un de votre entourage. Vous pouvez également ajouter des cheveux en rubans, un chapeau ou un bijou.

Matériel requis :

- Machine à coudre
- Tablette à croquis
- Fil à coudre
- Crayons de couleurs
- Peintures à tissus
- Papier calque
- Palette à mélanges
- Crayon
- Pinceaux (tailles variées)
- Morceau de tissu blanc, 33 x 25 cm (13 x 10 po)
- Fer
- Punaises
- Chiffon
- Ciseaux
- Aiguille
- Journal
- Boutons
- Kapok ou autre type de rembourrage

1 *Dessiner les vêtements de la poupée selon sa forme.*

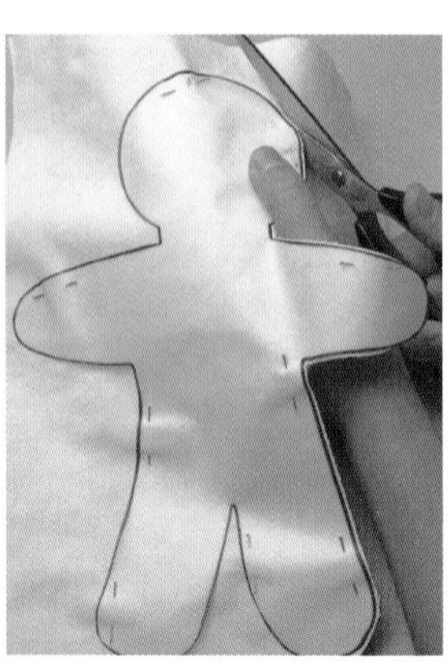

2 *Tracer le patron des vêtements et le découper. Plier le tissu blanc en deux (pour qu'il mesure 33 x 12,5 cm (13 x 5 po) et y épingler le modèle avec des aiguilles qui traversent les deux épaisseurs. Découper les contours en calculant une bordure de 3 mm (⅛ po) tout autour.*

3 *Avec le dessin comme référence, tracer au crayon les traits de la poupée (tête, pantalon, chaussures, etc.) Ajouter les détails à l'avant et à l'arrière.*

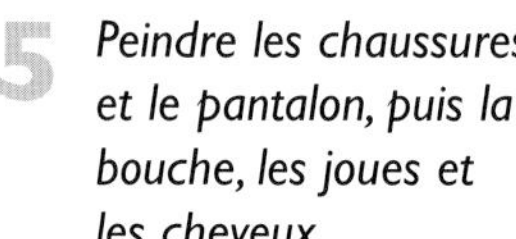

4 *Couvrir la surface de travail avec du papier journal et peindre l'avant de la poupée en commençant avec la couleur de la blouse (j'ai choisi du bleu).*

5 *Peindre les chaussures et le pantalon, puis la bouche, les joues et les cheveux.*

6 *Laisser sécher la peinture. Ensuite, ajouter les détails comme des fleurs sur le pantalon, un volant à la blouse et dans le bas du pantalon, etc.*

7 *Peindre le visage rose pâle et laisser sécher. Peindre l'arrière de la poupée selon l'avant. Repasser.*

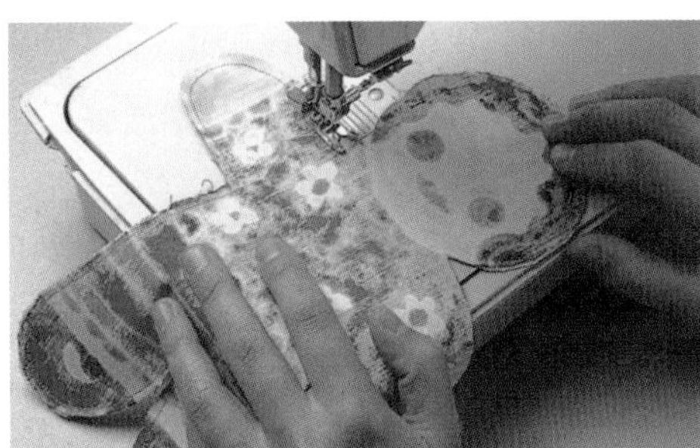

8 *Placer les deux morceaux de tissu ensemble et coudre le contour à la machine en laissant un espace d'environ 5 cm (2 po) sous un bras. Y aller doucement dans les courbes du cou, entre les jambes et au bout des bras.*

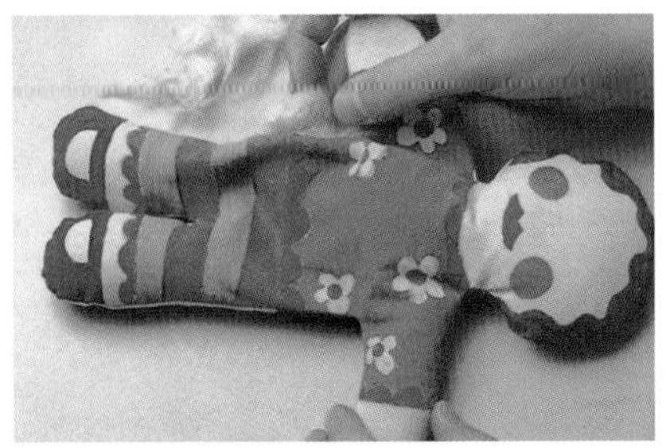

9 *Tourner la poupée face à vous et la remplir de rembourrage avec un goujon en bois pour l'insérer dans les bras et les jambes. Coudre l'ouverture sous le bras.*

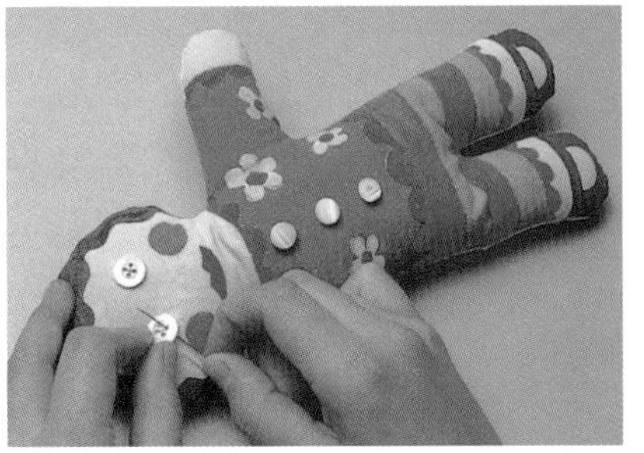

10 *Coudre des boutons pour les yeux.*

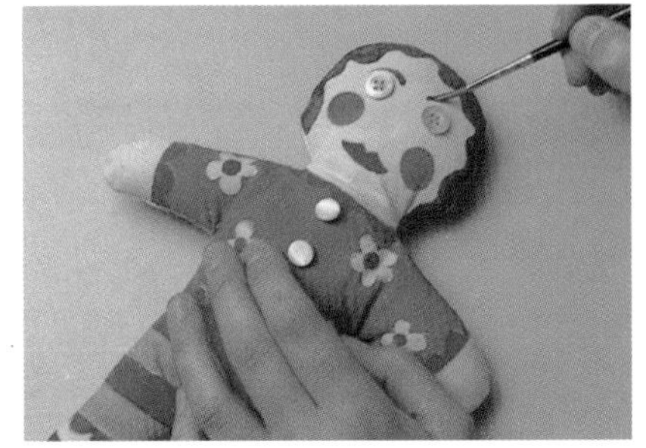

11 *Peindre les sourcils.*

8 TEINTURE AU NŒUD

La teinture au nœud est un procédé de réserve similaire au batik. Une multitude de motifs peuvent se faire en ficelant ou en nouant du tissu avant de le tremper dans un bain de teinture. Les motifs multicolores s'effectuent en pliant et en repliant le tissu quand une nouvelle couleur est ajoutée. Comme les autres méthodes de dessins sur tissu, les meilleurs résultats s'obtiennent quand ils sont appliqués avant la confection du vêtement.

Des écrits indonésiens datant du 10e siècle mentionnent que les artisans de la teinture au nœud sont l'un des cinq groupes principaux des travailleurs du textile. L'une des premières méthodes était le ikat, qui consistait à réserver du matériel avec des cordes et à le teindre avant de le tisser pour ajouter des variations subtiles aux couleurs et aux formes géométriques.

Felangi, la technique la plus souvent associée à la teinture au nœud, donne la forme circulaire et les rayures traditionnelles. Une des méthodes plus complexes s'appelle le teritik, qui demande à coudre des sections du tissu pour qu'elles résistent à la teinture. L'utilisation des coutures permet un motif plus contrôlé, parfois même pictural. Plus récemment, des designers occidentaux ont adapté les méthodes traditionnelles pour créer des motifs plus complexes.

ÉQUIPEMENT ET MATÉRIEL

Les projets de ce chapitre démontrent plusieurs techniques et vous possédez probablement déjà tout l'équipement requis. Différentes sortes de teintures à tissus sont disponibles sur le marché. Les plus faciles à utiliser sont celles à l'eau froide. En général, il est préférable de teindre les fibres 100 % naturelles, comme la soie, le coton, la laine et le lin, ou une combinaison de ces tissus. Les teintures courantes ne pénètrent pas uniformément dans les tissus synthétiques ou les mélanges de fibres naturelles et synthétiques.

Matériel requis :

- Journaux ou feuille protectrice en plastique pour protéger la surface de travail
- Ciseaux et couteau d'artiste
- Matériel varié pour faire les nœuds (ficelle, fil, laine, bande de tissus, etc.) et bandes élastiques
- 30 pinces à linge en bois ou plastique (munies de ressorts en métal)
- 50 trombones de tailles variées
- Billes de verre, balles ou roches (environ 30 petites, 10 moyennes et 4 grosses)
- 5 bouchons de liège de grosseurs différentes
- Vieux boutons de tailles variées
- Gants en caoutchouc (les chirurgicaux, minces, de préférence)
- Seau ou gros bol en plastique
- Bouilloire électrique ou casserole et plaque chauffante
- 500 g (1 lb) de sel de table
- 0,5 litre (1 pinte) de vinaigre
- Tasse à mesurer pouvant contenir 1 litre (2 pintes)
- Cuillère à thé
- Cuillère à soupe

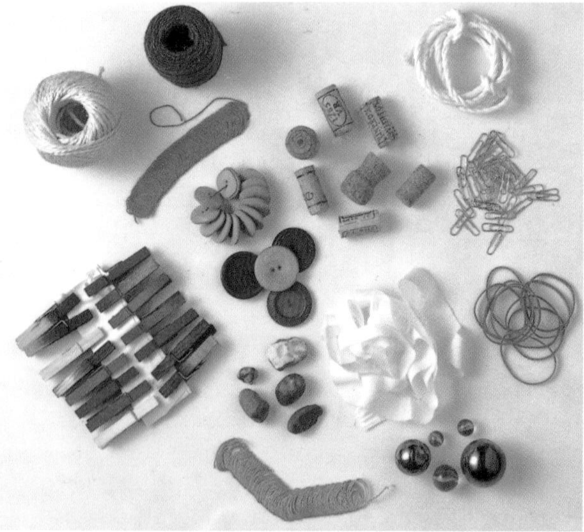

En choisissant vos teintures, pesez le tissu et vérifiez la quantité de teinture dont vous avez besoin pour chaque article. Les fabricants offrent des recettes et des directives spécifiques sur leurs produits. Les quantités proposées dans les mélanges suivants teindront environ 270 x 270 cm 64 x 64 po) de tissu.

MÉLANGER LES TEINTURES POUR LE COTON

1 *Mélanger les teintures selon les directives du fabricant. En général, il faut mélanger environ 5 g (1 c. à thé) de teinture à 0,5 litre (1 pinte) d'eau bouillante dans une grosse tasse qui résiste à la chaleur.*

2 *Ajouter 30 g (2 c. à soupe) de sel et bien brasser.*

3 *Ajouter la solution dans un bol contenant 2 litres (4 pintes) d'eau chaude et agiter. Vérifier l'intensité de la couleur en y trempant une lisière du tissu utilisé pendant 10 - 15 minutes. Si la couleur est trop foncée, ajouter de l'eau bouillante ; si elle est trop pâle, ajouter de la teinture.*

MÉLANGER LES TEINTURES POUR LA SOIE ET LA LAINE

1 *Ajouter 5 g (1 c. à thé) de teinture pour chaque 0,5 litre (1 pinte) d'eau bouillante dans un bol résistant à la chaleur.*

2 *Ajouter 30 ml (2 c. à soupe) de vinaigre et bien mélanger. Mélanger à un autre litre (2 pintes) d'eau chaude et brasser.*

CONSEIL

La teinture au nœud est sans danger, mais n'oubliez pas que les poudres, l'eau chaude et les petits objets pointus doivent être manipulés avec soins et que les enfants doivent toujours être surveillés.

- n'inhalez pas les poudres
- n'inhalez pas les vapeurs des teintures dans l'eau
- portez toujours des gants pour manipuler les tissus teints. Si la teinture entre en contact avec vos yeux, rincez-les abondamment à l'eau claire et consultez un médecin.

Méthodes pour teindre

Il existe plusieurs façons de teindre avec des nœuds pour faire des motifs, et chacune produit un résultat différent. Même si vous attachez plusieurs morceaux de tissus de manière similaire, les motifs seront différents chaque fois, de là l'intérêt de cet art. Chaque œuvre est mystérieuse, unique et personnelle.

DAMIER

Pliez également le tissu et repassez-le, puis faites tenir les plis avec des pinces à linge.

RAYURES

Pliez le tissu en deux, plissez-le et enroulez une longue ficelle au centre.

PETITS CERCLES

Insérez des petits objets ronds (billes ou pierres) dans le tissu.

MARBRE

Chiffonnez le tissu en une boule dure et entourez-la d'une longue ficelle. Pour chaque couleur différente, chiffonnez le tissu à nouveau d'une autre manière. Si vous travaillez avec un grand morceau de tissu, roulez-le et attachez-le comme un saucisson. Ajoutez de la netteté en y frottant de la peinture à tissu lorsqu'il est sec, mais avant de défaire les nœuds.

EFFETS DÉGRADÉS

Roulez l'étoffe serrée autour d'une corde, puis ruchez-la. Répétez l'opération en enveloppant le tissu dans des directions opposées et reteignez avec une autre couleur..

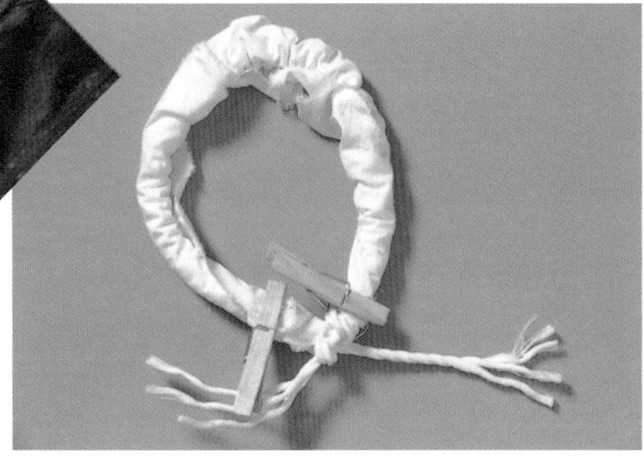

MAILLES DE TRICOT

Faites des plis droits et fixez-les avec des trombones à intervalles réguliers.

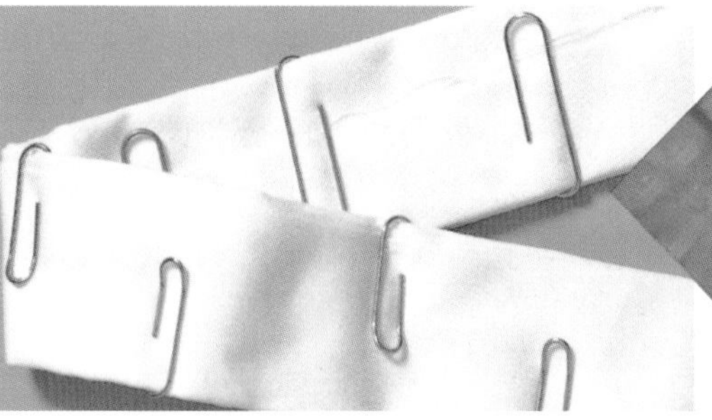

RAYURES VARIÉES

Pliez le tissu en deux, plissez-le et faites des nœuds à intervalles réguliers sur la longueur.

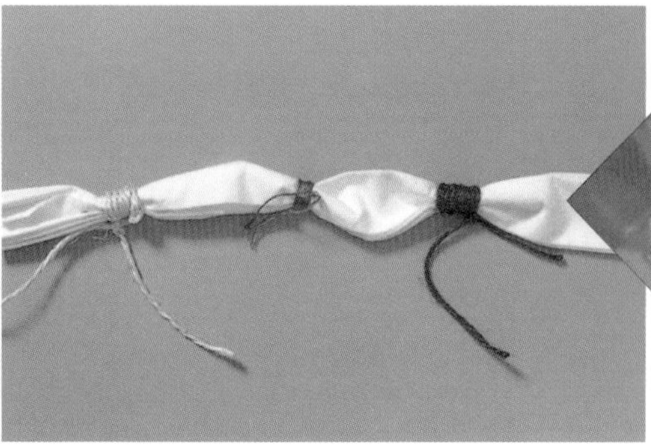

EFFET FRAGMENTÉ

Pincez et attachez seulement le centre du tissu pour imiter un parapluie fermé. Lacez en entrecroisant les cordes.

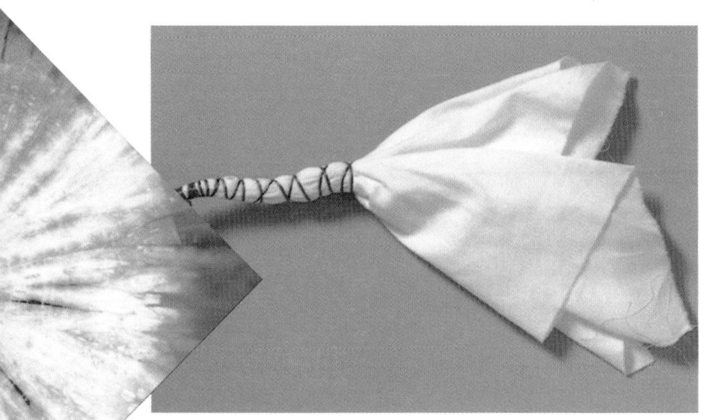

CERCLES ÉLABORÉS

Enveloppez un bouchon de liège avec le tissu et attachez-le avec du fil ou de la ficelle.

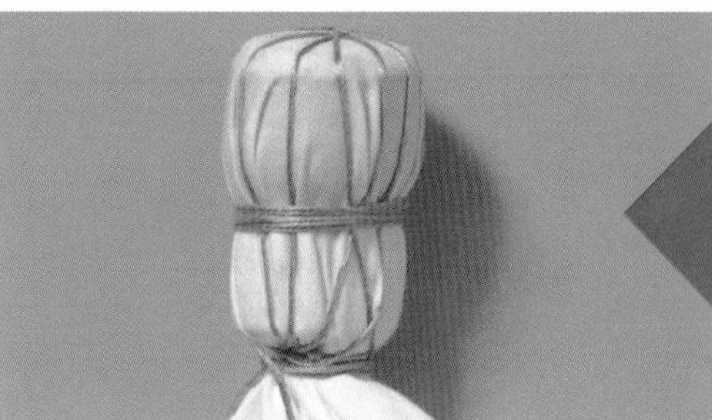

MOTIF CONCENTRIQUE

Pincez le centre du tissu et laissez-le tomber pour imiter un parapluie fermé. Attachez trois ficelles à intervalles égaux.

CARRÉS

Pliez un morceau de tissu carré en diagonale deux fois, pour former un triangle. Plissez le tissu sur la longueur et faire plusieurs nœuds avec du fil.

RAYURES LARGES

Faites des nœuds dans le tissu à différents intervalles.

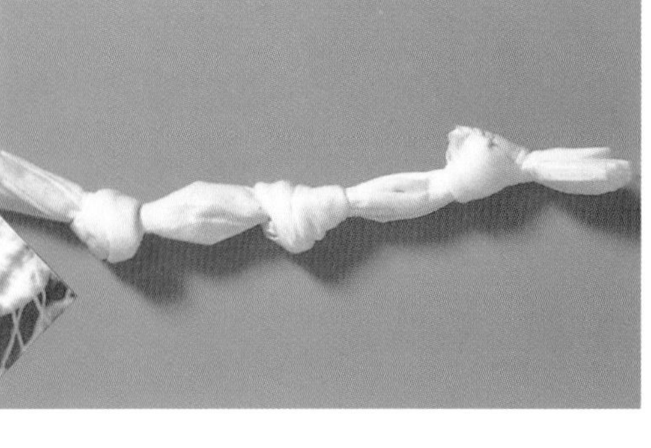

MOTIF ASYMÉTRIQUE

Faites un nœud dans chaque coin d'un morceau de tissu carré. Cette technique est optimale avec des tissus légers.

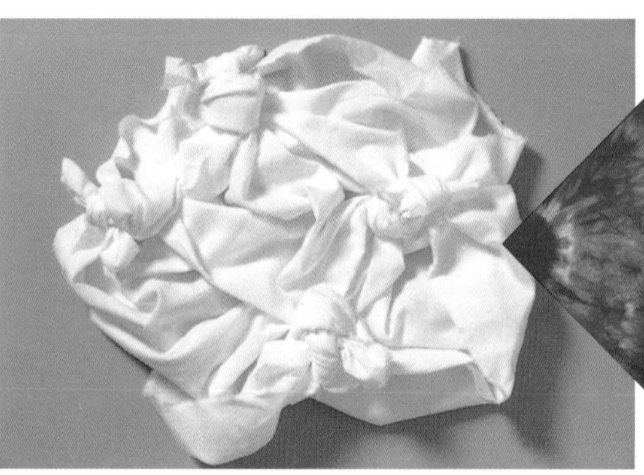

MOTIF DE VERRE BRISÉ

Pliez l'étoffe une ou deux fois, puis tordez-la et permettez-lui de reprendre sa forme elle-même avant de la ficeler sur toute sa longueur.

Cartes et bijoux

Vous pouvez combiner plusieurs techniques, dont la surteinture, pour créer des motifs originaux et multicolores. Quand vous maîtriserez les nœuds et les teintures de base, vous pourrez visualiser le résultat final et faire des étiquettes-cadeaux, des cartes de souhaits et des bijoux.

Matériel requis :

- 2 morceaux de soie habutai finement tissée de 30 x 30 cm (12 x 12 po)
- 5 m (15 pi) de fil résistant ou de soie
- 2,5 g (1/2 c. à thé) de teinture de chaque couleur (rouge, jaune et bleu)
- 45 ml (3 c. à soupe) de vinaigre (vérifier le mode d'emploi du fabricant)
- 2 m (6 pi) de petite corde
- 5 petites billes
- 2 ou 3 bols, chacun pouvant contenir 0,5 litre (1 pinte)
- Fer à repasser
- Carton de 83 x 58 cm (33 1/8 x 23 1/3 po) ou une carte de souhaits et une étiquette-cadeau vierges
- 1 paire de boucles d'oreilles en métal
- 2 broches en bois
- 4 gaines de boutons, 22 mm (¾ po) de diamètre
- Ciseaux et couteau d'artiste
- Adhésif transparent tout usage

1 *Froisser un carré de soie et attacher un bout avec du fil à broder. Mettre des billes dans l'autre et attacher avec du fil de soie. Mélanger la teinture bleue à 0,5 litre (1 pinte) d'eau bouillante dans la tasse ou le bol et ajouter 15 ml (1 c. à soupe) de vinaigre. Puisque la soie réagit mal à l'eau bouillante, laisser refroidir l'eau à 50° C (env. 120° F) avant d'ajouter la teinture dans le bol. Mettre le premier carré de soie dans la teinture bleue.*

2 *Mélanger le jaune de la même façon et y immerger la soie contenant les billes. Laisser tremper les deux morceaux pendant 20 minutes, puis les rincer à fond sous l'eau froide. Dénouer les deux carrés et laisser sécher à plat. La soie mouillée peut être repassée avec un fer réglé à intensité moyenne.*

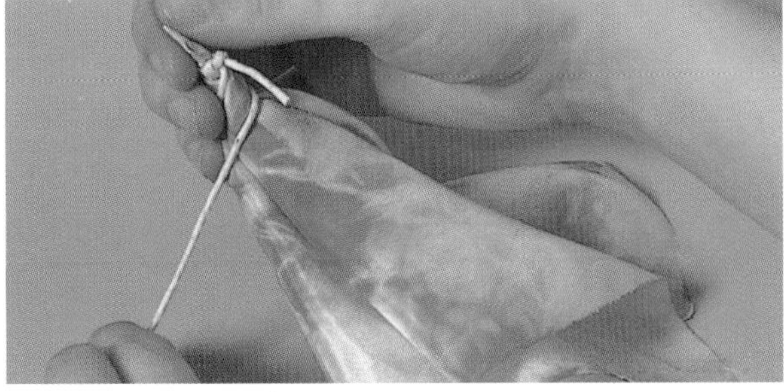

3 *Lorsque le carré bleu est sec, trouver le centre et l'attacher comme pour former un parapluie fermé. Ficeler les ¾ de sa longueur en commençant par le bout..*

4 *Plier le carré jaune deux fois en diagonale pour former un triangle et le plisser sur sa longueur en repassant les plis au fur et à mesure. L'attacher avec cinq ficelles sur sa longueur.*

5 *Mélanger le rouge, laisser refroidir et placer le carré bleu dans la teinture rouge. Mettre le carré jaune dans la teinture bleue. Laisser reposer au moins 20 minutes. Rincer à fond sous l'eau froide. Détacher les ficelles, laisser sécher et repasser.*

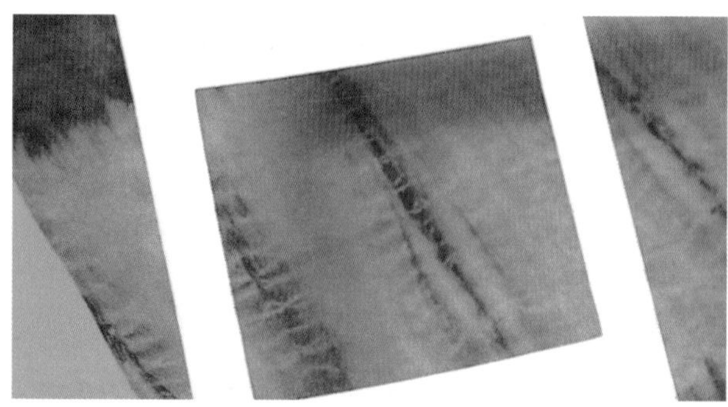

6 *Avec un carton ajouré ou deux morceaux en L, choisir les endroits à découper pour créer les cartes et les étiquettes.*

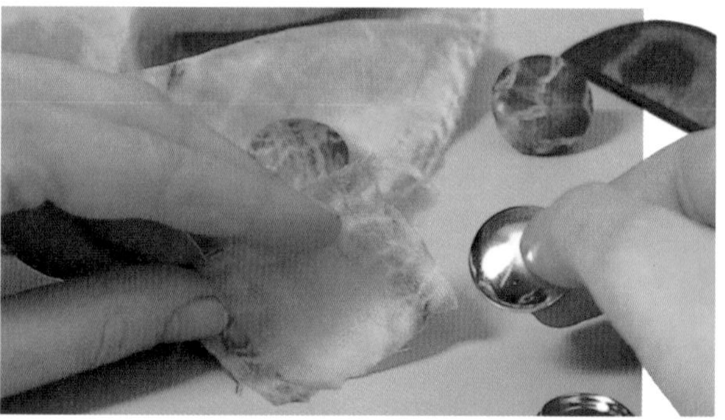

7 *Pour les bijoux, nous avons recouvert une broche en bois et des anneaux semi-circulaires en métal. Pour fixer le tissu avec de l'adhésif, ne pas l'appliquer sur le bon côté de la soie.*

8 *L'arrière des gaines de boutons s'enlève. S'assurer que le tissu est raide à l'avant, puis fermer les sections arrières.*

CHAUSSETTES ET ÉLASTIQUES À CHEVEUX

Peu importe le projet, les principes de base de la teinture au nœud s'appliquent. En choisissant une méthode, considérez la composition de l'œuvre à confectionner car certains motifs sont plus efficaces sur des grandes surfaces. De plus, des tissus comme le jersey de coton et les matières non tissées s'étirent lorsqu'ils sont mouillés.

Matériel requis :

- 1 paire de chaussons blancs tissés à plat
- 3 morceaux de tissu, chacun de 1 m x 2,5 cm (39 x 1 po)
- 2 élastiques à cheveux
- 1 m (39 po) de ficelle
- 1,25 g (1/4 de c. à thé) de teinture de chaque couleur (orange, vert pâle et violet)
- 5 g (1 c. à thé) de sel
- 10 ml (2 c. à thé) de vinaigre

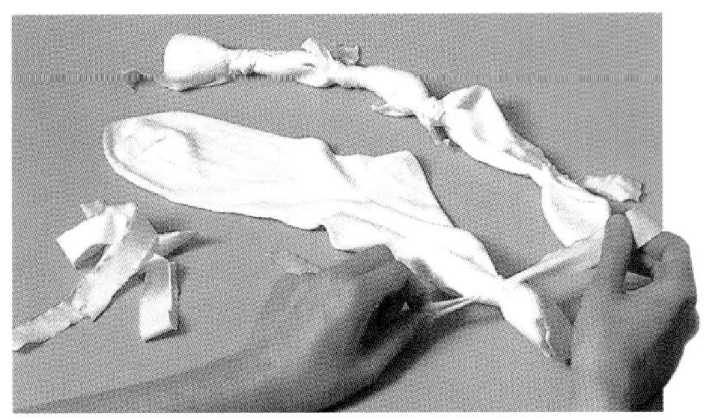

1 *Couper un morceau de tissu en huit lisières et en attacher quatre autour de chaque chausson.*

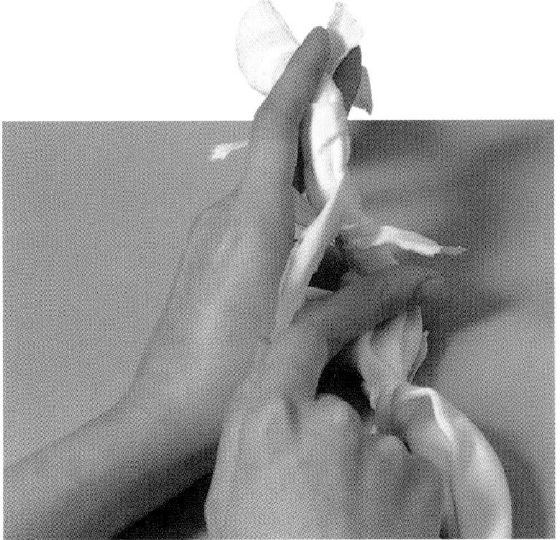

2 *Utiliser deux autres lisières pour ficeler solidement les chaussons sur leur longueur.*

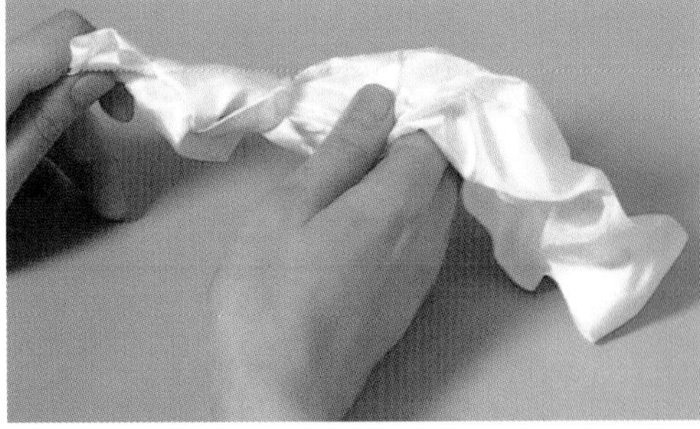

3 *Faire trois nœuds sur la longueur du premier élastique à cheveux. Ficeler le second avec une ficelle sur sa longueur.*

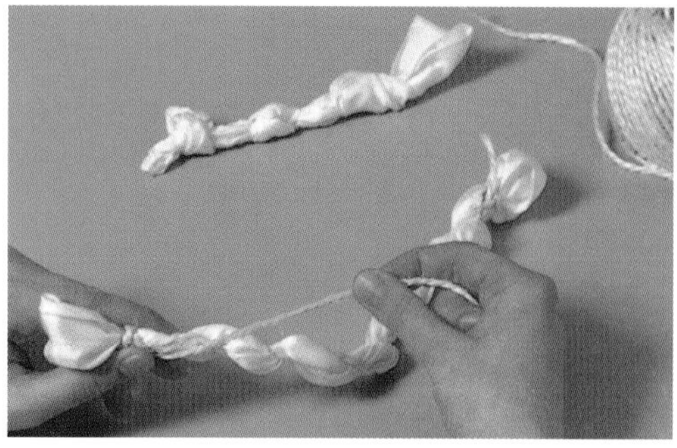

4 *Ficeler le second élastique avec de la ficelle sur sa longueur.*

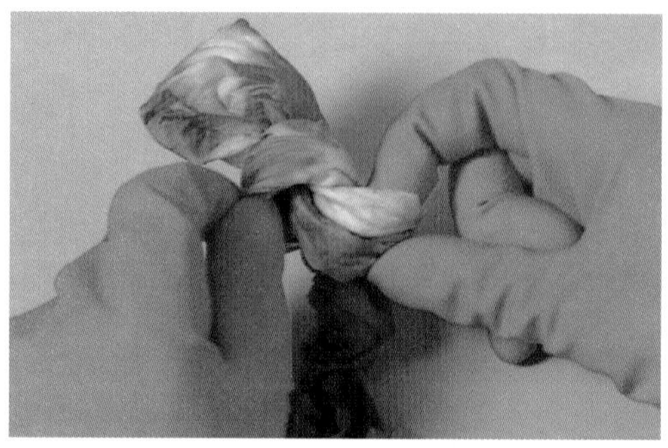

5 *Retirer, rincer abondamment et laisser sécher. Si les chaussons sont un peu étirés, les faire sécher dans la sécheuse pour leur redonner leur forme.*

CONSEIL

- Lorsque vous achetez des chaussons, évitez le jersey de coton côtelé qui peut se déformer s'il est trempé dans l'eau. Par contre, une petite quantité de nylon (env. 10 %) aidera à prévenir leur déformation.

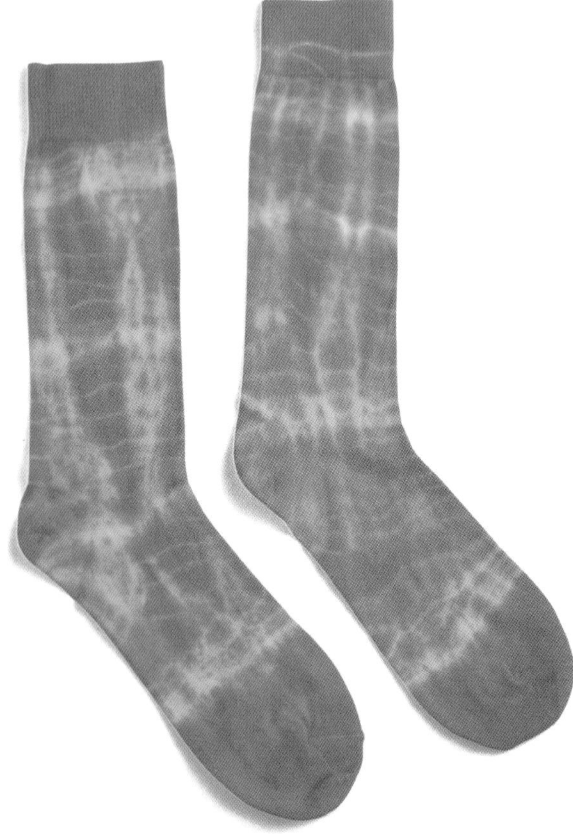

FABRICATION DE DEUX ÉLASTIQUES À CHEVEUX

Matériel requis :

- 2 morceaux de soie habutai de poids moyen, chacun mesurant 70 x 10 cm (28 x 4 po)
- Aiguille et fil de coton
- 10 cm (4 po) de ficelle fine
- 35 cm (14 po) d'élastique fin
- Alêne ou épingle de sûreté

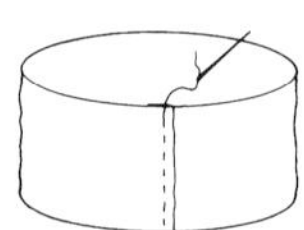

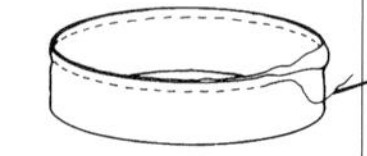

- Coudre les deux côtés aux endroits les plus courts pour former un cercle ; plier le tissu en deux sur la longueur.
- Toujours avec les deux côtés à l'endroit ensemble, faire une couture le long de la bordure pour former un tube, en laissant une petite ouverture. Tourner la soie à l'envers et répéter la procédure sur le deuxième morceau de soie. Teindre les élastiques comme décrit ci-dessus.

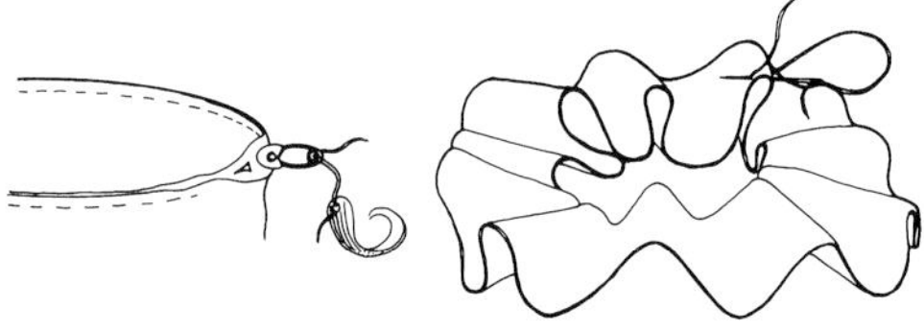

- Lorsque sec, attacher une ficelle à l'élastique et utiliser l'alêne ou l'épingle de sûreté pour le passer dans l'ouverture du tube.
- Détacher la ficelle, tirer sur l'élastique et attacher les deux bouts ensemble. Les recoudre par précaution, puis fermer l'ouverture.

ÉCHARPE EN SOIE

Plusieurs sortes de soie sont disponibles ou vous pouvez personnaliser une belle écharpe que vous possédez déjà. Nous avons choisi trois couleurs et deux méthodes de nouage pour obtenir ce motif aux nuances légèrement dégradées.

CONSEIL

- Si vous obtenez des teintures très foncées ou très diluées, il suffit de changer la quantité d'eau. En général, la couleur finale est établie par la concentration de la couleur et le temps de trempage dans la teinture.

Matériel requis :

- 90 x 90 cm (36 x 36 po) de soie habutai légère, non teinte
- Fer à repasser
- 4 m (13 pi) de ficelle
- 2 m (78 po) de fil plus gros ou de laine à deux fils
- 5 g (1 c. à thé) de teinture de chaque couleur (rose foncé, jaune doré et bleu marine)
- 90 ml (6 c. à soupe) de vinaigre
- 1 bol pouvant contenir au moins 1 litre (2 pintes) de liquide.

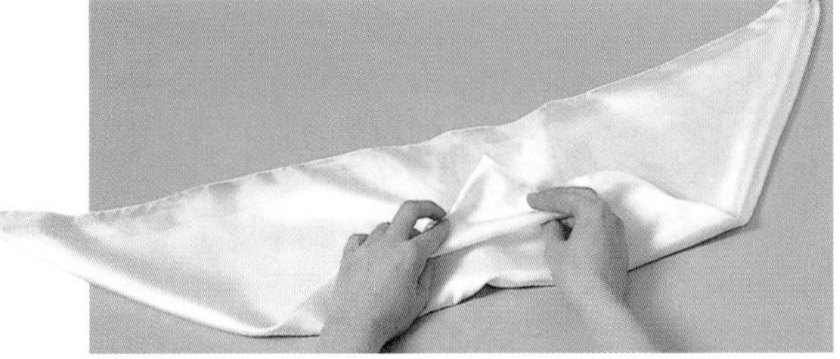

1 *Avant tout, repasser l'écharpe pour éliminer les plis. Plier le carré de soie en diagonale pour former un triangle, puis en deux pour avoir un triangle plus petit.*

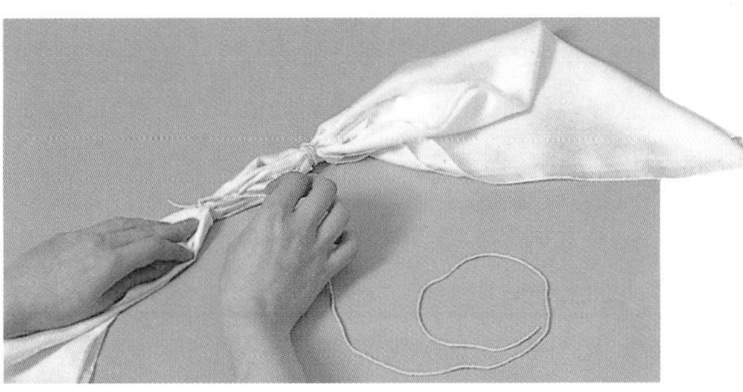

2 *Plisser la soie sur sa longueur et attacher solidement la lanière pliée avec des bouts de ficelle placés à intervalles de 6 cm (2 ½ po). À mi-chemin entre les bouts de ficelle, attacher des longueurs de fil plus large autour de la soie.*

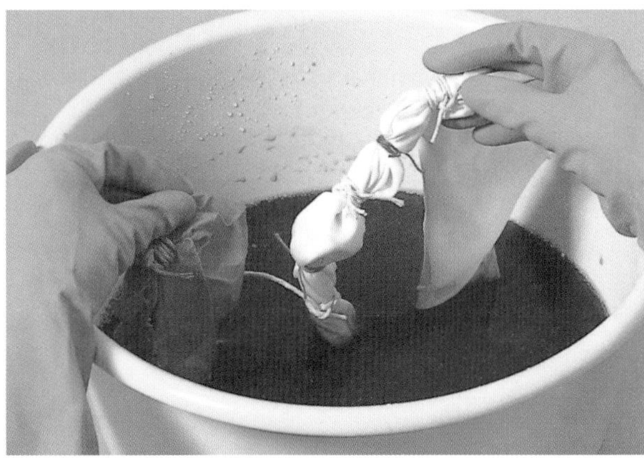

3 *Mélanger 5 g (1 c. à thé) de teinture rose foncé dans 1 litre (2 pintes) d'eau chaude et laisser refroidir jusqu'à 50° C (env. 120° F). Si la teinture utilisée exige l'ajout de vinaigre pendant le trempage, en ajouter 30 ml (2 c. à soupe). Placer l'écharpe nouée dans le bain de teinture qui doit être assez grand pour que le tissu se déplace librement et qu'il soit recouvert complètement.*

CONSEIL

- Si vous teignez une écharpe déjà colorée, rappelez-vous que sa couleur originale influencera le résultat final. Une écharpe bleue teinte en jaune, par exemple, deviendra verte.

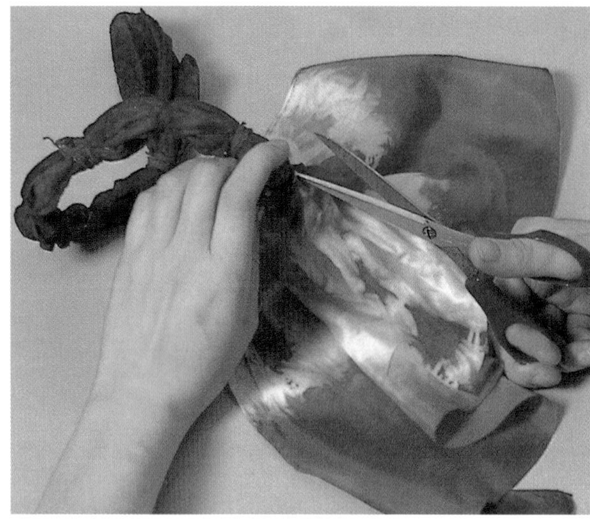

4 *Laisser l'écharpe dans le bol pendant au moins 15 minutes en remuant de temps à autre. Lorsque la teinte est satisfaisante, retirer l'écharpe du bol et la rincer à fond sous l'eau froide. Défaire les nœuds et retirer les ficelles.*

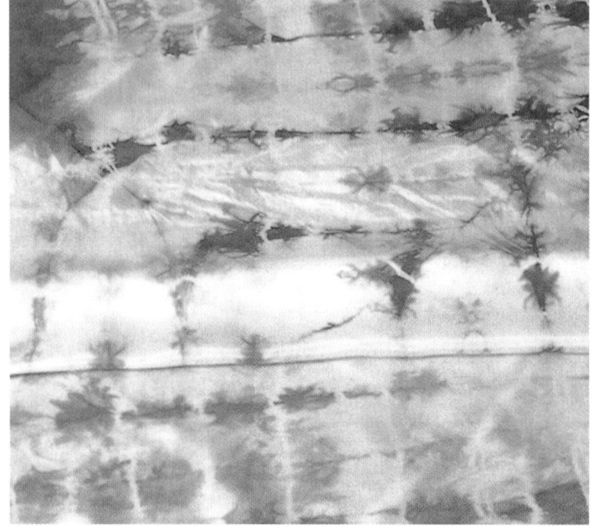

5 *Laisser sécher la soie à plat. Elle peut être repassée humide pour enlever les faux-plis. Trouver le centre du carré et pincer le bout pour qu'elle ressemble à un parapluie fermé.*

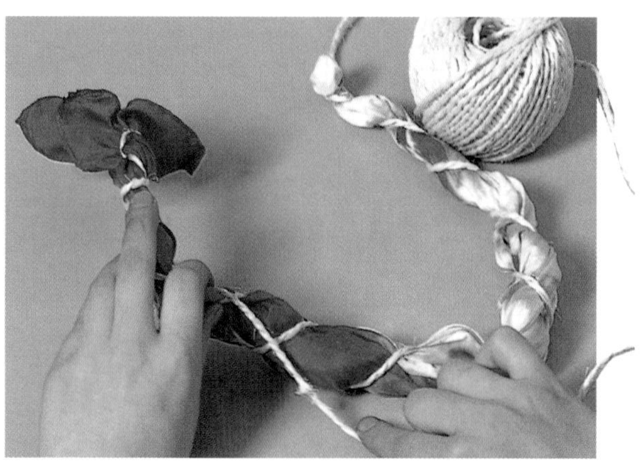

6 *Ficeler la soie fermement sur toute sa longueur avec de la ficelle. Mélanger la teinture jaune et procéder comme ci-dessus.*

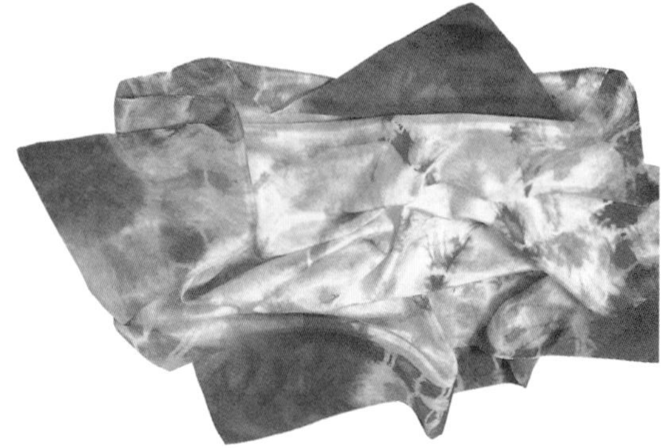

7 *Rincer à fond, enlever la ficelle et repasser pour enlever les plis.*

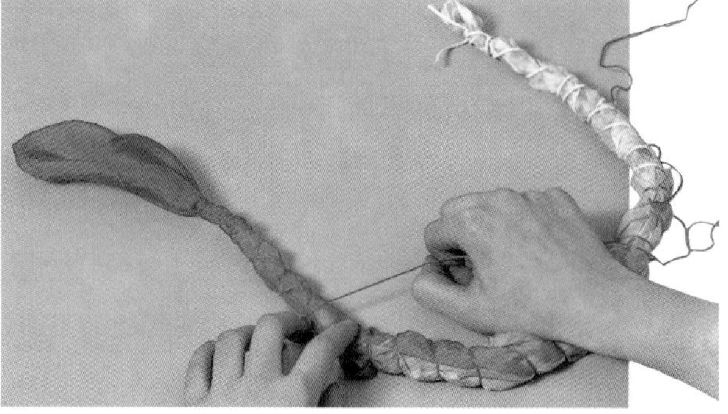

8 *Pincer la soie comme à l'étape 5 et ficeler la moitié du haut avec de la ficelle. Ficeler la moitié du bas plus fermement avec le fil plus gros pour que le bleu pénètre plus au centre. Mélanger la teinture bleue et mettre l'écharpe dans le bol. Pour un bleu plus pâle, ajouter de l'eau.*

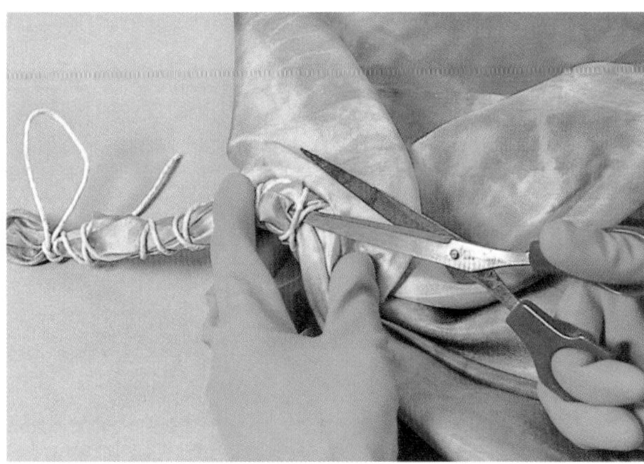

9 *Rincer à fond avant de défaire les nœuds et laisser sécher.*

ROUE DES COULEURS

- Les teintures se comportent différemment des substances à base de pigments (peintures et encres) car elles dépendent d'agents chimiques comme le vinaigre ou le sel pour devenir permanentes. Cette caractéristique rend imprévisible le résultat final de la teinture au nœud, particulièrement si le tissu a déjà été teint. En général, vous devriez être en mesure de prévoir partiellement le résultat et à cet égard, la roue des couleurs peut vous être utile.

Housses de coussins

Les tissus acceptent les teintures différemment. Lorsqu'ils sont noués et teints, le coton et les tissus plus épais donnent un motif plus flou et souvent plus foncé d'un côté. Cette qualité rend idéal la confection de housses à coussins puisqu'on en voit un seul côté.

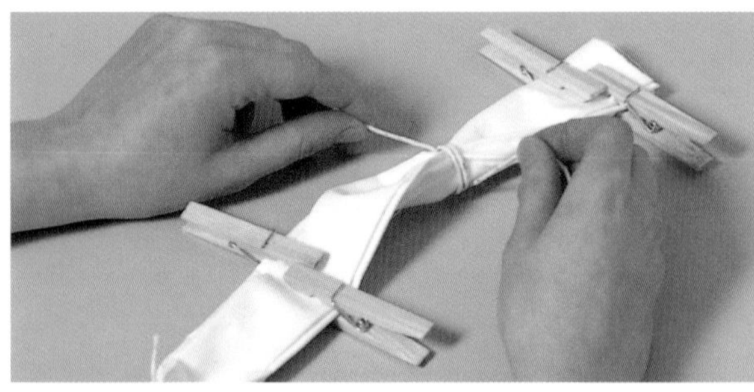

1 *Repasser tout le tissu pour enlever les plis. Pour le premier côté, plier un carré en deux et le plisser sur sa longueur ; la lisière doit ensuite mesurer environ 3 cm (1 ¼ po) de large. Repasser à nouveau. Stabiliser les plis avec des pinces à linge à des intervalles de 6 cm (2 ½ po). Attacher une ficelle entre chaque pince à linge..*

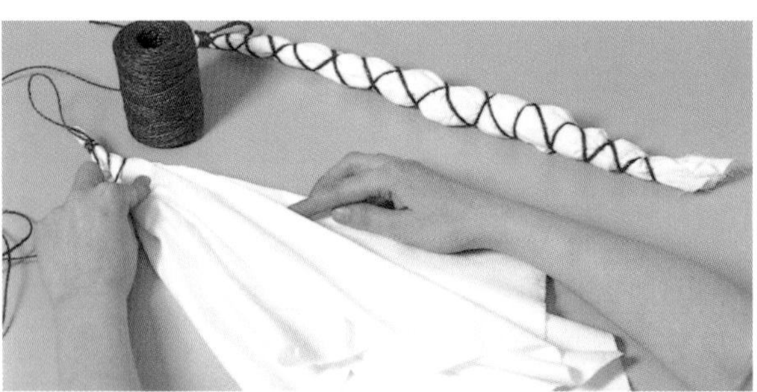

2 *Pour le deuxième côté, pincer le matériel au centre. Tordre légèrement le tissu puis le ficeler solidement sur toute sa longueur avec de la ficelle pour limiter la quantité de teinture avec laquelle il entre en contact. Cette technique est utile pour ajouter des petites touches de couleur.*

Matériel requis :

- 4 morceaux de tissu, chacun mesurant 65 x 65 cm (26 x 26 po)
- Fer à repasser
- 4 m (13 pi) de ficelle
- Un paquet de teinture de chaque couleur (jaune doré, bleu marine et cuivre ou toute autre couleur qui s'harmonise avec votre décor)
- 1 bol pouvant contenir 1,5 litre de liquide (3 pintes)
- 2 coussins, chacun de 45 x 45 cm (18 x 18 po)

CONSEIL

- Certaines ficelles en couleurs, comme celles utilisées au jardin, peuvent tacher les tissus lorsqu'elles sont trempées dans la teinture. Des pinces à linge en bois peuvent également retenir la teinture. Si vous les réutilisez, elles peuvent perdre un peu de couleur sur le tissu de vos projets subséquents. Soyez attentifs afin de ne pas gâcher votre travail.

FAIRE LE COUSSIN

- Placer deux carrés ensemble et coudre trois côtés, laissant un espace d'environ 3 cm (1 ¼ po). Cet espace peut varier si le matériel a rétréci un peu durant le trempage.

- Plier un ourlet d'environ 2,5 cm (1 po) et le repasser des deux côtés.

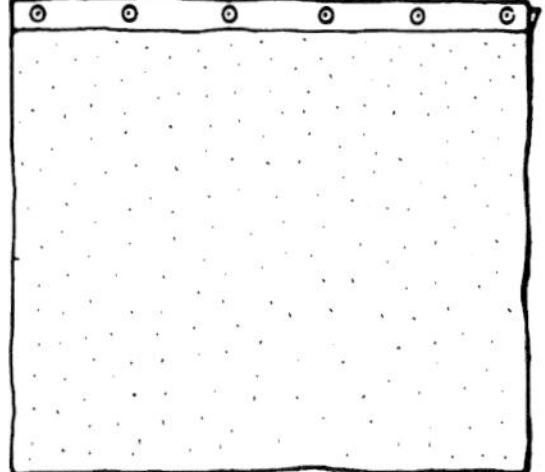

- Ajouter une fermeture éclair, une bande de velcro ou des boutons à pression pour fermer l'ouverture avant de tourner à l'endroit et d'insérer le coussin.

CONSEIL

- Si vous confectionnez des housses plus grandes, augmentez les quantités d'eau et de teinture et utilisez un bol plus grand pour que le tissu soit recouvert complètement.

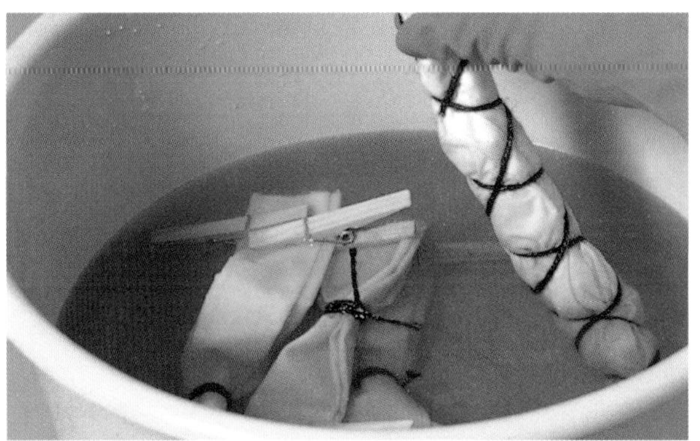

3 *Mélanger la teinture jaune dans un bol pouvant contenir les deux morceaux de tissu. Ajouter le sel au bain de teinture si cela est conseillé. Mettre les deux morceaux dans la teinture et laisser reposer 15-20 minutes en remuant de temps en temps. Retirer du bain, rincer et déficeler.*

4 *Laisser sécher le tissu et le repasser. S'il est très froissé, activer la fonction vapeur du fer ou mouiller légèrement le matériel.*

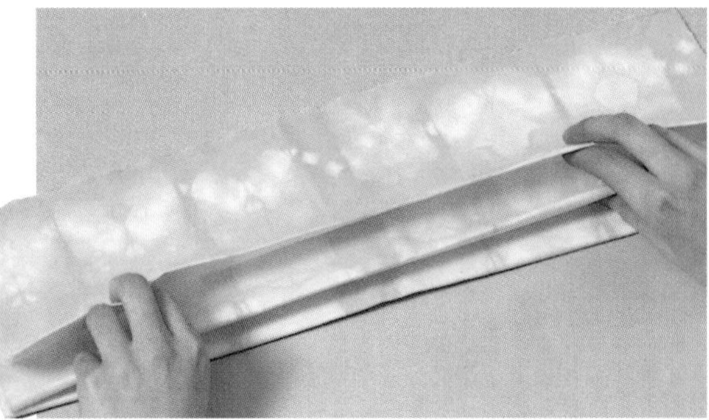

5 *Plier un carré de tissu en deux, le long des lignes teintes, puis en accordéon.*

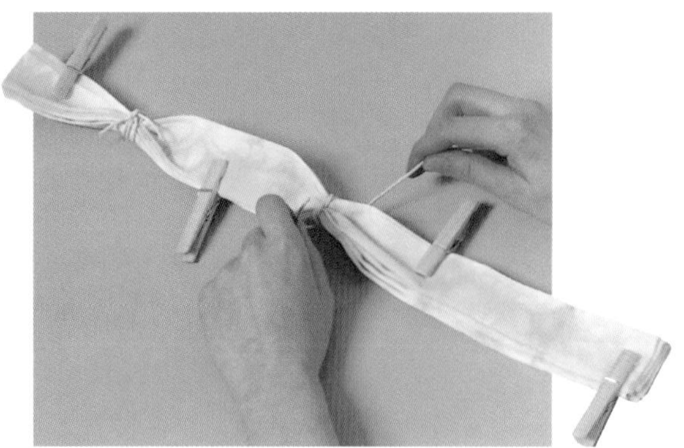

6 *Repasser, mettre des pinces à linge et de la ficelle comme plus tôt. Mélanger la teinture bleue et placer le tissu plié et ficelé dans le bol. Laisser 15-20 minutes, rincer à fond, déficeler et laisser sécher.*

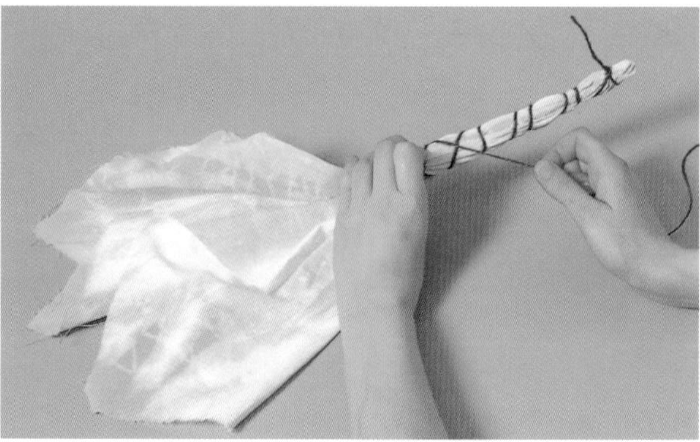

7 *Prendre le deuxième côté repassé et le pincer au centre. Ficeler la moitié du tissu à partir du centre. Mélanger la teinture cuivre et y faire tremper le tissu pendant 15-20 minutes. Rincer, déficeler et laisser sécher.*

CONSEIL

- Si vous choisissez un endos de coussin uni, assurez-vous que le matériel rétrécisse au même rythme que le côté à motifs. Autrement, le coussin se déformera quand il sera lavé.

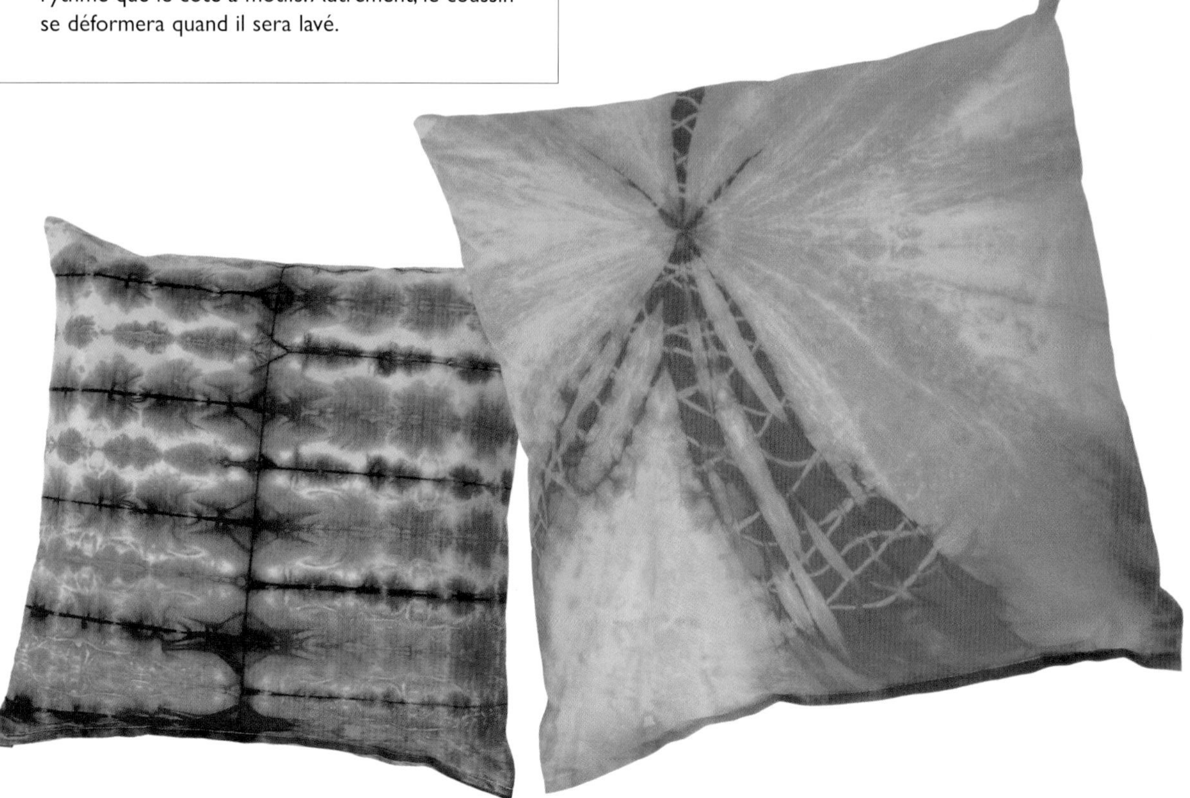

MAILLOT EN COTTON

Marier plusieurs techniques sur un même vêtement peut donner des résultats spectaculaires. Même si le motif final peut sembler compliqué, le procédé de teinture au nœud est en fait plutôt simple. Pour réaliser ce projet, nous avons teint un maillot à manches longues en coton blanc avec deux couleurs appliquées selon deux techniques différentes, pour vous montrer combien il est facile d'isoler un motif et une couleur sur une même création.

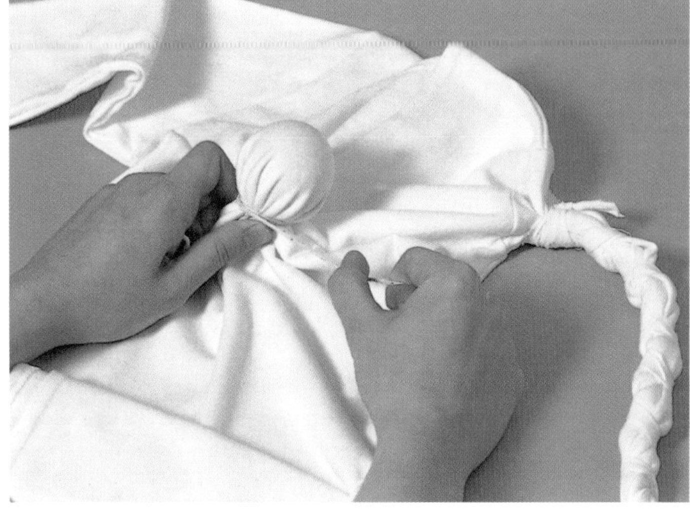

1 *Serrer une grosse bille à la hauteur de la poitrine en s'assurant que c'est bien sur le devant du maillot, afin que l'arrière et le devant soient différents. Tordre légèrement chaque manche et y nouer solidement des lisières de tissu (deux par manche). Tordre légèrement le tissu empêchera la teinture de pénétrer uniformément dans les manches.*

Matériel requis :

- 1 maillot en coton blanc
- 1 grosse bille ou balle de verre
- 60 cm (24 po) de ficelle
- 4 lisières de tissu, chacune de 1,5 m x 2,5 cm (60 x 1 po)
- 7,5 g (1 ½ c. à thé) de teinture de chaque couleur (rose et mauve)
- 1 bol pouvant contenir 3 litres (6 pintes)
- 30 g (2 c. à soupe) de sel

2 *Mélanger la teinture rose dans 0,5 litre (1 pinte) d'eau bouillante. Mettre la solution dans un bol contenant 2,5 litres (5 pintes) d'eau chaude. Ajouter le sel et laisser refroidir. Teindre tout le vêtement en remuant pour éviter les plaques et laisser reposer 20-30 minutes. Plus le trempage sera long, plus les couleurs seront vives. Rincer à fond sous l'eau froide.*

CONSEIL

- Rappelez-vous que plus la qualité du tissu à teindre est pauvre, plus la solution de teinture doit être froide avant de l'y tremper.

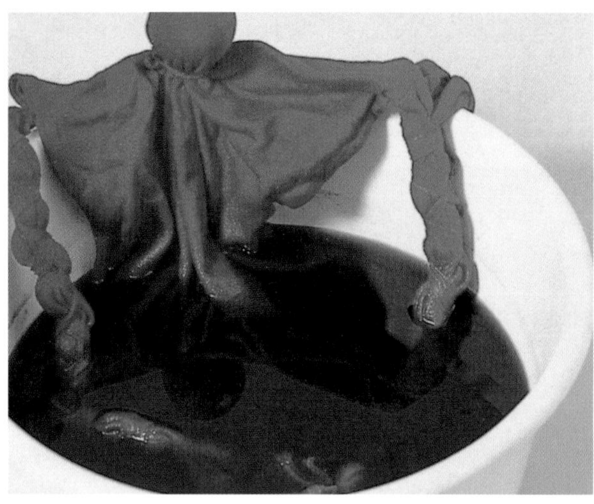

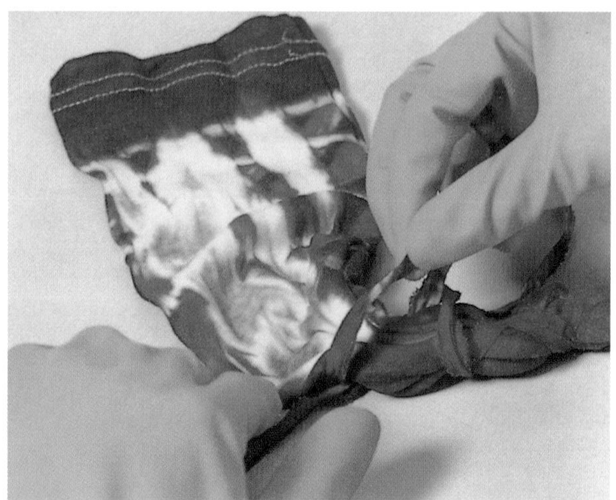

3 *Tordre l'excédent d'eau et mélanger la teinture mauve. Placer le maillot dans la teinture, du gousset à la taille, et le bout des manches, et laisser pendant 20-30 minutes.*

4 *Retirer, rincer à fond et déficeler. Faire sécher à la sécheuse par culbutage et repasser pour éliminer les plis et replacer les étirages.*

Chandail en coton écru

Combiner différents tissus dans un même projet est un moyen agréable d'ajouter des couleurs et de la texture à un motif qui orne un vêtement. Nous avons choisi un chandail à manches longues en coton écru uni et avons appliqué un morceau de soie multicolore au niveau de la poitrine. Il vaut mieux doubler la soie avec du coton moyen afin d'éviter les déformations.

Matériel requis :

- 1 chandail en coton écru, uni, à à manches longues
- 3 m (10 pi) de ficelle
- 10 g (2 c. à thé) de teinture noire
- 15 ml (2 c. à soupe) de sel
- 1 bol pouvant contenir au moins 3 litres (6 pintes)
- 1 morceau de soie habutai de poids moyen, mesurant 30 x 30 cm (12 x 12 po)
- Fer à repasser
- 10 bandes élastiques
- 2,5 g (½ c. à thé) de teinture de chaque couleur (bleu marine et orange)
- 60 ml (4 c. à soupe) de vinaigre (vérifier le mode d'emploi du fabricant)
- 1 bol pouvant contenir au moins 1 litre (2 pintes)
- 60 cm (24 po) de petite corde
- 1 morceau de linon de coton fin écru, 13 x 13 cm (5 x 5 po)

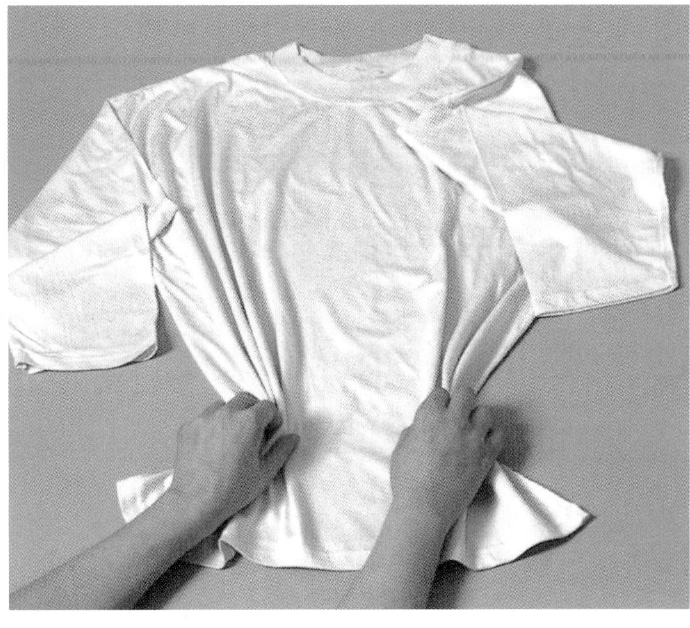

1 *Placer le chandail sur la surface de travail, le cou vers vous. Saisir les côtés et plisser vers le centre.*

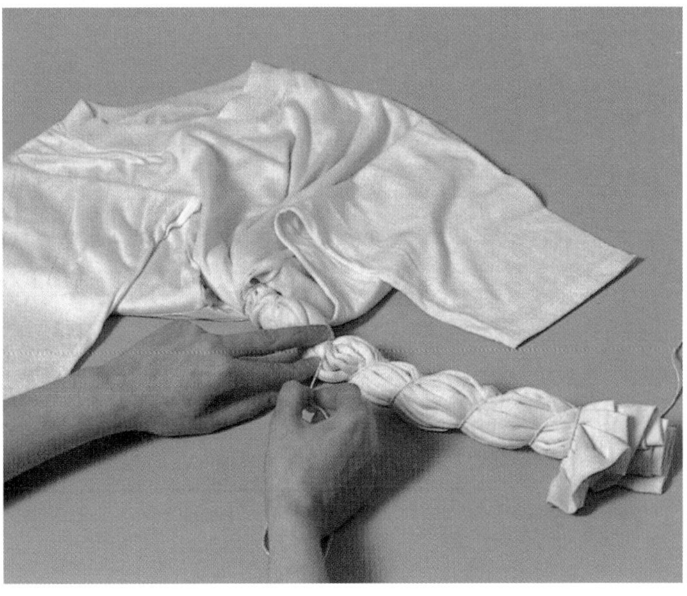

2 *Avec 1,5 m (5 pi) de ficelle, ficeler le chandail à partir de 25 cm (10 po) du cou, jusqu'à l'ourlet du bas.*

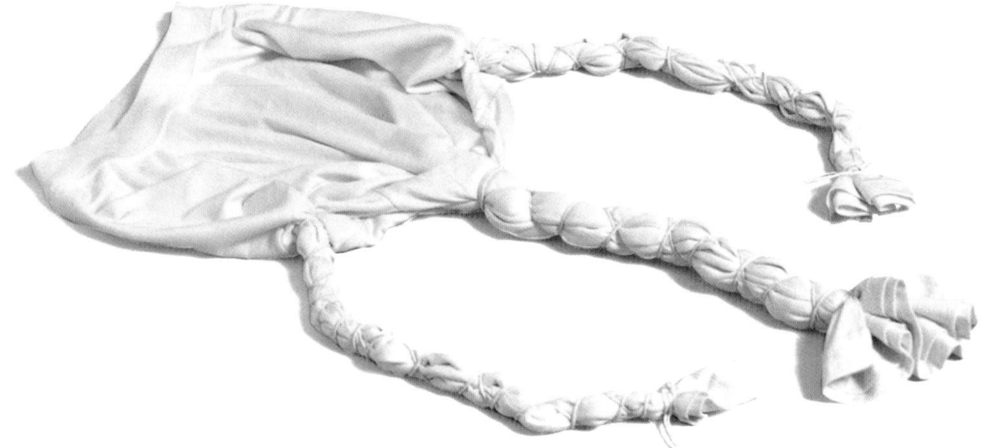

3 *Ficeler chaque manche individuellement avec la même méthode que le projet précédent et ficeler à partir de 2,5 cm (1 po) au-dessus du poignet et sous la ligne des épaules.*

4 *Mélanger la teinture noire et le sel dans 1 litre (2 pintes) d'eau bouillante et verser dans un bol de 2 litres (4 pintes) contenant de l'eau chaude. Tester la force de la couleur en y trempant une bande de coton pendant 10 minutes. Pour avoir un noir plus foncé, ajouter de la teinture.*

5 *Laisser refroidir la solution pour que le tissu ne s'étire pas, et ajouter le chandail en remuant de temps en temps. Plus le trempage sera long, plus le noir sera foncé.*

6 *Lorsque le chandail est très foncé, ce qui peut prendre jusqu'à 45 minutes, le retirer, le rincer et défaire les ficelles. S'il s'est un peu étiré, le faire culbuter dans la sécheuse.*

CONSEIL

- Lorsque vous appliquez de la teinture sur un vêtement fait de deux matières différentes, rappelez-vous qu'elles peuvent rétrécir à des vitesses différentes. En cas de doute, lavez, séchez et repassez les deux morceaux séparément avant de commencer.

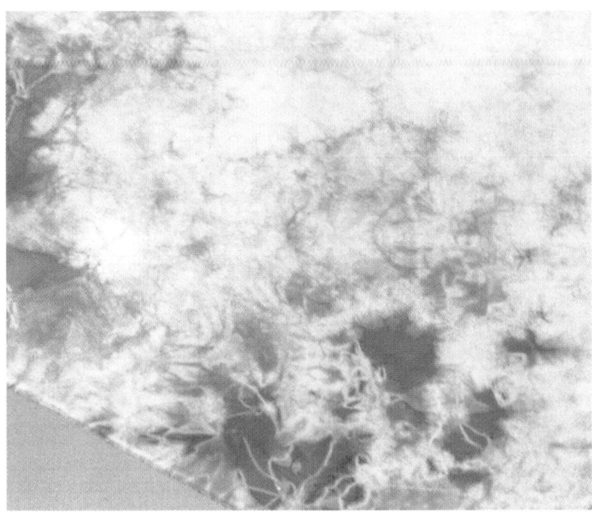

7 *Pendant que le chandail sèche, teindre la soie. La froisser en une boule et la ficeler avec du fil de soie. Mélanger la teinture bleue dans l'eau bouillante et ajouter 15 ml (1 c. à soupe) de vinaigre. Laisser refroidir la teinture jusqu'à 50° C (environ 120° F) avant d'ajouter la soie. Laisser tremper pendant 15-20 minutes, retirer, rincer à fond et déficeler.*

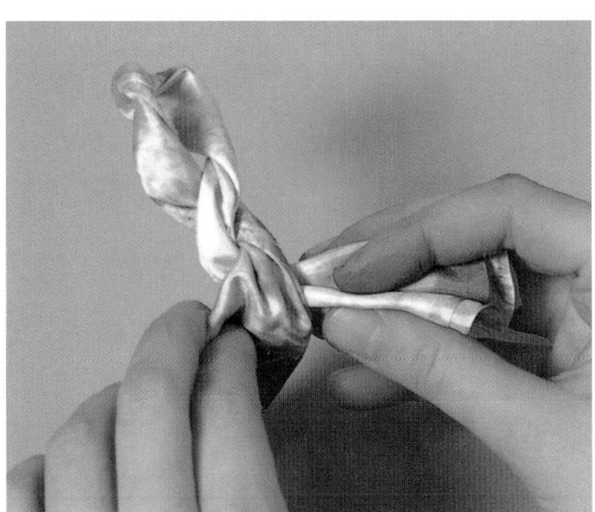

8 *Faire sécher la soie en la repassant à intensité moyenne pour accélérer le processus. Plier en deux, tordre et laisser revenir.*

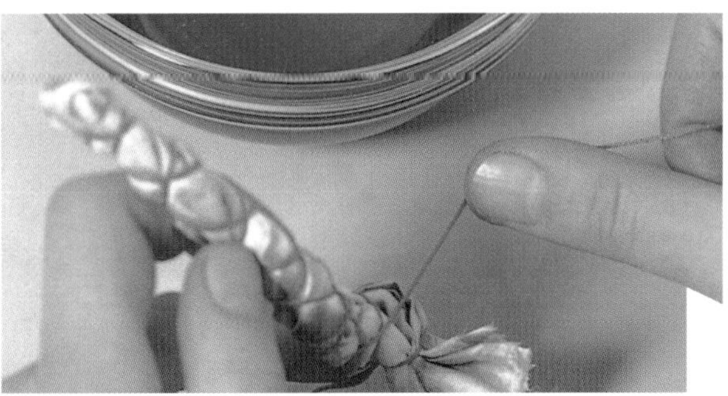

9 *Ficeler solidement la corde. Mélanger la teinture orange comme à l'étape 8 et ajouter la soie. Laisser reposer 15-20 minutes, puis rincer à fond, déficeler et repasser. Prendre le morceau de linon de coton ; tourner et repasser un ourlet d'environ 12 mm (½ po) tout autour*

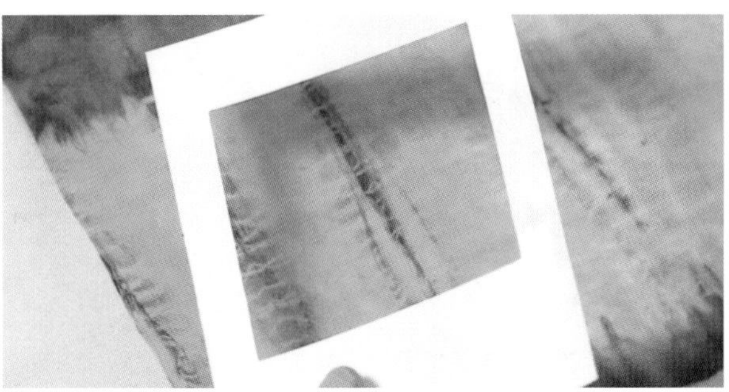

10 *Utiliser un carton à fenêtre pour couper une section de 10 x 10 cm (4 x 4 po) de soie teinte.*

APPLIQUER LA PIÈCE

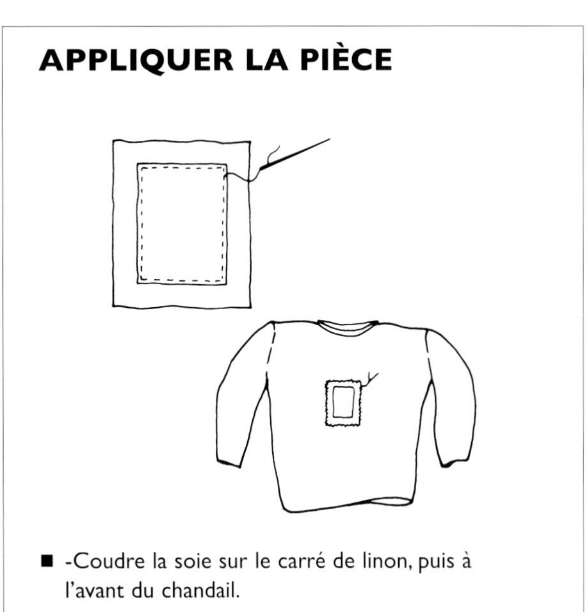

- -Coudre la soie sur le carré de linon, puis à l'avant du chandail.

Haut en soie à manches courtes

La soie est une matière polyvalente. Il existe des douzaines de façons de la tisser pour en produire différents types et chaque soie a des propriétés distinctes. Ce projet consiste à teindre de la crêpe de Chine, un tissu qui s'étire un peu mais qui accepte bien la teinture et donne un fini lustré. Pour créer la texture, nous avons d'abord noué et teint la soie avec une couleur pâle. Même si la première couleur disparaît presque complètement sous la deuxième, elle fait subtilement varier les nuances, visibles sous certains éclairages.

Matériel requis

- 1 haut à manches courtes en crêpe de Chine
- 5 bouchons de liège
- 2 m (78 po) de petite corde
- 10 g (2 c. à thé) de teinture de chaque couleur (citron et rouge clair)
- 120 ml (8 c. à soupe) de vinaigre (vérifier le mode d'emploi du fabricant)
- 1 bol pouvant contenir au moins 3 litres (6 pintes)
- 90 cm (36 po) de grosse corde (la corde à linge en nylon est idéale)

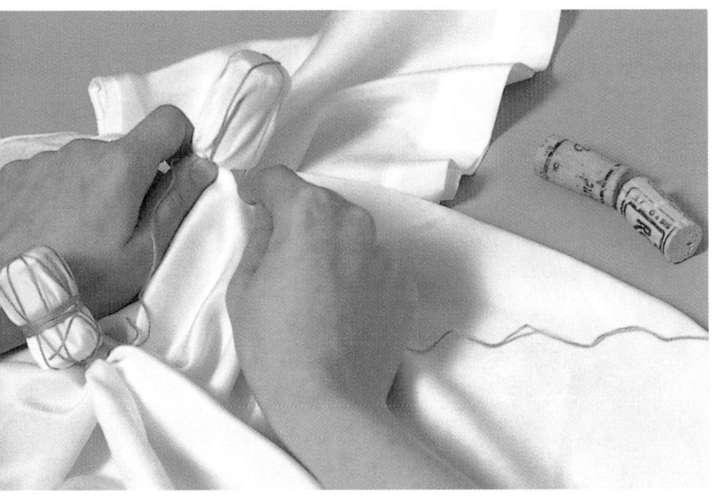

1 *Nouer tous les bouchons de liège n'importe où dans le haut, ou d'autres objets comme des coquetiers ou des boutons*

2 *Mélanger la teinture jaune dans 1 litre (2 pintes) d'eau bouillante et ajouter 60 ml (4 c. à soupe) de vinaigre. Verser ce mélange dans un bol contenant 2 litres (4 pintes) d'eau chaude. Laisser refroidir la teinture jusqu'à 50° C (env. 120° F) avant d'y ajouter la soie. Laisser reposer pendant 30 minutes en remuant de temps en temps.*

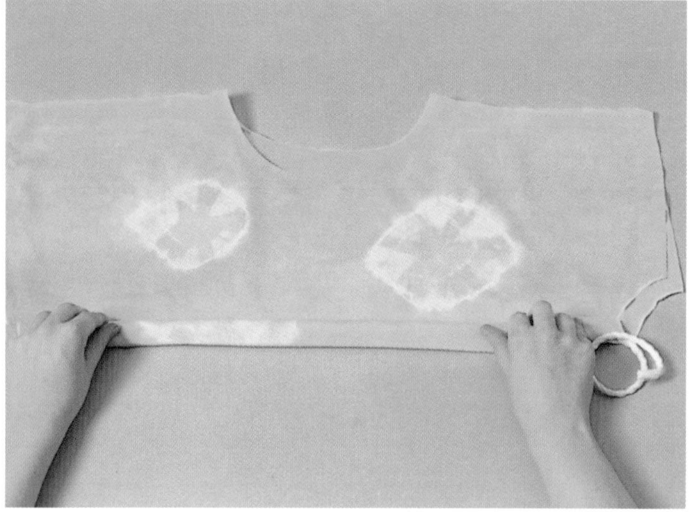

3 *Une fois la soie teinte, l'enlever, la rincer, la déficeler, la laisser sécher et la repasser pour enlever les plis. Placer le haut sur la surface de travail, le cou vers vous, et rouler le bas autour d'une grosse corde en laissant environ 25 cm (10 po) non roulé en haut.*

4 *Tenir une extrémité du tissu roulé et rucher le plus possible le long de la corde. Attacher ensemble les deux bouts de la corde fermement avec un double nœud.*

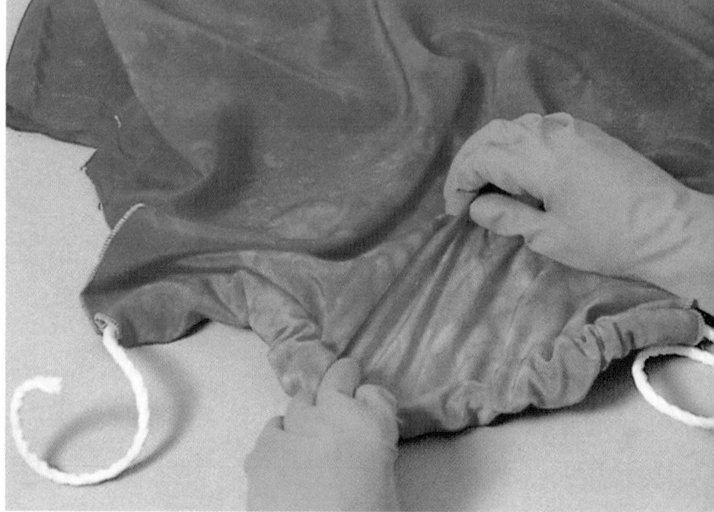

5 *Mélanger la teinture rouge dans 1 litre (2 pintes) d'eau bouillante et ajouter 60 ml (4 c. à soupe) de vinaigre. Verser dans 2 litres (4 pintes) d'eau chaude et laisser refroidir à 50° C (env. 120° F) avant d'y faire tremper la soie ruchée. Laisser reposer pendant 30 minutes en remuant de temps en temps. Retirer, dénouer et laisser sécher à plat.*

Chemisier en soir Georgette

Le poids des tissus influence l'adhérence des teintures. Lorsqu'ils sont teints au nœud, les tissus plus légers et à texture plus lâche ont tendance à pâlir les couleurs. Il vaut la peine de considérer le poids et la densité du tissage avant d'adopter une méthode de teinture. Les motifs plissés, par exemple, s'effectuent plus facilement sur du matériel tissé serré et à plat. La soie Georgette, par contre, est tissée lâchement comme le chiffon ou la soie mousseline, et vous pouvez utiliser l'un ou l'autre de ces tissus ou les remplacer par de l'étamine ou du coton mousseline.

Matériel requis :

- 1 chemisier en soie Georgette
- 3 m (10 pi) de ficelle
- 5 g (1 c. à thé) de teinture de chaque couleur (rose brun et gris foncé)
- 60 ml (4 c. à soupe) de vinaigre (vérifier le mode d'emploi du fabricant et si vous travaillez avec du coton, utiliser plutôt du sel)
- 1 bol pouvant contenir au moins 1,5 litres (3 pintes)

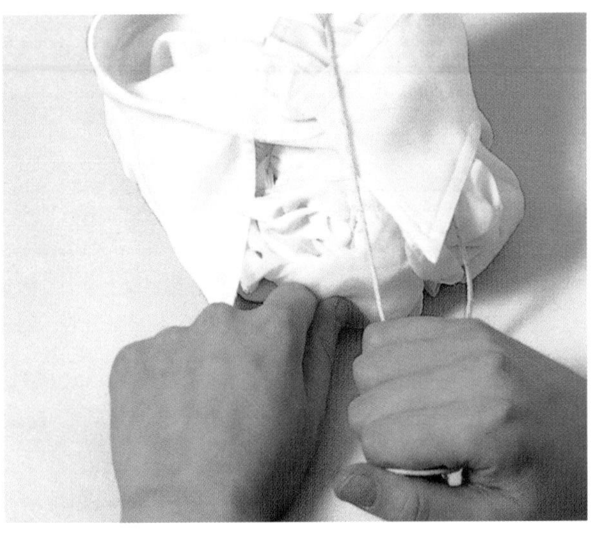

1 *Chiffonner le chemisier en boule et le ficeler solidement. Ne pas le rouler pour ne pas limiter son exposition à la teinture. Mélanger le rose brun dans 1 litre (2 pintes) d'eau bouillante et ajouter 30 ml (2 c. à soupe) de vinaigre (sel pour le coton) et verser le mélange dans 0,5 litre (1 pinte) d'eau chaude. Laisser refroidir à 50° C (env. 120° F) avant d'ajouter le chemisier pendant 20-30 minutes.*

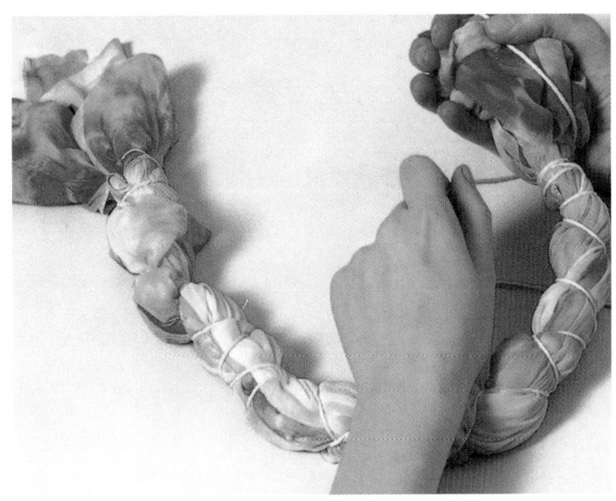

2 *Retirer le chemisier, rincer à fond et déficeler. Laisser sécher à plat pour éviter les plis. Lorsqu'il est sec, chiffonner le col et le cou en boule et les ficeler. Tordre ensemble le reste du chemisier avec les manches et ficeler sur toute la longueur avec la ficelle.*

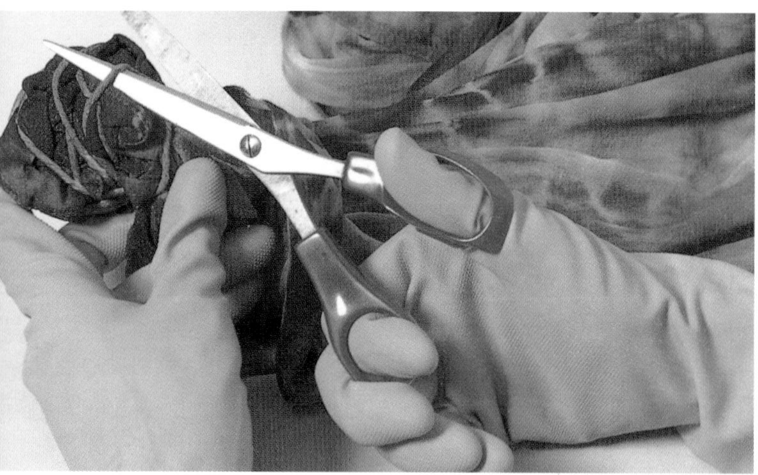

3 *Mélanger la teinture grise comme à l'étape 1 et lorsque le mélange est refroidi, ajouter le chemisier et le laisser reposer pendant 20-30 minutes. Retirer, rincer à fond, déficeler et laisser sécher à plat.*

CONSEIL

- Plusieurs soies et cotons tissés plus lâchement contiennent un apprêt ou un épaississant. Vous obtiendrez de meilleurs résultats si vous lavez le vêtement avant de le teindre.

HOUSSE DE COUETTE ET TAIE D'OREILLERS

Cette housse de couette a été confectionnée avec plusieurs panneaux séparés de linon de coton. En effet, le succès des nombreuses étapes requises, dont l'agencement des couleurs, serait compromis par la grande taille du morceau de tissu.

CONSEIL

- Travailler avec une grande quantité de tissu pose un certain problème, surtout quand on souhaite obtenir une couleur égale. Lorsqu'un projet implique une grande étoffe, il est plus facile de travailler avec des panneaux et de les coudre par la suite. Toutefois, il y a un risque d'obtenir des motifs différents en trempant les panneaux séparément. Notez que même si vous arriviez à immerger ce grand morceau de tissu dans un seul contenant, la couleur ne pénètrerait pas uniformément de toute façon en raison de sa masse.

Matériel requis :

- 4 morceaux de coton blanc, chacun mesurant 2 m x 75 cm (78 x 30 po)
- 2 morceaux de coton blanc, chacun mesurant 65 x 50 cm (26 x 20 po)
- Fer à repasser
- 52 pinces à linge
- 4 m (13 pi) de ficelle
- 15 g (3 c. à thé) de teinture vieux rose
- 5 g (1 c. à thé) de teinture de couleur bleuet
- 60 g (4 c. à soupe) de sel
- 1 bol pouvant contenir au moins 7 litres (4 pintes)
- 2 morceaux de linon de coton écru et léger, chacun mesurant 2 m x 75 cm (78 x 30 po)
- 2 morceaux de linon de coton écru et léger, chacun mesurant 65 x 50 cm (26 x 20 po)

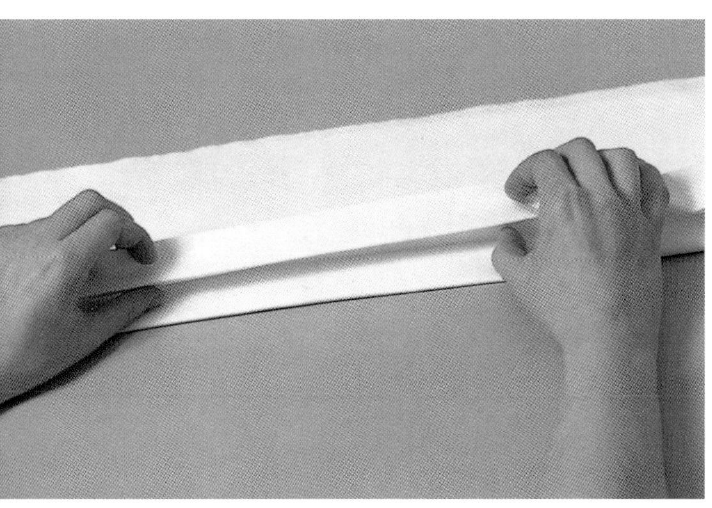

1 *Repasser chaque panneau de coton blanc pour enlever les plis, puis les plier séparément en deux sur la longueur avant de les plisser. Chaque pli devrait mesurer environ 3 cm (1 ¼ po) de large.*

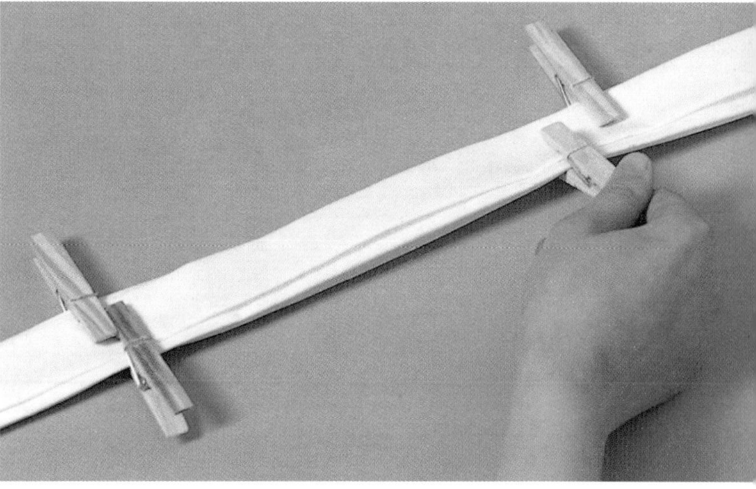

2 *Repasser les plis et les tenir en place avec des pinces à linge de chaque côté, à intervalles de 30 cm (12 po).*

ASSEMBLER LA HOUSSE

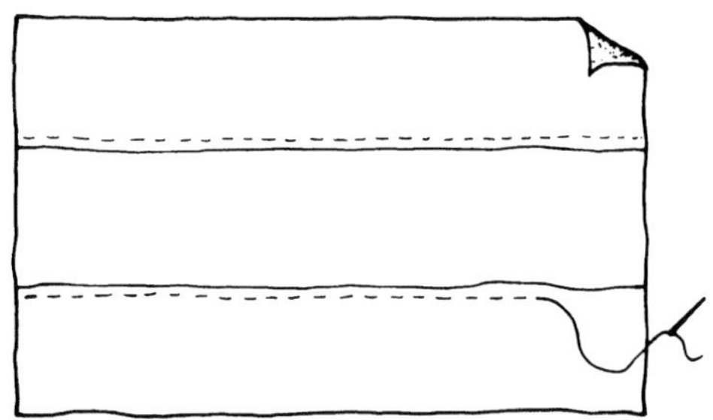

- Lorsque les morceaux sont secs, les repasser. Assembler la housse de couette en cousant un morceau de linon de coton écru entre deux panneaux à motifs pour le dessus.

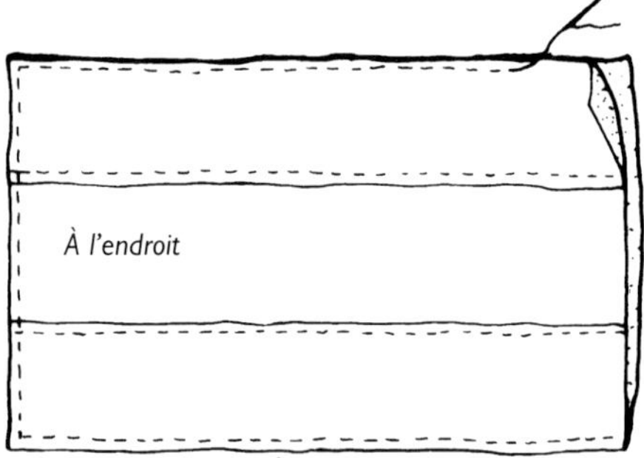

- Répéter pour le dessous. Ensuite, étendre les deux carrés, dos à dos, puis coudre ensemble sur trois côtés.

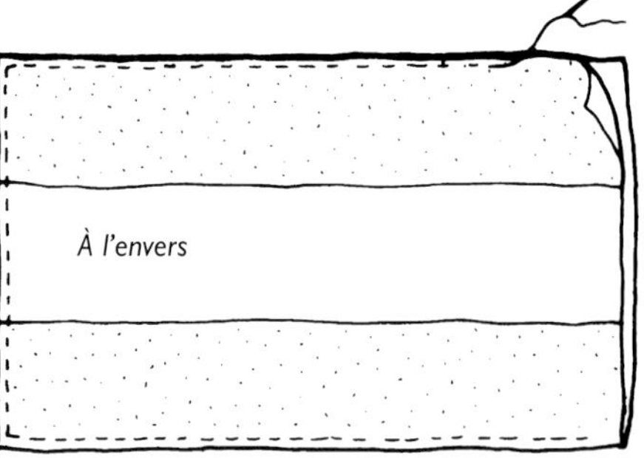

- Nous avons laissé un ourlet assez large au cas où le tissu rétrécirait plus que prévu durant le processus de la teinture. Cependant, vous avez amplement de tissu pour faire une couture anglaise de la façon suivante une fois trois côtés cousus, tournez le dessus de la housse pour que les deux côtés de l'endroit soient ensemble. Puis, coudre autour des trois autres côtés en incluant les bordures dans l'ourlet.

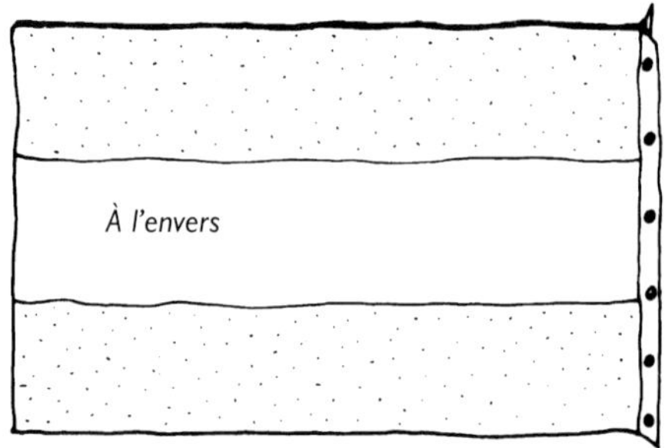

- Tournez et ourlez la bordure ouverte, puis ajoutez des attaches.
- Faire les housses à oreiller de la même façon, en cousant un morceau d'écru uni et en ourlant les coutures laissées ouvertes.

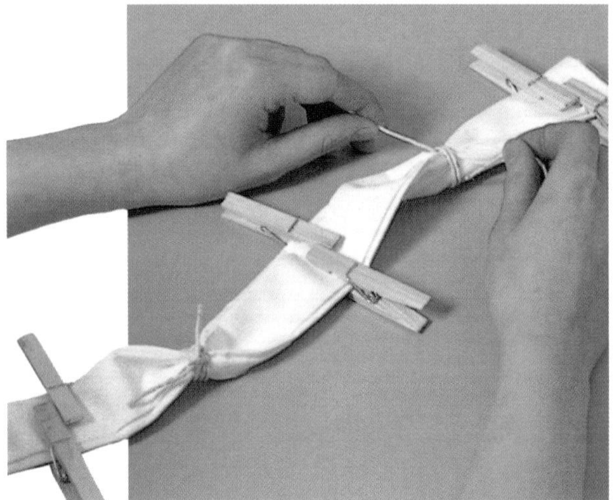

3 *À mi-chemin entre les pinces, attacher le tissu avec des ficelles de 23 cm (9 po) de long.*

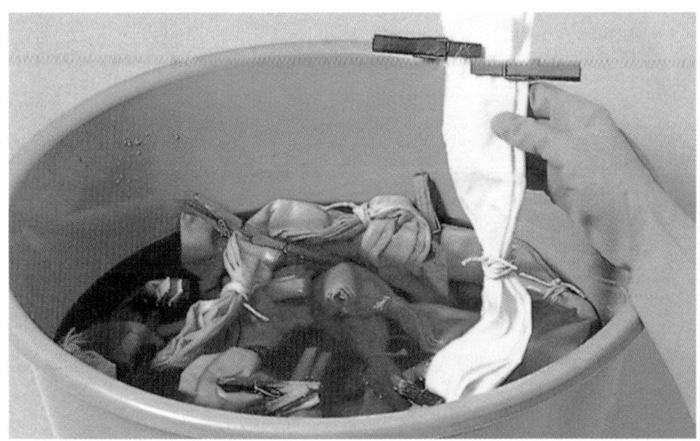

4 *Mélanger le vieux rose dans 1 litre (2 pintes) d'eau bouillante et ajouter 30 g (2 c. à soupe) de sel. Verser ce mélange dans 6 litres (12 pintes) d'eau chaude. Le récipient doit être assez grand pour contenir le tissu sans qu'il soit trop à l'étroit. Pour une couleur vibrante, placer tout le tissu blanc dans le bol pendant que la teinture est encore chaude. Laisser reposer pendant 30-45 minutes. Lorsque le tissu est teint, l'enlever, le rincer, mais ne pas le déficeler.*

5 *Mélanger la teinture bleuet dans 1 litre (2 pintes) d'eau bouillante et ajouter le sel. Verser ce mélange dans 3 litres (6 pintes) d'eau chaude. Draper le tissu plissé au-dessus du bol pour que seules les bouts trempent dans la teinture, environ 45 cm (18 po) de chaque extrémité et 20 cm (8 po) des extrémités des housses à oreiller. Laisser reposer pendant 30 minutes, retirer, rincer et déficeler.*

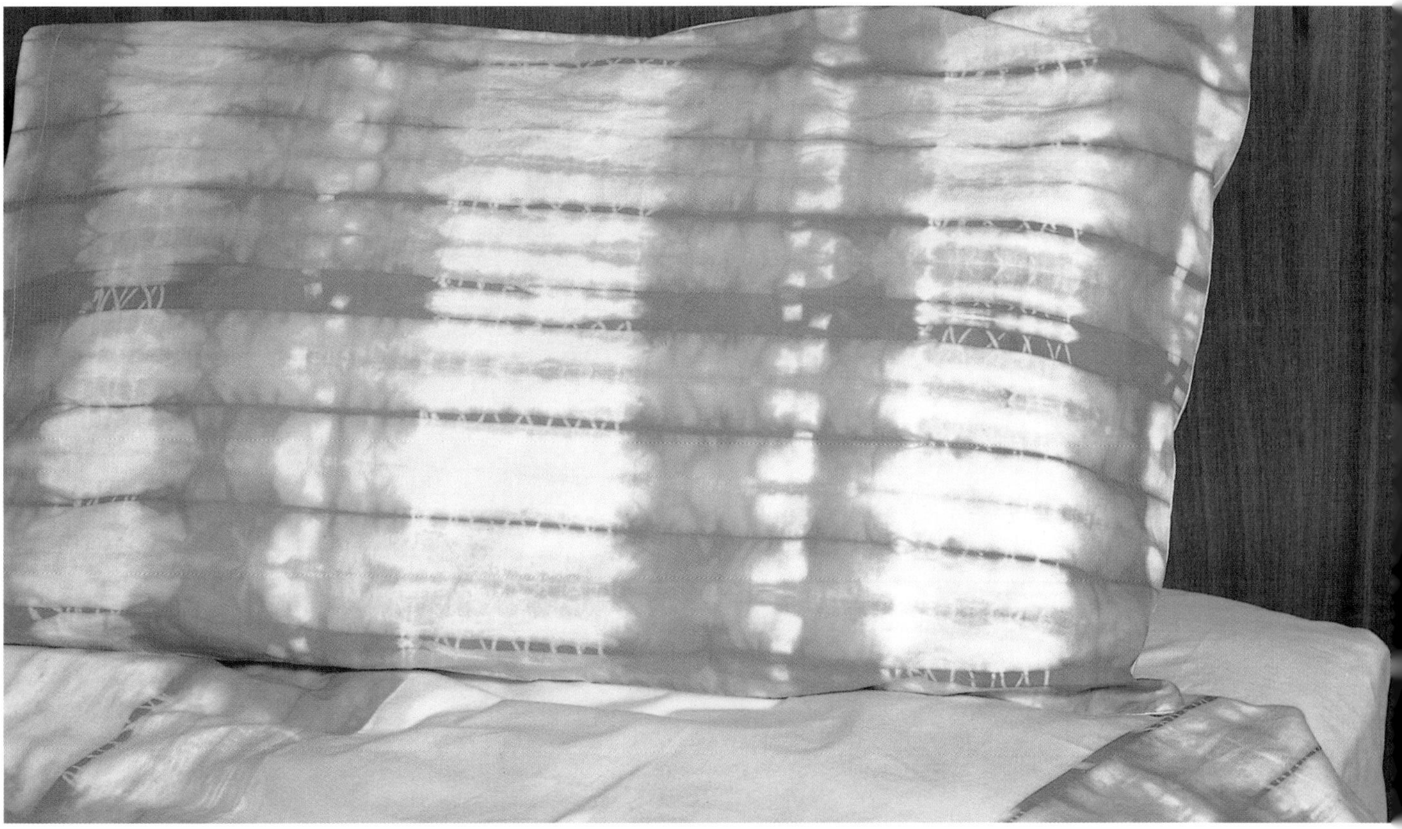

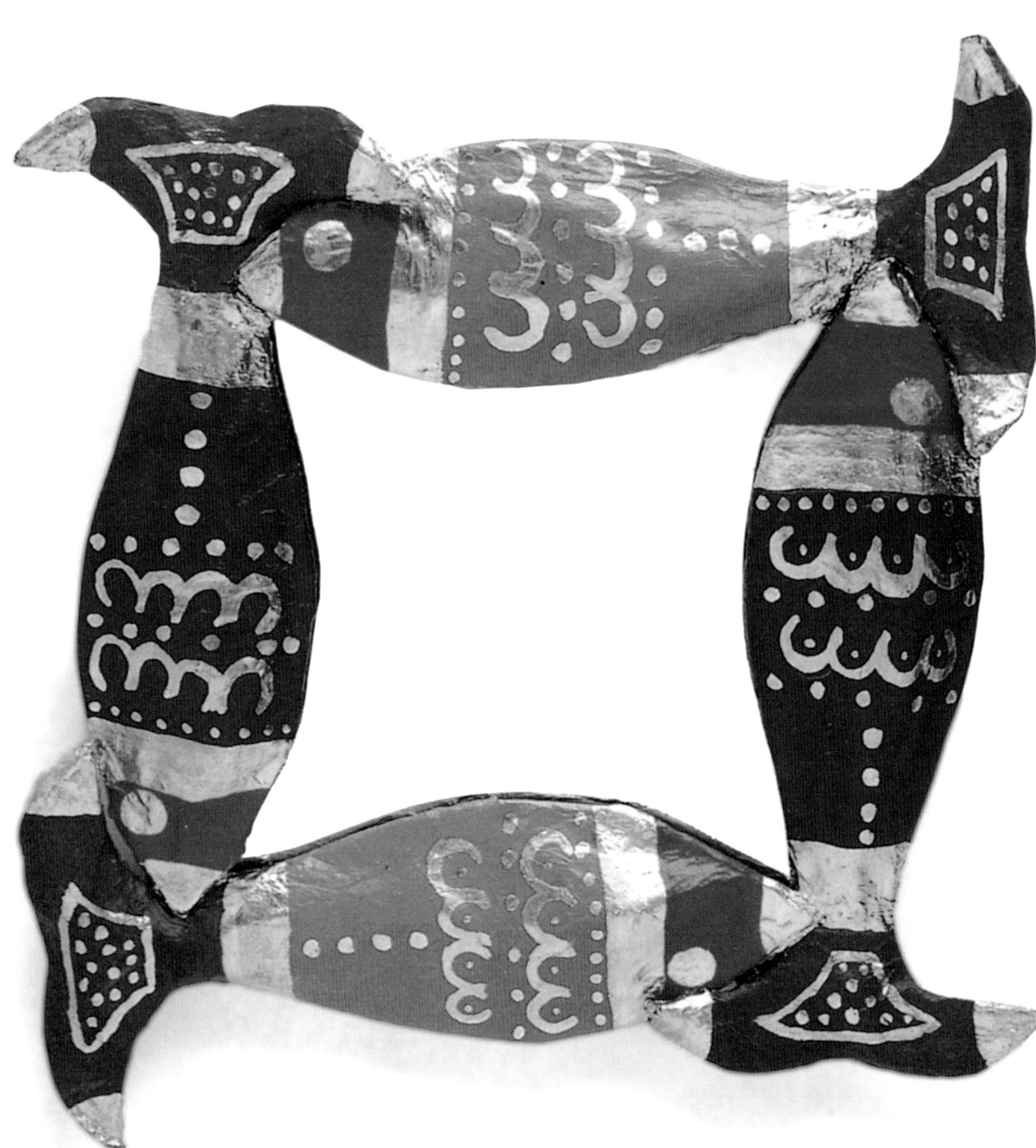

9
ENCADREMENTS

Il est très facile d'apprendre les techniques d'encadrement. Avec quelques baguettes de bois et un peu de verre, vous confectionnerez un cadeau unique pour un ami ou encadrerez votre photographie préférée.

L'encadrement est important car il permet de mettre une image en valeur. Sans lui, les yeux errent sans se concentrer sur ce qui devrait être admiré. Toutefois, la touche finale, le choix du passe-partout et du cadre, doit complémenter l'image et non lui voler la vedette.

Il peut s'avérer inspirant de visiter des galeries d'art, des musées et des boutiques spécialisées pour voir les différents styles de cadres et de baguettes afin de choisir les effets voulus. Si vous regardez une aquarelle victorienne, par exemple, vous remarquerez que l'équilibre visuel est maintenu par l'utilisation des passe-partout de style marie-louise, de couleur crème ou ivoire, souvent rayés et entourés d'un bois foncé ou doré. L'histoire de l'encadrement est riche, mais les techniques modernes, comme le dorage et le vieillissement, encouragent les gens à créer leurs propres styles et plusieurs nouvelles tendances.

Équipements et matériel

Avec un peu de chance, vous possédez probablement déjà tout l'équipement et le matériel nécessaires. Toutefois, vous devrez peut-être vous procurer deux outils : un étau à onglets et une coupeuse de passe-partout - mais achetez-les à mesure que vous en avez besoin.

BAGUETTES

Il existe une grande variété de baguettes pour les amateurs d'encadrement. En effectuant votre choix, songez à la taille de l'image et à son aspect : comporte-t-elle des couleurs foncées ou est-elle plutôt sobre ?

Puisque le bois dur est plus rare de nos jours, on peut trouver de belles baguettes en plastique. Elles ont l'avantage de ne pas travailler comme le bois. On peut également les dorer et les peindre, même si elles ne sentent pas le bois, odeur toujours appréciée par les bricoleurs !

Matériel requis :

Pour fabriquer les cadres présentés dans ce chapitre, vous aurez besoin de :

- Marteau
- Scie à main
- Tournevis
- Pinces
- Poinçon
- Équerre
- Perceuse et mèches
- Petits clous de finition
- Étau à onglets
- Règle en métal
- Règle en plastique et crayon
- Couteau d'artiste
- Colle à bois

CALCUL DES BAGUETTES

- Cette formule simple peut servir à calculer assez précisément la quantité requise de baguettes.
  Additionnez :
  La hauteur de l'image x 2
  La largeur de l'image x 2
  La largeur du dessus du cadre (c'est-à-dire de la baguette) x 8
  Vous avez également besoin de la largeur de la baguette pour les coupes en biais aux extrémités de chaque morceau.
  Exemple : vous encadrez une photographie qui mesure 31 x 25 cm (12 x 10 po) et la profondeur des baguettes est de 1cm (½ po) :
  31 cm (12 po) x 2 = 62 cm (24 po))
  25 cm (10 po) x 2 = 50 cm (20 po)
  1 cm (½ po) x 8 = 8 cm (4 po)
  = 120 cm (48 po)
  Ajoutez 5 cm (2 po) additionnels en cas d'erreur. Ceci signifie que vous aurez besoin d'un total de 125 cm (50 po).

L'ÉTAU ET LA SCIE À ONGLETS

Si vous utilisez une scie neuve, la coupe des baguettes sera plus aisée si vous lui ajoutez un peu d'huile. Ne mettez pas trop de pression lors de vos coupes. Privilégiez les coupes courtes, légères et d'un trait et laissez travailler la scie. Au moment de la ranger, protégez ses dents avec l'étui fourni.

UTILISER L'ÉTAU À ONGLETS

- Assurez-vous que la baguette est bien à plat sur la base avant de serrer l'étau.
- Utilisez des morceaux de carton ou des retailles de bois au bout de l'étau pour éviter d'endommager la baguette.
- Si la base bouge lors des coupes, utilisez une serre pour la fixer fermement sur votre surface de travail.
- Si vous coupez un coin et que vous avez besoin d'adoucir les bords, frottez délicatement avec du carton de fibre au lieu de poncer car le papier abrasif peut être trop drastique.

1 *Fixer l'étau à une base en bois. Vous aurez besoin d'un morceau de contre-plaqué de 1 cm (½ po) mesurant 20 x 18 cm (8 x 7 po). Couper une longueur de 3,5 x 2,5 cm (1 ½ x 1 po) à 20 cm (8 po) et la visser le long du contre-plaqué pour la surélever de la surface de travail.*

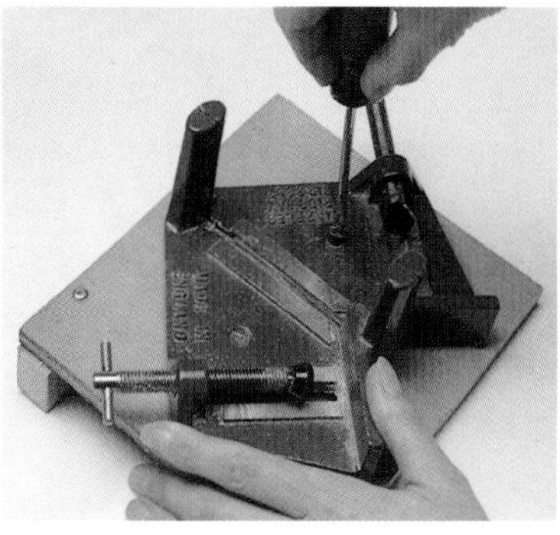

2 *Visser l'étau en métal sur le contre-plaqué pour que l'élévation soit du côté opposé.*

3 *Avant d'utiliser un étau pour la première fois, il peut être utile de tracer une ligne sur sa lame de caoutchouc pour indiquer le trait de coupe central.*

UTILISER LES SERRES DE COINS

Il est parfois difficile de travailler avec des serres de coins fixées et des cordes. Elles sont tout de même utiles, surtout si vos cadres sont petits et difficiles à clouer.

Prenez les quatre pièces coupées du cadre et collez ensemble les extrémités des baguettes les plus longues. Déposez le cadre et placez les quatre serres dans les coins. Tirez sur la corde jusqu'à ce qu'elle soit bien raide, enlevez l'excédent de colle et laissez sécher.

PASSE-PARTOUT

Votre choix de passe-partout influence davantage l'apparence finale de votre image que le cadre lui-même. S'il est trop petit, il réduira votre image. Au début, vous devriez choisir un passe-partout un peu plus grand que celui que vous aviez prévu.

Matériel requis :

- Tapis de coupe
- Coupeuse avec règle
- Compas
- Crayon
- Ruban adhésif
- Règle en plastique
- Ciseaux
- Couteau d'artiste
- Crayon à cartographie et pinceau

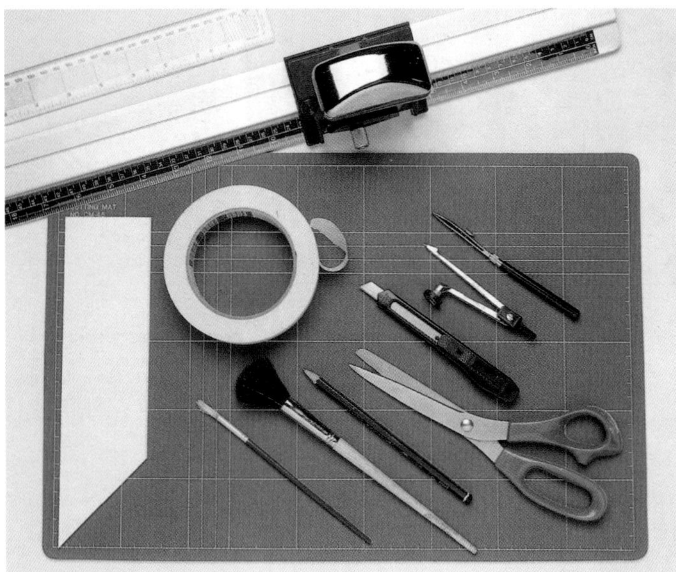

Assurez-vous que la lame de la coupeuse est bien affûtée. Gardez des lames de rechange et remplacez-la aussi souvent que nécessaire, à chaque 5 ou 6 passe-partout.

Rappelez-vous que le bas du passe-partout est généralement plus large que le haut et les côtés qui sont égaux. Donc, si le haut et les côtés ont 9 cm (3 ½ po) de large, le bas devrait être de 10 cm (4 po). La différence contribue à diriger les yeux sur l'image.

Le choix des passe-partout en carton est presque infini.

Cette photographie en sépia a été traitée comme un dessin, avec un grand passe-partout, mais elle aurait mieux paru avec un passe-partout plus petit et plus foncé.

Optez pour une couleur pâle, surtout dans le cas d'une aquarelle. Choisissez une couleur présente dans l'image à encadrer et agencez-la avec du vert pâle, du beige ou de l'ivoire, etc. Si la couleur semble trop fade,

vous pouvez ajouter des lignes de crayon ou de l'aquarelle. Une image aux couleurs vives sera mise en évidence avec un passe-partout pâle et un cadre plus foncé.

Les lithographies exigent un traitement spécial. S'il s'agit d'œuvres originales, elles auront une bordure tout autour de l'image.

La fenêtre du passe-partout devrait laisser paraître cette bordure en ayant une marge blanche d'environ 1 cm (½ po) autour de l'image.

Choisir le passe-partout soigneusement et le couper avec précision fera toute la différence dans l'apparence finale de l'image encadrée. Voici les différents types de passe-partout :

- Avec fenêtre standard
- Double, avec une bordure neutre d'environ 1 cm (½ po) sous un passe-partout de couleur différente
- Contrecollé qui porte l'image, posé sur un passe-partout coloré ayant une bordure de 2 à 3 cm (env. 1 po) tout autour de l'image
- Combiné double et contrecollé : l'image repose sur le passe-partout du dessous alors que la fenêtre de celui du dessus est coupée pour révéler autour de l'image une bordure d'environ 1 à 2 cm (env. ½ po) dans le bas
- En tissu (marie-louise), souvent en soie, en jute ou en lin
- En papier
- En carton

CONSEIL

- La technique d'assemblage du passe-partout influence grandement l'apparence d'une photographie ou d'une image, comme vous le voyez ici.

Passe-partout à fenêtre standard
Contrecollé
Double

COUPER UN PASSE-PARTOUT

Nous encadrons une œuvre colorée alors le passe-partout sera discret. Nous avons ajouté plus tard un cadre de couleur pour créer une harmonie.

Matériel requis :

- Planche de découpage
- Retailles de carton
- Crayon bien affûté et règle
- Équerre à dessin
- Coupeuse de passe-partout
- Couteau d'artiste ou lame de rasoir
- Carton à endosser
- Ruban-cache
- Ruban adhésif sans acide (facultatif)

1 *Mesurer l'image et choisir ce qui paraîtra dans la fenêtre du passe-partout. Notre fenêtre mesure 33 x 23,5 cm (13 x 9 ½ po). La largeur du passe-partout en haut et sur les côtés est de 7,5 cm (3 po) et celle du bas est de 9 cm (3 ½ po). Pour calculer l'aire totale du passe-partout, additionner la largeur de la fenêtre à deux fois la largeur d'un côté, et additionner la profondeur de la fenêtre aux largeurs du haut et du bas du passe-partout. Ici, on a 33 + 15 cm (13 + 6 po), ce qui donne une largeur totale de 48 cm (19 po), et 23,5 + 7,5 + 9 cm (9 ½ + 3 + 3 ½ po), ce qui donne une profondeur totale de 40 cm (16 po).*

2 *Placer la planche de travail sur une surface plane et y déposer des retailles de carton. À l'endos du carton à passe-partout, dessiner un rectangle selon ses dimensions extérieures - dans notre exemple : 48 x 40 cm (19 x 16 po). Avec l'équerre, vérifier que les coins sont bien à angles de 90 degrés. Couper le passe-partout. Dessiner la fenêtre en mesurant à partir des contours extérieurs ; dans ce cas-ci, 7,5 cm (3 po) pour le haut et les côtés, et 9 cm (3 ½ po) du bas. Découper la fenêtre avec un couteau d'artiste ou une lame de rasoir pour bien finir les coins.*

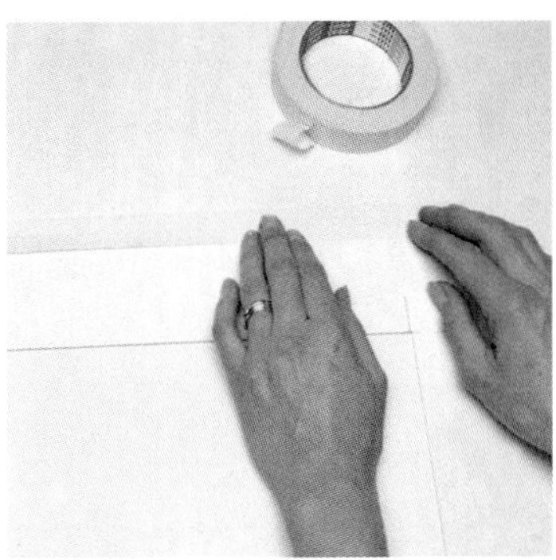

3 *Couper un morceau de carton à endosser de la même grandeur que les dimensions extérieures du passe-partout. Mettre le passe-partout à l'envers à côté du carton à endosser, les côtés les plus longs côte à côte. Utiliser des bouts de ruban-cache pour les tenir ensemble. Ouvrir le passe-partout et le carton et placer l'image sur le carton. Rabattre le passe-partout sur l'image et l'ajuster. S'il s'agit d'un dessin ordinaire, le tenir en place sur le passe-partout avec du ruban-cache. S'il s'agit d'une œuvre plus raffinée, utiliser du ruban sans acide. Couper deux bouts de ruban et fixer l'image en haut. Couper deux autres bouts de ruban et couvrir les deux premiers sur toute la longueur.*

UTILISER LA COUPEUSE

Suivez les directives du fabricant et les lignes directrices suivantes, qui s'appliquent à toutes les marques.

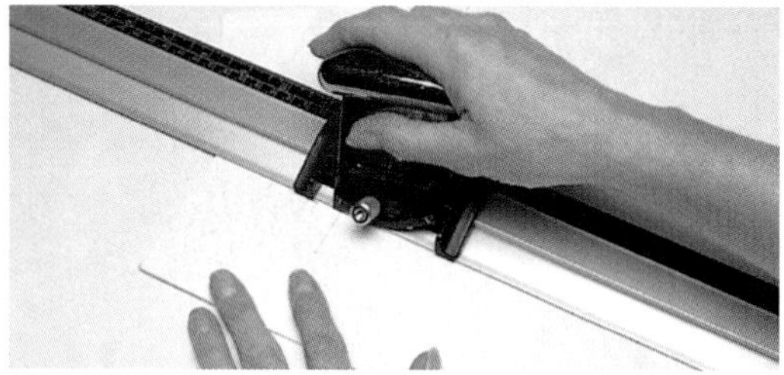

- Assurez-vous d'avoir une lame bien affûtée et réglée pour couper uniquement le passe-partout, et non les retailles de carton en dessous.

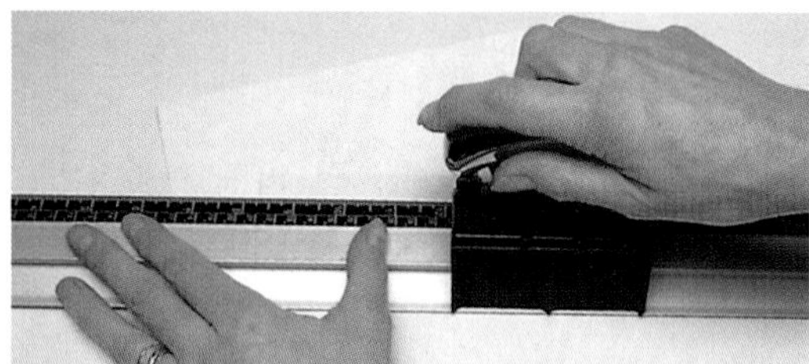

- Arrangez la règle de sorte que la lame suive la ligne de crayon. Insérez la lame juste au-delà du coin et tirez-la vers vous en arrêtant juste après le coin le plus près de vous.

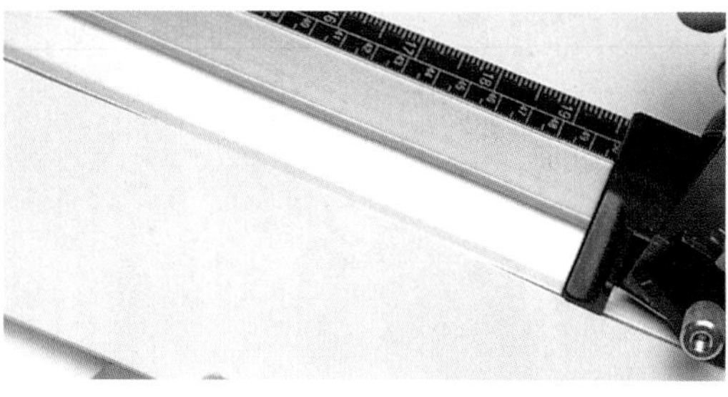

- Testez la lame pour vérifier si elle coupe nettement. En gardant la règle en position, soulevez un coin du carton et vérifiez si toute la longueur est coupée. Sinon, coupez une seconde fois.

Après avoir effectué une coupe, déplacez les retailles de carton pour ne pas que la lame se coince dans le trait de la première coupe.

MATÉRIEL DE SUSPENSION

Vous aurez besoin d'une variété d'anneaux et de vis à œillet pour suspendre vos cadres en toute sécurité.

Matériel requis :

- Anneaux en D
- Vis à œillet
- Fil ou corde
- Agrafes à verre, en métal
- Agrafes à miroir, en plastique
- Papier adhésif brun ou ruban-cache

LA SURFACE DE COUPE

- Même si vous pouvez acheter un tapis de coupe, ils sont parfois coûteux et disponibles en dimensions limitées. Vous pouvez fabriquer le vôtre qui conviendra à la coupe du carton et du verre.
- Une surface de travail d'environ 75 x 92 cm (30 x 36 po) est suffisante pour la plupart des cadres. Coupez un morceau de carton à endosser et un autre de carton à passe-partout de la même taille. Utiliser un adhésif à base de caoutchouc ou un pistolet agrafeur pour fixer le passe-partout sur le côté brillant du carton.
- Placez toujours des retailles de carton entre le passe-partout que vous coupez et votre surface de coupe.

TAILLER LE VERRE

Tailler le verre est plus facile que l'on pense. À moins que votre cadre soit gigantesque, vous pourrez le faire vous-même.

Matériel requis :

- Coupe-verre
- Équerre en T en bois
- Pinces
- Stylos feutre

Achetez un bon coupe-verre. Les meilleurs sont équipés d'un petit réservoir intégré contenant de l'essence minérale ou du lubrifiant qui garde la tête coupante propre et lisse. Si le vôtre n'a pas ce réservoir, trempez la tête coupante dans l'essence minérale avant chaque coupe.

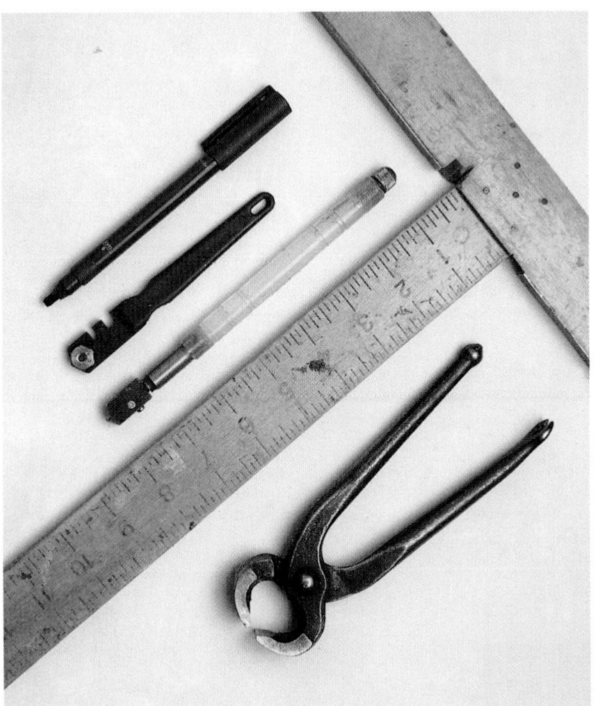

Les encadrements exigent un verre de 2 mm (1/16 po) d'épaisseur, vendu en petites quantités chez un vitrier. Ce verre est beaucoup plus mince que celui utilisé pour fabriquer des fenêtres. Achetez d'abord des petits morceaux pour pratiquer votre technique de coupe.

TAILLER LE VERRE SUR MESURE

1 *Déposer un petit morceau de verre sur une surface plane et tenir le coupe-verre entre l'index et le majeur en le soutenant avec le pouce pour qu'il soit presque droit. En cas d'inconfort, tenir le coupe-verre entre le pouce et l'index.*

2 *Pratiquer la technique de rayure du verre sur différentes parties de l'échantillon jusqu'à être à l'aise avec l'outil. Le son qui indique que le verre est bel et bien taillé est distinct. Jeter ce morceau de verre.*

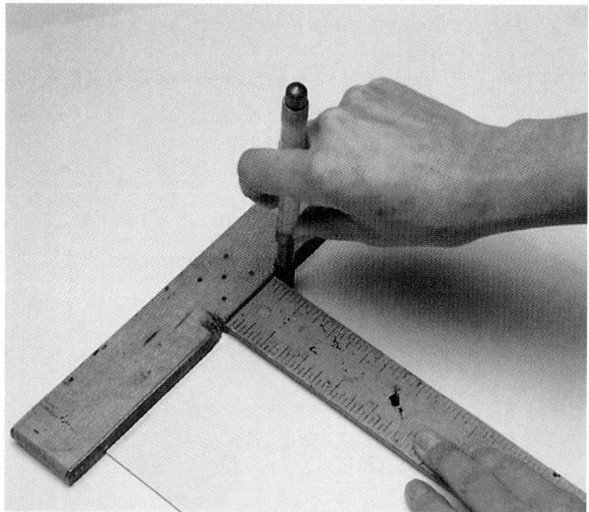

3 *Mettre un autre morceau de verre sur la surface de travail. Placer la croix de l'équerre sur le verre de manière à ce que le bout long y repose à plat et que son extrémité supérieure soit fixée contre la bordure du verre. Avec le coupe-verre, presser fermement en descendant le long d'un côté de l'équerre. Ne pas passer deux fois pour ne pas endommager le coupe-verre.*

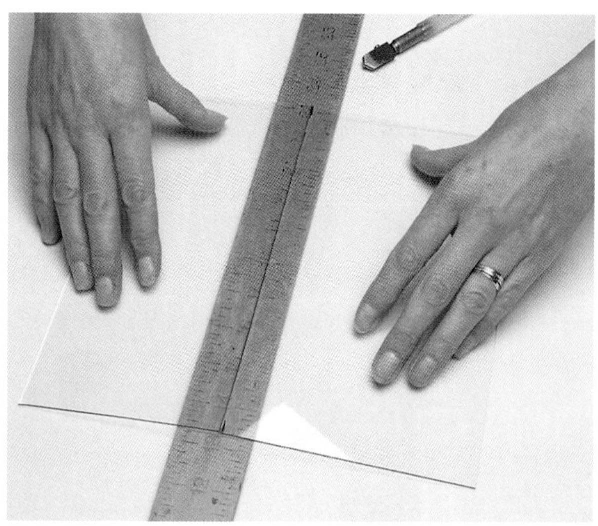

5 *Placer une main de chaque côté de la règle et presser d'un coup sec du bout des doigts. Si la coupe est bonne, le verre brisera facilement.*

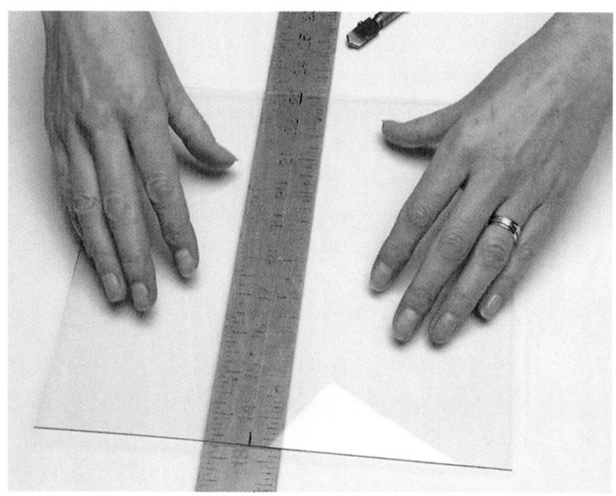

4 *Soulever doucement le verre d'un côté et glisser la règle sous la coupe pour qu'elle soit exactement sous la ligne rayée.*

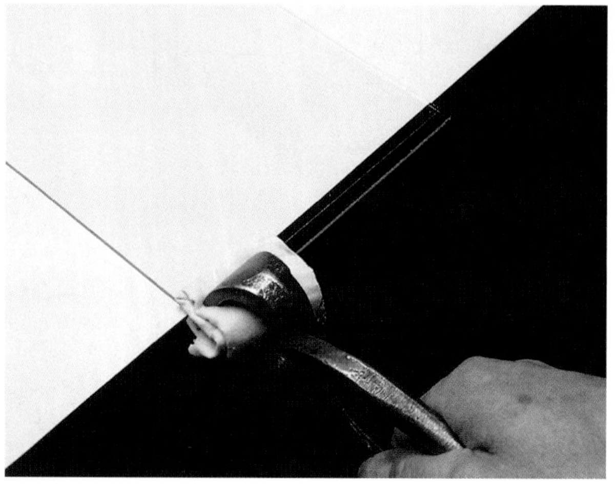

6 *Si le verre ne brise pas ou s'il faut couper une petite lanière additionnelle, placer le verre pour que le bord de la surface de travail soit parallèle à la ligne rayée (sur laquelle vous pouvez exceptionnellement repasser avec le coupe-verre). Placer un morceau de chiffon dans la mâchoire des pinces, saisir le bord du verre et enlever d'un coup sec.*

Cadre de base

Ce premier cadre est pour une peinture d'inspiration méditerranéenne qui sera mise en valeur par un contour blanc. Il sera fixé sous un papier blanc sans passe-partout. Les baguettes en bois sont relativement larges et rigides, donc plus faciles à manœuvrer et à corriger que des baguettes étroites et flexibles.

Matériel requis :

- Baguette (calculer les quantités à la page 254)
- Étau à onglets
- Scie
- Règle en plastique et crayon
- Colle à bois
- Perceuse et petite mèche
- Petits clous
- Petit marteau
- Poinçon
- Verre de 2 mm (1/16 po)
- Équerre
- Stylos feutre
- Coupe-verre
- Carton dur 2 mm (1/16 po)
- Règle en métal
- Couteau d'artiste
- Anneaux en D et vis à œillet
- Ruban-cache
- Papier adhésif brun
- Fil ou corde

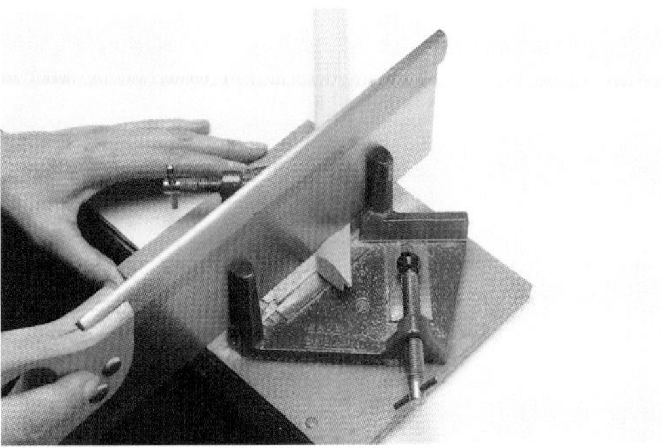

1 *Préparer la première coupe en glissant la baguette du côté gauche de l'étau à onglets pour que la vis de l'étau soit adossée au cadre. Protéger la baguette avec du carton ou des bouts de bois et visser l'étau fermement.*

2 *Pousser délicatement le nez de la scie dans la fente la plus près de vous et la glisser dans la fente la plus éloignée. Sans trop appuyer sur le bois, glisser la scie en mouvements de va-et-vient, en petits coups égaux.*

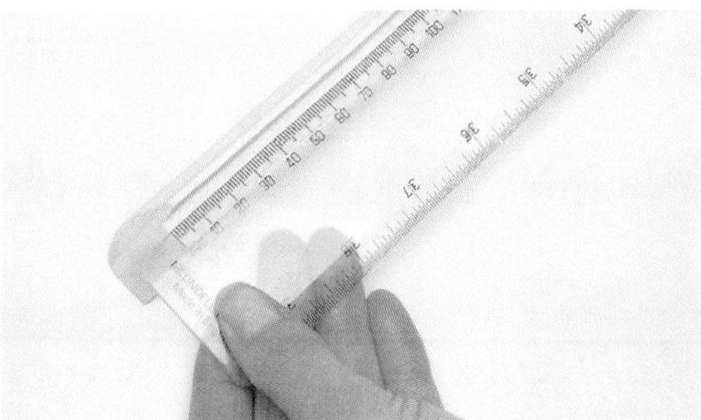

3 *Desserrer la baguette et la déposer sur la surface de travail, le rabat vers vous. En travaillant d'abord sur la dimension la plus longue, mesurer avec la règle l'intérieur du coin qui vient d'être coupé et marquer la longueur requise.*

4 *Glisser la baguette dans le coin du côté droit - c'est-à-dire du côté opposé à la première coupe - et la pousser jusqu'à ce que la marque de crayon soit au centre de l'étau.*

5 *Fixer et couper comme précédemment. Mettre de côté la baguette terminée.*

6 *Il faut maintenant établir un nouvel angle de 45 degrés sur l'autre baguette en coupant l'excédent. Glisser la baguette à gauche de l'étau, la fixer fermement et couper le nouvel angle.*

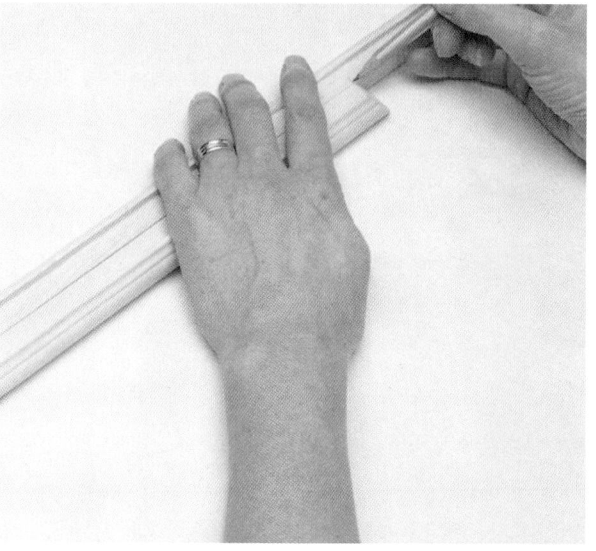

7 *Mesurer le deuxième long côté. Placer le premier bout déjà coupé, dos à dos avec le second. Aligner les coins et marquer la longueur du premier sur le dos du second. Glisser la baguette à droite de l'étau, aligner la marque avec son trait central, serrer et couper.*

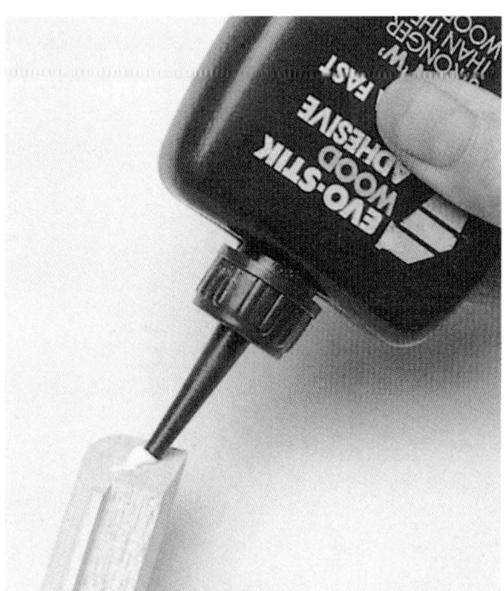

8 *Répéter les étapes 3 à 7 pour faire les deux côtés plus courts. Ensuite, coller un côté court à un côté long en appliquant la colle à bois dans l'angle du bout le plus long.*

9 *Placer les deux morceaux coin à coin dans l'étau et ajuster jusqu'à obtenir un joint parfait, puis fixer fermement.*

CONSEIL

- Si les coins coupés s'ajustent mal, serrez-les solidement dans l'étau en les rapprochant le plus possible. Insérez la scie et coupez un coin à nouveau. Ils devraient maintenant s'ajuster presque parfaitement. Le même procédé devra probablement être fait sur les autres coins.

10 *Avec la perceuse, faire des petits trous pour les clous. Dans les coins, les clous doivent être assez longs pour pénétrer dans l'autre morceau. Un clou de 2,5 cm (1 po) est généralement assez long, mais si les baguettes sont plus épaisses, utiliser des clous de 5 cm (2 po).*

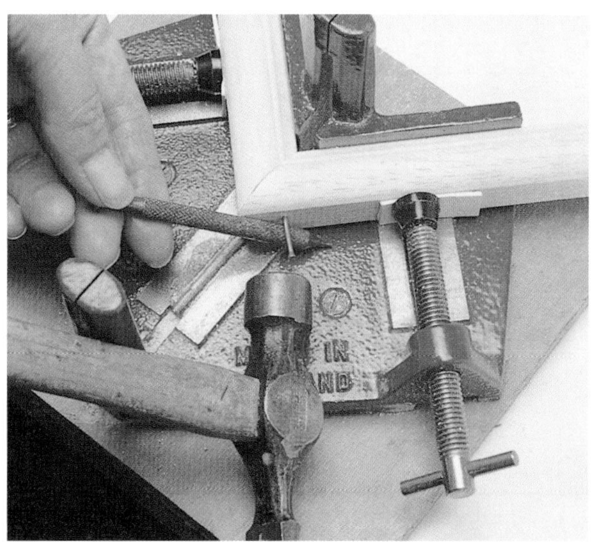

11 *À l'aide d'un poinçon, enfoncer les clous délicatement. Répéter les étapes au coin opposé en insérant dans l'étau la deuxième longue baguette dans le même sens que la première. Coller et clouer les autres coins pour compléter le cadre.*

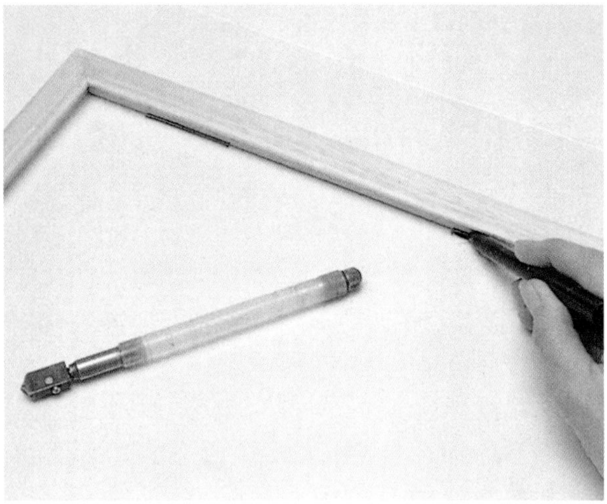

12 *Couper le verre en y transférant les dimensions de l'image avec un stylo feutre, et en alignant l'équerre contre les marques avant de couper à environ 3 mm (⅛ po) à l'intérieur de la marque, pour laisser de l'espace à la tête du coupe-verre. Ou déposer simplement le cadre sur le verre en alignant un coin de manière à ce que le cadre repose sur les contours du verre et utiliser un stylo feutre pour marquer les extrémités. Couper tel qu'expliqué plus tôt.*

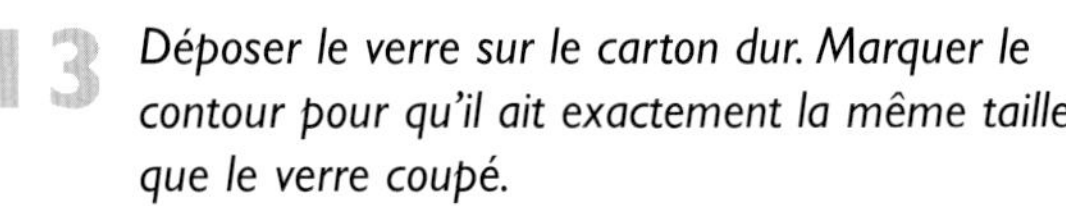

13 *Déposer le verre sur le carton dur. Marquer le contour pour qu'il ait exactement la même taille que le verre coupé.*

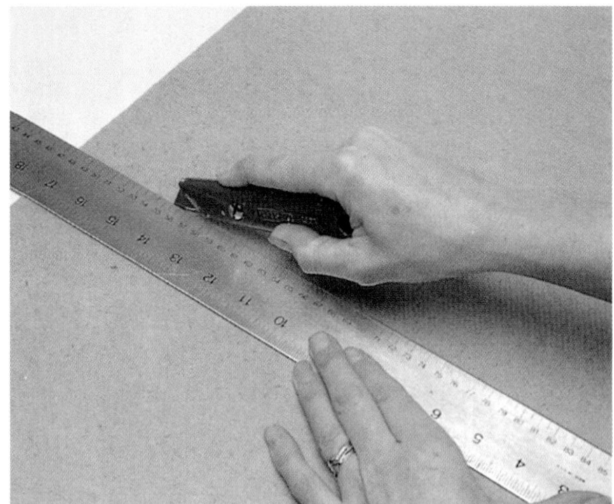

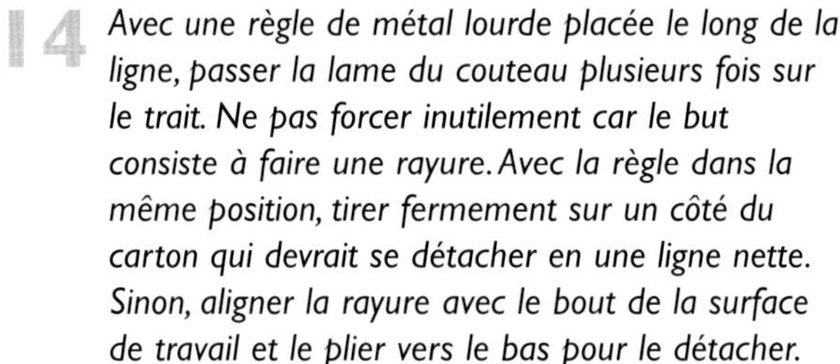

14 *Avec une règle de métal lourde placée le long de la ligne, passer la lame du couteau plusieurs fois sur le trait. Ne pas forcer inutilement car le but consiste à faire une rayure. Avec la règle dans la même position, tirer fermement sur un côté du carton qui devrait se détacher en une ligne nette. Sinon, aligner la rayure avec le bout de la surface de travail et le plier vers le bas pour le détacher.*

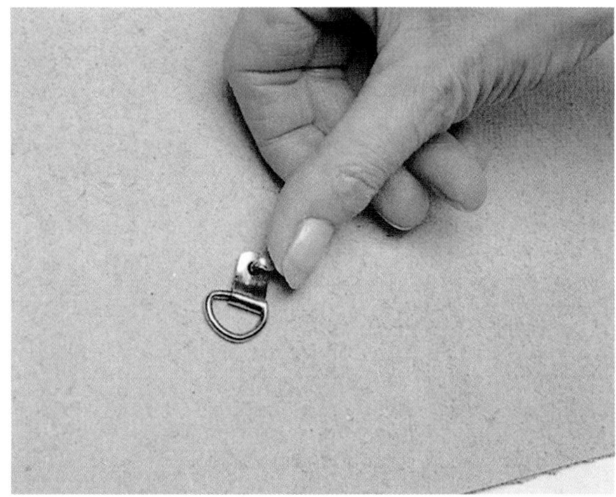

15 *Marquer les positions de deux anneaux en D sur le carton, à environ un tiers de la hauteur à partir du haut et 5 à 6 cm (2 à 2 ½ po) des côtés. Faire les trous avec le poinçon et le marteau.*

16 *Fixer les anneaux et pousser les rivets. Retourner le carton à plat et ouvrir les rivets avec un tournevis et les aplatir avec le marteau. Les couvrir ensuite avec des petits bouts de ruban-cache. Placer l'image entre le carton et le verre. Déposer sur la surface de travail et placer le cadre autour. Soulever le tout et déposer sur l'autre face. Mettre quelques vis à œillet pour bien fixer l'arrière.*

17 *Avec le ruban-cache ou le papier gommé, couvrir les joints à l'arrière pour les protéger des insectes et de l'humidité. Un mouilleur à timbres peut servir à humidifier le papier gommé. Couper l'excédent de papier gommé ou de ruban-cache avec le couteau d'artiste.*

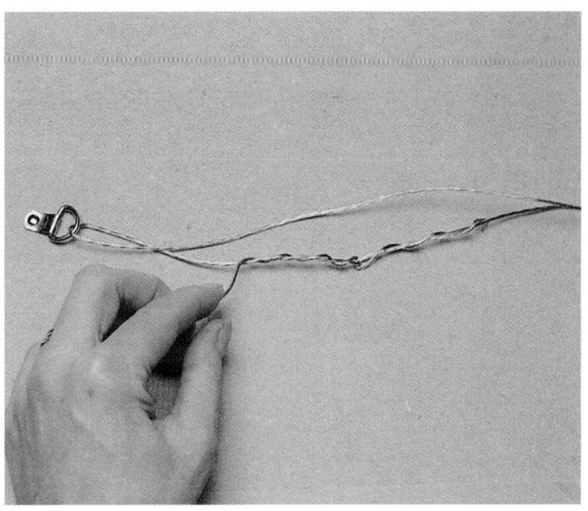

18 *Si les vis à œillets sont utilisées au lieu des anneaux en D, les insérer avant d'attacher le fil ou la corde.*

CONSEIL

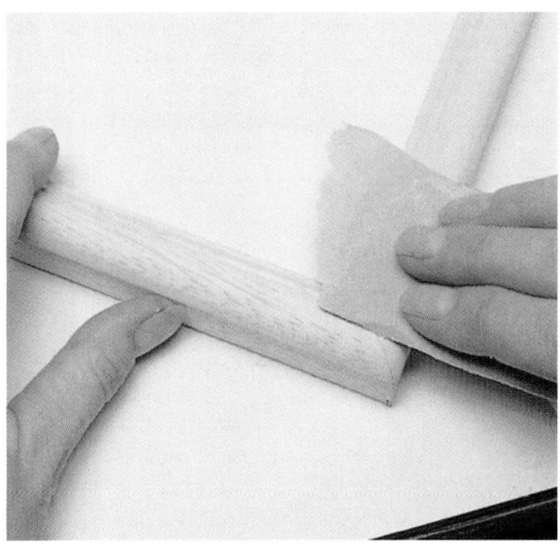

- Quand les quatre coins sont collés et cloués ensemble (si le cadre est en bois), vous pouvez les embellir en bouchant les joints avec de la colle à bois. Poncer très délicatement en envoyant la poussière à l'intérieur du joint. Vous pouvez également appliquer une couche de vernis polyuréthanne sur le cadre ou le polir avec de la cire.

19 *Au moment de peindre le cadre (voir étape 11), il est possible de créer un bel effet en choisissant une des couleurs de l'image à encadrer.*

Cadre en verre avec agrafes

Voici un moyen très simple d'exposer des petites affiches ou des dessins d'enfants. Ceux-ci ne doivent toutefois pas mesurer plus de 60 x 60 cm (24 x 24 po) parce que les agrafes exercent une pression sur le verre ; s'il est trop grand, il risque de se briser. Nous avons utilisé des agrafes en plastique sur un cadre en bois noir qui fait ressortir l'image.

Matériel requis :

- Règle en plastique et crayon
- Carton à passe-partout
- Couteau d'artiste et scie
- Ruban adhésif régulier ou à double face
- Baguette en bois de 2,5 x 2,5 cm (1 x 1 po)
- Étau et scie à onglets
- Colle à bois
- Perceuse et petite mèche
- Petit marteau et poinçon
- Petits clous de 20 mm (¾ po)
- Bouche-pores à bois
- Papier abrasif mouillé et sec
- Peinture
- Verre, coupe-verre, agrafes pour verre
- Équerre
- Stylos feutre
- Crochets

CONSEIL

- Pour un cadre plus gros, utilisez un carton dur pour l'endos du passe-partout afin qu'il soit plus fort.

1 *Mesurer l'image, la nôtre mesurait 35,5 x 28 cm (14 x 11 po), et ajouter 20 mm (¾ po) tout autour. Couper un passe-partout en carton de la dimension la plus grande.*

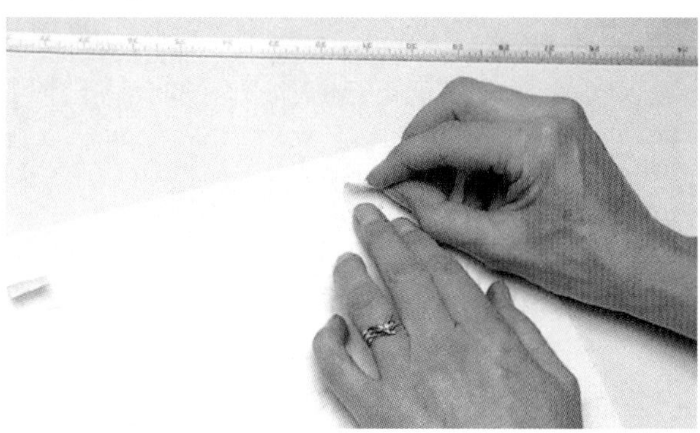

2 *Avec du ruban adhésif à double face ou en faisant retrousser un bout de ruban ordinaire, placer l'image sur le passe-partout. Si elle est retenue par du ruban ordinaire, il sera plus facile de la déplacer en cas d'erreur.*

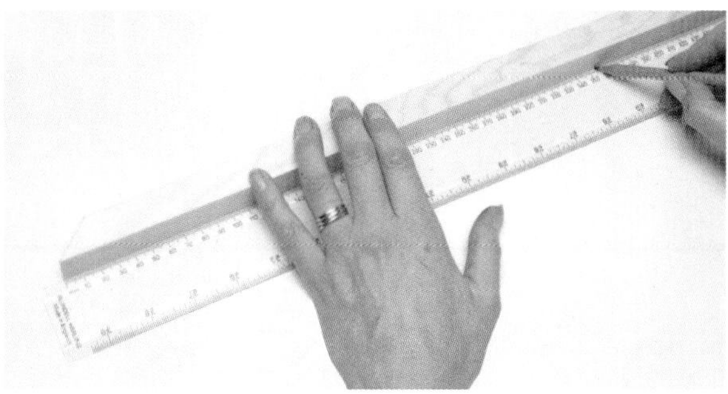

3 *Couper le premier angle du cadre, puis mesurer à partir du coin extérieur. En utilisant la dimension longue d'abord, faire une marque.*

4 *Glisser la baguette dans l'étau, aligner la marque avec le trait de scie central, stabiliser et couper. Puisque la baguette n'a pas de rabat, il n'est pas nécessaire de couper un autre angle, il suffit de la tourner pour obtenir le bon angle.*

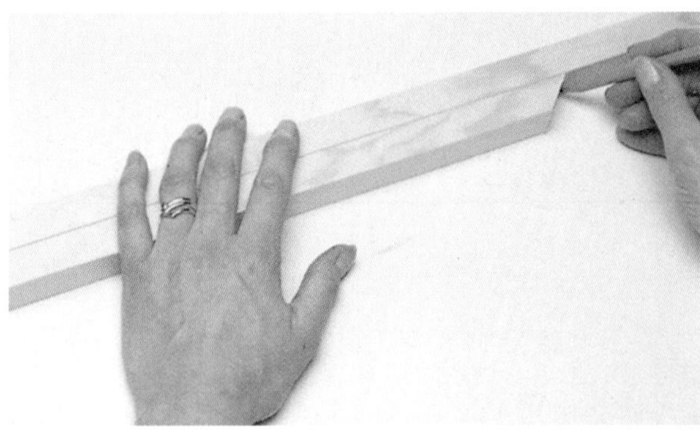

5 *Avec la première baguette coupée, mesurer la deuxième en les plaçant dos à dos et en marquant les coins extérieurs. Couper les deux côtés courts de la même façon.*

6 *Appliquer de la colle à bois sur un des longs côtés et le placer dans l'étau avec un des côtés plus courts. Aligner les angles et serrer une fois qu'ils sont ajustés.*

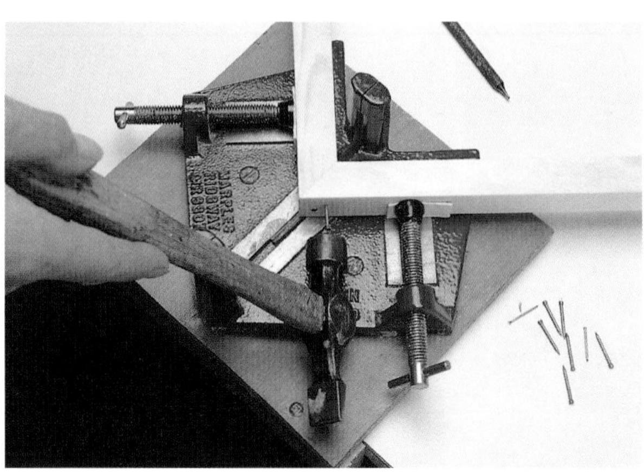

7 *Avec la perceuse, faire deux petits trous et enfoncer les clous en vous guidant avec le poinçon, juste sous le niveau du bois.*

CONSEIL

- Ce cadre est confectionné de la même manière que le projet de base, mais l'image est placée de l'autre côté du cadre au lieu d'être agrafée à l'avant.

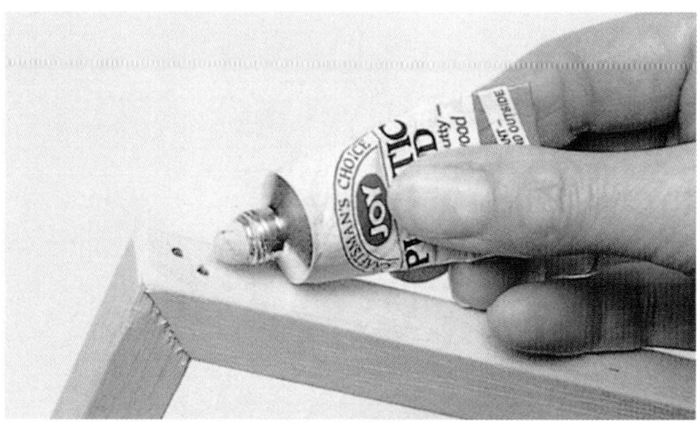

8 *Boucher les trous avec du bouche-pores à bois, laisser sécher et poncer.*

9 *Peindre le cadre selon l'image choisie. Nous avons utilisé du noir qui s'agence avec le passe-partout, mais une autre couleur peut convenir. Il peut aussi s'harmoniser avec l'image ou l'ameublement. Laisser sécher.*

10 *Utiliser le cadre comme guide pour couper le verre. Déposer le cadre contre un des coins du verre et marquer les deux autres côtés extérieurs du cadre avec un stylo feutre.*

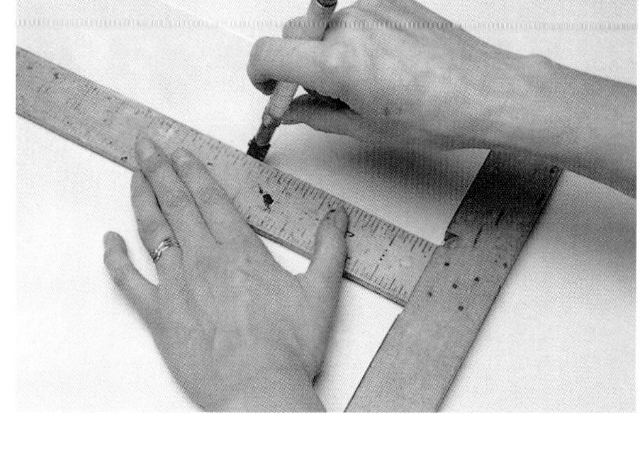

11 *Avec une règle en bois bien droite, couper le verre, puis adoucir les contours avec du papier abrasif mouillé et sec, en portant une attention particulière aux coins. Nettoyer la vitre et insérer l'image.*

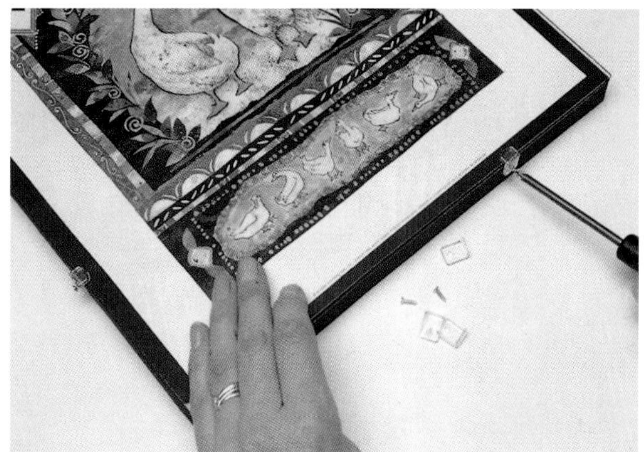

12 *Mettre deux agrafes à verre de chaque côté, à l'opposé l'une de l'autre. Marquer la position des trous des agrafes tout autour, faire des trous avec la perceuse et visser les agrafes. Elles doivent être assez solides pour retenir le verre, sans toutefois le faire craquer. Visser des crochets à l'arrière du cadre.*

CONSEIL

- Les boutiques regorgent de cadres munis d'agrafes et ils sont si abordables que vous pensez peut-être qu'il ne vaut pas la peine de confectionner les vôtres. Toutefois, voilà un moyen idéal d'utiliser les retailles de verre et de carton d'anciens projets plus élaborés. Pour faire un cadre avec des agrafes, coupez le carton sur mesure, puis le verre de la même grandeur, et poncez les contours du verre. Fixez les anneaux en D sur le carton, placez votre image et faites glisser les agrafes de métal qui entailleront légèrement le carton.

Cadres en tissu et en papier

Ces cadres s'offrent très bien aux anniversaires ou à Noël, et ils sont parfaits pour exposer toutes les photographies d'école qui s'accumulent. Vous pouvez choisir n'importe quel papier : d'emballage, fait à la main ou en coton léger. Avant de travailler avec du papier fait à la main ou de fabriquer ce double-cadre, exercez-vous avec du matériel moins coûteux.

Matériel requis :

- Carton pour passe-partout ou équivalent
- Règle en plastique et crayon
- Coupe passe-partout
- Ouatine de polyester
- Adhésif transparent tout usage
- Ciseaux à bouts pointus
- Papier fait à la main ou tissu pour recouvrir les cadres
- Ruban adhésif à double face

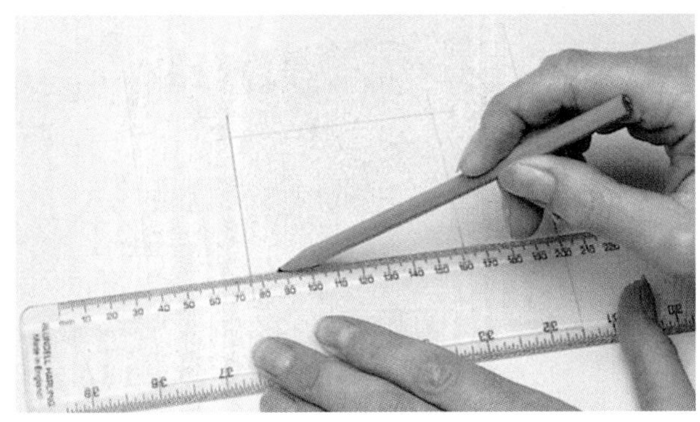

1 *Couper quatre morceaux de carton. Nos mesures extérieures étaient de 16 x 14 cm (6 ½ x 5 ½ po) chacun. Couper également un morceau de carton de 16 cm (6 ½ po) de long par un 1 cm (env. ½ po) de large, qui servira à tenir les deux cadres.*

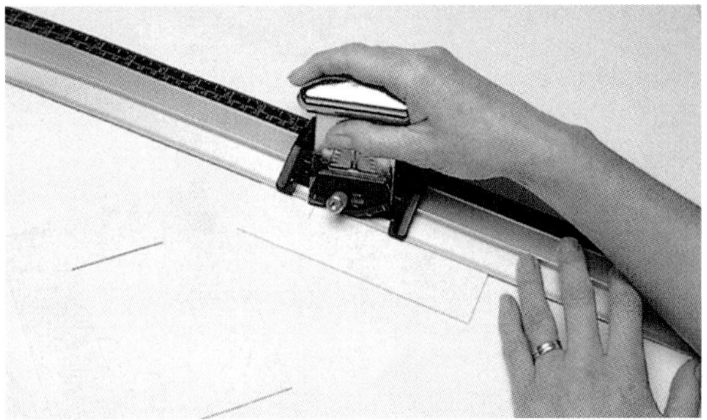

2 *Couper une fenêtre dans les deux plus gros rectangles ; notre fenêtre mesurait 9 x 6 cm (3 ½ x 2 ½ po) - (au besoin, voir la p. 260 sur l'utilisation de la coupeuse)*

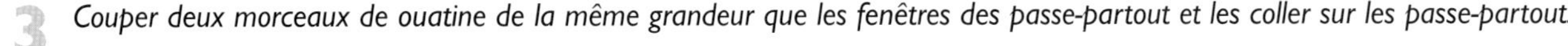

3 *Couper deux morceaux de ouatine de la même grandeur que les fenêtres des passe-partout et les coller sur les passe-partout.*

4 *Faire un trou au centre de la ouatine, puis découper l'excédent.*

5 *Couper un morceau de papier fait à la main pour l'endos - le nôtre mesurait 34 x 19 cm (13 ½ x 7½ po) – et deux morceaux pour l'avant – les nôtres mesuraient 19 x 17 cm (7½ x 6 ¾po).*

6 *Mettre le plus gros morceau de papier sur la surface de travail, à l'envers. Y déposer les deux cartons dorsaux en laissant 20 mm (¾ po) entre eux, et coller la lisière de carton dans cet espace. Appliquer l'adhésif sur les contours du papier et le coller sur le carton. Coller le haut et le bas avant les côtés. Tirer le papier légèrement par-dessus les bords ; le papier doit être bien à plat.*

7 *Découper une bande de papier pour couvrir l'espace au centre et la coller. Laisser sécher l'adhésif.*

8 *Placer les deux petits morceaux de papier à l'envers sur la surface de travail. Y déposer les passe-partout à fenêtres de manière à ce que la bordure visible autour soit égale partout. Coller le papier autour en portant une attention particulière aux coins.*

9 *Avec l'endos du passe-partout devant vous, utiliser les ciseaux pour découper un trou au centre. Faire quatre coupes jusqu'aux coins, sans toutefois s'y rendre.*

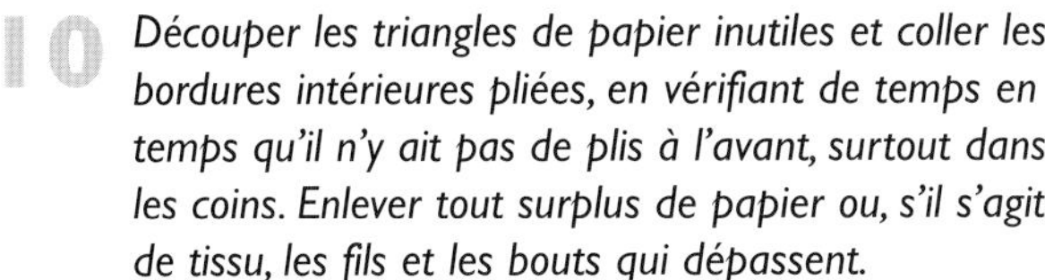

10 *Découper les triangles de papier inutiles et coller les bordures intérieures pliées, en vérifiant de temps en temps qu'il n'y ait pas de plis à l'avant, surtout dans les coins. Enlever tout surplus de papier ou, s'il s'agit de tissu, les fils et les bouts qui dépassent.*

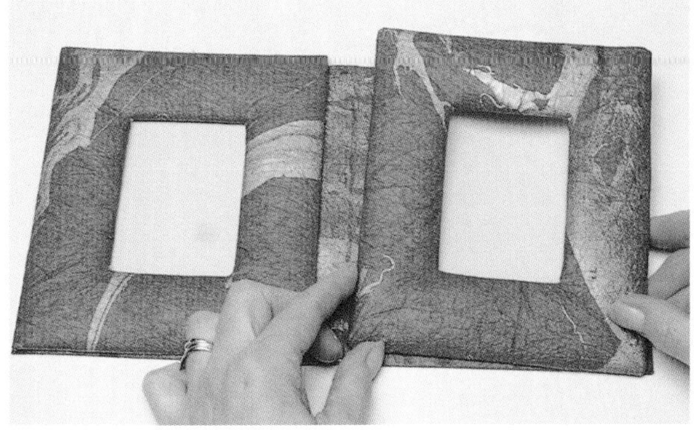

11 *Avec le ruban à double face, coller doucement les deux sections du dessus sur le carton, en laissant le haut ouvert pour glisser une photographie.*

Boîte « panoramique »

Ce type de cadre est idéal pour les œuvres tridimensionnelles comme des ouvrages de broderie ou des objets de collection (écussons, médailles, etc.). Il existe plusieurs façons de fabriquer un cadre panoramique, mais nous vous présentons une méthode simple et efficace. La taille du cadre dépend du carton arrière qui peut être couvert de carton de couleur ou de ouatine et de tissu. Nous avons choisi d'exposer un arrangement de fleurs séchées.

Matériel requis :

- Carton dur et régulier
- Règle en plastique et crayon
- Couteau d'artiste et ciseaux
- Ouatine de polyester
- Tissu
- Adhésif transparent tout usage
- Baguette linéaire en bois de 2,5 cm (1 po)
- Étau à onglets
- Scie
- Colle à bois
- Perceuse et petite mèche
- Petits clous et petit marteau
- Verre de 2 mm (1/16 po)
- Coupe-verre
- Équerre
- Ruban-cache ou papier brun gommé
- Vis à œillet
- Fil ou corde

1 *Couper un morceau de carton dur – le nôtre mesurait 32,5 x 21,5 cm (12 ½ x 8 ½ po). Le couvrir de ouatine et couper un morceau de tissu environ 1 cm (½ po) plus large que le contour du carton.*

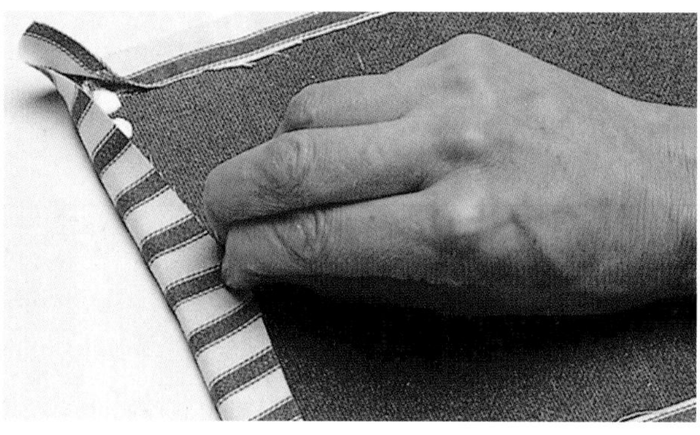

2 *Étirer le tissu pour couvrir la ouatine et le coller au dos en s'assurant que les coins sont bien taillés.*

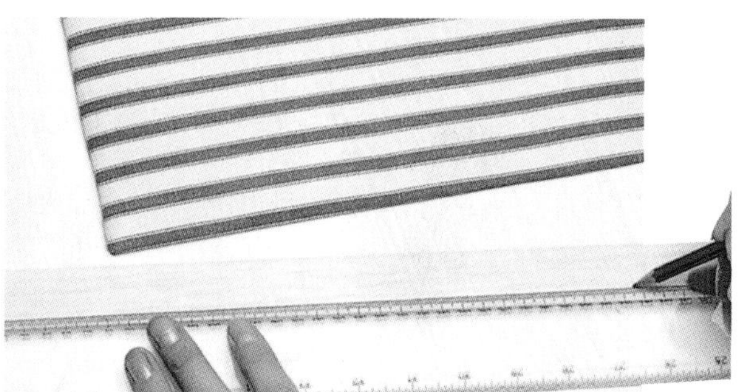

3 *Faire la première coupe à onglet de la baguette en travaillant sur un des longs côtés. Mesurer le carton dur et transférer cette mesure du côté extérieur de la baguette en mesurant d'un coin à l'autre.*

4 *Glisser la baguette dans l'étau et aligner la marque sur son trait central. Couper les trois autres côtés et assembler le cadre tel que décrit à la page 263. Couper du verre pour qu'il entre à l'intérieur du cadre. Mettre le cadre à l'envers, glisser le verre et ajuster au besoin.*

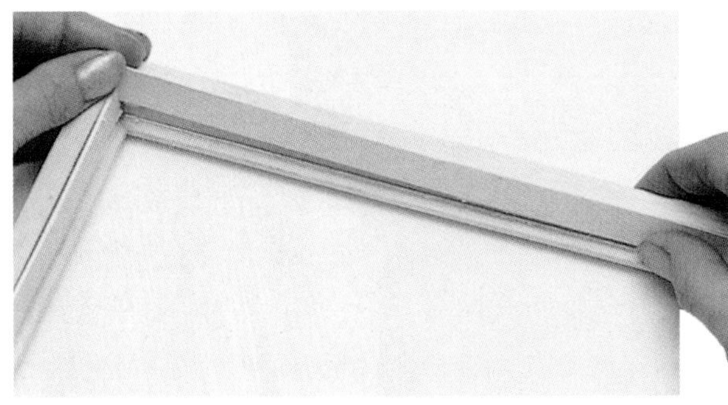

5 *Mesurer la profondeur de côté du verre au dos du cadre. Sur le nôtre, elle était de 20 mm (environ ¾ po). Couper quatre lisières de carton épais selon cette profondeur pour les entrer dans le cadre. Les coller en place en commençant par les plus longues. Ces lisières tiendront le verre.*

6 *Fixer l'objet ou l'ouvrage sur le carton du fond. Nous avons utilisé un adhésif tout usage.*

7 *Placer soigneusement le cadre par-dessus le carton et l'œuvre.*

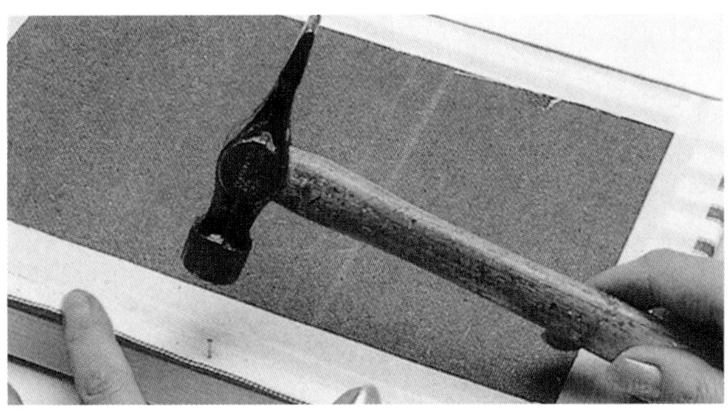

8 *Avec des petits clous, fixer au cadre le dos de carton, en le tenant bien. Couvrir les joints avec des bouts de ruban-cache ou du papier brun gommé.*

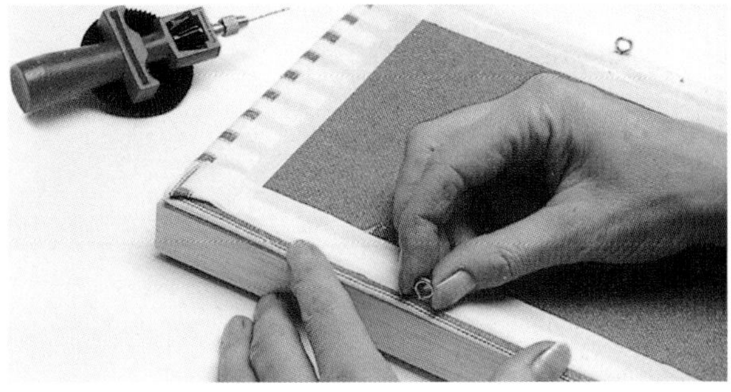

9 *Faire des trous avec la perceuse, à environ ⅓ du haut de chaque côté du cadre et insérer les vis à œillet. Attacher un fil ou une corde et suspendre.*

CADRE EN COQUILLAGES

Vous pouvez ranimer un vieux cadre en bois en le couvrant de coquillages, de plumes ou de petits morceaux d'algues. En prime, pourquoi ne pas fabriquer le cadre ? Dans ce cas, utilisez des baguettes les plus plates possible.

Matériel requis :

- Cadre en bois
- Peinture-émulsion blanche
- Peinture acrylique
- Laine d'acier fine ou chiffon
- Bougie blanche (facultatif)
- Vis à œillet
- Miroir
- Petits clous et marteau
- Ruban-cache ou papier brun gommé
- Adhésif fort
- Pâte à joints (facultatif)
- Peinture dorée

1 *S'il est prévu de peindre le cadre, appliquer une couche d'émulsion blanche et laisser sécher.*

2 *Mélanger de la peinture acrylique à un peu d'émulsion pour une texture veloutée. Tester jusqu'à l'obtention de la bonne couleur. Peindre le cadre et avant qu'il ne soit sec, le frotter avec la laine d'acier ou le chiffon pour enlever un peu de couleur.*

3 *Une autre méthode consiste à faire des motifs en frottant une bougie sur la peinture sèche.*

4 *Lorsque la peinture acrylique est appliquée sur la cire, celle-ci résiste et laisse paraître le fond blanc.*

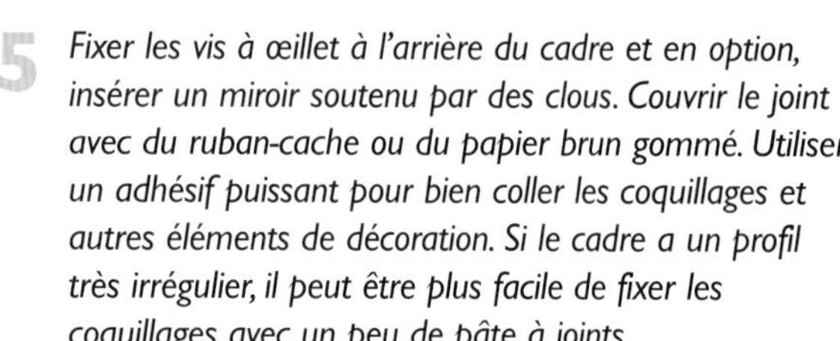

5 *Fixer les vis à œillet à l'arrière du cadre et en option, insérer un miroir soutenu par des clous. Couvrir le joint avec du ruban-cache ou du papier brun gommé. Utiliser un adhésif puissant pour bien coller les coquillages et autres éléments de décoration. Si le cadre a un profil très irrégulier, il peut être plus facile de fixer les coquillages avec un peu de pâte à joints.*

6 *Lorsque vous êtes satisfait, ajouter un peu de peinture dorée en tube pour créer des reflets sur les coquillages (enlever l'excédent avant qu'elle ne sèche).*

Rajeunir un vieux cadre

Vous avez acheté un vieux cadre chez un antiquaire et avez constaté trop tard qu'il était en piteux état et que la peinture qu'il devait encadrer ne s'y harmonise pas ? Heureusement, vous pouvez utiliser vos techniques nouvellement acquises pour le désassembler et le rajeunir !

Matériel requis :

- Pinces
- Marteau, tournevis
- Règle en plastique et crayon
- Étau à onglets
- Scie et couteau d'artiste
- Colle à bois
- Perceuse et petite mèche
- Petits clous
- Laine d'acier fine
- Peinture-émulsion
- Peinture dorée (en liquide, en poudre ou en tube)
- Verre de 2 mm (1/16 po) d'épaisseur
- Coupe-verre
- Équerre
- Ruban-cache ou papier brun gommé
- Vis à œillet
- Fil ou corde

CONSEIL

- Si le cadre est en bois, poncez-le et teignez-le avant d'appliquer une cire.
- Faites un cadre uni en appliquant deux couches de peinture foncée.

1 *Enlever d'abord l'endos et le verre du cadre, avec précaution. Mettre le cadre debout sur un coin, tenir le coin opposé et pousser délicatement jusqu'à ce que les coins craquent.*

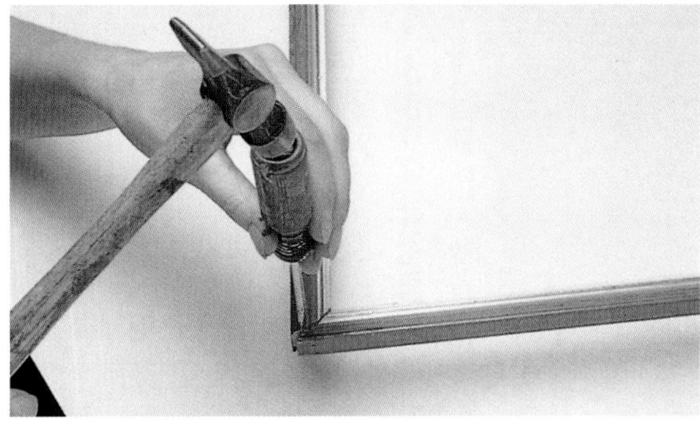

2 *S'il y a des œillets, les remuer pour les séparer. Si le cadre est renforcé par en dessous, utiliser un tournevis et un marteau pour retirer les clous.*

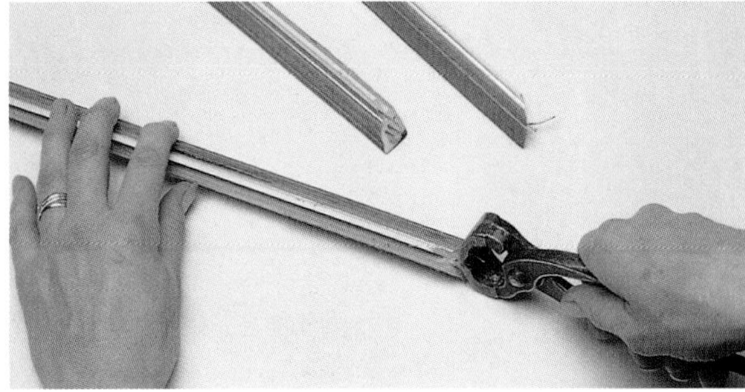

3 *Une fois le cadre désassemblé, enlever les clous qui restent avec les pinces. Sur un des longs côtés, couper un nouvel angle.*

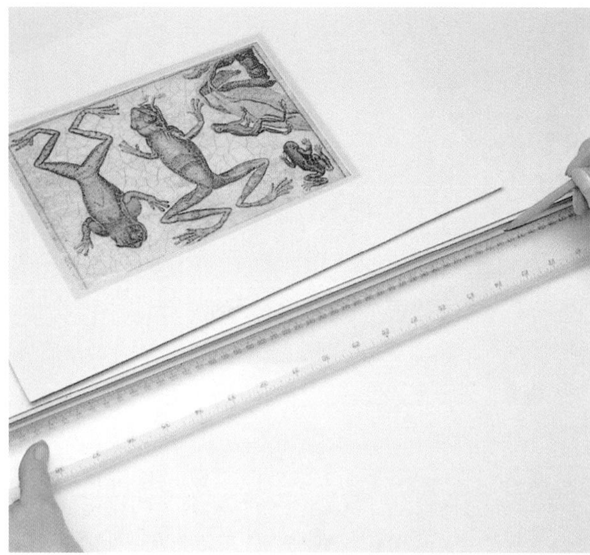

4 *Mesurer le long côté de l'image à encadrer et transférer les mesures à l'intérieur du côté qui vient d'être coupé.*

6 *Il est maintenant temps de décorer le cadre en respectant le style de l'image à encadrer. Avec notre imprimé de grenouilles, nous avons choisi de donner au cadre un air vieillot en le frottant avec une laine d'acier fine.*

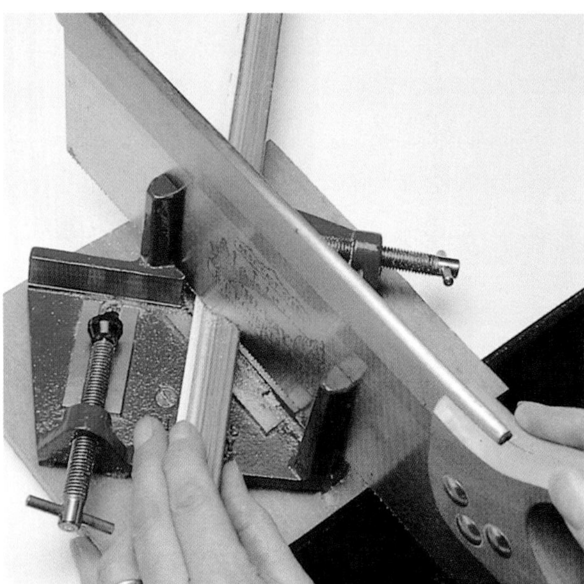

5 *Glisser la baguette dans l'étau et aligner la marque au trait central. Couper tous les côtés selon la méthode expliquée à la page 263 et réassembler les morceaux.*

7 *Appliquer une couche d'émulsion rouge brique sur le cadre. Laisser sécher. Si le cadre n'est pas complètement couvert, appliquer une deuxième couche.*

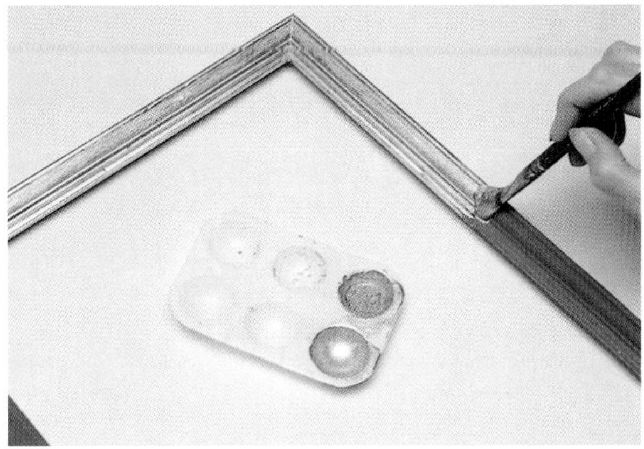

8 *Lorsque la peinture est sèche, la lisser délicatement avec une laine d'acier fine, puis appliquer une couche de doré. Certaines poudres d'or doivent être mélangées à de la laque ; vérifier le mode d'emploi du fabricant.*

9 *Lorsque le doré est sec, le frotter doucement avec la laine d'acier pour le vieillir un peu et laisser paraître le rouge en dessous à quelques endroits. Insérer le verre et finir le cadre tel qu'expliqué à la page 267.*

Cadre en papier mâché

Ce projet combine l'encadrement d'un miroir et le plaisir lié au papier mâché. En guise de cadre, nous avons créé un motif simple de poissons multicolores qui nagent autour du miroir. Toutefois, cette technique vous permet de laisser aller votre imagination !

Matériel requis :

- Baguette en bois 1 x 1 cm (½ x ½ po), unie
- Règle en plastique et crayon
- Étau à onglets
- Scie
- Couteau d'artiste
- Colle à bois
- Perceuse et petite mèche
- Petits clous
- Petit marteau
- Papier calque
- Carton à passe-partout ou carton épais
- Retailles de journaux déchirés en petits morceaux
- Ruban-cache
- Pâte « farine et eau » ou à papier peint
- Ruban-cache ou papier brun gommé
- Colle acrylique (facultatif)
- Adhésif transparent tout usage
- Papier mince blanc
- Peinture acrylique
- Polyuréthanne
- Vis à œillet
- Fil ou corde

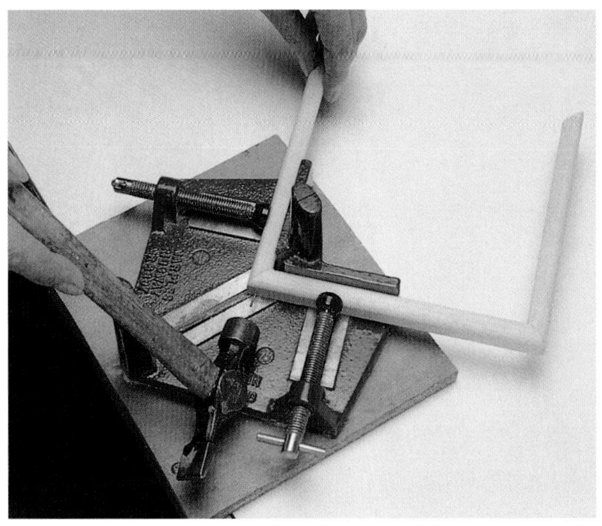

1 *Faire trois côtés du cadre avec la baguette en suivant les directives de la page 263. Notre cadre carré mesure 16,5 x 16,5 cm (6 ½ x 6 ½ po). Laisser le dessus ouvert pour y glisser le miroir plus tard.*

2 *Tracer un motif de poisson (ou un autre de votre choix) sur un morceau de carton. Avec un couteau d'artiste, découper quatre poissons.*

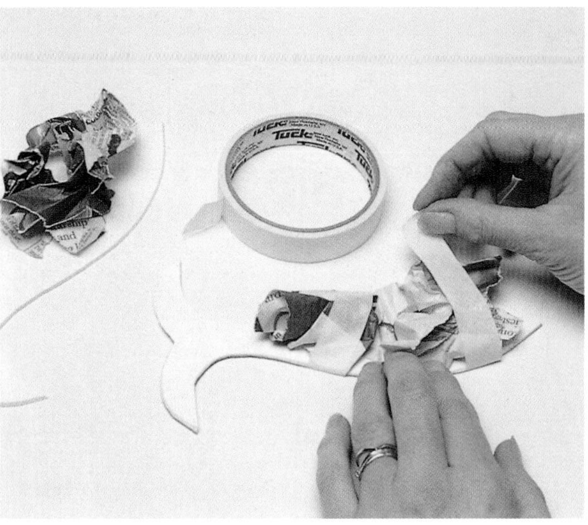

3 *Déchirer du papier journal et le chiffonner lâchement. Avec l'adhésif, coller le papier chiffonné sur les modèles pour créer les courbes des poissons.*

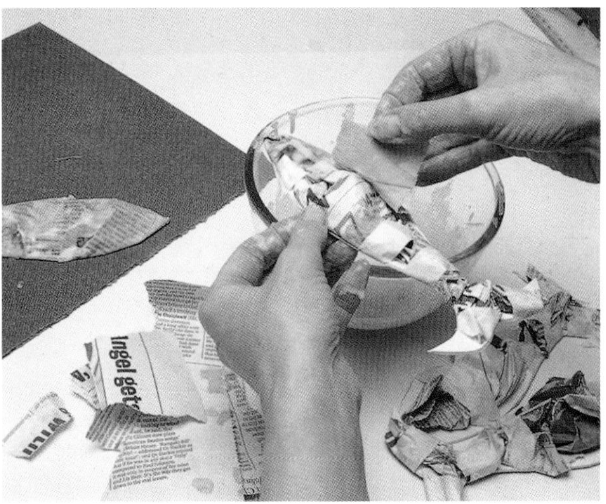

4 *Mélanger la pâte. S'il s'agit de farine et d'eau, renforcer la pâte en y ajoutant un peu de colle acrylique. Tremper le papier dans la pâte et commencer à couvrir les poissons. Ne pas saturer le papier de pâte ; s'il est trop mouillé, le couvrir avec du papier sec. Lorsque les formes sont satisfaisantes, adoucir la surface des poissons et les laisser dans un endroit chaud jusqu'à ce qu'ils sèchent complètement.*

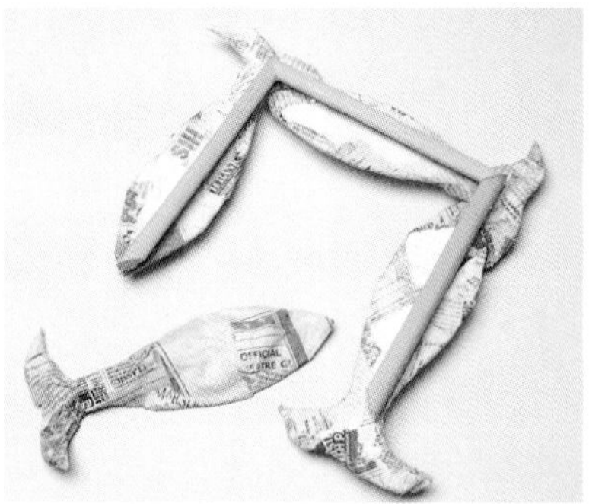

5 *Placer les poissons sur le cadre. Utiliser beaucoup de colle pour les fixer de la tête à la queue.*

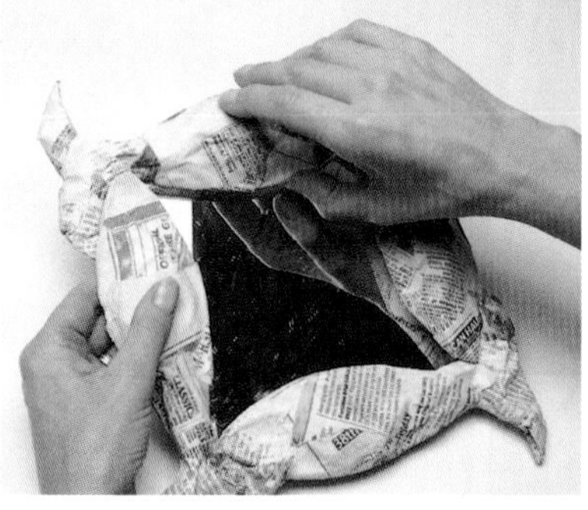

6 *Le poisson du haut devrait être attaché par la tête et la queue. Mettre un poids dessus et laisser sécher l'adhésif. Vérifier si le miroir peut glisser dans l'ouverture, mais ne pas l'insérer tout de suite. Ajouter d'autres couches de papier mâché sur les poissons en plaçant des bandes sur leur dos pour qu'ils soient bien fixés aux autres. Remettre au chaud et laisser sécher.*

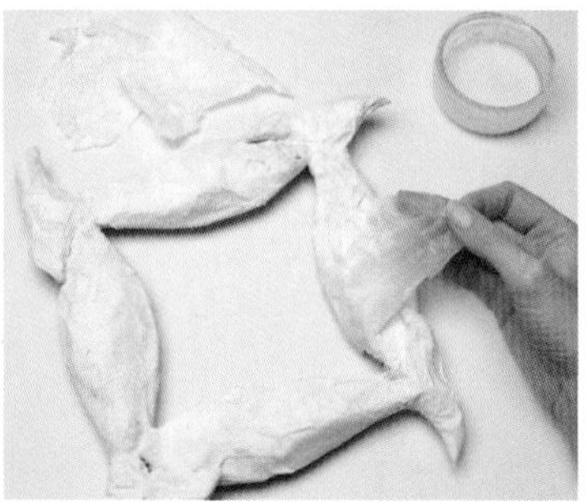

7 *Pour terminer, couvrir complètement les poissons de papier mince et blanc. Les couleurs seront ainsi plus vives et claires.*

8 *Lorsque les poissons sont secs, les peindre au goût. Laisser sécher la peinture, puis appliquer une couche de polyuréthanne transparent.*

9 *Insérer le miroir, fixer les vis à œillet et suspendre le cadre.*

Cadre peint et doré

Les œuvres d'art naïf sont généralement candides et colorées de couleurs gaies. Les plus grandes sont rarement encadrées avec un passe-partout. Nous avons choisi d'exposer cette vache dans un cadre qui mesure 40 x 30,5 cm (16 x 12 po). Celui-ci peut être peint ou fini avec un peu de doré pour lui donner de l'éclat.

Matériel requis :

- Baguette
- Étau à onglets
- Scie
- Règle en plastique et crayon
- Colle à bois
- Perceuse et petite mèche
- Petits clous
- Petit marteau et poinçon
- Laque et pinceau (facultatif)
- Peinture-émulsion rouge
- Laine d'acier fine
- Ruban-cache
- Peintures-émulsion et acryliques
- Peinture dorée (en liquide, en poudre ou en tube)
- Cire à chaussures et linge doux (facultatif)
- Feuilles d'or (tombac) et mixtion à dorer
- Pinceau doux à long manche

CONSEIL

- Pour estomper une couleur, ajoutez un peu de peinture acrylique noire au lieu d'augmenter la quantité de la couleur de base.

1 *Faire le cadre selon les directives de base de la page 263. Il est possible de sceller le bois en appliquant une couche de laque. Appliquer deux ou trois couches de peinture rouge en la laissant sécher entre chaque application. Ensuite, frotter délicatement avec une laine d'acier fine.*

2 *S'il est prévu d'ajouter un fini doré, appliquer des bandes de ruban-cache tout autour du cadre.*

3 *Mélanger l'émulsion et l'acrylique. Le vert foncé a été créé en mélangeant l'acrylique vert et un peu d'émulsion blanche pour lui donner du corps. Peindre les bords extérieurs du cadre en évitant que la peinture ne pénètre sous le ruban-cache.*

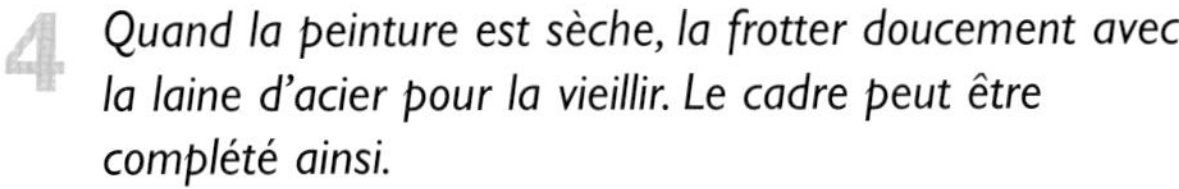

4 *Quand la peinture est sèche, la frotter doucement avec la laine d'acier pour la vieillir. Le cadre peut être complété ainsi.*

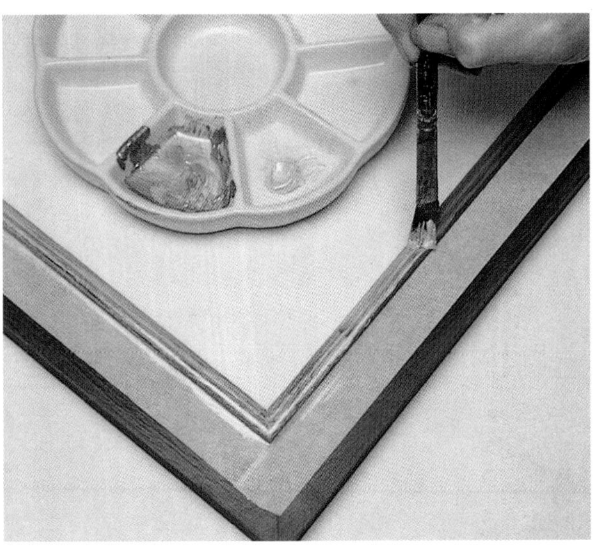

5 *Pour ajouter un contour intérieur doré, enlever le ruban-cache et en mettre sur ce qui vient d'être peint. En suivant le mode d'emploi du fabricant selon la peinture dorée choisie, peindre le contour du cadre et laisser sécher.*

6 *Pour un effet doré et « vieux », appliquer un peu de cire à chaussures et frotter délicatement avec un linge doux, ou une laine d'acier pour enlever un peu de doré et obtenir un aspect plus antique.*

7 *Ou opter pour des feuilles de tombac, procédé rapide et facile. Appliquer des bandelettes de ruban-cache comme à l'étape 5. En travaillant en petites sections, appliquer la mixtion à dorer et attendre qu'elle soit un peu collante.*

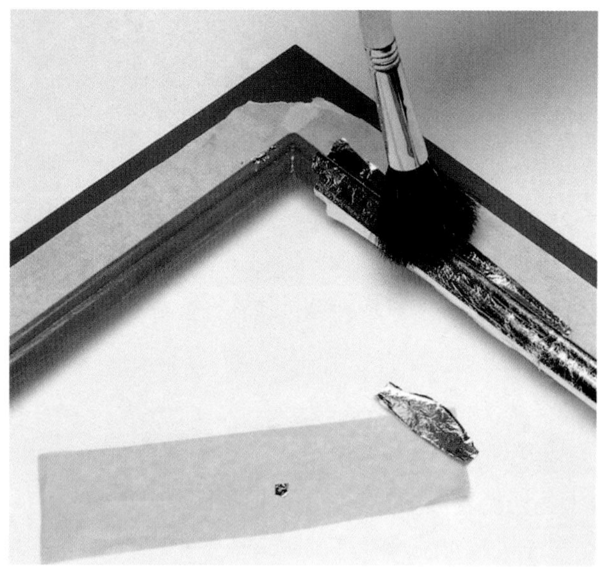

8 *Couper un morceau de tombac qui couvre la largeur (laisser la pellicule protectrice en place). Avec le bout des doigts, placer et appuyer doucement sur le tombac.*

10 *Continuer tout autour du cadre en chevauchant chaque feuille précédente d'environ 3 mm (⅛ po). Corriger les erreurs en couvrant les écarts avec des retailles ou, quand la mixtion est sèche, peindre avec de la peinture or. Avec un pinceau à manche long, frotter pour enlever les bouts qui dépassent.*

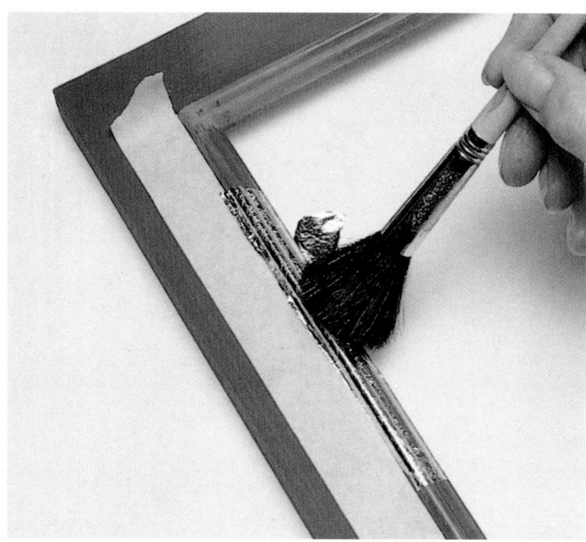

9 *Il peut s'avérer utile d'utiliser un pinceau doux pour le fixer adéquatement. Enlever la pellicule protectrice.*

11 *Laisser sécher pendant quelques heures, préférablement toute la nuit. Utiliser un tampon d'ouate pour faire reluire le fini doré.*

CONSEIL

- Dans les coins, ne pas trop superposer les feuilles de tombac car elles feront des bosses. Encore une fois, enlevez les bouts qui dépassent avec un pinceau doux.

Encadrer une peinture à l'huile

Les peintures à l'huile sont traitées différemment des peintures à l'eau : il est important qu'un espace les sépare du cadre. Une façon simple consiste à « faire flotter » la peinture sur un dessous couvert de matériel comme de la toile de jute ou de lin étirée sur un carton dur, puis à fixer la peinture au fond en carton. Une autre méthode, celle que nous avons employée, consiste à faire un pourtour intérieur niché dans un cadre extérieur. Il peut être en bois, doré ou argenté ou, comme nous, recouvert de lin. De plus, il sépare le verre de la surface du tableau à l'huile, ce qui est utile si la peinture a été glacée, même si cela est plutôt rare.

Matériel requis :

- Règle et crayon
- Toile de lin
- Ruban-cache
- Étau à onglets
- Scie
- Colle à bois
- Perceuse et petite mèche
- Petits clous
- Petit marteau et poinçon
- Baguette extérieure
- Anneaux en D ou vis à œillet
- Fil ou corde

1 *Mesurer le tableau. Le nôtre mesurait 58,5 x 43 cm (23 x 17 po). À la mesure la plus longue, ajouter environ 3 mm (⅛ po) et couper un morceau de toile de lin correspondant. Avant de couper, couvrir de ruban-cache.*

2 *Suivre les directives de la page 263 pour le pourtour, mais avant de percer des trous, placer les morceaux autour de l'œuvre pour être certain que le cadre est de la bonne dimension. Les peintures à l'huile ne sont pas toujours des carrés parfaits et des petits ajustements peuvent être nécessaires.*

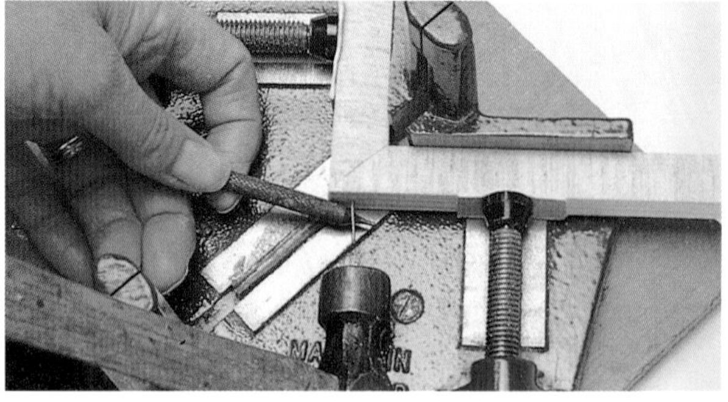

3 *Finir le cadre (voir page 267). Utiliser le poinçon pour bien fixer les clous dans les coins.*

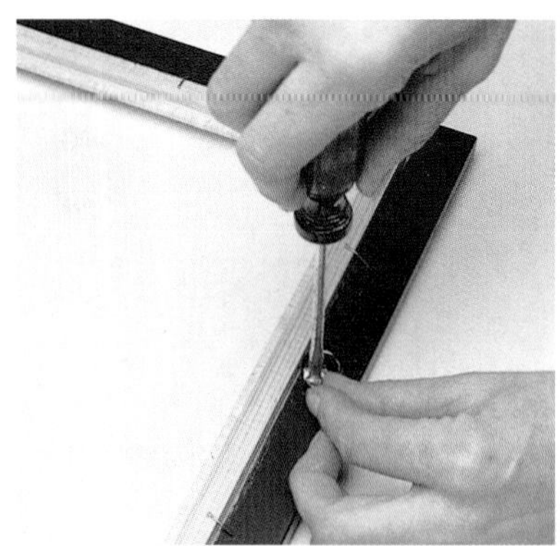

4 *Faire le cadre extérieur en respectant les dimensions du pourtour intérieur. Éviter les marges car les deux doivent s'emboîter parfaitement l'un dans l'autre. Procéder comme pour le cadre intérieur.*

5 *Glisser le tableau dans le pourtour et le fixer en clouant délicatement. Placer le cadre extérieur sur le pourtour. Clouer l'arrière en insérant des clous, puis en les faisant plier vers l'intérieur. Deux clous de chaque côté devraient suffire.*

6 *Percer les trous pour les vis à œillet ou les anneaux en D de chaque côté extérieur du cadre.*

10
SCULPTURE SUR BOIS

Sculpter du bois, une ressource naturelle et attrayante, fascine l'humain depuis toujours. En admirant des œuvres magnifiques issues de cet art, nous croyons souvent à tort que ce n'est pas pour nous. C'est plutôt le contraire : un couteau bien affûté, un bloc de bois, un peu de vernis et de peinture, une volonté d'apprendre et de l'imagination sont les seuls pré-requis pour pratiquer cet art qui réserve des heures de plaisir et suscitera beaucoup d'admiration autour de vous. Dans ce chapitre, tous les projets ont été conçus pour convenir à ceux qui n'ont pas d'expérience. Les patrons tracés à l'échelle peuvent être copiés ou calqués pour servir de modèles de base. La sculpture terminée, vous pouvez la vernir ou la peindre comme suggéré ou selon vos goûts et votre fantaisie. Les projets sont présentés de manière à rehausser votre confiance et à améliorer vos techniques graduellement. Si vous êtes enthousiaste, vous êtes prêt à commencer !

ÉQUIPEMENT ET MATÉRIEL

OUTILS

Les aspirants sculpteurs sont souvent découragés à la seule pensée de devoir acheter et entretenir un grand éventail de ciseaux à bois et d'accessoires spécialisés. Cependant, les projets de ce chapitre n'exigent qu'un ensemble de couteaux !

ENSEMBLE DE COUTEAUX EN ACIER INOXYDABLE

Ce sont probablement les couteaux les plus faciles à utiliser et les plus abordables. Les lames interchangeables doivent être remplacées une fois émoussées.

ENSEMBLE DE COUTEAUX EN ACIER

Semblable à l'ensemble précédent, les lames de ces couteaux peuvent toutefois être affûtées. Les techniques d'affûtage sont expliquées plus loin.

COUTEAUX À LAMES AMOVIBLES OU REPLIABLES

Ces couteaux sont vendus avec plusieurs lames amovibles ou repliables. Dans les deux cas, les lames peuvent être affûtées.

CISEAUX À BOIS

Les sculptures proposées peuvent se faire avec un seul ensemble de couteaux ou de ciseaux à bois. Un ensemble de base comprend un ciseau à gouge de 18 mm (3/8 po), un autre à gouge de 9 mm (1/8 po) et un troisième à gouge de 6 mm (1/4 po), appelé pied de biche.

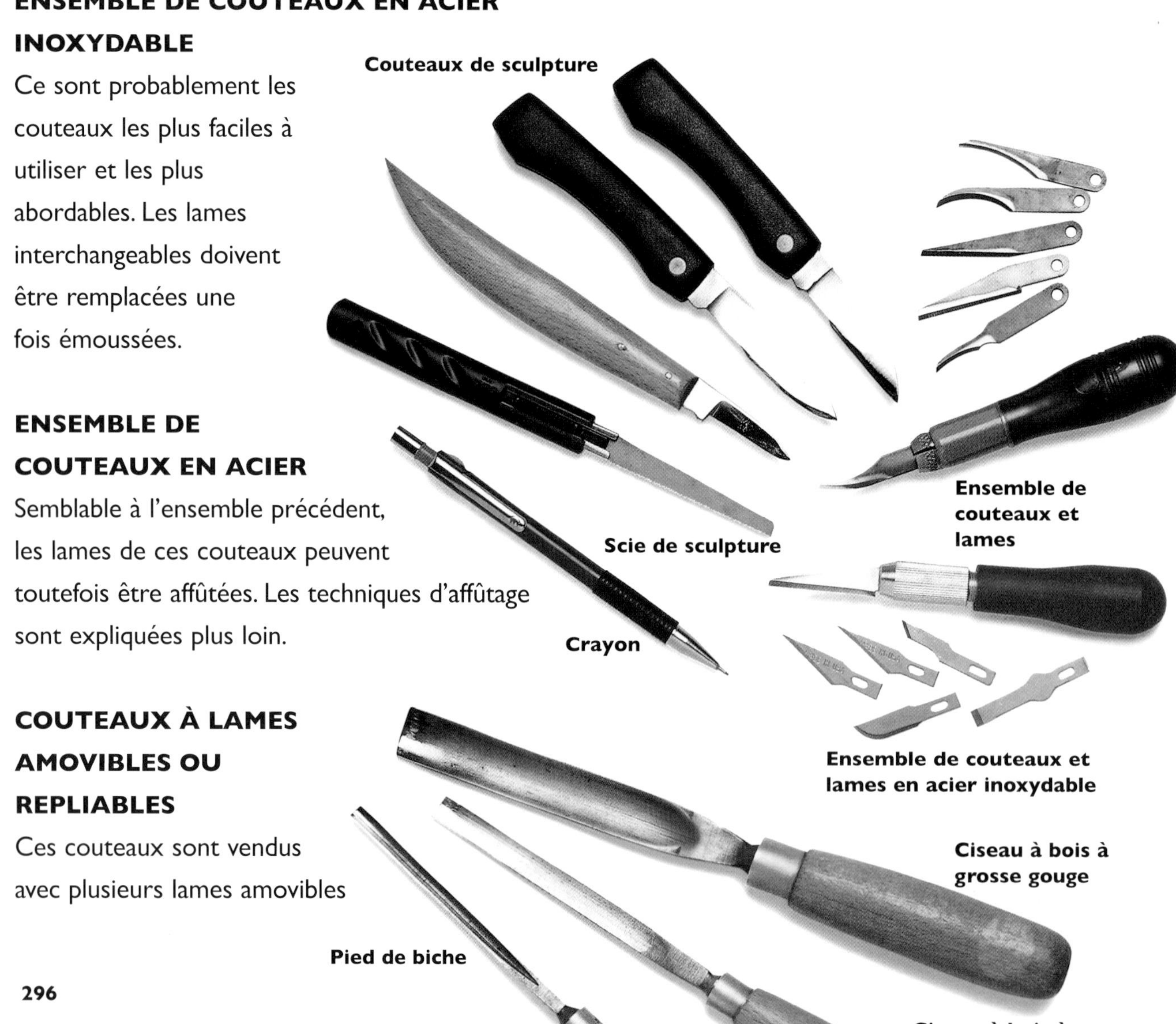

BOIS

Il existe d'innombrables essences de bois et chacune a une texture et une couleur particulières. En pratique, certaines conviennent davantage que d'autres à la sculpture. Un bois idéal à nos projets serait à fil droit, ni trop dense, ni trop pâle. Des exemples incluent le tilleul commun et d'Amérique, le pin ponderosa du Canada et le jelutong malaisien. Des boutiques spécialisées peuvent vous conseiller sur le bois à utiliser et plusieurs magazines sur le travail du bois vous guideront dans la bonne direction.

Toutefois, puisque les projets sont relativement simples et n'exigent pas de grandes quantités de bois, peut-être avez-vous des retailles que vous vous apprêtiez à jeter et qui bénéficieront d'une deuxième vie.

PEINTURES ET PINCEAUX

La peinture acrylique convient aux bois légers ; vous n'aurez besoin que des couleurs de base et deux ou trois pinceaux.

VERNIS

Parmi tous les vernis disponibles, je vous recommande l'acrylique à base d'eau. Il peut être utilisé sur le bois naturel ou une sculpture peinte. Le vernis acrylique s'applique facilement avec un pinceau. Un fini satiné sied davantage au bois qu'un fini très lustré..

Tilleul commun

Pin ponderosa du Canada

Jelutong malaisien

Tilleul d'Amérique

TECHNIQUES ET SÉCURITÉ

Puisque la sculpture implique de travailler avec des couteaux à lames bien affûtées, il est essentiel d'être prudent et d'employer les techniques de coupe appropriées.

Il est important de toujours garder vos mains loin de la ligne de coupe, que vous coupiez vers vous ou vers l'extérieur.
Vos pouces jouent un rôle crucial quand vous sculptez ; ils procurent à la fois de la force et du contrôle. Lorsque vous utilisez un ciseau à bois, tenez-le avec vos deux mains en tout temps.

Vous devez également comprendre la direction du fil du bois, ou son grain. Il se compose de milliers de fils très serrés. Vous pouvez couper dans le même sens qu'eux ou à travers mais si vous coupez directement dedans, ils fendront.

CONSEIL

- Ayez une trousse de premiers soins près de vous quand vous travaillez avec des outils coupants.

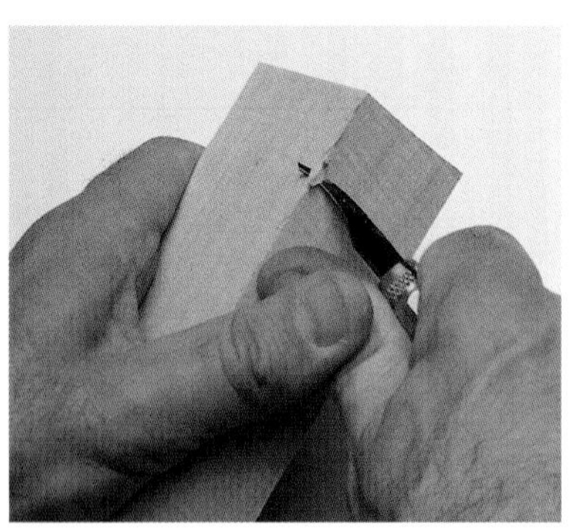

Couper en suivant le fil du bois, vers l'extérieur.

Couper en suivant le fil du bois, vers vous.

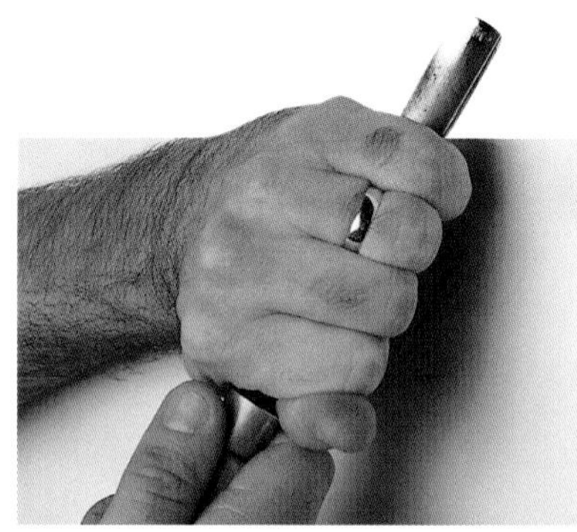

Ciseau à bois pour travail lourd.

Ciseau à bois pour travail léger.

Couper à travers le fil du bois.

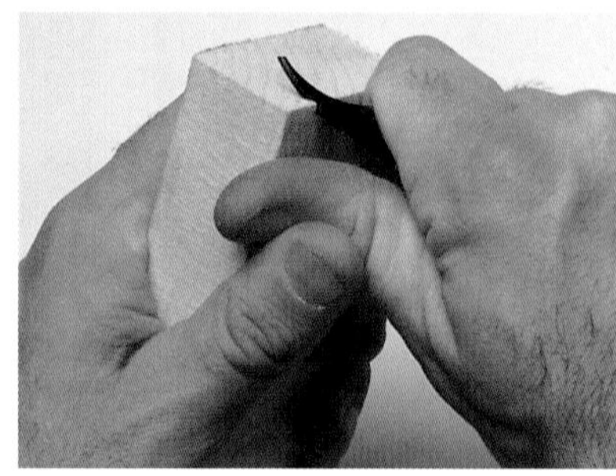

Couper dans le fil du bois pour le fendre.

ENTRETIEN

Peu importe le genre de sculpture que l'on fait, il faut entretenir ses outils, que ce soit un crayon bien aiguisé ou des pinceaux propres et secs. Garder les lames coupantes fait partie des tâches essentielles d'un sculpteur.

Si vous utilisez des lames en acier inoxydable pré-affûtées, jetez-les dès qu'elles sont émoussées et remplacez-les par des neuves.

Si vous pouvez affûter vos lames, assurez-vous qu'elles sont toujours bien coupantes.

Affiler un couteau ne requiert qu'une pierre à l'huile. Pour un fini aussi coupant qu'une lame de rasoir, utilisez ensuite un cuir à aiguiser fait d'un morceau de cuir (une vieille ceinture, par exemple). Les pierres à l'huile se vendent dans toutes les quincailleries.

La pierre à l'huile doit être tenue fermement en place et lubrifiée. La lame doit être passée sur la pierre en mouvements de va-et-vient à plusieurs reprises, presque complètement à plat. Continuez jusqu'à ce que le métal soit presque rabattu sur toute sa longueur en vérifiant prudemment avec un doigt.

Répétez la procédure sur le cuir à aiguiser après l'avoir enduit d'un agent de polissage à métal, une pâte vendue dans les quincailleries ou les magasins d'accessoires pour automobiles. Polissez la lame de chaque côté et continuez jusqu'à ce qu'elle soit lisse et coupante. Si nécessaire, essuyez ensuite avec un essuie-tout.

Affûter une lame avec la pierre à l'huile.

Polir avec le cuir à aiguiser pour avoir une lame aussi coupante qu'une lame de rasoir. La même méthode s'applique aux ciseaux à bois, mais en raison des formes variées des lames, je vous conseille de consulter des livres plus spécialisés à ce sujet.

Bouteilles miniatures

Voici un projet idéal pour un débutant. Si vous gardez les lignes droites, c'est un sujet efficace qui introduit quelques techniques simples.

Matériel requis :

- Bloc de bois mesurant 3,8 x 3,8 x 8,9 cm (1½ x 1½ x 3½ po)
- Couteau
- Vernis ou peinture(s)

CONSEIL

- Pour faire les cercles à chaque bout, tracez une ligne diagonale d'un coin à l'autre, puis des lignes horizontales et perpendiculaires.

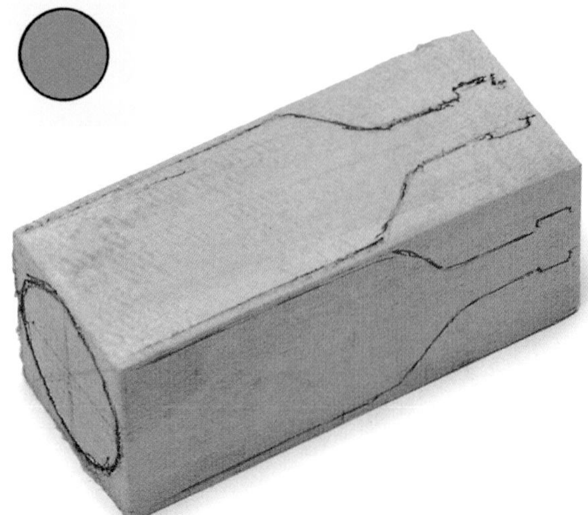

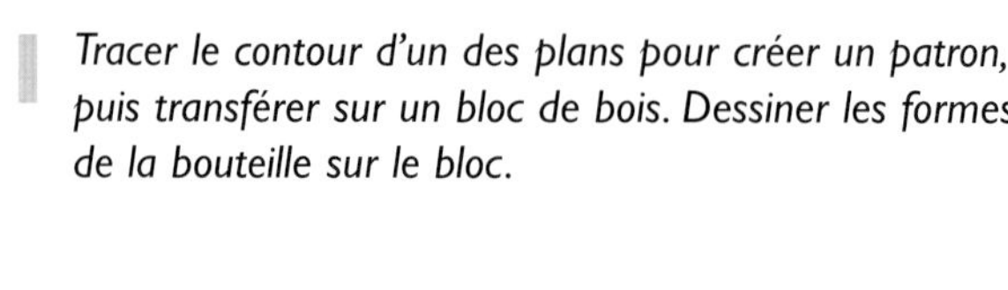

1 *Tracer le contour d'un des plans pour créer un patron, puis transférer sur un bloc de bois. Dessiner les formes de la bouteille sur le bloc.*

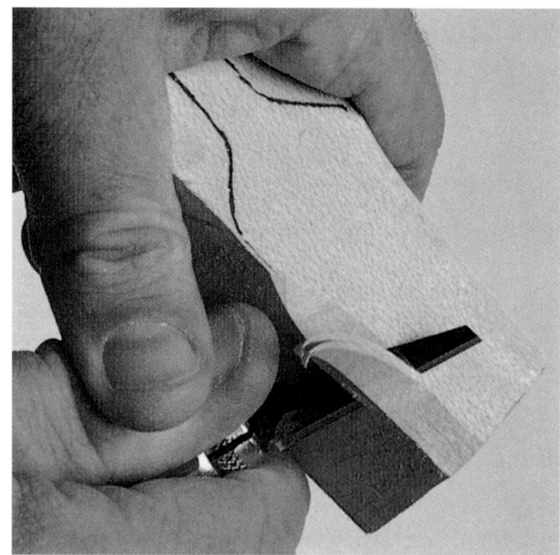

2 *Commencer à donner la forme à la base en sculptant vers l'extérieur ou vers vous, selon ce qui est plus facile.*

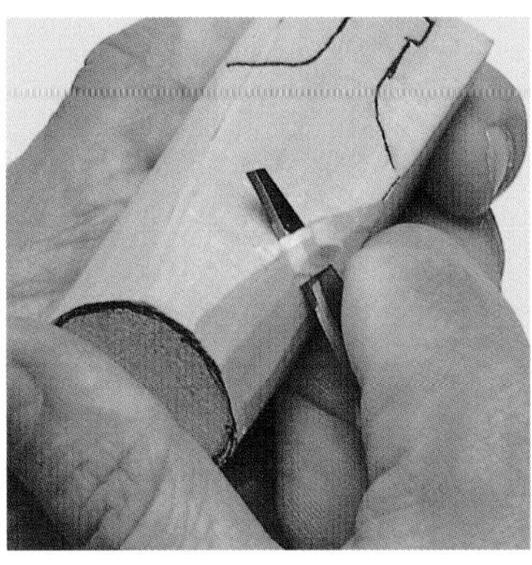

3 *Compléter le bas de la bouteille.*

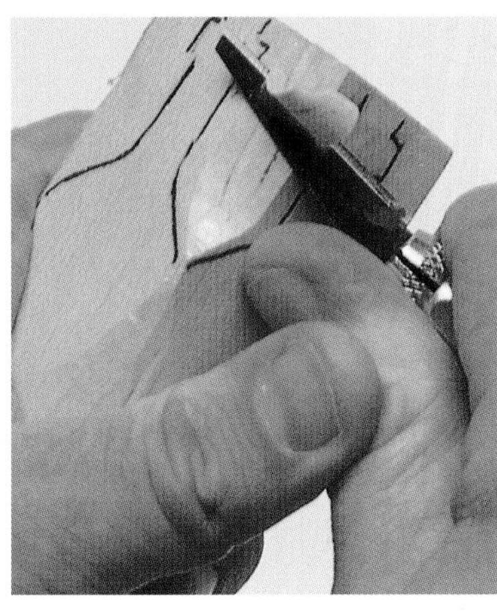

4 *Commencer à sculpter le col et les épaules.*

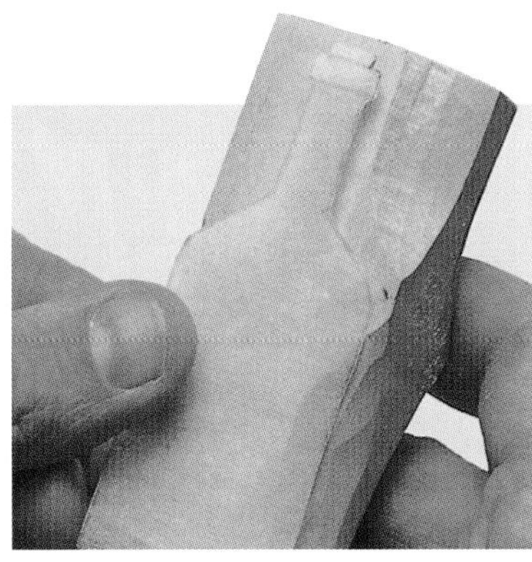

5 *Avec le patron, retracer le col et les épaules par-dessus les marques tracées au départ.*

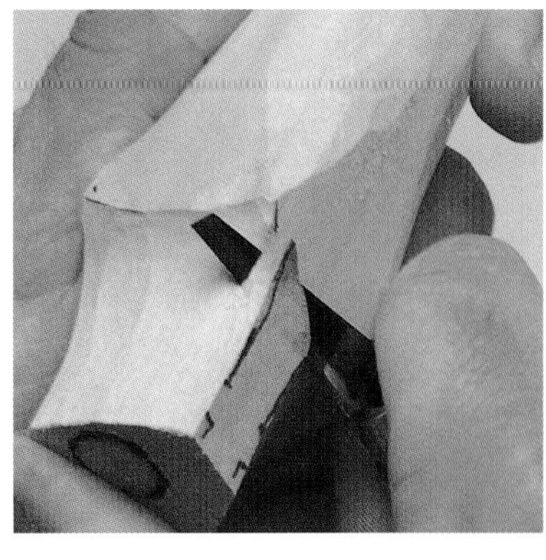

6 *Continuer et terminer le col.*

7 *Comparer les progrès avec le patron.*

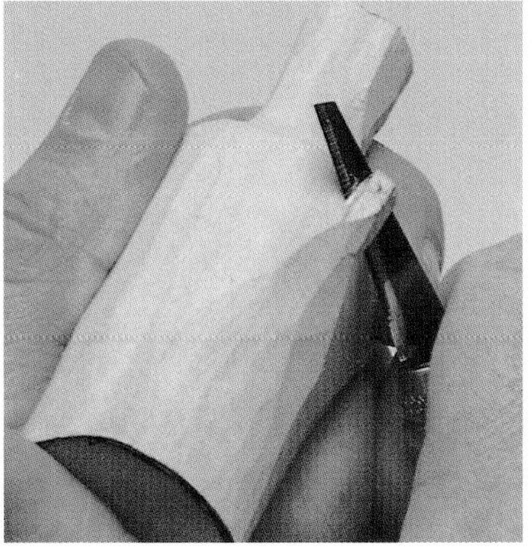

8 *Compléter la forme des épaules.*

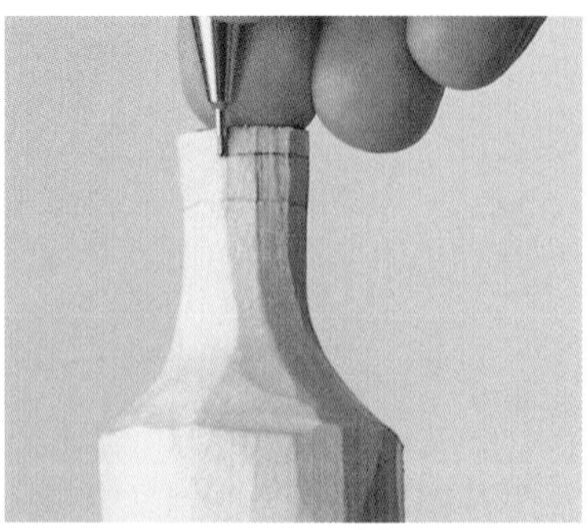

9 *Consulter le patron et marquer la bague.*

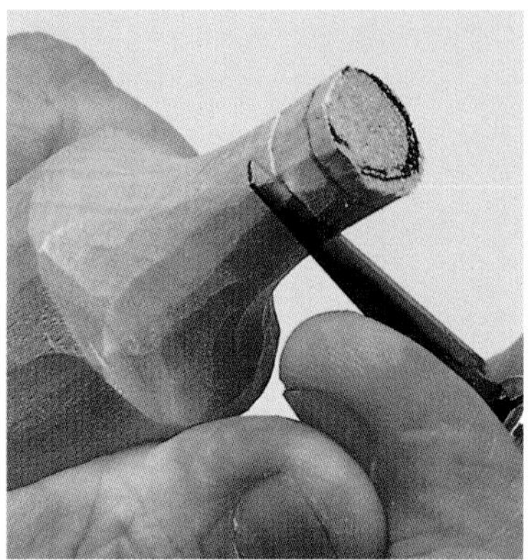

10 *Graver le bas de la bague en tenant le couteau fermement et en roulant la bouteille autour de la lame.*

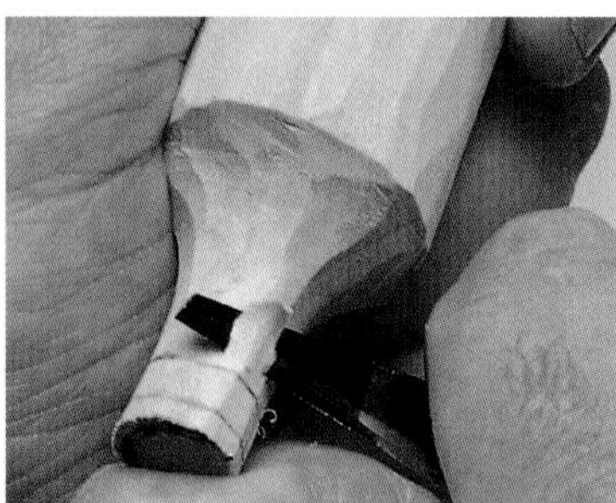

11 *Enlever délicatement le bois sous la ligne gravée.*

CONSEIL

- Jugez de la profondeur du trait avec votre index, un outil important pour tout menuisier !

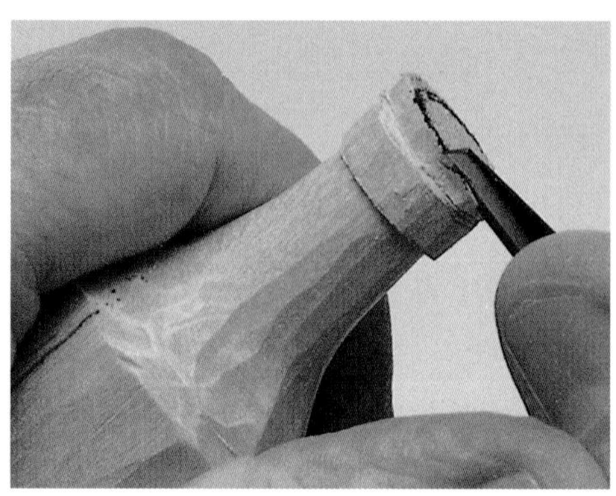

12 *Répéter pour le dessus de la bague.*

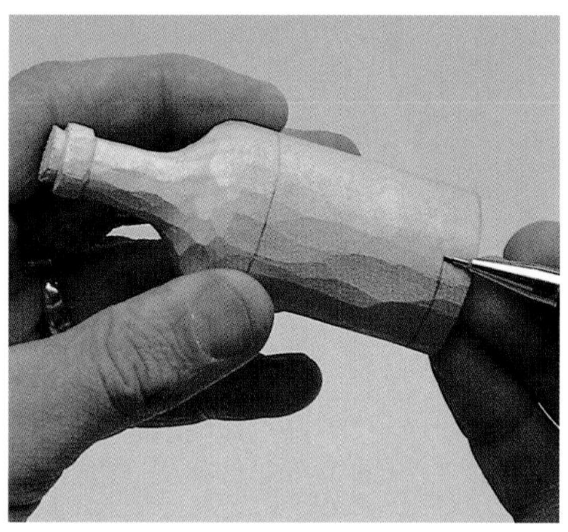

13 *Ajouter de l'intérêt en traçant une étiquette avec le crayon.*

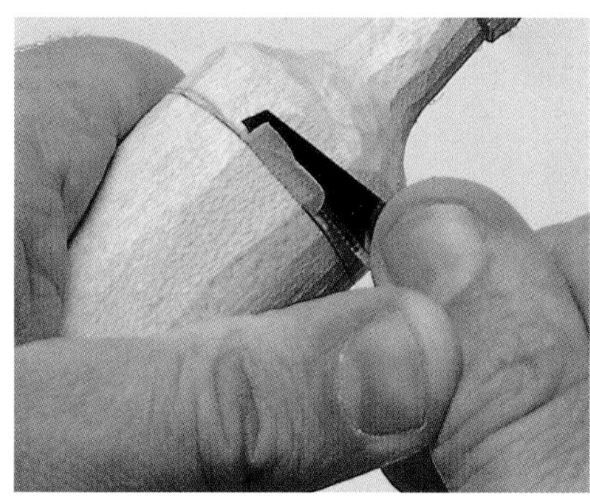

14 *Graver la ligne tracée.*

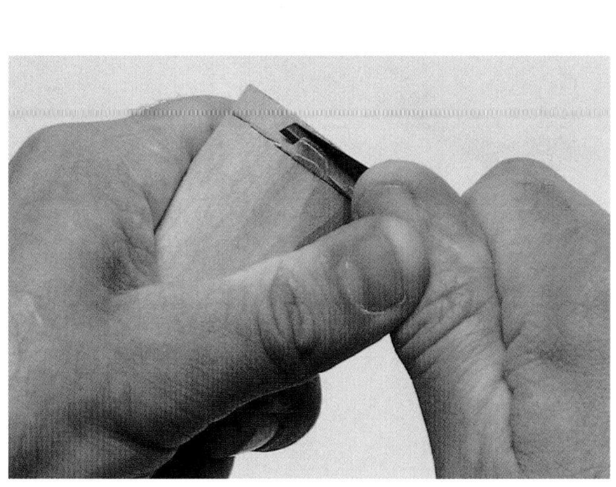

15 *En sculptant, enlever du bois autour de l'étiquette.*

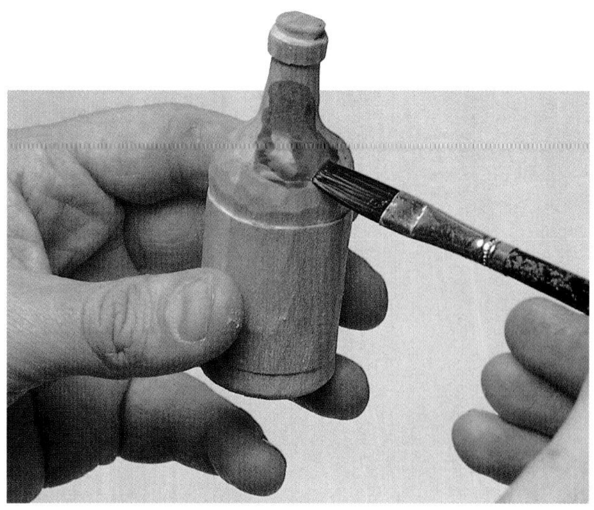

16 *Vernir ou peindre.*

FRUITS

Sculpter des fruits, qui ont des formes très variées, est une progression normale après les bouteilles miniatures. Les courbes sont un peu plus difficiles, mais elles vous permettront de vous familiariser davantage avec le fil du bois. Afin de donner un effet encore plus réaliste, ajoutez quelques feuilles à vos fruits.

Matériel requis :

- Bois pour la poire mesurant 5 x 5 x 7,5 cm (2 x 2 x 3 po)
- Bois pour la pomme mesurant 5 x 5 x 5,7 cm (2 x 2 x 2 ¼po)
- Bois pour la banane mesurant 3 x 3 x 11,5 cm (1¼ x 1¼ x 4 ½ po)
- Couteau
- Vernis ou peinture(s)

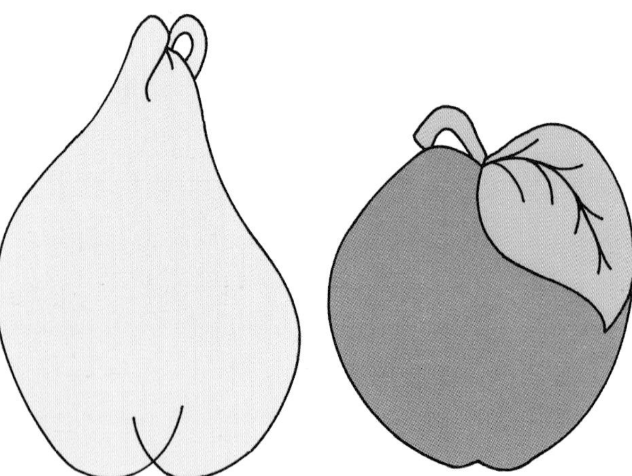

PEAR

1 *Créer d'abord les patrons et transférer les dessins sur les blocs de bois.*

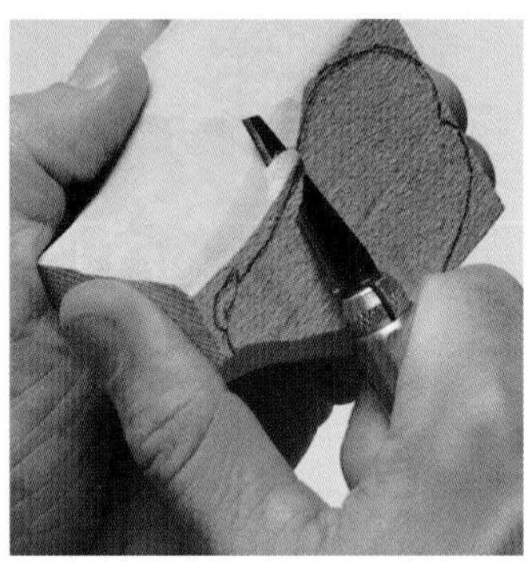

2 *Sculpter la poire à partir du haut.*

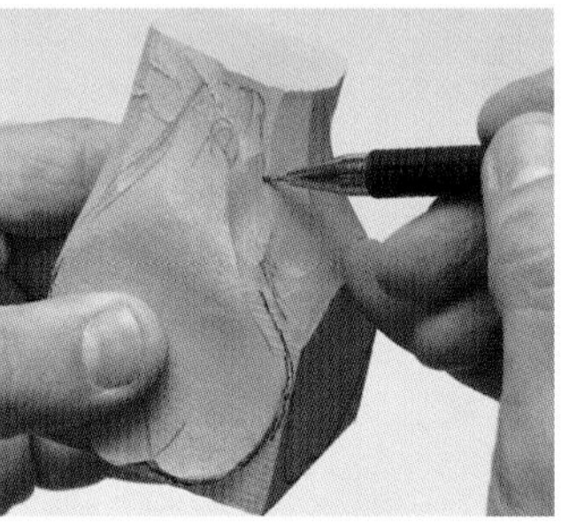

3 *Continuer à donner la forme à la poire en consultant le patron. Retracer les lignes au besoin.*

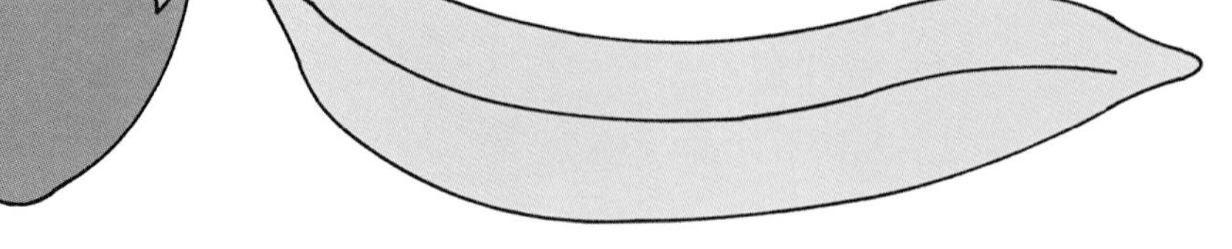

4 *Cette étape est complète lorsque la forme du dessus de la poire est terminée.*

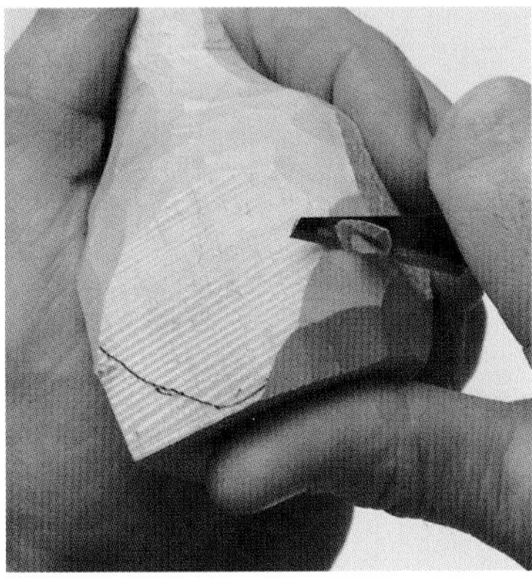

5 *Commencer à sculpter la base de la poire.*

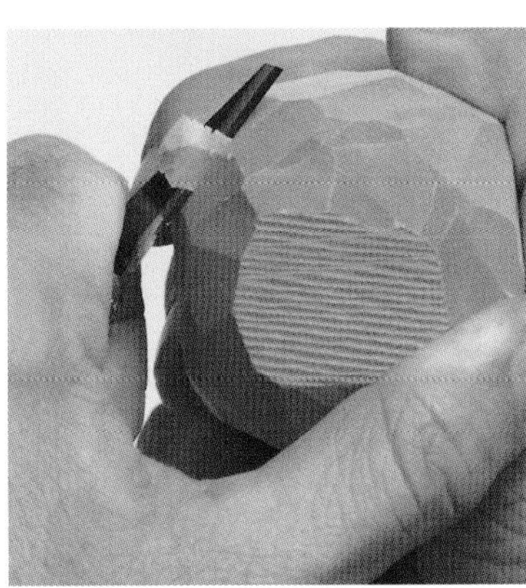

6 *Continuer en vérifiant fréquemment de tous les angles.*

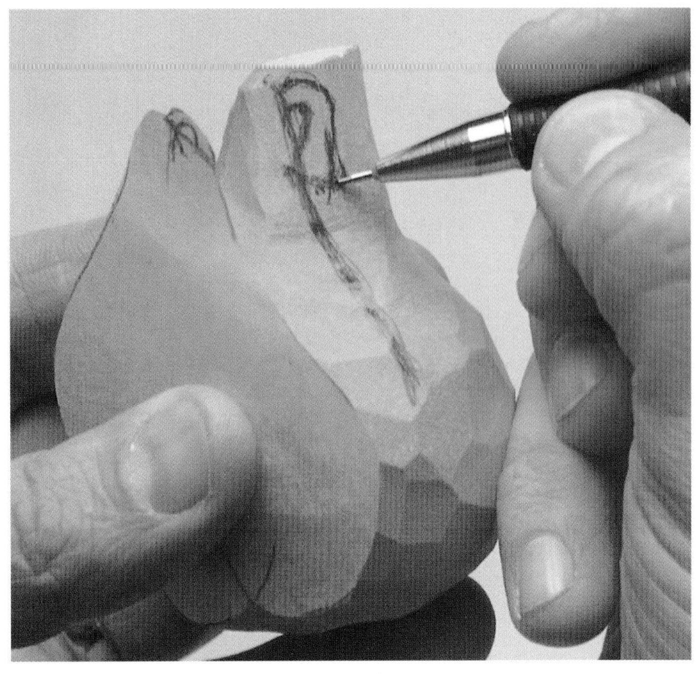

7 *Regarder le patron et l'utiliser pour tracer la tige de la poire.*

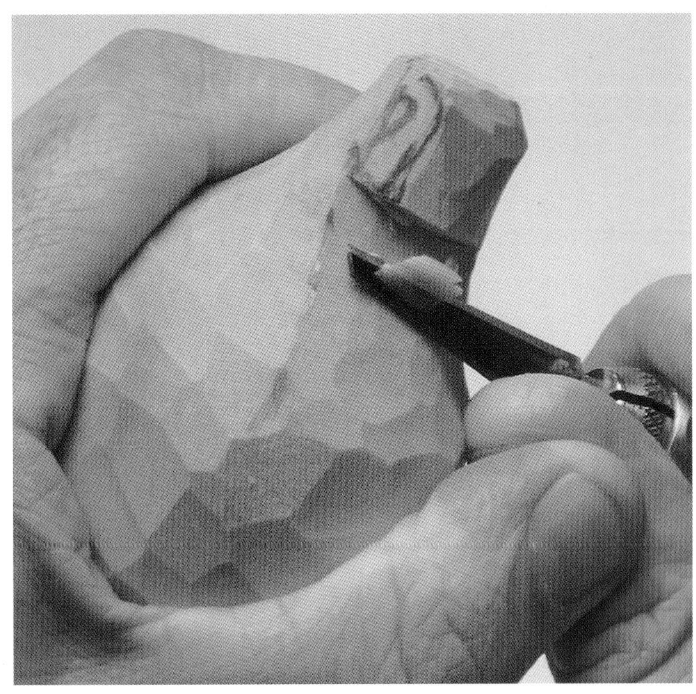

8 *Sculpter en prenant soin de ne pas fendre le bois.*

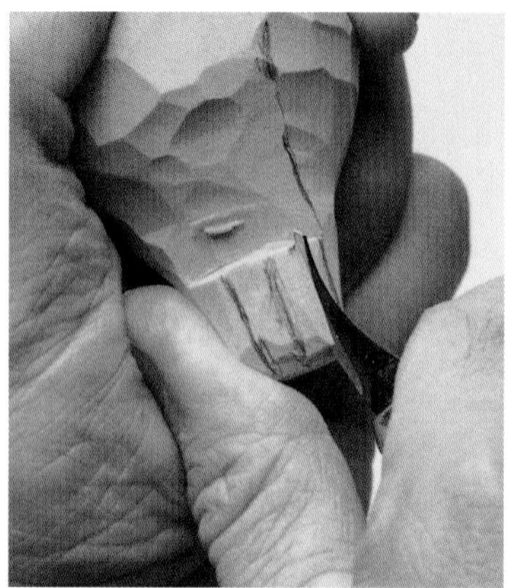

9 *Enlever du bois tout autour de la tige.*

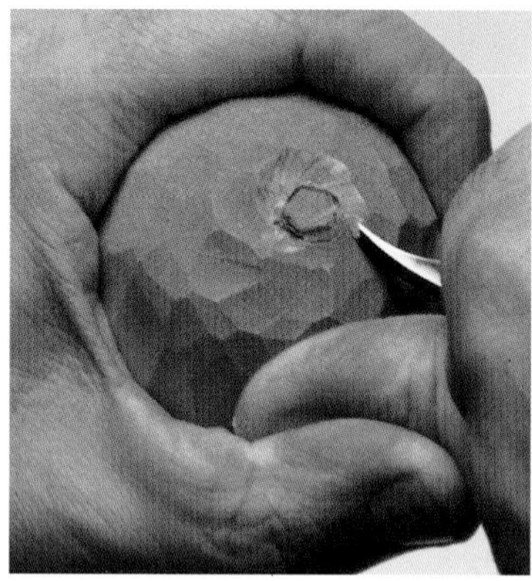

10 *Travailler le dessous de la poire en sculptant la base de la tige. Graver un petit cercle et creuser à l'intérieur.*

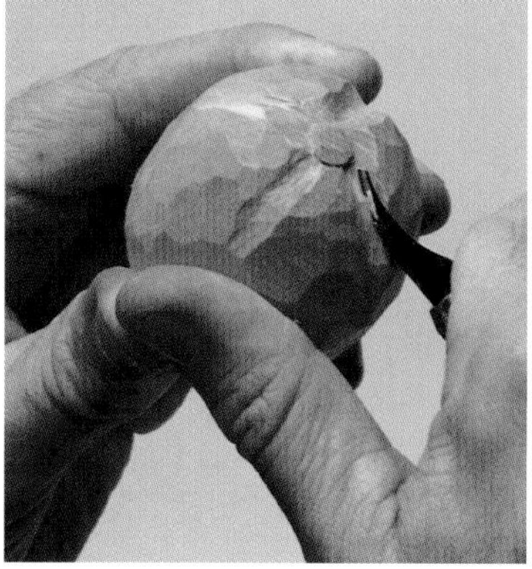

11 *Façonner davantage en gravant trois ou quatre creux sur la base et le dessus.*

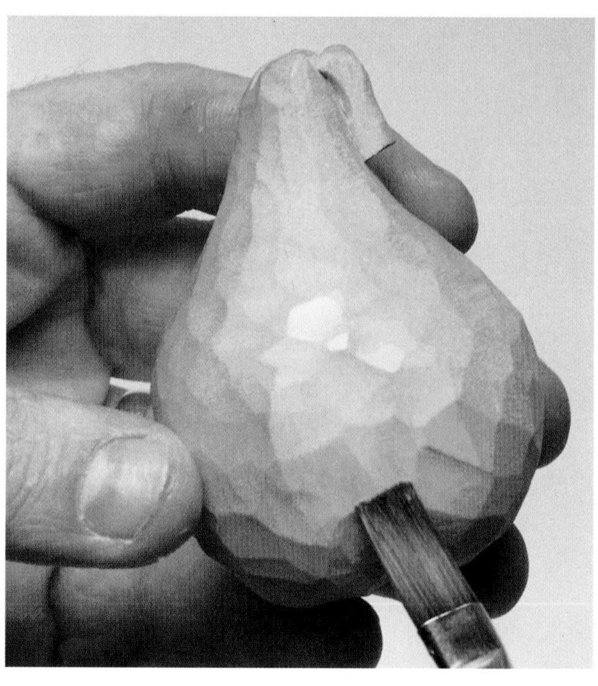

12 *Peindre ou vernir.*

POMME

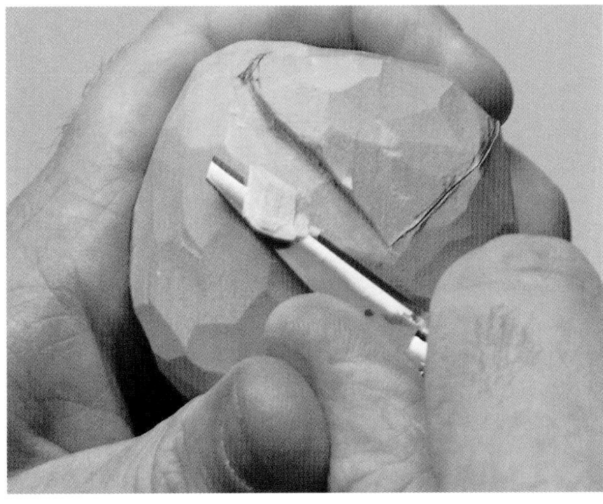

1 *Répéter les premières étapes de la poire. Ensuite, marquer la feuille sur la forme de base de la pomme, graver les contours et enlever du bois autour de la feuille.*

2 *Répéter le procédé pour créer la tige.*

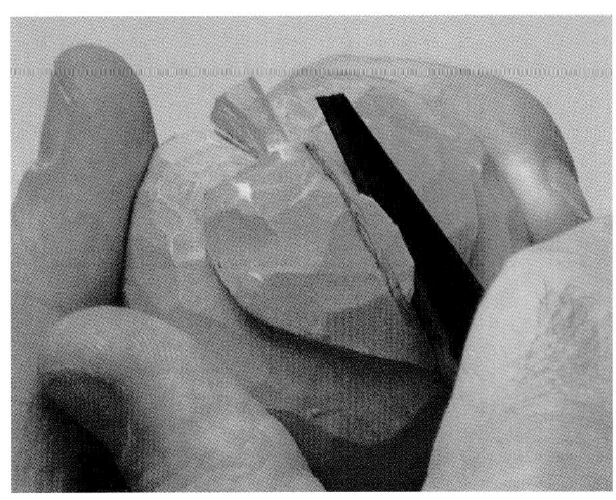

3 *Ajouter des détails à la feuille en gravant un petit creux au milieu sur sa longueur.*

4 *Sculpter les nervures de la feuille de chaque côté de la ligne centrale. Peindre ou vernir.*

BANANA

1 *La banane a une forme assez simple et elle complète bien la pomme et la poire. Se référer aux plans et étapes de base des autres fruits pour commencer.*

2 *Vérifier la réalité tridimensionnelle de la forme sculptée, puis peindre ou vernir.*

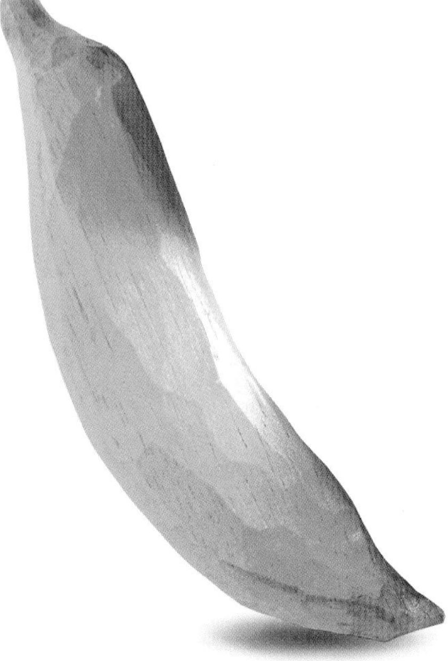

POISSON

Les projets présentés dans ce chapitre sont conçus pour utiliser des couteaux, mais celui-ci décrit l'utilisation des ciseaux à bois. Puisqu'ils doivent être tenus avec les deux mains, il est nécessaire de fixer le travail à l'aide de serres ou d'un étau.

Matériel requis :

- Bloc de bois mesurant 13 x 8,9 x 2,5 cm (5¼ x 3½ x 1 po)
- Morceau de bois pour la plaque arrière, mesurant 19,5 x 15 x 1,3 cm (7¾ x6 x½po)
- 3 ciseaux à bois
- Serres
- Étau en « C »
- Vis ou colle
- Vernis de finition

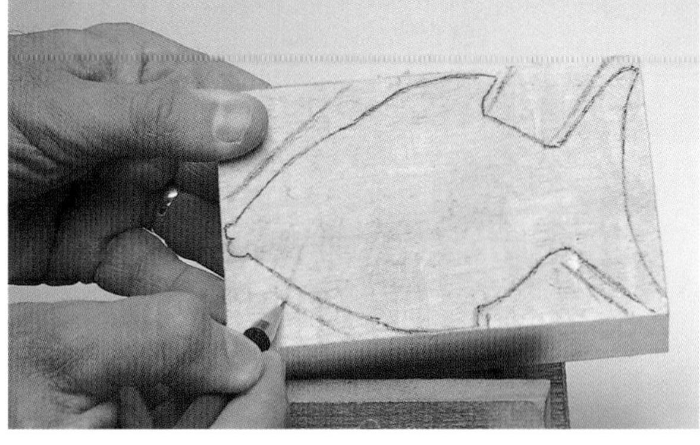

1 *Transférer le patron sur un bloc de bois. Il peut être utile de faire cinq traits de scie pour faciliter la gravure autour de la forme.*

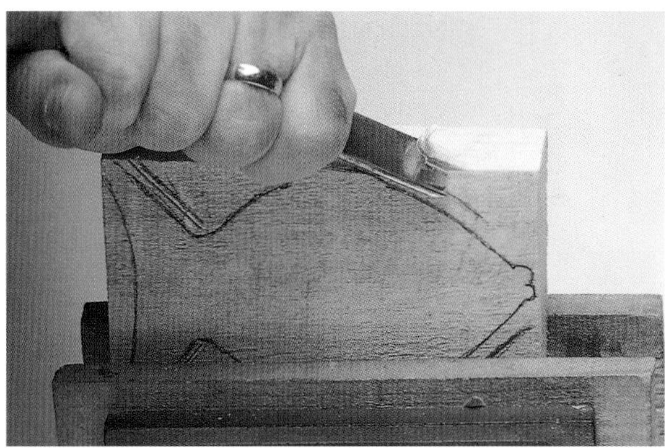

2 *Fixer fermement le travail sur un étau et enlever le bois autour de la tête du poisson avec le ciseau à grosse gouge, tel que montré. Une scie peut être utile.*

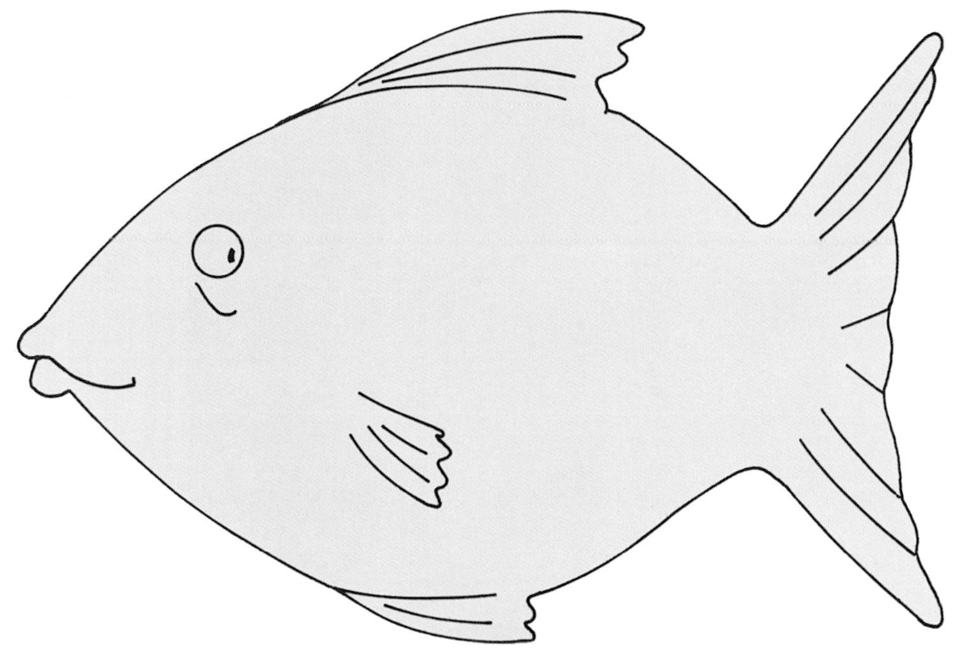

3 *Enlever le bois entre la nageoire dorsale et la queue. Un ciseau à petite gouge peut faciliter cette étape.*

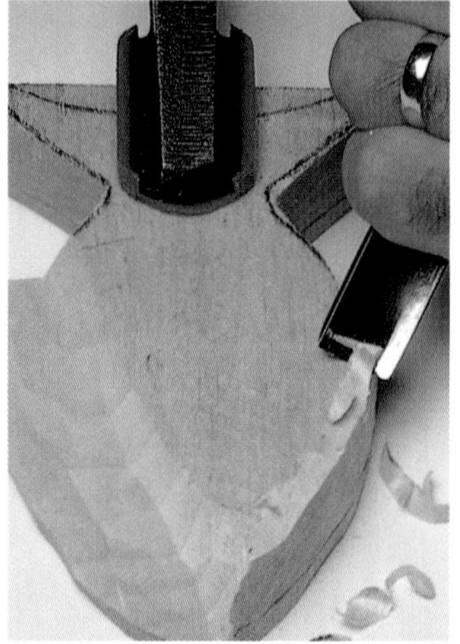

6 *Continuer à travailler sur le contour du poisson.*

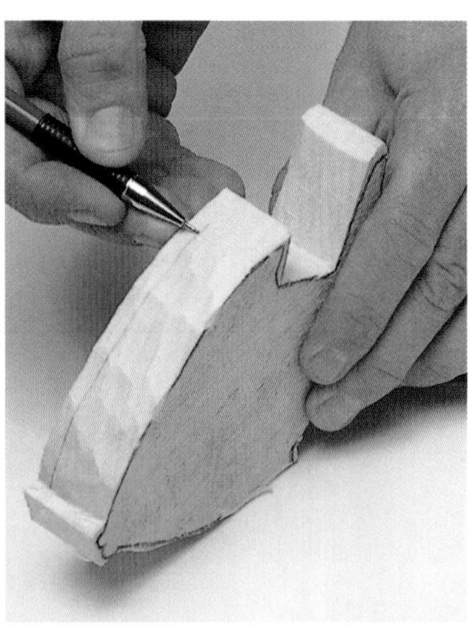

4 *Après avoir enlevé le bois autour du plan, tracer une ligne autour du poisson à environ 6 mm (¼ po) du bord. Finir avec quelques couches de vernis.*

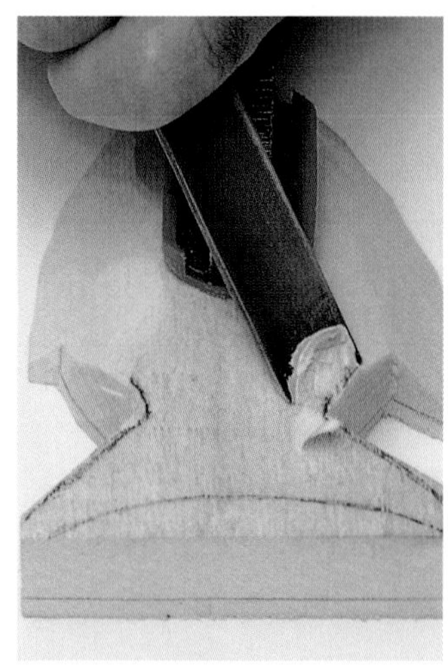

7 *Travailler lentement à l'intersection du corps et de la queue. Pour obtenir une coupe égale, il peut être nécessaire de couper à travers le fil du bois.*

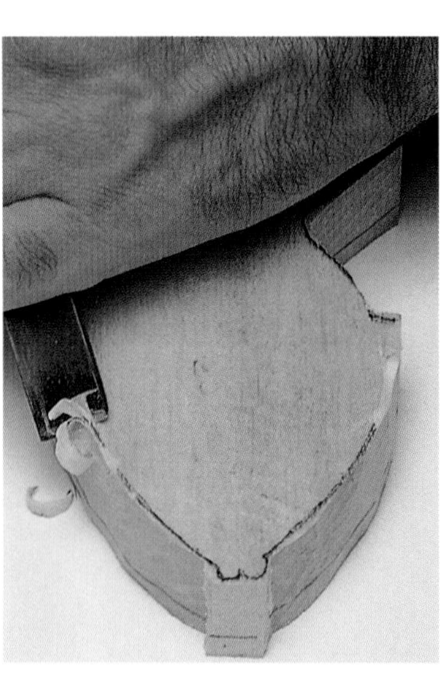

5 *Fixer la sculpture avec un étau en « C » sur une surface solide et utiliser le ciseau à grande gouge pour sculpter une inclinaison le long de la ligne tracée.*

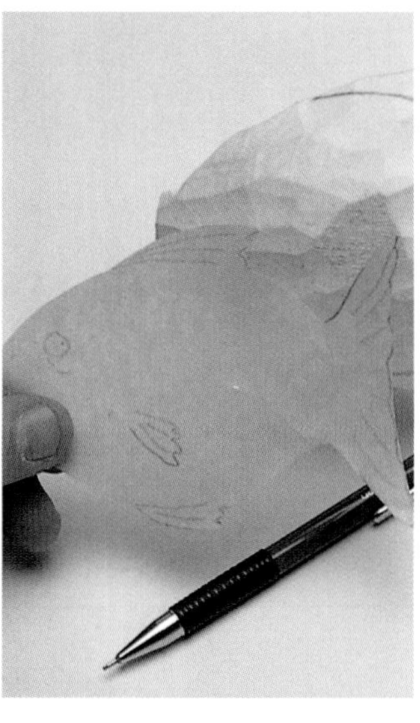

8 *Consulter le patron et tracer une ligne au crayon pour séparer les deux nageoires du corps.*

9 *Avec le pied de biche, sculpter une ligne le long de la marque de crayon sur la nageoire dorsale.*

10 *Répéter le processus sur la nageoire inférieure.*

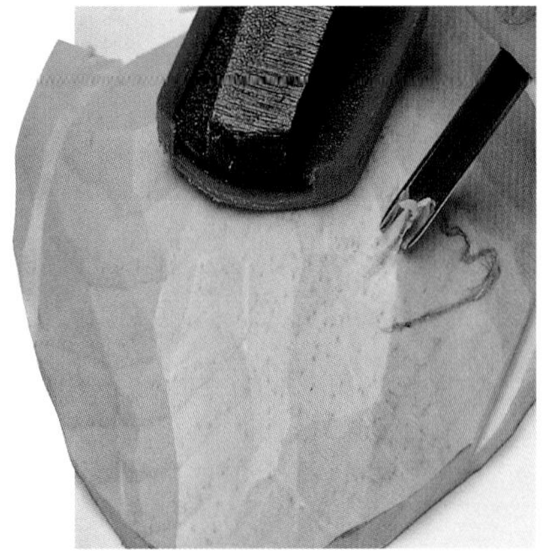

11 *Après avoir tracé au crayon la nageoire sur le corps, sculpter autour avec le pied de biche.*

12 *Avec un ciseau à petite gouge, lisser les angles pointus autour des nageoires.*

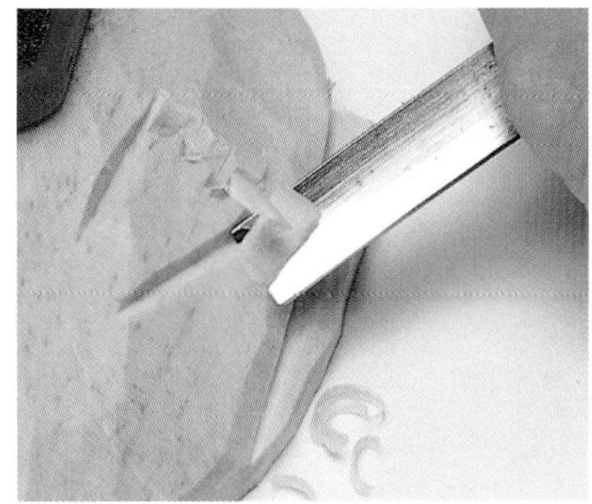

13 *Enlever du bois avec le pied de biche pour former la nageoire sur le corps du poisson.*

14 *Avec un ciseau à petite gouge, enlever du bois autour de la queue pour créer une bordure festonnée.*

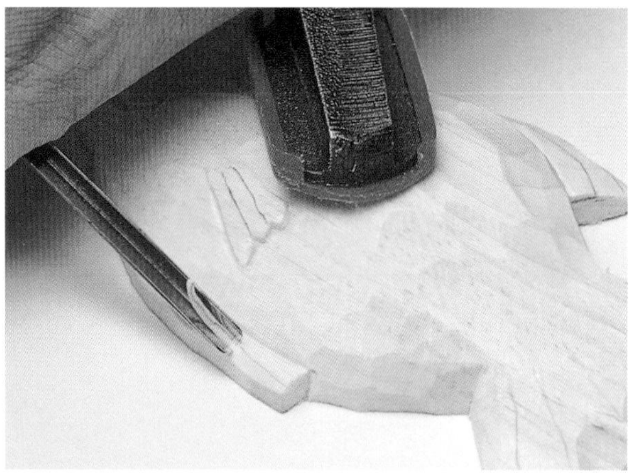

15 *Avec le pied de biche, ajouter des lignes sur les nageoires et la queue.*

16 *Le poisson étant sculpté, choisir la grandeur d'une plaque pour la travailler. J'ai utilisé un morceau d'acajou d'Amérique du Sud. Tout autour de la plaque, tracer une ligne à environ 18 mm (¾ po) du bord, puis sculpter en biseau avec le ciseau à grosse gouge.*

17 *Compléter la plaque en gravant légèrement la surface avec le même ciseau.*

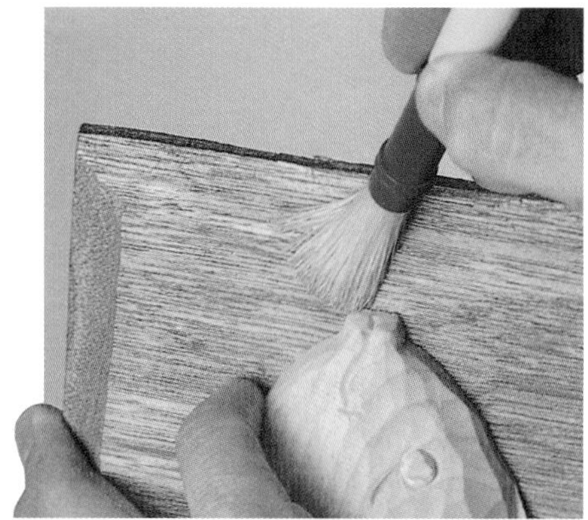

18 *Après avoir vissé ou collé les deux éléments, finir en appliquant quelques couches de vernis.*

DAUPHIN

Le dauphin est une créature élégante et cette caractéristique doit transparaître dans votre sculpture. Choisissez une essence de bois à grains prononcés et poncez la pièce terminée pour créer des lignes fluides et lisses.

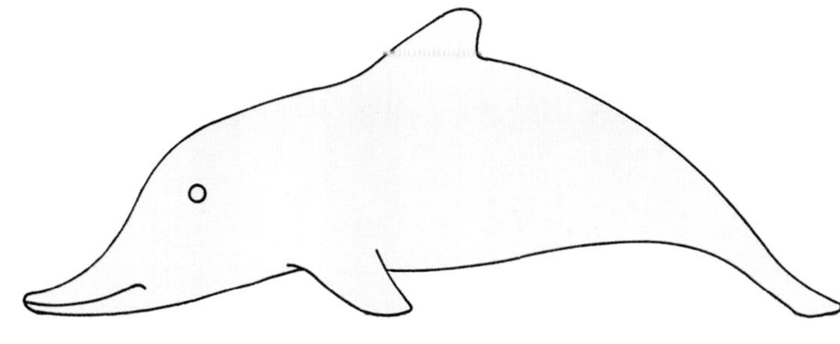

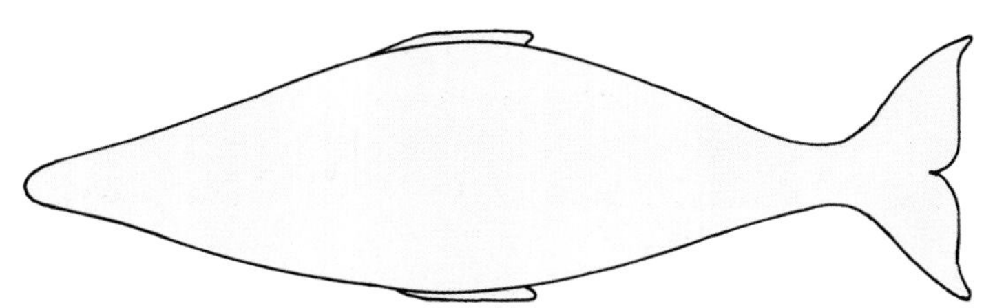

Matériel requis :

- Bloc de bois mesurant 13,9 x 5 x 3,8 cm (5½ x2x1½po)
- Couteau
- Vernis ou peinture(s)

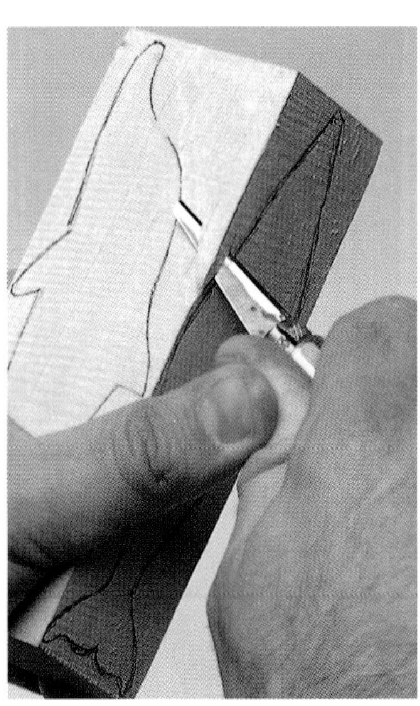

1 *Transférer le patron sur un bloc de bois. Même si l'on commence par le dessus, il est conseillé de faire un dessin pour avoir une idée générale de l'apparence du dauphin.*

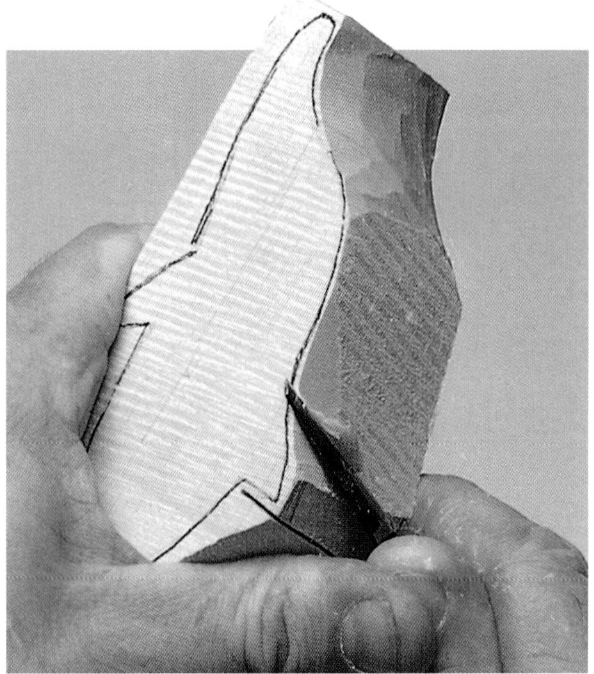

2 *Sculpter le bois à partir du dessus de la tête jusqu'au-dessus du museau (une scie peut faciliter cette tâche).*

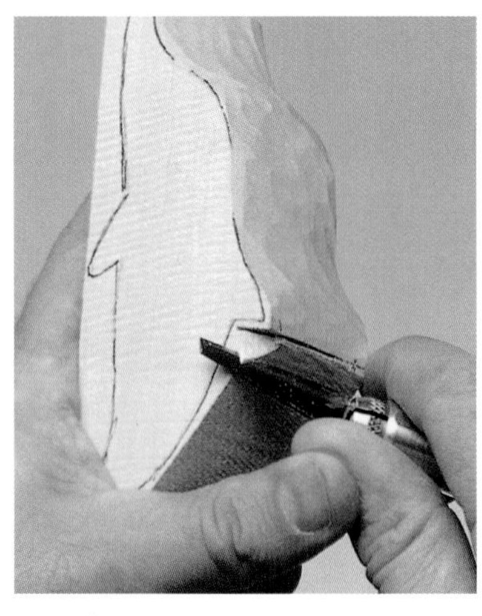

3 *Après avoir scié le dos de la nageoire dorsale, enlever du bois derrière la nageoire.*

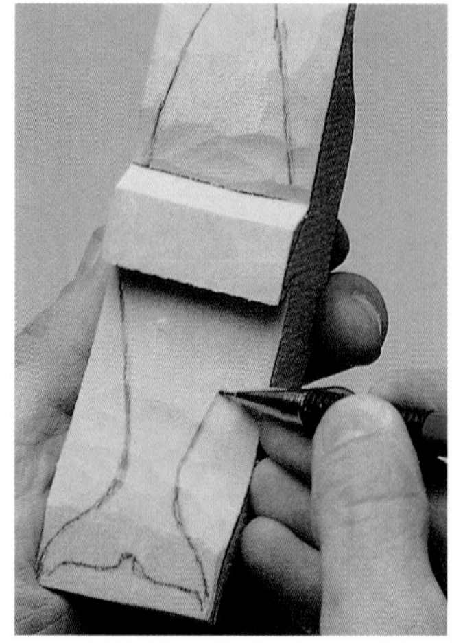

6 *Consulter le patron et dessiner la forme du dessous du dauphin sous le bloc de bois.*

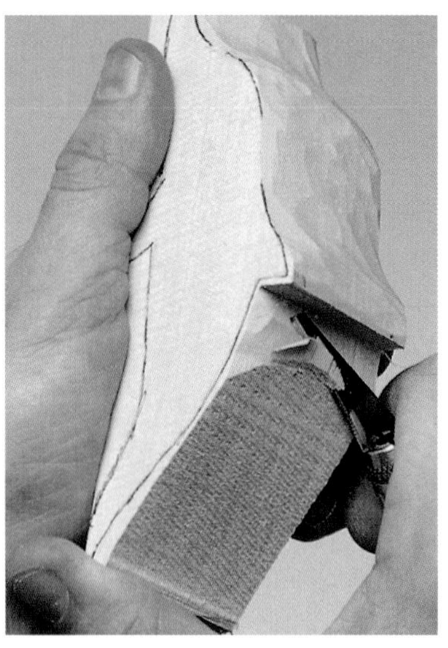

4 *Continuer à façonner l'arrière de la nageoire, en utilisant une scie au besoin.*

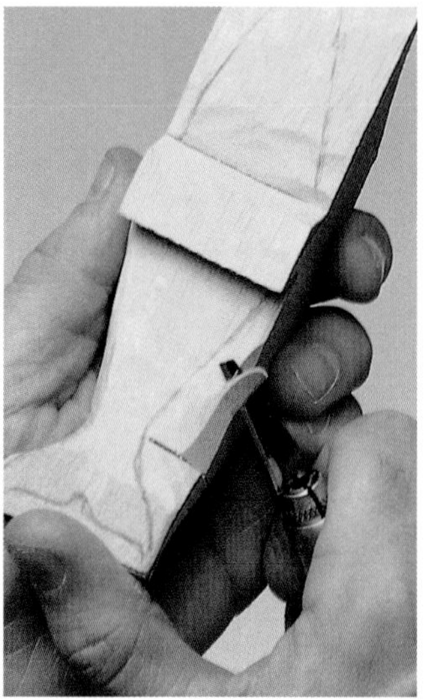

7 *Avec ces lignes en tant que guides, créer la forme désirée.*

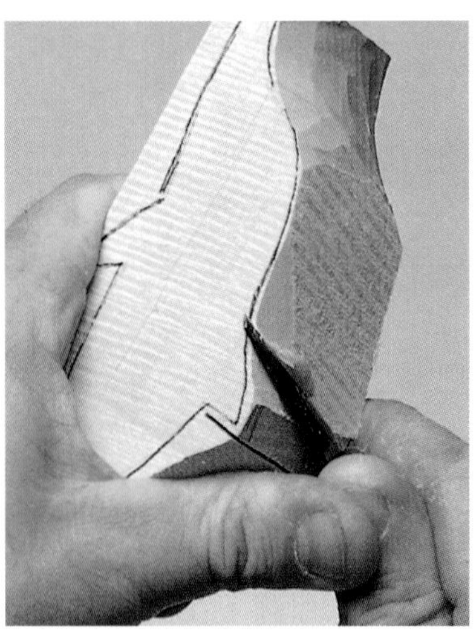

5 *Répéter le procédé pour les nageoires inférieures, en les traitant comme une seule pour le moment.*

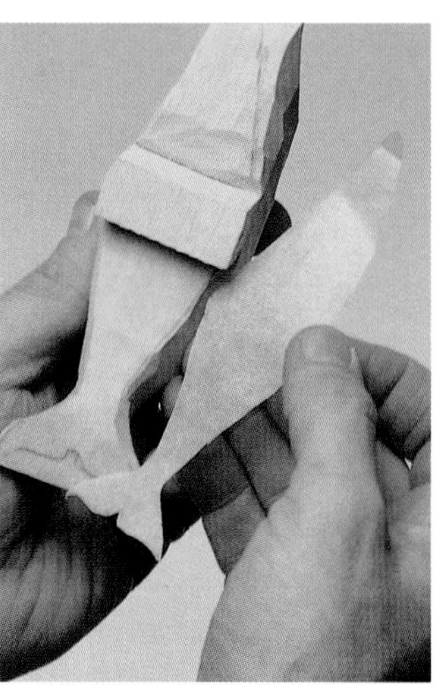

8 *Comparer les progrès avec le patron.*

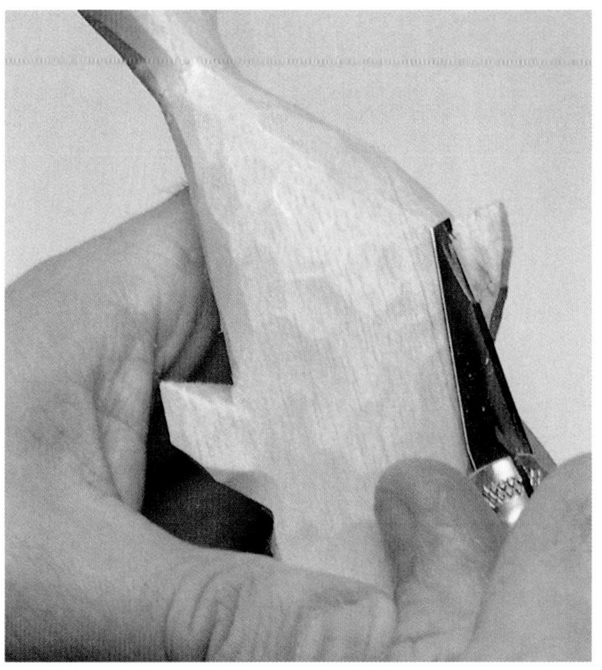

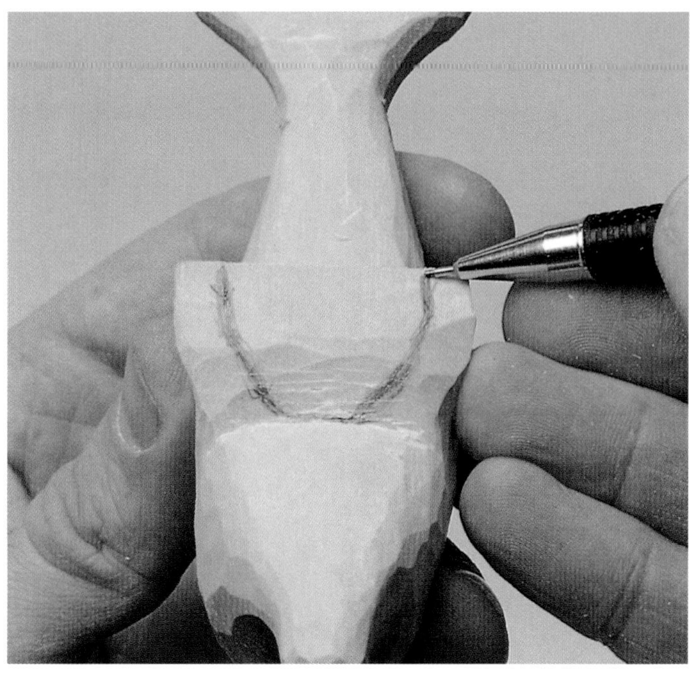

9 *Arrondir les angles pointus sur le corps. Il y a probablement beaucoup de bois à enlever alors prendre bien son temps et vérifier constamment la forme globale.*

11 *Tracer deux lignes pour séparer les deux nageoires inférieures.*

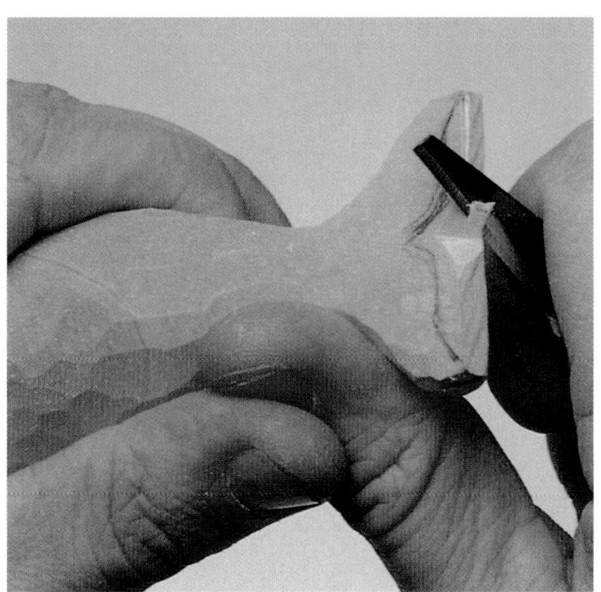

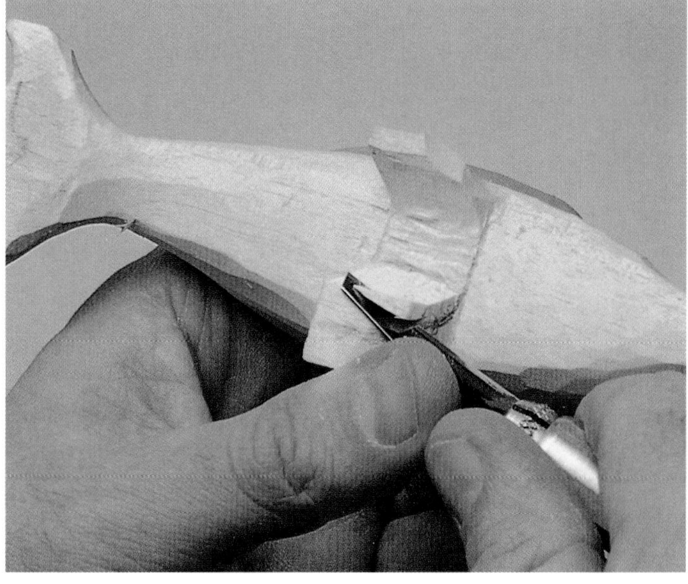

10 *Regarder le patron soigneusement et tracer le bout de la queue sur le bois. Donner la forme désirée.*

12 *Sculpter le bois entre les deux lignes en étant prudent, particulièrement lorsqu'elles seront presque complétées.*

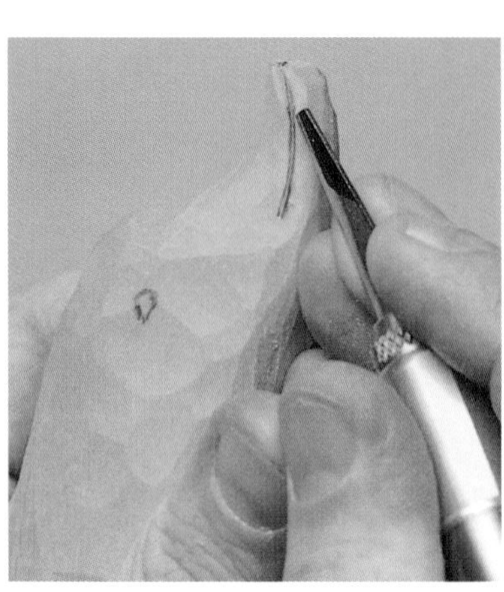

13 *Tracer les mâchoires et l'œil avec le crayon et graver délicatement l'ouverture des mâchoires avec le bout du couteau, en créant une ouverture plus prononcée en avant.*

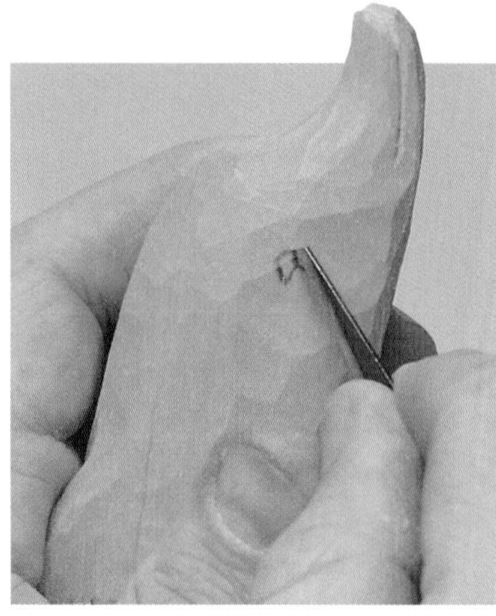

14 *Creuser légèrement la marque de crayon pour former l'œil et enlever un peu de bois autour avec le bout du couteau.*

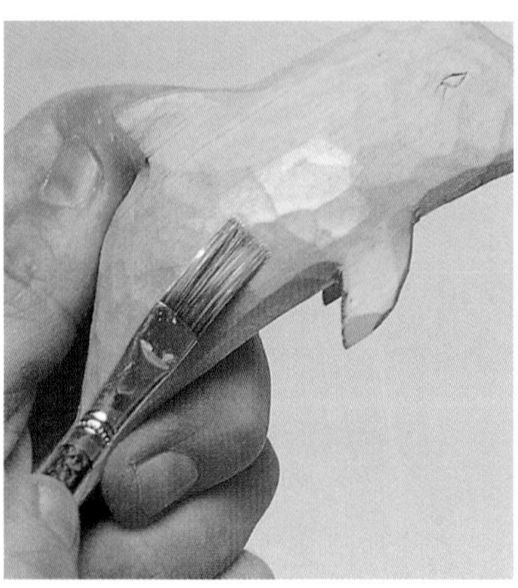

15 *Peindre ou vernir.*

Bouton de fleur

Sculpter des fleurs est un projet plutôt inusité qui exige un assemblage de plusieurs petites parties pour arriver à la pièce finale. Il n'est pas essentiel de s'en tenir à une fleur qui existe vraiment, laissez aller votre imagination. C'est l'occasion idéale de créer des œuvres très colorées.

Matériel requis :

- Bois pour la tête de la fleur mesurant 3,8 x 3,8 x 5,7 cm ($1\frac{1}{2}$ x $1\frac{1}{2}$ x $2\frac{1}{4}$ po)
- Bois pour la tige mesurant 1,2 x 1,2 x 12,7 cm ($\frac{1}{2}$ x $\frac{1}{2}$ x 5 po)
- Bois pour la feuille mesurant 7 x 4,5 x 1,2 cm ($2\frac{3}{4}$ x $1\frac{3}{4}$ x $\frac{1}{2}$ po)
- Couteau
- Perceuse
- Colle
- Vernis ou peinture(s)

1 *Avec les patrons, tracer le contour des trois parties sur les blocs appropriés.*

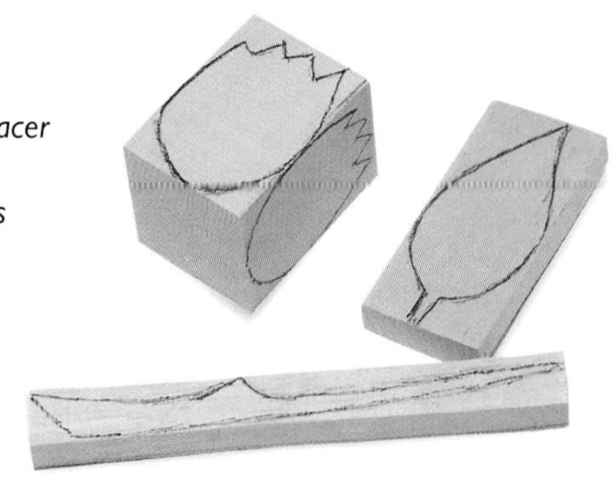

2 *Commencer par sculpter la première moitié supérieure de la fleur.*

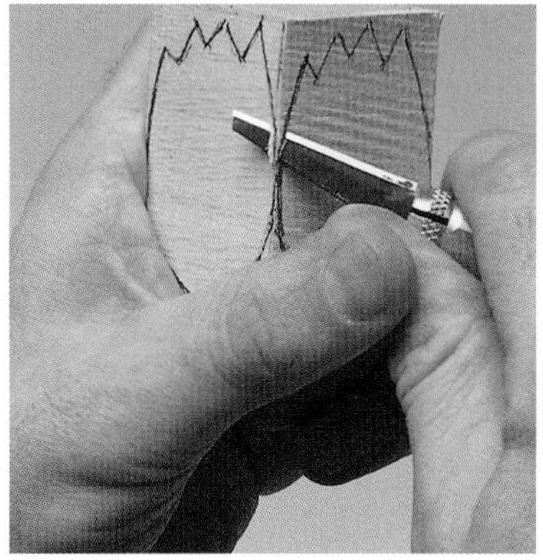

3 *Compléter la partie supérieure. .*

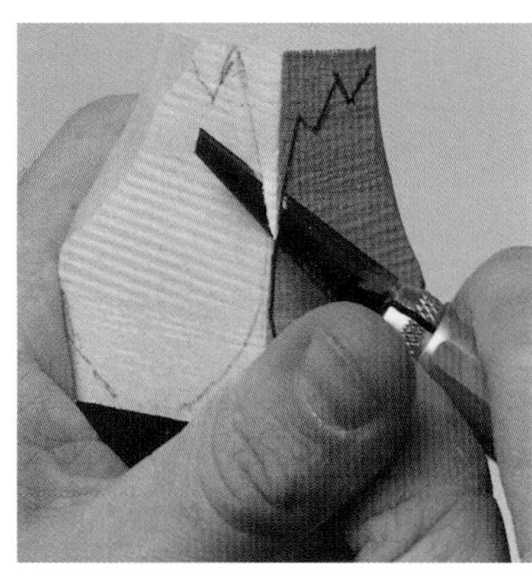

4 *Commencer à travailler sur la base de la tête.*

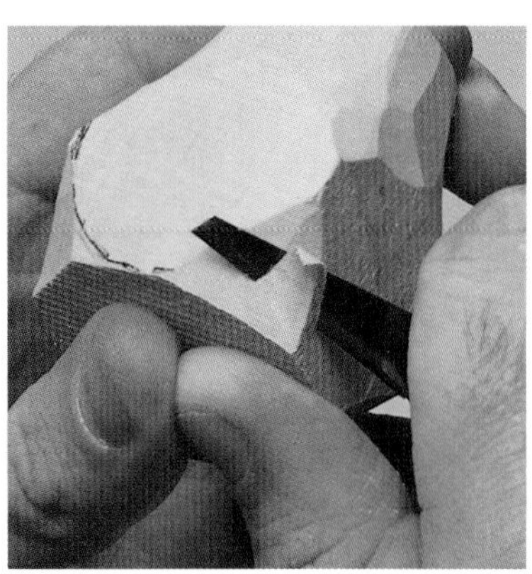

5 *Une fois la bonne forme obtenue, consulter le patron et tracer les pétales sur la fleur.*

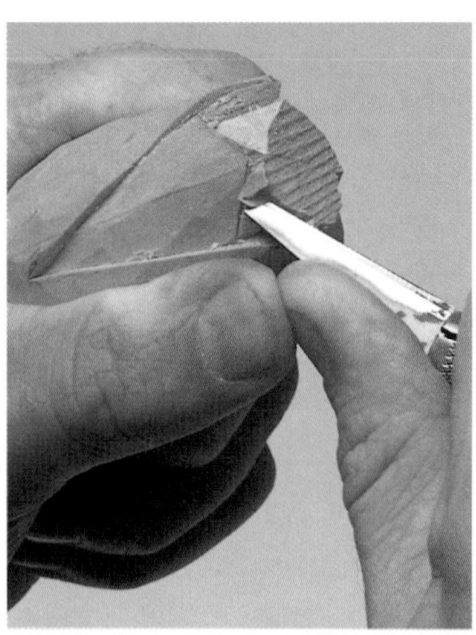

6 *Graver les marques de crayon et enlever du bois entre les creux pour créer les pétales.*

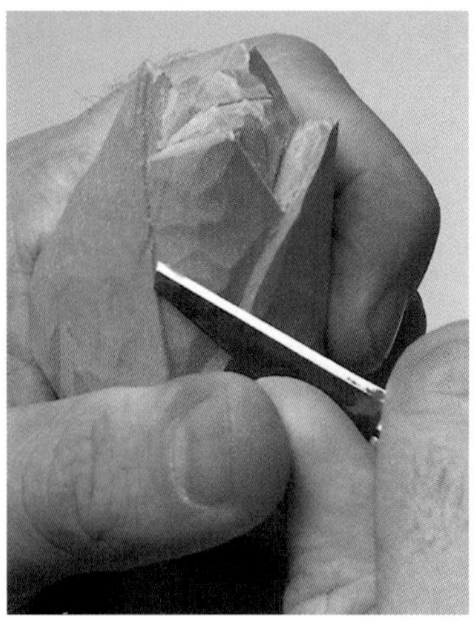

7 *Continuer à façonner les pétales en vérifiant avec le patron pour obtenir un résultat réel.*

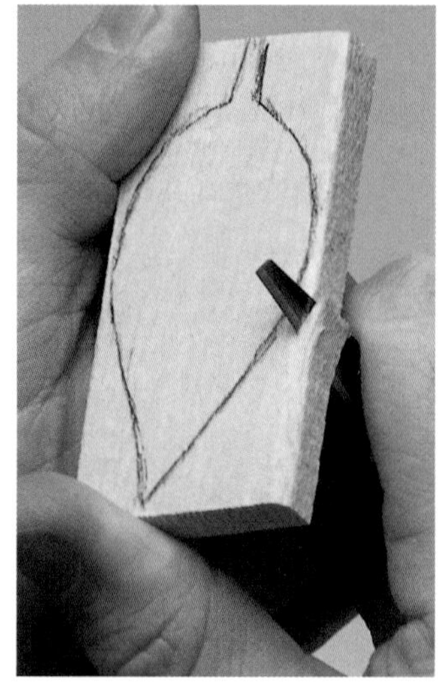

8 *Prendre le bloc de la feuille et sculpter la forme générale.*

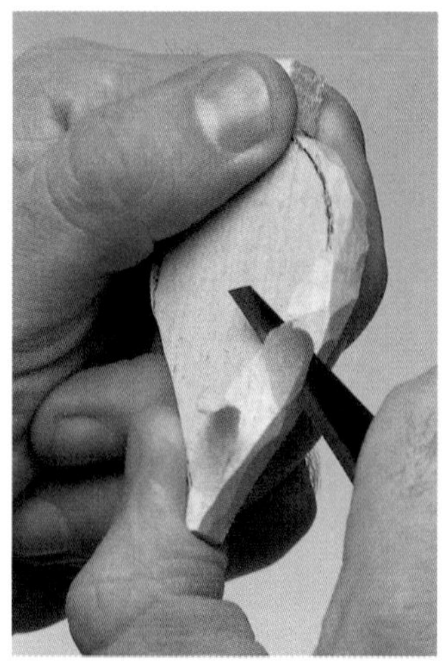

9 *Travailler sur la forme générale de la feuille en prenant soin de garder la base qui sera insérée dans la tige.*

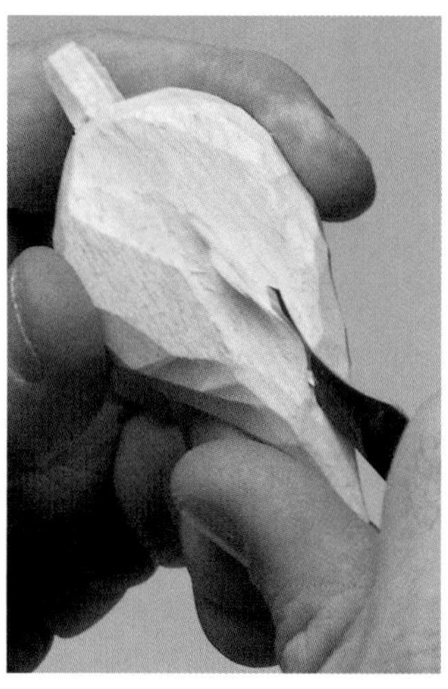

10 *L'étape finale consiste à sculpter les contours pour qu'ils soient lisses et arrondis.*

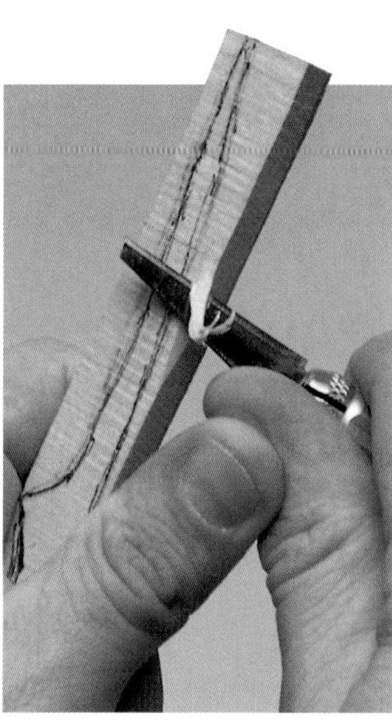

11 *Commencer à sculpter la forme de la tige.*

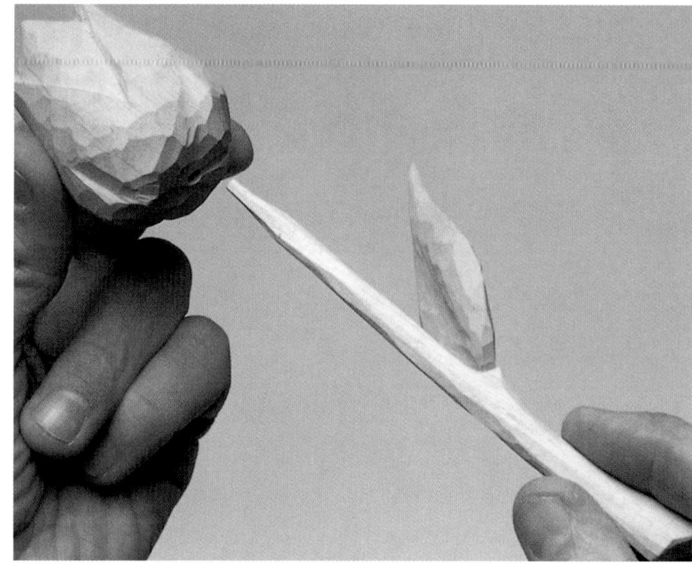

12 *Consulter le patron pour sculpter la petite plate-forme qui servira à fixer la feuille.*

14 *Pour la sécurité, placer la tête de la fleur dans un étau et percer la base qui recevra la tige. Choisir une mèche de la taille correspondante à la tige sculptée. Assembler la fleur en ajoutant un peu de colle pour fixer la feuille à la tige.*

13 *La tige doit être munie d'un petit trou pour fixer la feuille. Tenir la feuille contre la tige pour déterminer l'angle requis.*

15 *Peindre ou vernir.*

Fleur ouverte

Voici la version d'une fleur ouverte. L'approche est similaire au bouton de fleur.

Matériel requis :

- Bois pour la fleur mesurant 5 x 5 x 2 cm (2 x 2 x ¾ po)
- Bois pour la tige mesurant 1,2 x 1,2 x 14 cm (½ x ½ x 5½ po)
- Bois pour la feuille mesurant 7 x 3,8 x 12 cm (2¾ x 1¾ x ½ po)
- Couteau
- Perceuse
- Colle
- Vernis ou peinture(s)

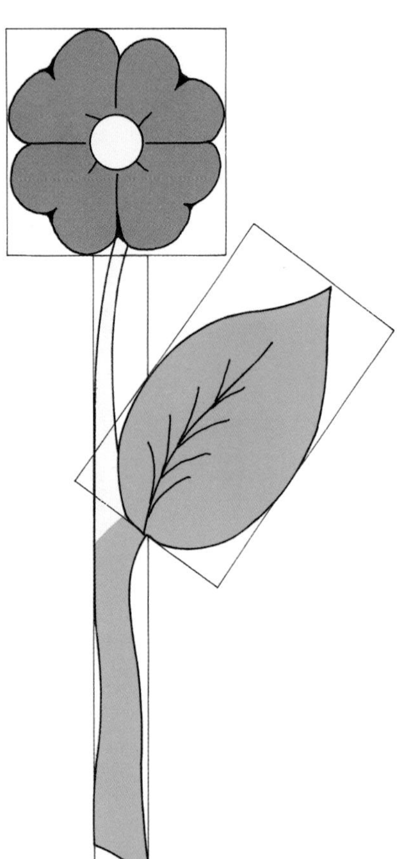

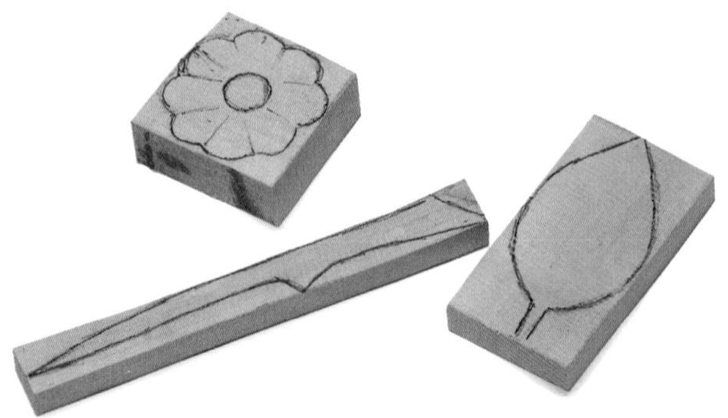

1 *Transférer les patrons de la fleur ouverte sur les blocs de bois.*

2 *Commencer par arrondir la forme de la fleur.*

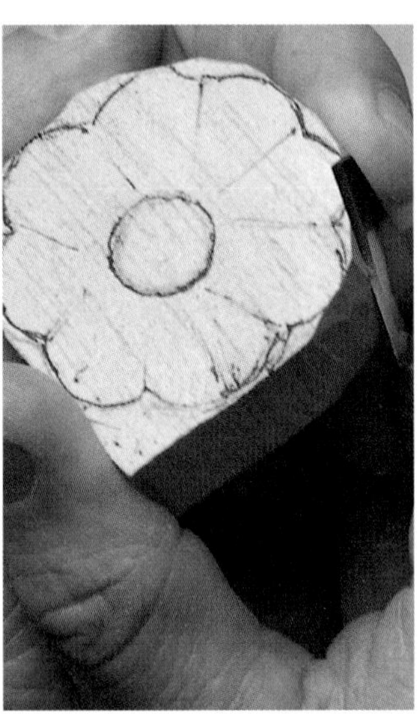

3 *Tracer le centre de la fleur avec le crayon et graver autour de la ligne.*

4 *Enlever du bois autour du centre de la fleur.*

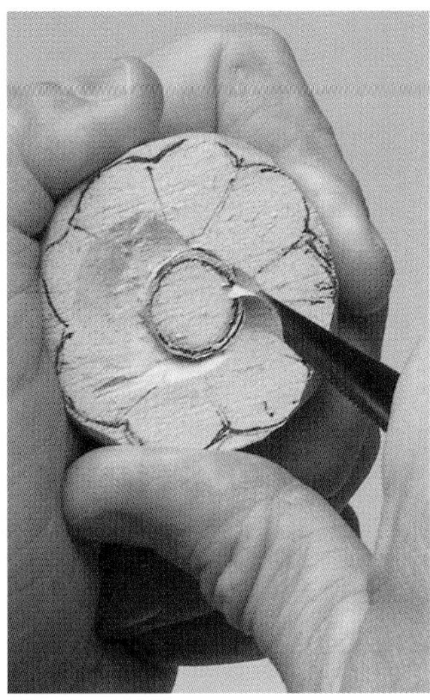

5 *Tracer à nouveau les pétales sur le bois.*

6 *Sculpter le long des lignes des pétales pour les séparer légèrement. Utiliser la pointe du couteau*

7 *Avec le crayon, tracer une ligne sur le contour extérieur de la fleur, à environ 6 mm (¼ po) du côté face.*

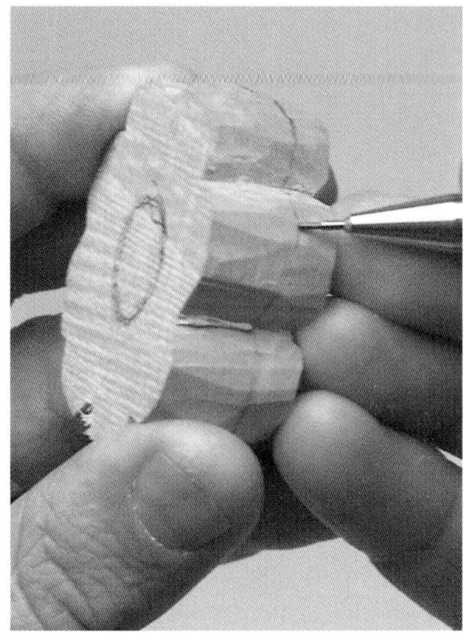

8 *Marquer le centre de la fleur à l'endos et sculpter cette partie de manière à obtenir une forme qui ressemble à un chapeau.*

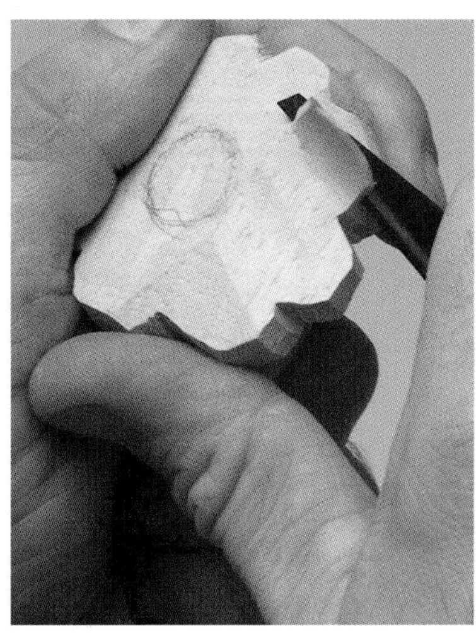

9 *Cette partie sert à situer la tige par rapport à la tête de la fleur ; faire des marques en conséquence.*

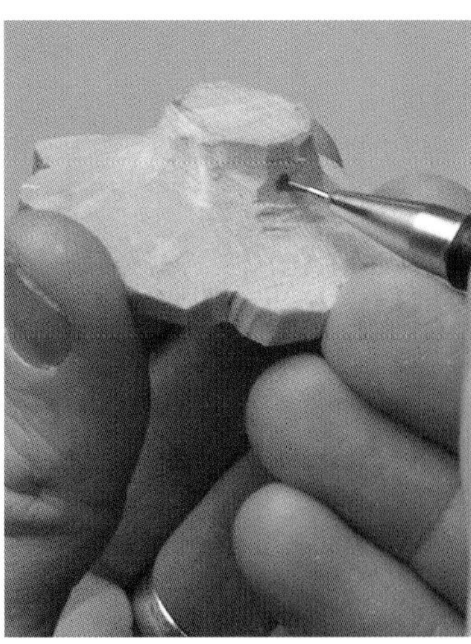

10 *Avec les patrons, créer une feuille similaire au projet précédent, mais en gravant une ligne plus prononcée au centre pour ajouter de l'intérêt. Suivre les étapes finales du projet précédent pour compléter celui-ci.*

Hibou

Les hiboux sculptés sont souvent des pièces de collection de toutes formes, tailles et couleurs, mais leur caractéristique principale demeure les yeux. Le nôtre est d'autant plus charmant qu'il regarde sur le côté.

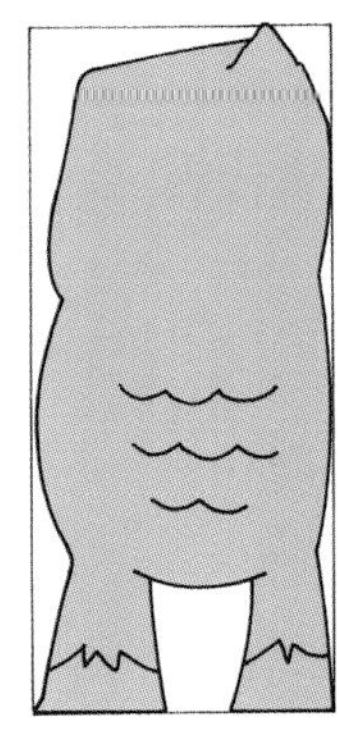

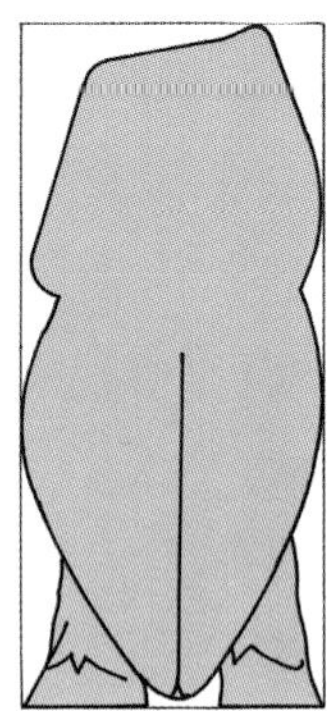

Matériel requis :

- Bloc de bois mesurant 5 x 8,2 x 3,8 cm (2 x 3¼ x 1½ po)
- Couteau
- Vernis ou peinture(s)

1 *Dessiner le contour du hibou sur le bloc de bois. Commencer à sculpter la forme des oreilles sur le dessus de la tête.*

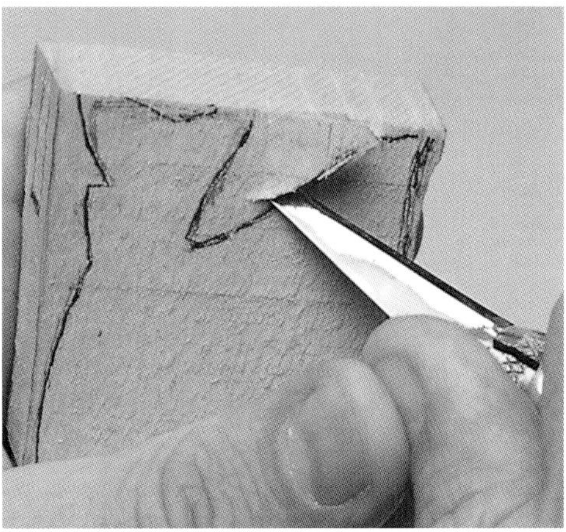

2 *Enlever du bois entre le talon et le devant de la queue. Quelques traits de scie peuvent faciliter la tâche.*

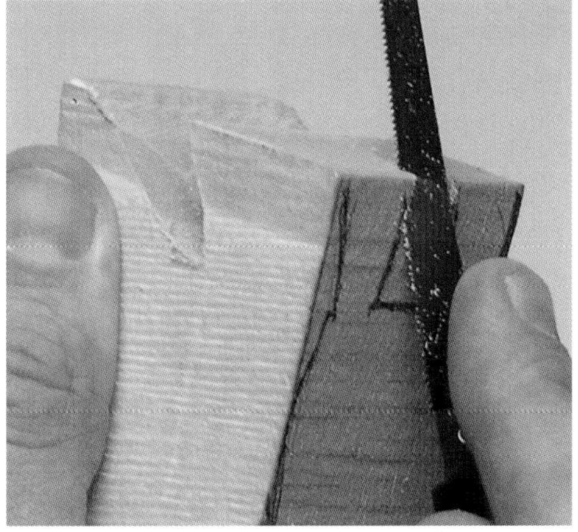

3 *Enlever du bois entre la patte et le devant du corps. Encore une fois, une scie peut s'avérer utile.*

4 *Enlever du bois entre les pattes jusqu'à l'obtention d'un angle approprié de la poitrine à la queue.*

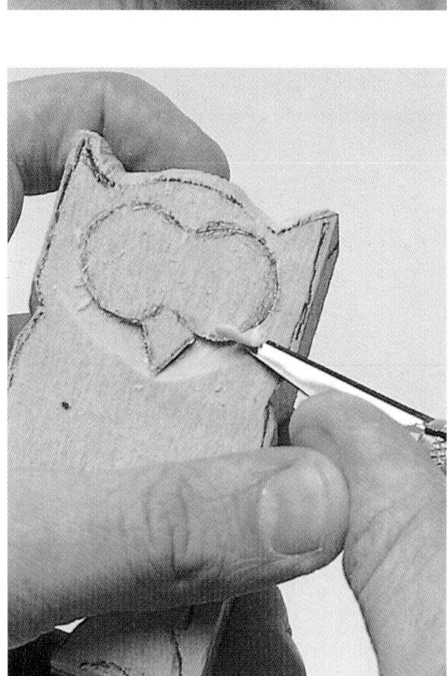

5 *Tracer le contour des yeux et du bec avec le crayon, graver les lignes avec le bout du couteau et enlever du bois autour de ces traits coupés.*

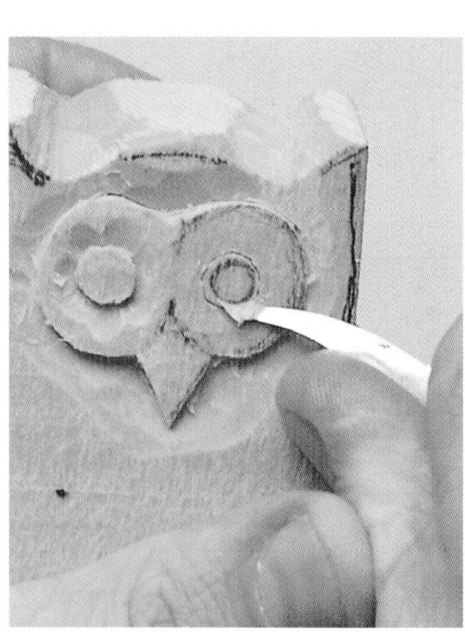

6 *Consulter le patron et tracer l'intérieur des yeux. Graver le long de ces lignes et enlever davantage de bois à l'extérieur des yeux.*

7 *Façonner les oreilles vers l'extérieur de la tête, ensuite le dessus de la tête vers le devant pour suivre le contour des yeux.*

8 *S'assurer que les pattes soient tracées sur le bloc et les sculpter pour créer le profil de face.*

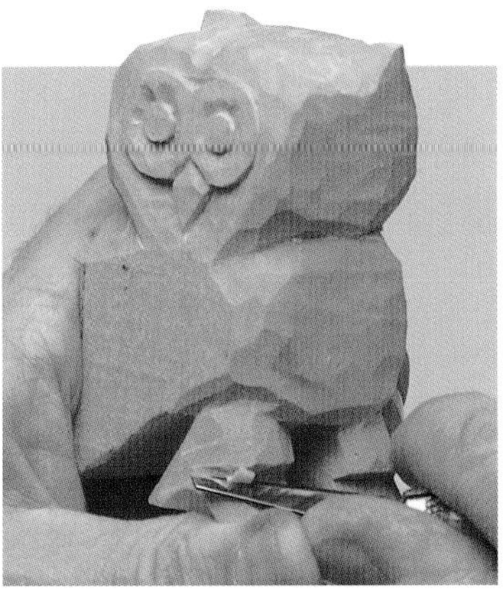

9 *Travailler sur les pattes pour créer un effet de plumes dans le bas.*

10 *Dans le dos du hibou, créer la forme de la vue arrière décrite sur le patron.*

11 *En regardant le patron, dessiner des plumes sur le côté des ailes.*

12 *Graver ces lignes avec le bout du couteau et enlever du bois juste en bas de ces traits.*

13 *Compléter en gravant les pupilles qui regardent vers le côté.*

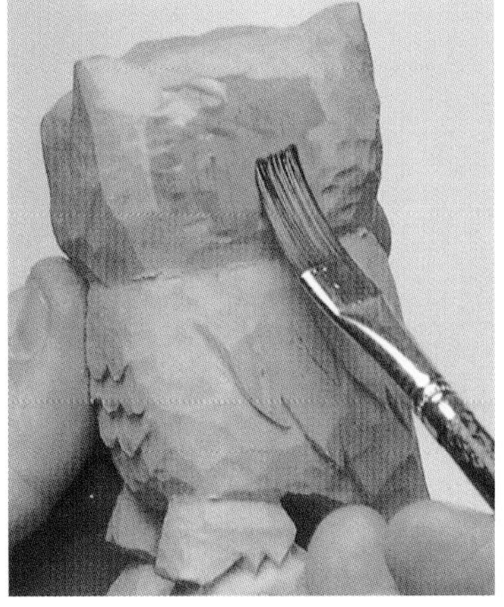

14 *Vernir ou peindre.*

Bottine

La bottine est très populaire auprès des sculpteurs. Elle peut tout simplement servir d'élément de décoration ou, si l'on sculpte suffisamment l'ouverture, servir à déposer des fleurs séchées ou à ranger des petits objets parfois difficiles à trouver, comme des trombones.

Matériel requis :

- Bloc de bois mesurant 9,5 x 5 x 3,8 cm (3¾ x 2 x 1½ po)
- Couteau
- Perceuse (facultatif)
- Cire à chaussures brune

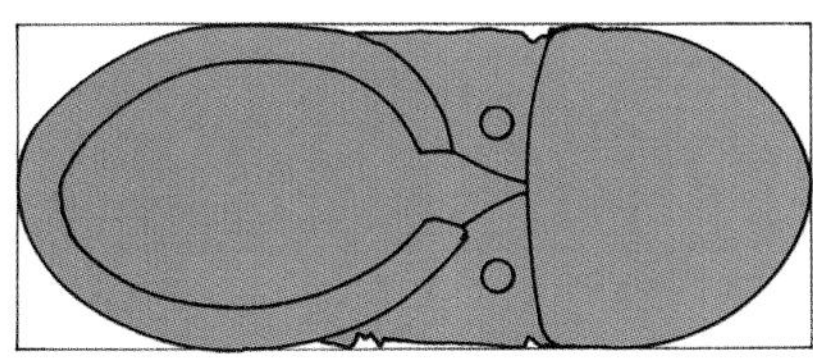

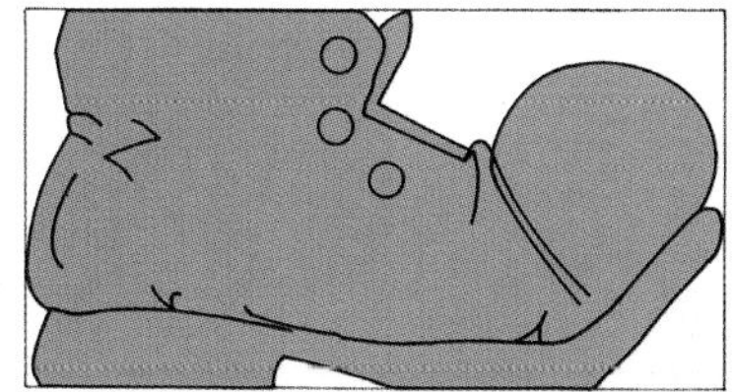

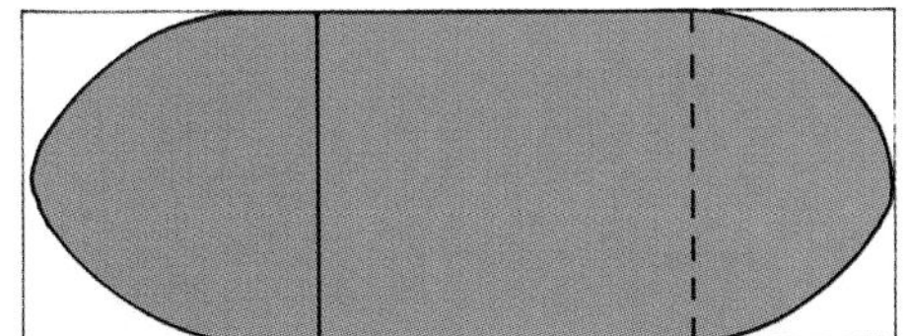

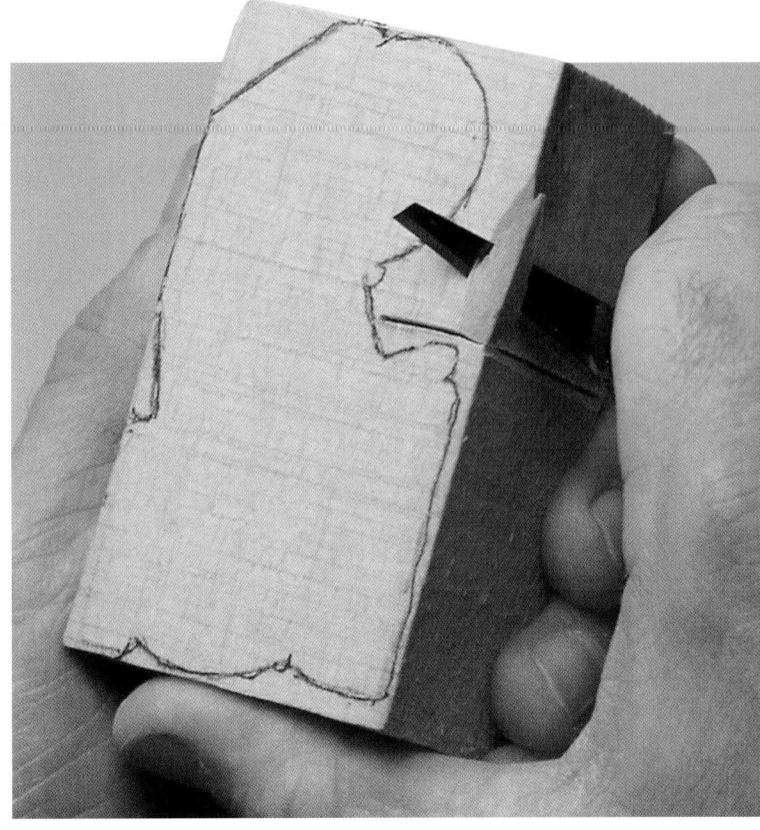

1 *Transférer le patron sur le bloc de bois et commencer à sculpter le dessus du bout de la bottine. Une coupe à la scie devant la cheville peut faciliter la tâche.*

2 *Continuer à façonner le bout.*

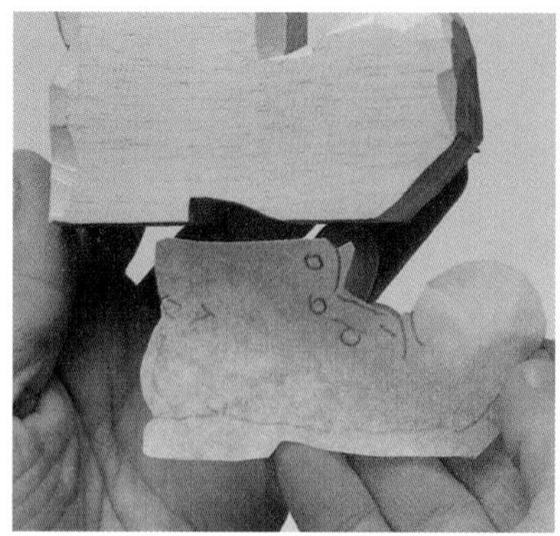

3 *Comparer le patron de la vue latérale au travail effectué et finir la forme.*

4 *Tracer le dessous et commencer à le sculpter.*

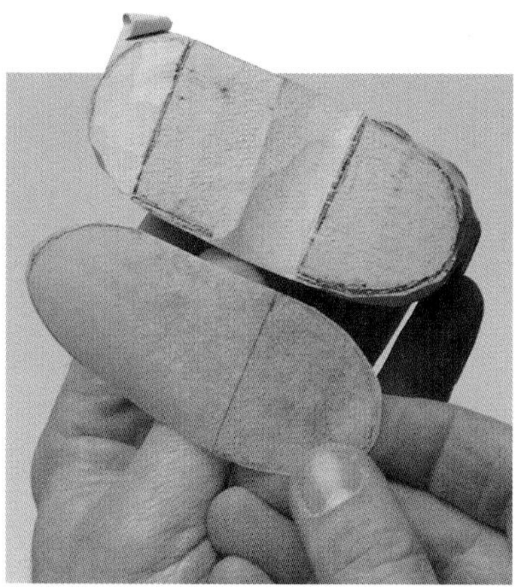

5 *Comparer les progrès au patron.*

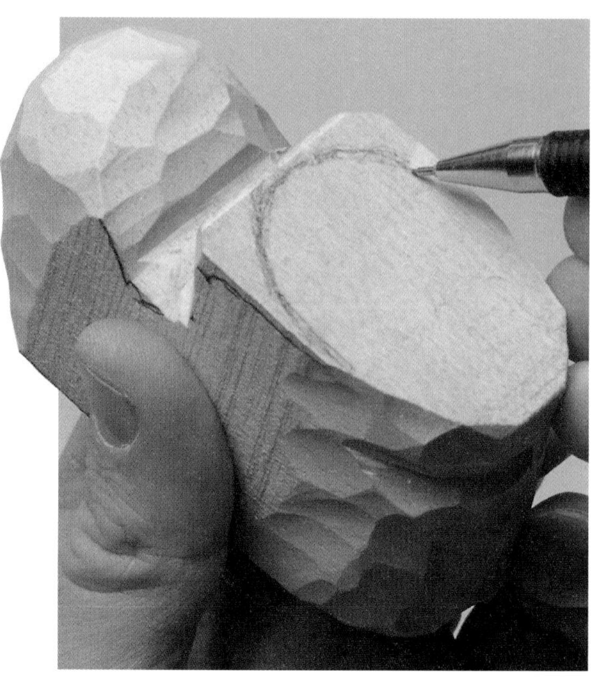

6 *Pour faire la cheville, utiliser le patron de la vue du dessus et tracer les lignes à sculpter.*

7 *Ensuite, tracer la semelle au crayon autour du bas de la bottine.*

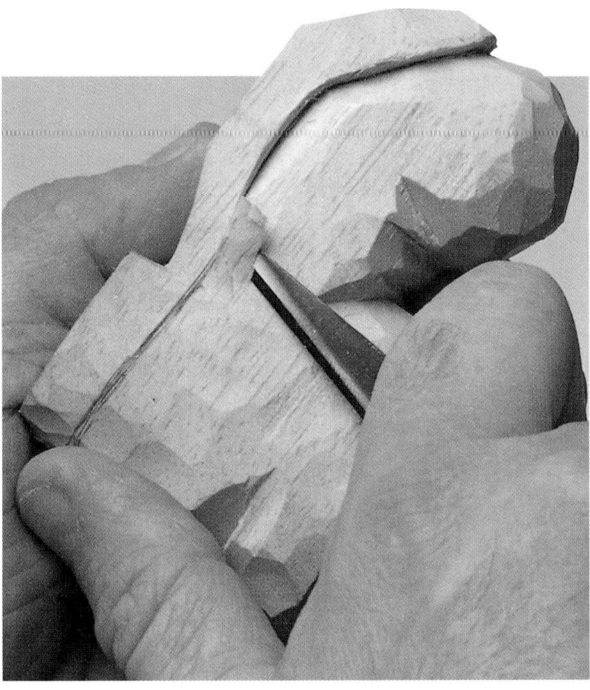

8 *Graver la ligne de la semelle avec le bout du couteau, puis enlever du bois en haut de la ligne.*

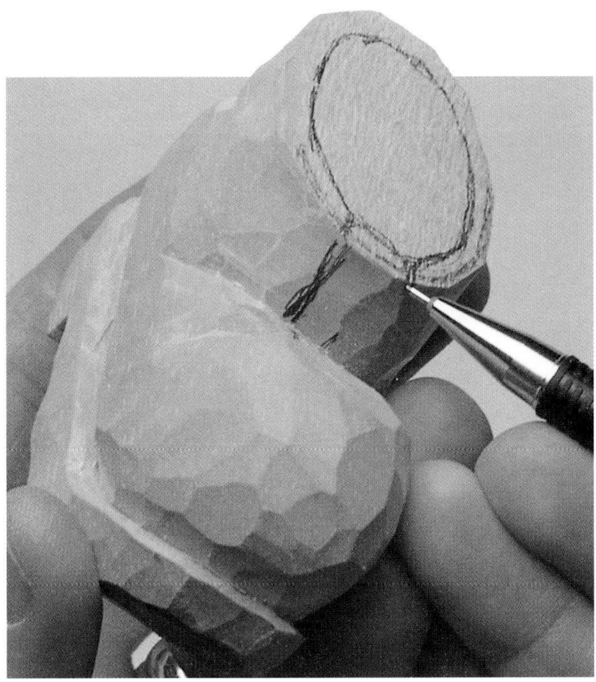

9 *Avec le crayon, tracer les lignes du devant de la cheville où le cuir se sépare. Ensuite, tracer l'épaisseur du cuir sur la cheville.*

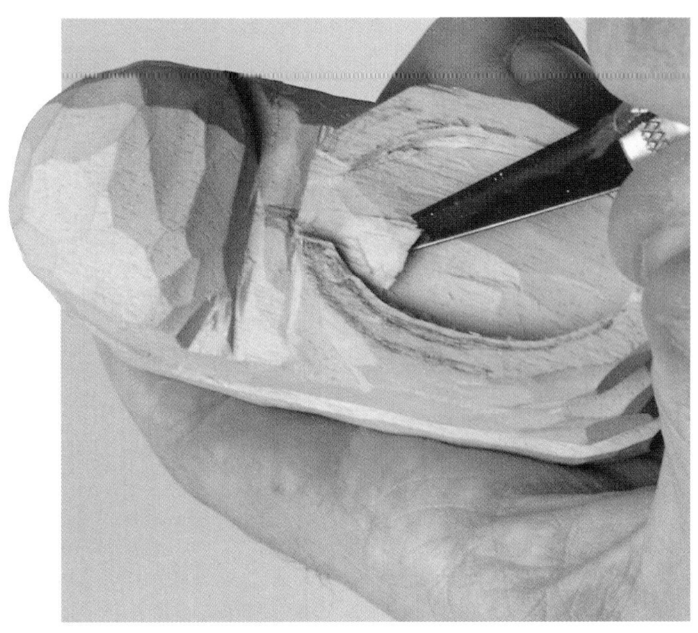

10 *Graver ces lignes et enlever le plus de bois possible à l'intérieur de la bottine.*

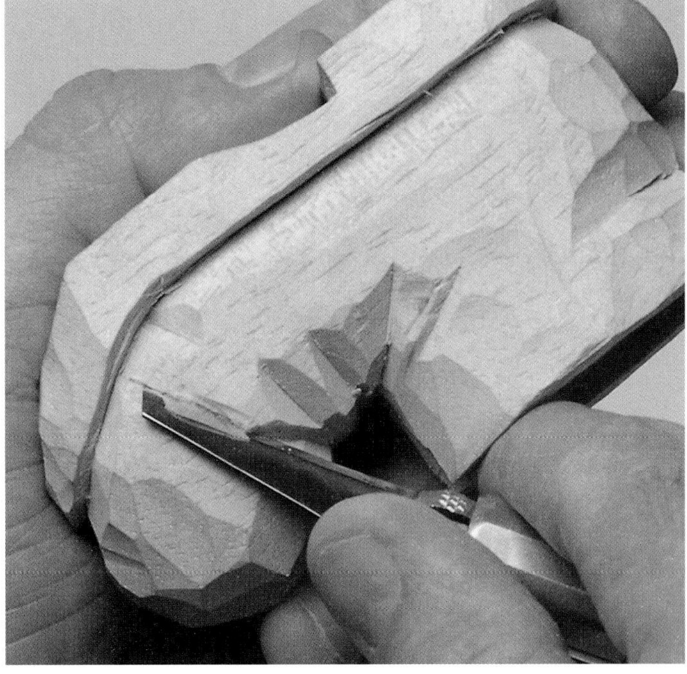

11 *Couper des marques de plis sur la bottine en se guidant avec le patron, puis travailler sur le bout.*

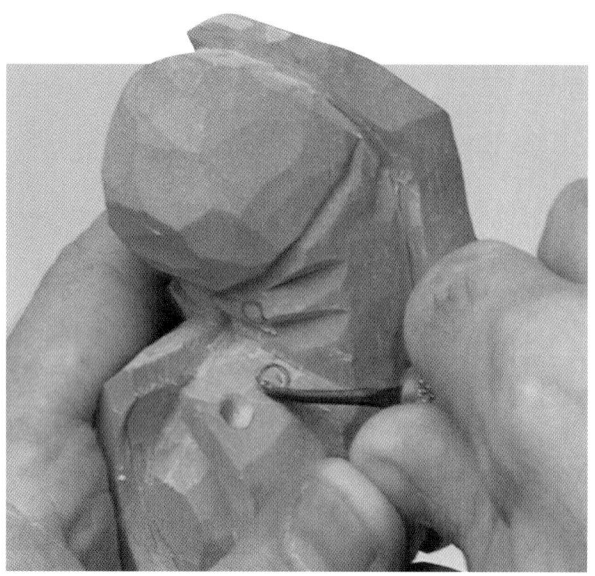

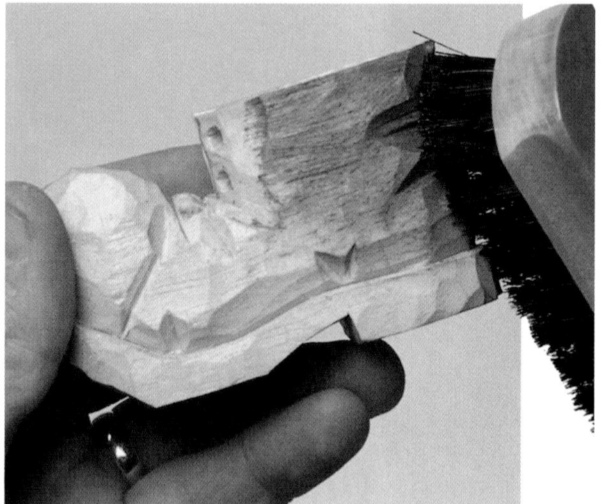

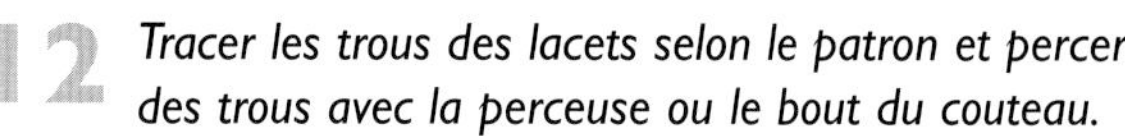

12 *Tracer les trous des lacets selon le patron et percer des trous avec la perceuse ou le bout du couteau.*

13 *Un fini inhabituel mais très original consiste à appliquer de la cire à chaussures brune qui rendra le bois plus foncé et lui donnera un beau lustre.*

Tête de clown

Sculpter un visage représente à la fois un défi et un exercice valorisant. Les visages fascinent la plupart des gens et s'ils sont sculptés efficacement, peuvent devenir des œuvres ravissantes. Toutefois, la pratique est nécessaire pour perfectionner cette technique et en ce sens, le visage du clown a été simplifié. Une fois la sculpture terminée, amusez-vous avec les couleurs !

Matériel requis :

- Bloc de bois mesurant 7,6 x 5 x 5 cm (3 x 2 x 2 po)
- Couteau
- Vernis ou peinture(s)

1 *Transférer les contours du patron sur un bloc de bois. Tracer la forme du chapeau et commencer à lui donner sa forme en sculptant de bas en haut.*

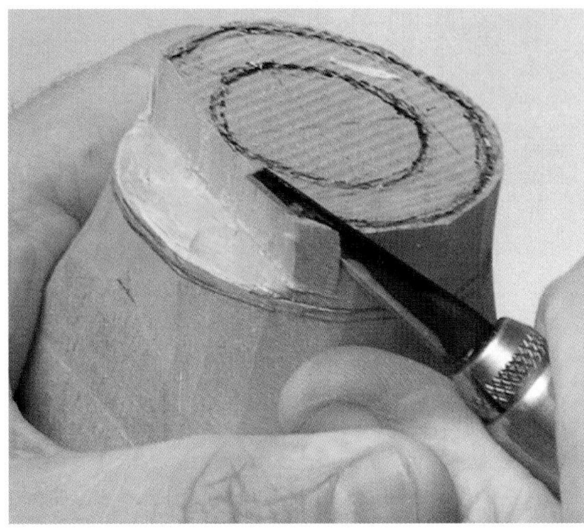

2 *Graver le long de la ligne qui forme le bord du chapeau et enlever du bois en allant vers le dessus du chapeau. Couper lentement en traversant le fil du bois.*

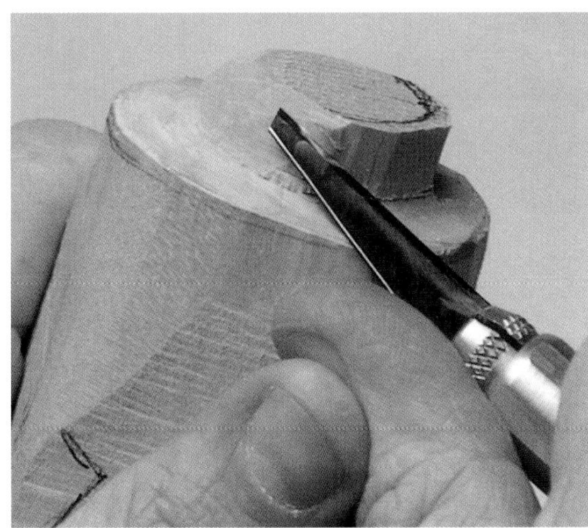

3 *Lorsque le bord est terminé, donner une forme arrondie au dessus du chapeau.*

4 *Consulter le patron et tracer à nouveau des lignes pour le plan de face sous la bordure du chapeau. Graver autour de la ligne de la bordure pour créer la chevelure tout autour de la tête, jusqu'au chapeau et jusqu'à l'obtention de la profondeur requise.*

6 *Regarder le patron et tracer le plan de face du visage, ainsi que la naissance des cheveux de chaque côté de la tête.*

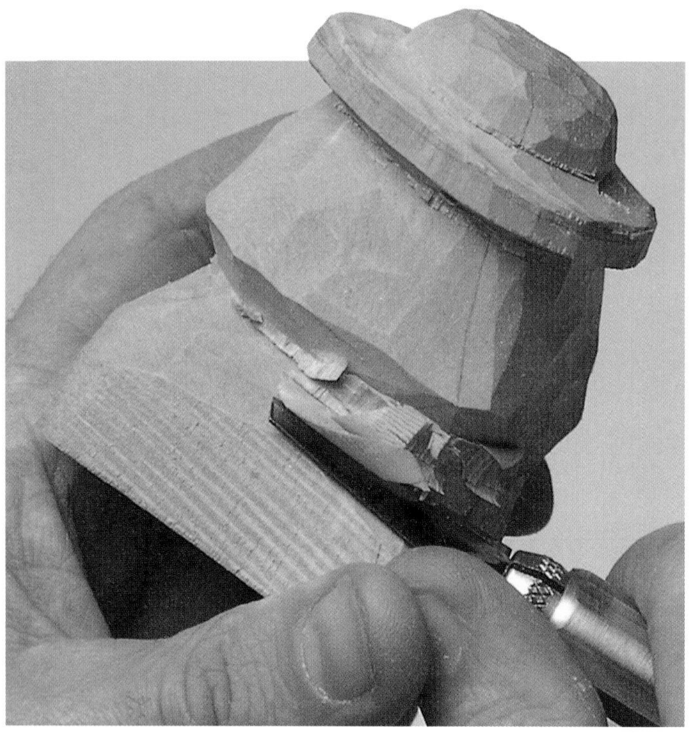

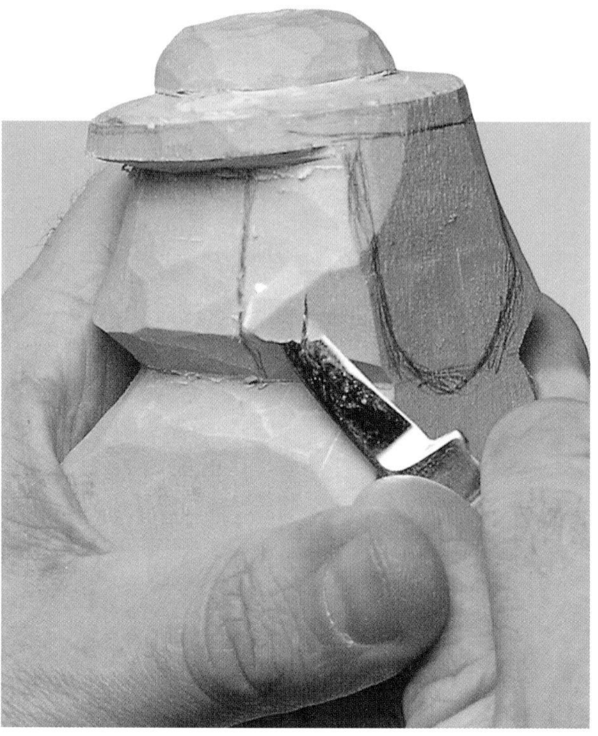

5 *Sculpter les épaules jusqu'à la base des cheveux autour du dos et des côtés.*

7 *Sculpter les cheveux tracés et enlever du bois de chaque côté, jusqu'au début de visage.*

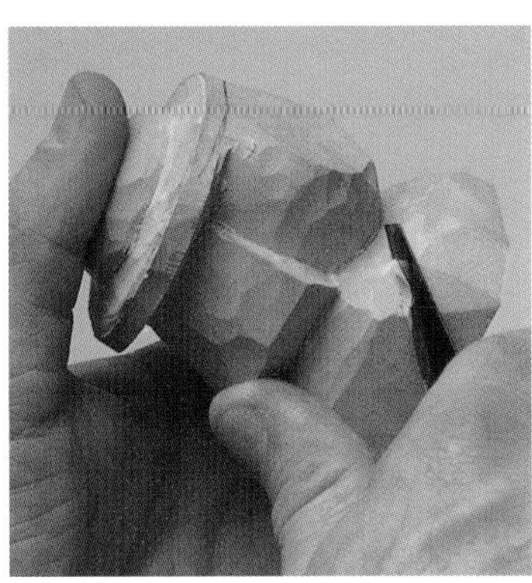

8 En consultant le patron, façonner la poitrine et les épaules jusqu'aux cheveux et au menton.

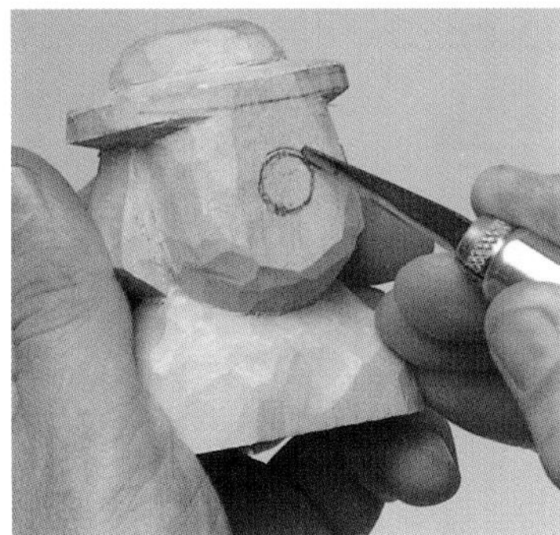

9 La forme de base de la tête est maintenant complétée. En consultant le patron, tracer le nez et le graver avec le bout du couteau.

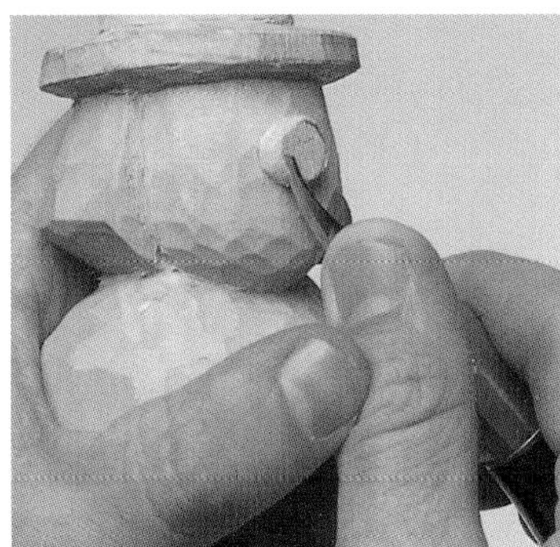

10 Enlever du bois autour du nez en répétant les gravures pour atteindre la bonne profondeur. Cette étape peut être longue car il y a une bonne quantité de bois à enlever. Attention à la bordure du chapeau.

11 Avec le crayon, dessiner une bouche plus grande que nature et des yeux comme montrés ici.

12 Graver les lignes dessinées et les élargir un peu avec le bout du couteau. Donner du relief à la bouche en sculptant le bois autour. Essayer d'arrondir les globes des yeux et de faire des plis de sourire dans le coin des yeux.

13 *Tracer les détails de la chemise et sculpter autour des lignes.*

14 *Vernir ou peindre.*

Clown complet

Ce projet vous permet d'appliquer les techniques de la création précédente en sculptant le corps complet d'un clown. Notre clown a les mains dans les poches pour vous faciliter la tâche. Le résultat final sera une figurine qui a beaucoup de style !

Matériel requis :

- Morceau de bois mesurant 5 x 5 x 17,8 cm (2 x 2 x 7 po)
- Couteau
- Vernis ou peinture(s)

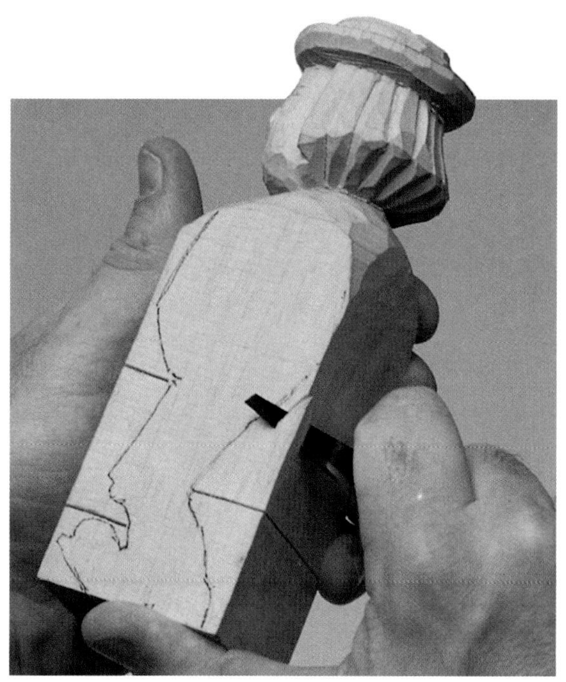

1 *Transférer les contours sur un bloc de bois. Se référer au projet précédent pour la tête et les épaules. Commencer le corps en sciant quelques traits diagonaux dans le bloc, tel que montré sur l'illustration.*

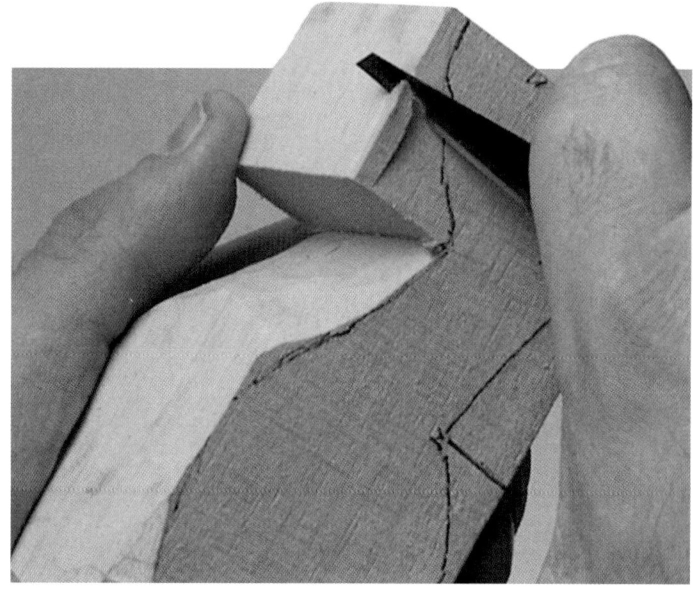

2 *Sculpter dans les traits de scie en suivant les lignes transférées à partir du patron.*

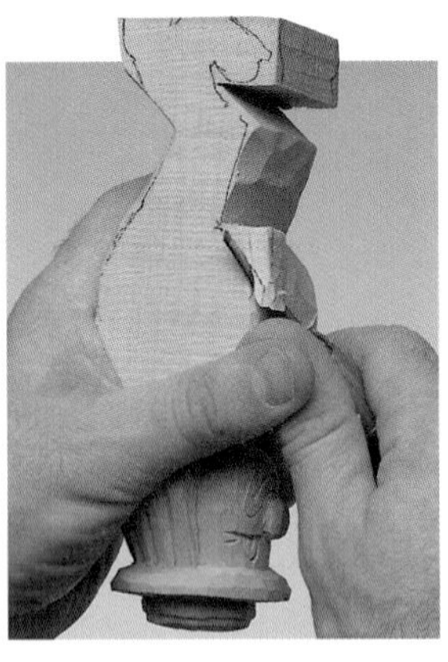

3 *Continuer pour toutes les autres parties du corps.*

4 *Utiliser les patrons pour tracer les pieds sous le bloc.*

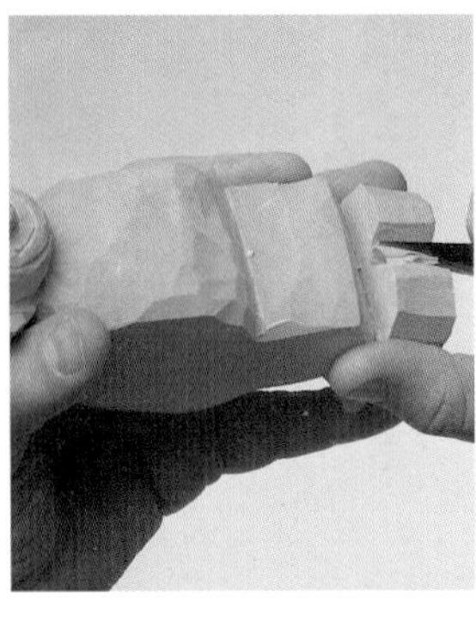

5 *Façonner les pieds selon les lignes tracées.*

6 *Utiliser le patron latéral pour bien situer les bras de chaque côté.*

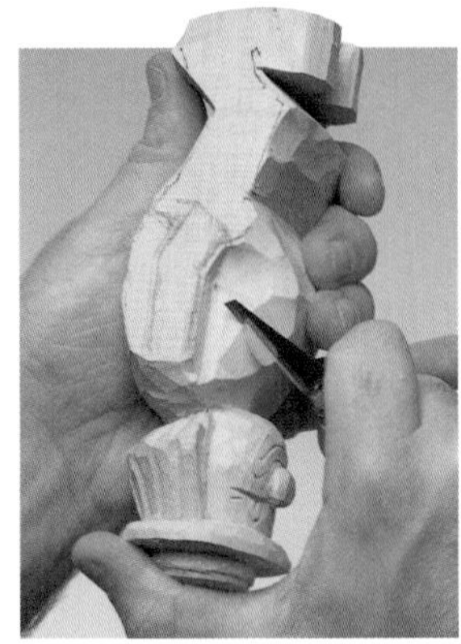

7 *Graver les bras et les poches ; enlever du bois en avant des bras.*

8 *Répéter le processus en arrière de chaque bras qui longe le corps.*

9 *Avec le patron de face, vérifier la profondeur requise pour les bras.*

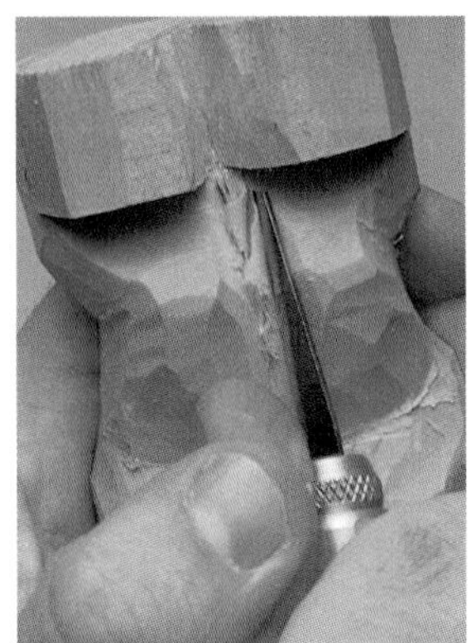

10 *Séparer chaque jambe en les alignant bien aux pieds.*

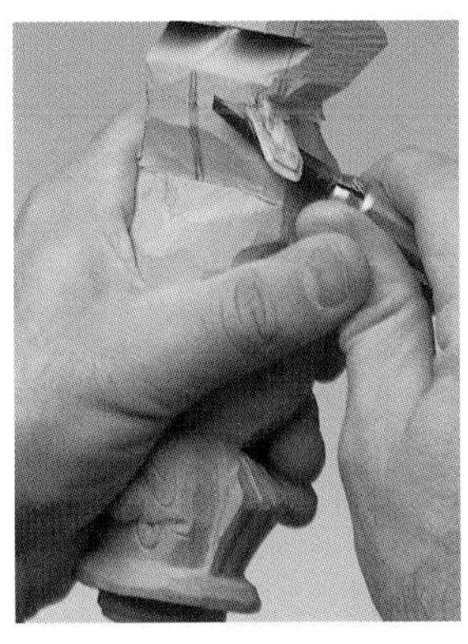

11 Commencer à former les jambes en tentant d'incorporer l'effet bouffant du pantalon.

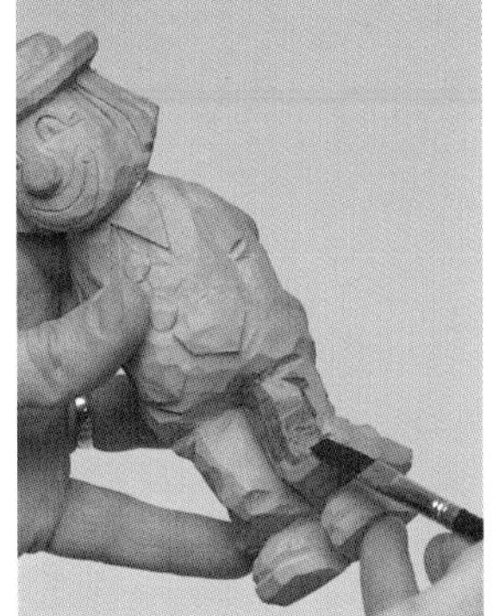

15 Vernir ou peindre.

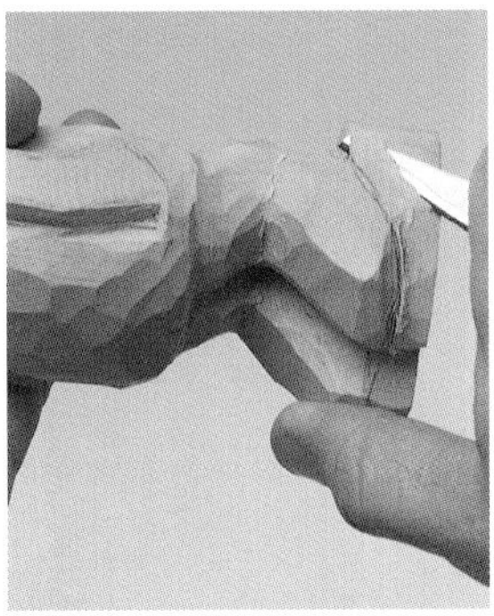

12 Tracer le bas du pantalon et graver en partant du dessus des pieds pour les préciser davantage. Consulter le patron pour terminer les pieds.

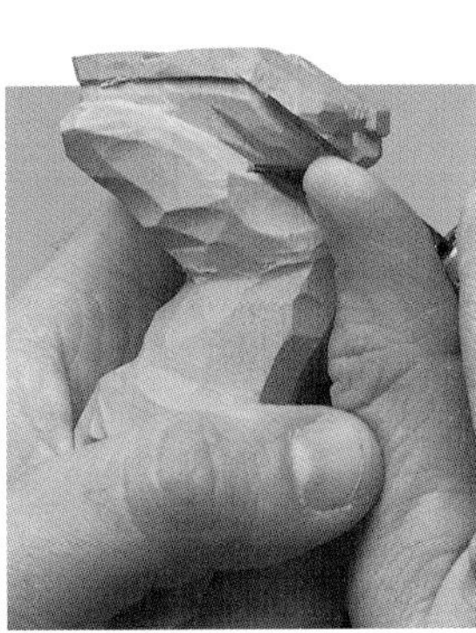

13 Tracer les semelles de chaussures, sculpter en suivant les lignes et enlever du bois au-dessus de la ligne pour les façonner plus clairement. Pour de plus amples détails sur cette partie, consulter le projet de la bottine.

14 Une fois satisfait de la forme générale du corps, commencer à sculpter les détails : le gilet, le col, les boutons, les plis, etc. Graver toutes ces lignes et sculpter jusqu'à ce que la figurine soit complète.

11 FABRICATION DE MASQUES

Les masques sont en vedette au théâtre, dans les carnavals, les rituels païens et religieux, et aussi pour le simple plaisir de se déguiser. Les acteurs et les choristes grecs portaient de gros masques à expressions très stylisées dans le but qu'elles soient bien comprises par l'auditoire. Ceux de certaines tribus d'Afrique de l'Ouest indiquaient le rang social et le peuple Kalahari confectionnait des masques effrayants pour repousser les démons. De nos jours, les masques de dragons servent toujours à éloigner les mauvais esprits en Chine.

Les masques vénitiens, inspirés de la commedia dell'arte du 16e siècle, sont toujours en vogue sous forme d'étoile, de soleil et de lune. Les demi-masques, représentant des personnages comme Pierrot et Arlequin, ne sont pas vus qu'en Italie, où ils sont nés, mais dans le monde entier.

Le but du masque consiste à se déguiser. Celui qui le porte peut agir différemment sans être reconnu ou simplement retirer du plaisir à incarner un personnage. Au 18e siècle, par exemple, des dames élégantes portaient des masques pour draguer des étrangers impunément. Les masques sont souvent menaçants, mystérieux ou amusants.

ÉQUIPEMENT ET MATÉRIEL

PAPIER ET CARTON

Le papier est un produit polyvalent. Assez fort pour être plié et plissé, on peut aussi le déchirer, le découper et le colorer de douzaines de façons.

Les masques en papier sont simples à faire, surtout par les enfants. Des assiettes en papier peuvent faire de bons masques légers et faciles à porter. Vous pouvez créer des effets intéressants avec du papier de couleur pour donner un aspect tridimensionnel. La crinière du masque du lion, par exemple, est fabriquée de bandes de papier de différentes couleurs.

PASTEL ET GOUACHE

Parfois, vous voudrez colorer la surface de vos masques d'une façon spéciale. Nous avons utilisé de la gouache et des crayons de pastel.

Il est préférable de s'exercer avec les crayons de pastel et du papier brouillon lorsqu'on les utilise pour la première fois. Combinez les couleurs sans appuyer trop fort sur les crayons. La gouache est idéale pour les enfants car ils peuvent mélanger les couleurs.

PAPIER-MÂCHÉ

Le papier mâché exige plus de temps car les couches de papier doivent sécher entre chaque application. Le papier mâché est léger, mais très durable et résistant. C'est un médium polyvalent qui s'adapte à de nombreux styles. Notre demi-masque faisant honneur à la forêt, par exemple, peut devenir un animal ou tout simplement être peint comme un masque vénitien.

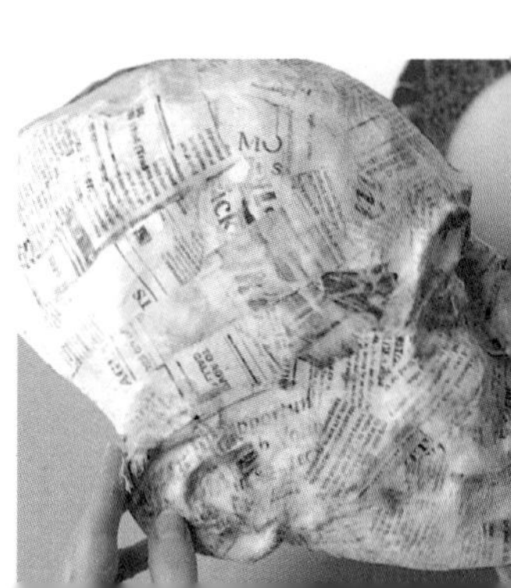

La méthode de superposition

- Déchirez des bandes de papier égales.
- Mélangez une pâte lisse de farine et d'eau ou une pâte commerciale à papier peint.
- Pour vous assurer d'avoir bien couvert le masque avec chaque couche, utilisez différentes couleurs ou placez les bandes en sens contraire.
- Attendez que la couche précédente soit bien sèche avant d'en appliquer une autre.
- •Laissez sécher le papier mâché dans une pièce chaude pendant deux heures, mais pas devant un radiateur ou un feu de foyer.

La méthode avec la pâte

- Déchirez du papier journal en petits morceaux.
- Mélangez de la pâte et trempez-y les morceaux de papier, sans les saturer.
- Tordez le papier pour enlever l'excédent de pâte et moulez à la forme désirée.
- Laissez sécher toute une nuit.

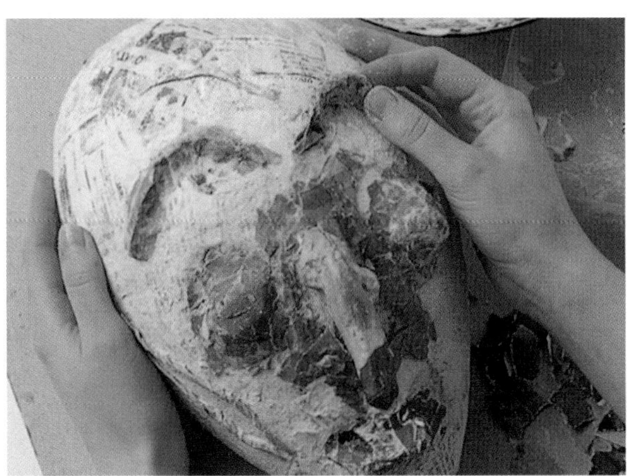

FAIRE TENIR LES MASQUES

Un ruban élastique fait généralement l'affaire, mais certains masques plus complexes nécessitent davantage. Les masques surdimensionnés doivent être renforcés de bandes de carton au-dessus et à l'arrière de la tête.

- La méthode la plus simple consiste à fixer des attaches (en plastique ou en tissu) à l'intérieur de chaque côté du masque avec du ruban adhésif solide.
- Faites un petit trou de chaque côté, insérez une bande élastique et nouez les deux bouts solidement, du côté droit.
- Faites une fente de chaque côté et enfilez les attaches à travers les fentes, par l'arrière. Avec du ruban adhésif, faites tenir les bouts des attaches, toujours à l'arrière du masque. Les attaches sortent à l'avant pour être passées autour du derrière de la tête et sont liées ensemble.
- Fixez un petit bâton à l'arrière du masque avec du ruban-cache. Ainsi, le masque peut être soulevé et baissé aisément.
- Coupez deux bandes de carton léger, une qui fait le tour de la tête et l'autre, qui va du dessus du masque jusqu'à mi-chemin du devant de la tête, pour rejoindre la première bande. Vérifiez que le masque est confortable avant d'agrafer les bandes aux bords du masque, puis l'une à l'autre.

Verres océans

Nous avons dessiné un poisson, mais vous pouvez choisir une étoile de mer, un crabe ou toute autre chose qui rappelle l'océan, comme des coquillages. Nos verres sont décorés avec des points colorés et du papier, mais rien ne vous empêche de les orner de perles et de paillettes !

Matériel requis :

- Carton de poids moyen (vert)
- Crayon
- Papier calque
- Ciseaux
- Poinçon
- Ruban adhésif
- Papier de construction de différentes couleurs
- Ronds colorés autocollants
- Stylo feutre noir
- Colle transparente tout usage
- Ciseaux à cranter

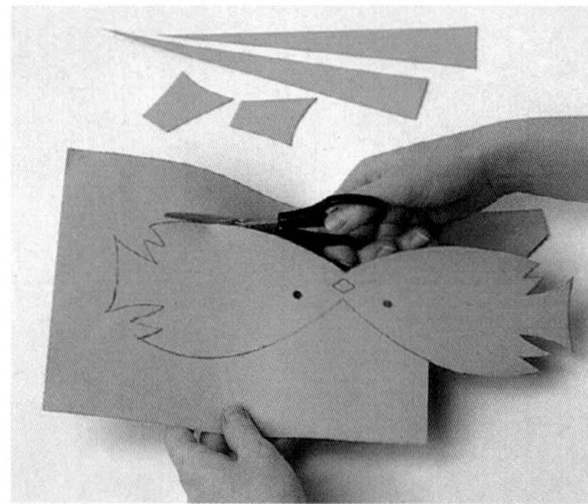

1 *Tracer l'image choisie et les côtés des verres dans du carton vert de poids moyen. Faire deux trous pour les yeux et découper les côtés.*

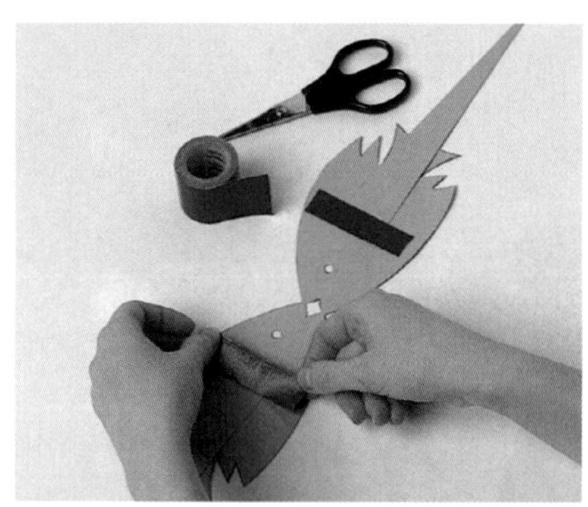

2 *Tourner la forme et fixer les côtés avec du ruban adhésif.*

3 *Sur les nageoires découpées, coller des bandes de papier coloré et des ronds autocollants. Au centre des ronds, ajouter des points noirs avec le stylo feutre.*

4 *Découper une fente pour insérer les nageoires et les plier le long de la fente. Mettre de la colle sur le petit rabat et fixer les nageoires.*

5 *Coller un rond autocollant noir au centre d'un plus gros rond blanc et percer un trou au milieu.*

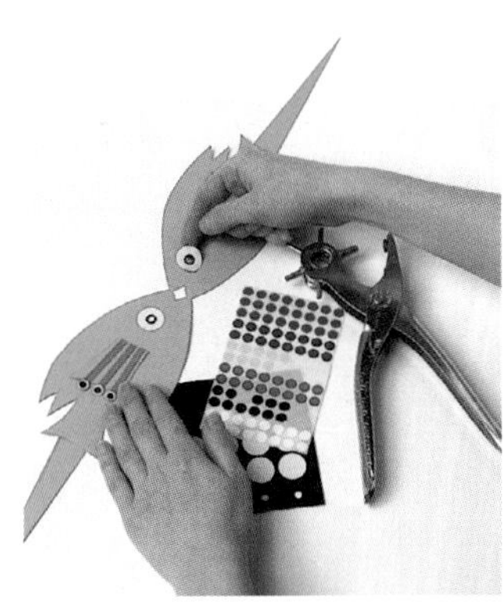

6 *Placer ce rond sur l'un des trous pour les yeux. Répéter pour l'autre œil.*

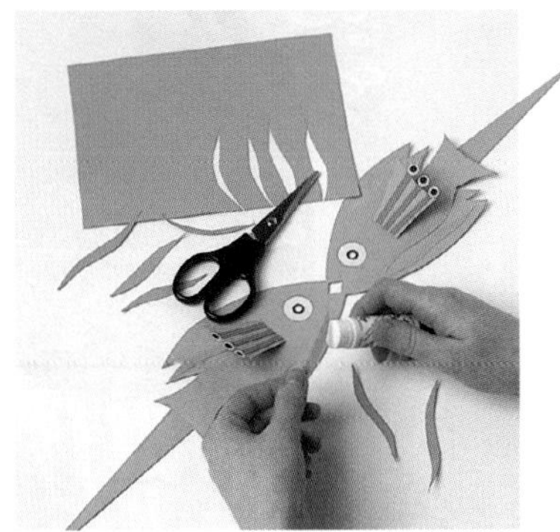

7 *Découper des arcs dans du papier de couleur (nous avons choisi turquoise) et les coller tel que montré sur l'illustration.*

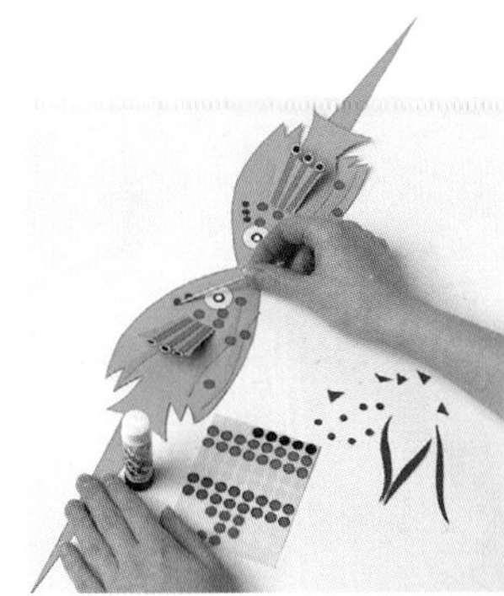

8 *Découper d'autres lignes courbées dans du papier de couleur contrastante (nous avons choisi bleu foncé) et les coller en place, avec d'autres ronds autocollants. Un cure-dent peut être utile pour appuyer sur les ronds.*

9 *Découper des morceaux cunéiformes dans du papier bleu pâle avec les ciseaux à cranter pour une belle bordure dentelée, et coller des triangles de papier bleu foncé au centre de chacun.*

10 *Coller ces motifs bleus sur la queue des poissons.*

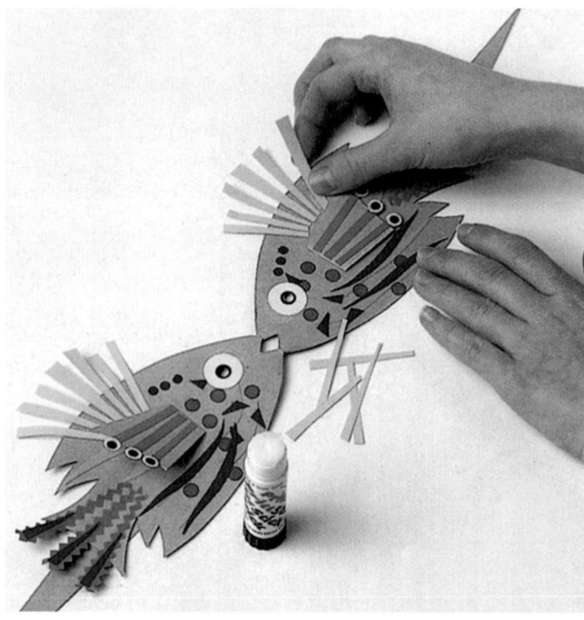

CONSEIL

- Vous pouvez acheter des ronds autocollants (ou toute autre forme) qui sont déjà en couleurs, mais en risquant d'en utiliser seulement une partie. Choisissez plutôt les autocollants blancs que vous pourrez peindre selon vos besoins. Appliquer la peinture avant de décoller le motif de sa feuille protectrice pour pouvoir le peindre sans laisser de blanc. Si vous le collez avant, il sera difficile de le colorer sans toucher à la surface de base.

11 *Découper des bandes de papier jaune longues et étroites et les coller au-dessus des nageoires.*

Demi-masque

Ce demi-masque spectaculaire, en carton de poids moyen, a été coloré avec des crayons de pastel. Nous avons fait deux patrons, un masculin et un féminin. Vous pouvez utiliser le dessin de base et changer ensuite les cheveux et le chapeau pour un effet totalement différent. Pour vous informer sur les costumes et uniformes d'époque, n'hésitez pas à consulter des livres spécialisés.

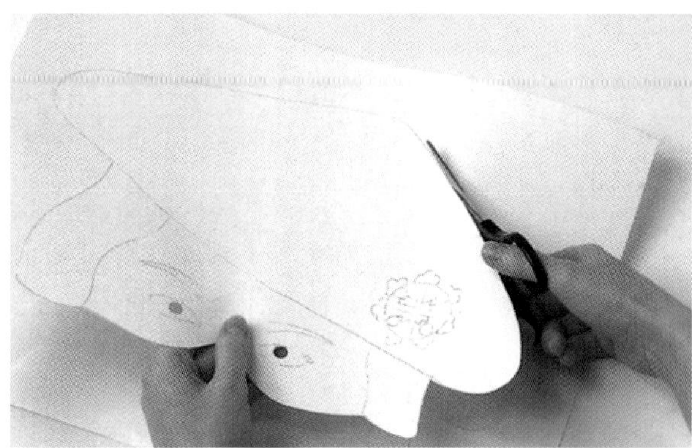

1 *Transférer le dessin du patron sur du carton blanc et découper le contour.*

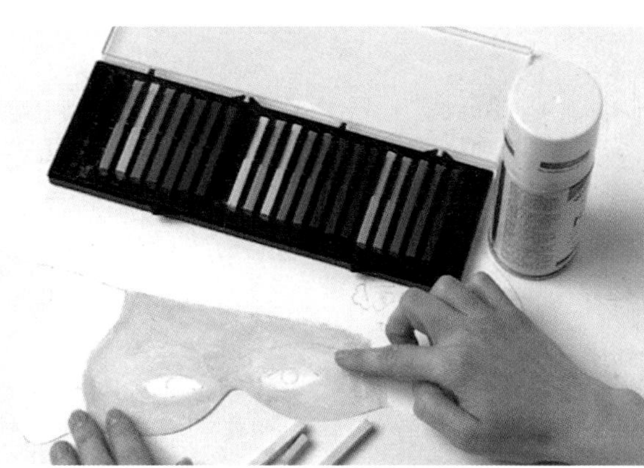

2 *Prendre quelques pastels de couleur chair et colorer le visage. Mélanger les couleurs en les frottant délicatement avec un doigt.*

Matériel requis :

- Carton de poids moyen
- Crayon
- Papier calque
- Ciseaux
- Crayons de pastel
- Fixatif
- Crayon noir
- Couteau d'artiste
- Galon croisé
- Ruban adhésif
- 2 plumes d'autruche

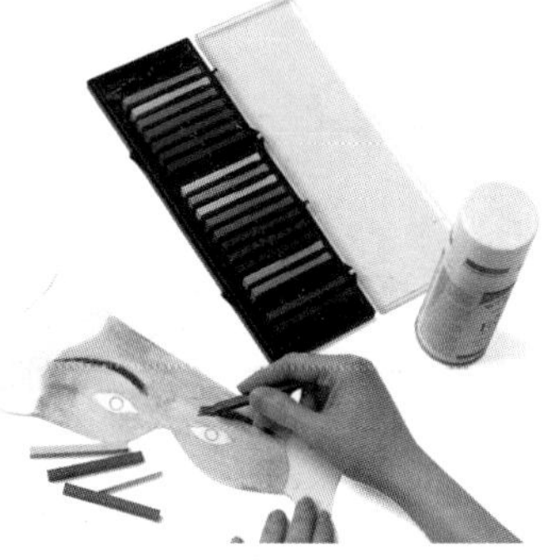

3 *Dessiner les sourcils avec un crayon de pastel brun et les tempes avec du rose foncé. Vaporiser un peu de fixatif.*

CONSEIL

- Les demi-masques déguisent partiellement car la bouche et le nez sont visibles. Essayez de le faire correspondre à la couleur de peau de la personne qui le portera.

4 *Utiliser plusieurs nuances de brun pour les cheveux. Colorer le chapeau tel que montré sur l'illustration.*

5 *Faire des trous pour les yeux avec le couteau. Couvrir le masque avec une feuille pour ne pas barioler les couleurs.*

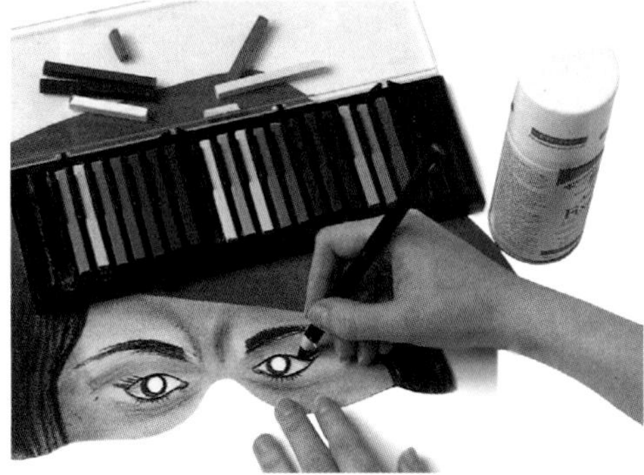

6 *Colorer le tour des yeux avec un crayon noir et ombrer les endroits plus foncés sur le visage. Finir les cheveux en appliquant de la couleur avec les doigts, puis vaporiser du fixatif.*

7 *Terminer le chapeau avec des nuances orangées.*

8 *Vaporiser du fixatif sur le masque et laisser sécher.*

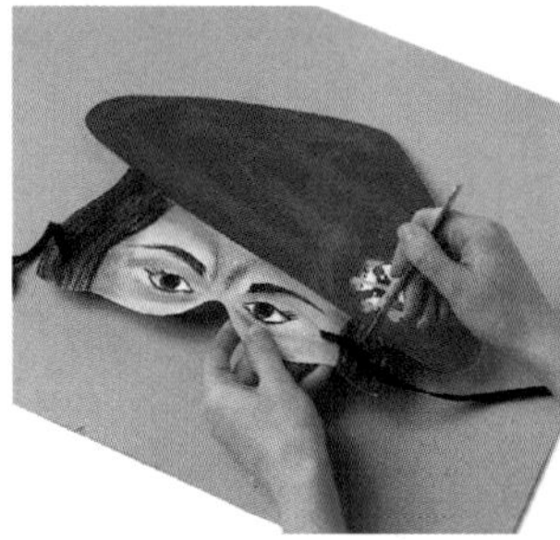

9 *Avec le couteau, faire une petite fente de chaque côté, dans la région des cheveux, et y glisser du galon croisé jusqu'à l'arrière.*

CONSEIL

- Notre galon croisé était noir en raison de la couleur foncée des cheveux. Si vos cheveux sont plus pâles, agencez la couleur du galon en conséquence.

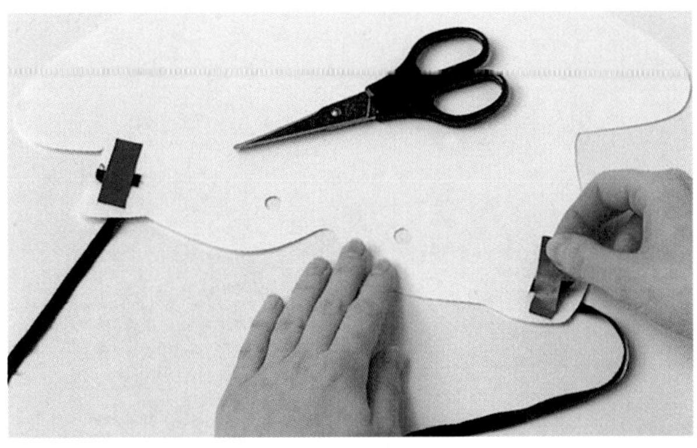

10 *Tourner le masque et solidifier le galon croisé avec du ruban adhésif fort.*

11 *Coller deux plumes ensemble et les fixer à l'arrière du masque avec du ruban adhésif fort.*

Masque de lion

Vous aurez besoin de papier, de carton et de crayons de pastel pour fabriquer ce masque assez simple, même s'il semble compliqué. Sa fabrication exige plus de temps que le projet précédent parce que la crinière du lion est composée de nombreuses bandes de papier. Même si la crinière peut être faite de manière plus simple, c'est toutefois son côté élaboré qui donne vie à ce masque.

Matériel requis :

- Carton de poids moyen (brun)
- Crayon
- Papier calque
- Ciseaux
- Poinçon
- Crayons de pastel
- Fixatif
- Colle transparente tout usage
- Crayon noir
- Papier de poids moyen, quatre nuances de brun à beige
- Papier léger (blanc)
- Ronds autocollants (blancs et jaunes)
- Galon croisé ou élastique

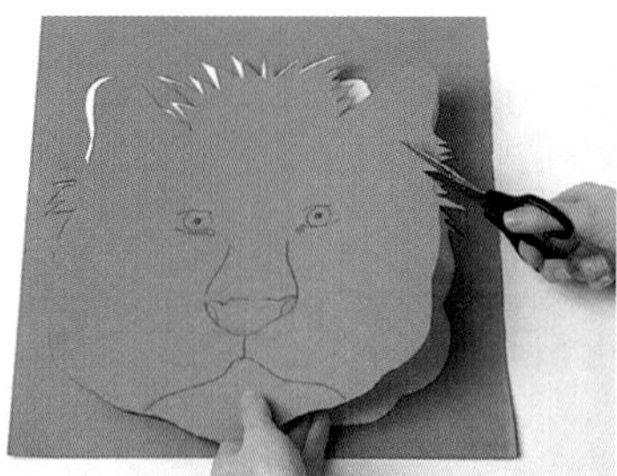

1 *Transférer le contour du dessin sur du carton brun et découper la forme.*

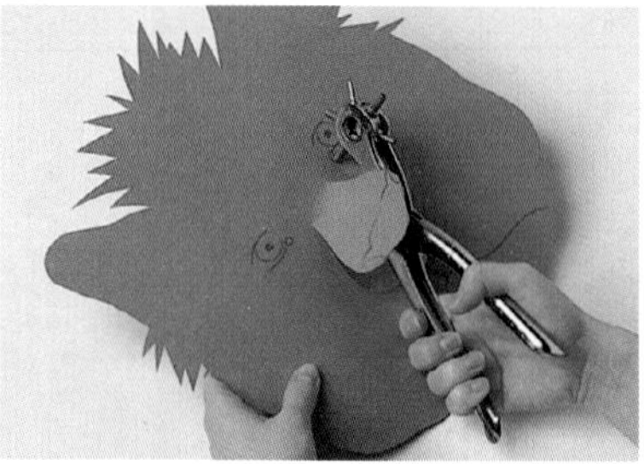

2 *Couper le museau et poinçonner les trous pour les yeux (pour voir de l'intérieur).*

3 *Avec les crayons de pastel bruns, jaunes et beiges, colorer et ombrer le visage du lion.*

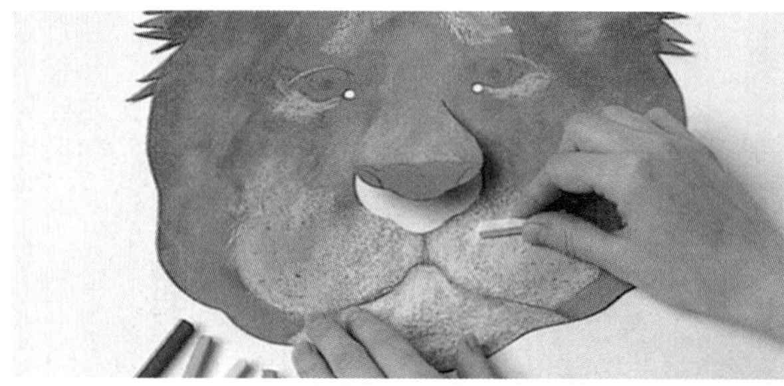

4 *Mettre du blanc autour de la bouche, des yeux et des sourcils. Mélanger les couleurs en les frottant avec un doigt. Vaporiser du fixatif et laisser sécher.*

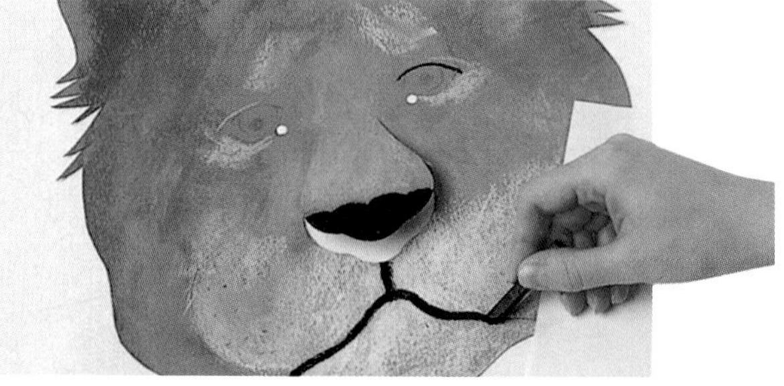

5 *Avec le crayon de pastel noir, définir les lèvres et les narines.*

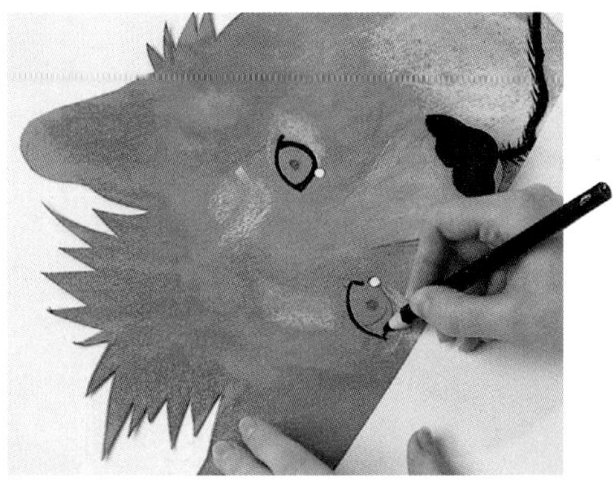

6 *Protéger les couleurs appliquées en travaillant avec la main appuyée sur une feuille. Tracer le contour des yeux en noir.*

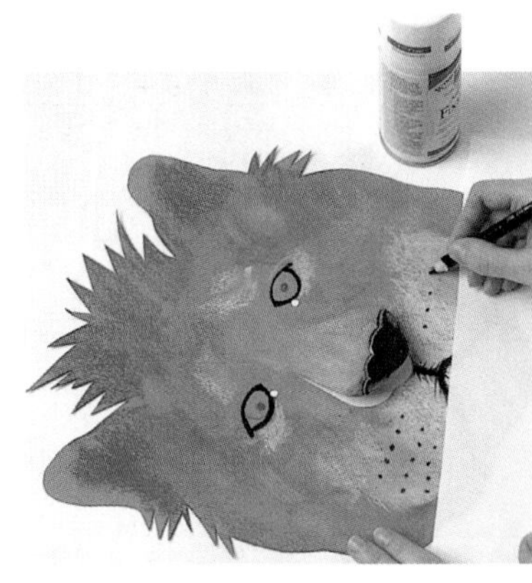

7 *En se guidant sur l'illustration, faire plusieurs petits points noirs autour du museau. Vaporiser du fixatif à nouveau et laisser sécher.*

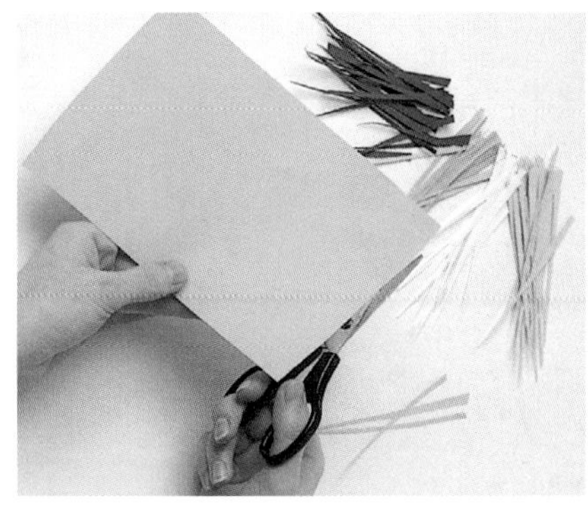

8 *Découper des bandes étroites de papier coloré, finissant en pointes, pour le dessus de la tête.*

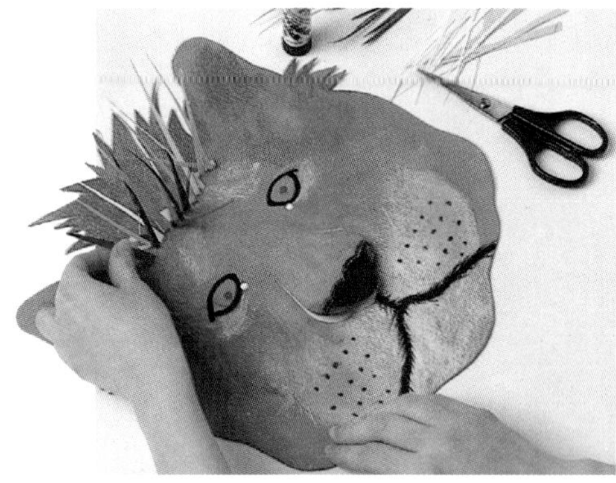

9 *Commencer à coller les bandes sur le dessus du masque pour créer la forme de la tête, en ajoutant d'autres bandes brunes et jaunes.*

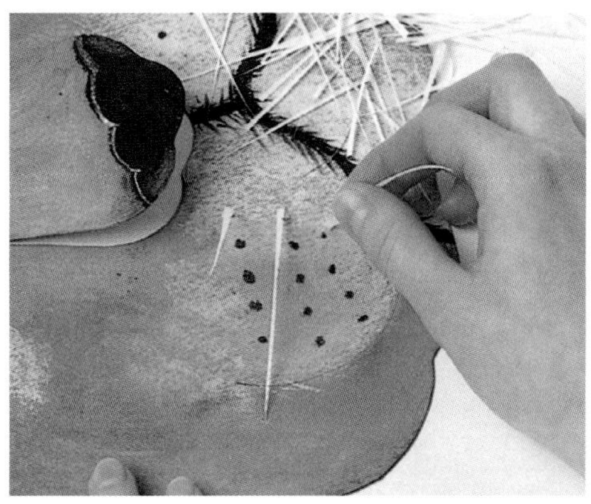

10 *Découper des bandes de papier blanc pour les moustaches et le menton, et les coller.*

11 *Découper des bandes plus longues pour les côtés.*

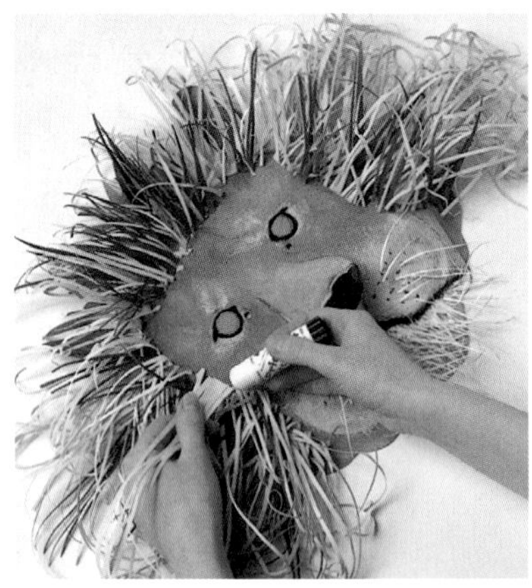

12 *Découper quelques bandes d'environ 2,5 cm (1 po) de large et les franger jusqu'à 1 cm (½ po) du bord. Coller l'extrémité non frangée sur chaque côté du visage.*

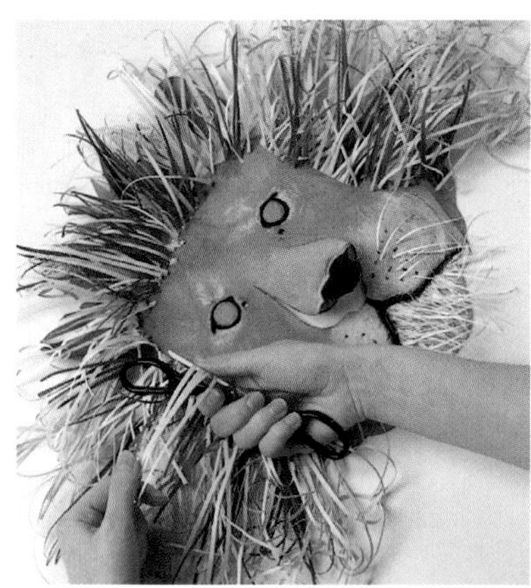

13 *Lorsque la colle est sèche, friser délicatement les franges en les frottant avec une lame de ciseaux contre le pouce.*

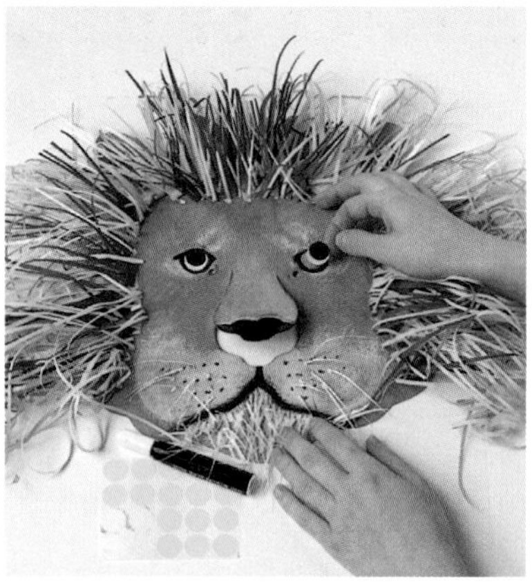

14 *Ajouter un rond noir autocollant sur un rond jaune plus gros pour chaque œil et les coller en position.*

MASQUE DE MÉDUSE

Ce masque s'inspire de la légende de Méduse, un monstre de la mythologie grecque dont la chevelure était en serpents vivants. Ce masque en papier et en carton demande un peu de patience et de technique pour appliquer la peinture sur le visage et coller les cheveux.

Matériel requis :

- Carton léger
- Crayon
- Papier calque
- Couteau d'artiste
- Ciseaux
- Colle transparente tout usage
- Peintures (rouge, vert et jaune)
- Brosse à dents
- Pinceaux (petit et gros)
- Papier blanc
- Papier noir
- Ruban adhésif fort
- Ronds autocollants
- Poinçon

1 *Transférer les contours du masque sur le carton et découper les formes soigneusement.*

2 *Avec le couteau, faire une fente pour la bouche.*

3 *Découper des lignes selon le patron et former la partie du dessus en pliant, en joignant et en collant les différentes parties pour obtenir un effet tridimensionnel.*

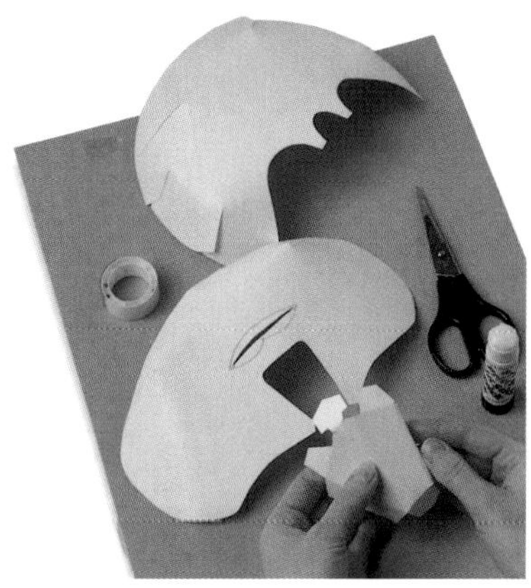

4 *Répéter pour la partie du bas. Plier et coller le nez le long des lignes montrées sur le patron. Ne pas coller sur le masque.*

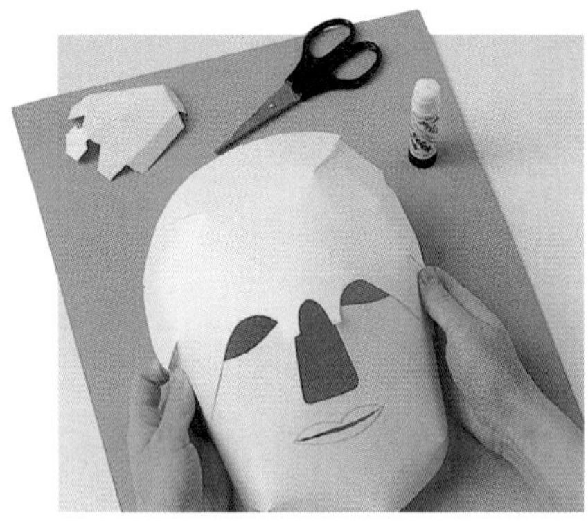

5 *Faire correspondre la partie du bas à celle du haut et les coller ensemble. Laisser sécher.*

6 *Avec la brosse à dents, éclabousser de la peinture rouge sur toute la surface du masque et du nez.*

7 *Répéter avec la peinture verte, cette fois avec un pinceau large.*

8 *Répéter avec le jaune et la brosse à dents jusqu'a ce que le masque et le nez soient couverts de couleurs.*

9 *Serpents : sur du papier blanc et léger, dessiner au crayon un cercle à main levée et les contours de chaque serpent en suivant le patron. Les parer de formes et de couleurs pour créer des textures variées.*

10 *Découper les serpents en suivant la ligne de crayon, sans les faire exactement pareils.*

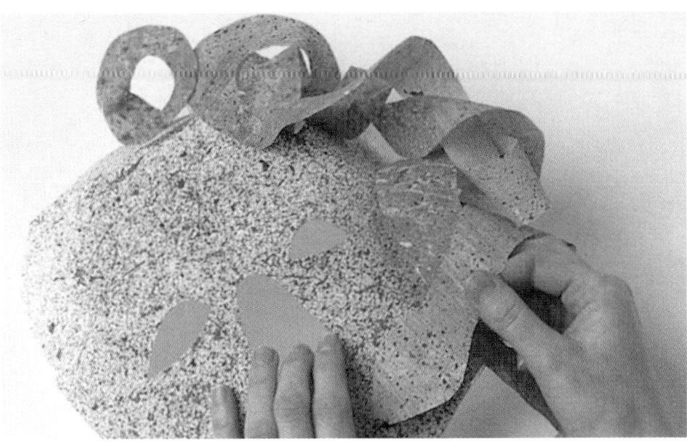

11 *Coller les serpents sur le masque en les entrecroisant pour qu'ils aient l'air vivant. Laisser paraître quelques têtes et queues.*

12 *Avec un petit pinceau, peindre des détails blancs sur les têtes des serpents. Puis, en noir ou brun, peindre leurs yeux et les sourcils de la méduse.*

13 *Peindre la bouche de la méduse en rouge foncé.*

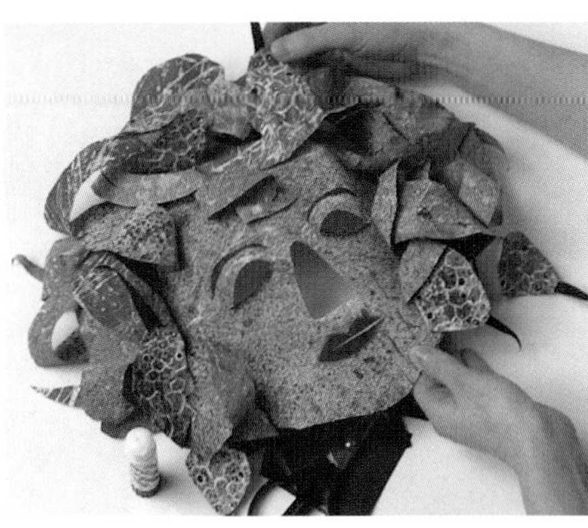

14 *Découper des petites bandes de papier noir en forme de langues de serpents et les coller.*

15 *Placer le nez et le fixer par l'arrière du masque avec du ruban adhésif.*

16 *Faire un trou au centre d'un rond autocollant et le placer dans le trou de l'œil. Répéter pour l'autre œil.*

DEMI-MASQUE « FORÊT »

Voici le masque parfait pour quiconque marche dans la forêt et ramasse des trésors laissés par la nature. Sa base est en papier mâché, monté sur un moule en pâte à modeler, et il est garni de feuilles et de fruits. Il doit son air somptueux aux nuances d'or, de bronze et d'argent.

CONSEIL

- Si vous n'aimez pas travailler avec du papier mâché ou n'avez pas de temps à consacrer au façonnage de l'argile ou de la pâte à modeler, suivez les directives du demi-masque à plumes de la page 361... en omettant le bec !

Matériel requis :

- Crayon
- Papier calque
- Carton léger
- Argile à modeler
- Papier journal et pâte pour le papier mâché
- Couteau d'artiste
- Ciseaux
- Élastique
- Peinture en aérosol de chaque couleur (or, argent et bronze)
- Choix de feuilles et fruits séchés, noix, etc.
- Colle transparente tout usage

1 *Tracer le patron et le transférer sur un carton.*

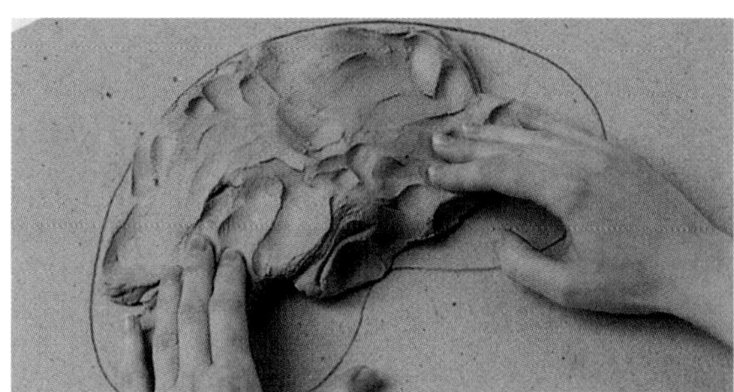

2 *Mouler la forme avec de l'argile à modeler. Créer un effet tridimensionnel autour du nez. Lisser et raffiner le contour des yeux.*

3 *Réchauffer l'argile à modeler avec les paumes.*

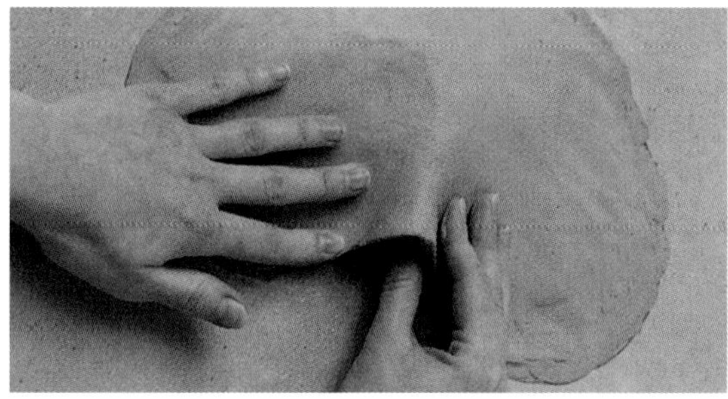

4 *Finaliser le nez et lisser l'argile qui l'entoure. Laisser sécher le moule pendant 24 heures.*

5 *Mélanger la pâte jusqu'à consistance lisse. Y tremper des bouts de papier journal et coller une première couche de papier mâché sur le moule en argile. Tordre les bouts de papier pour enlever le surplus de pâte avant de les placer, afin d'écourter le temps de séchage.*

6 *Laisser sécher le masque dans une pièce chaude pendant 2 à 3 heures. Répéter le procédé jusqu'à l'application de quatre couches de papier mâché. Laisser sécher le masque complètement avant de le retirer du moule.*

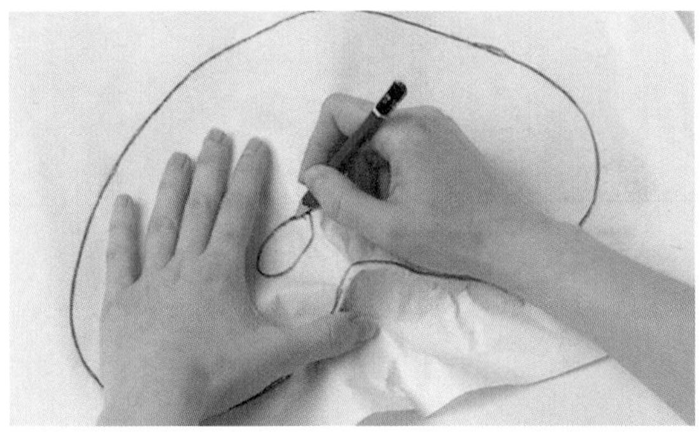

7 *En consultant le patron, dessiner et couper soigneusement les trous des yeux avec le couteau d'artiste.*

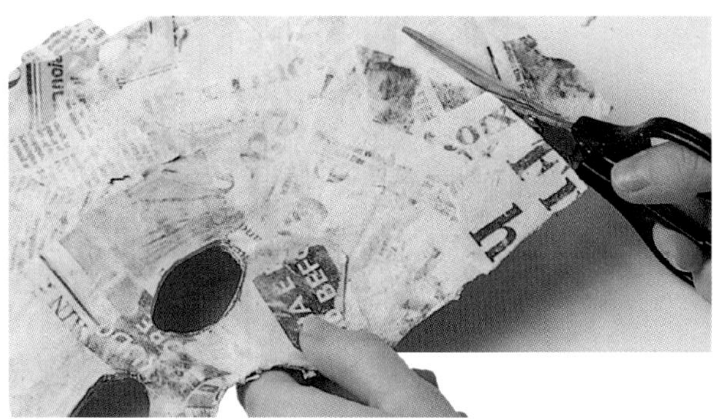

8 *Corriger les bordures du masque avec les ciseaux.*

9 *Ajouter un peu de papier mâché tout autour pour donner une finition lisse.*

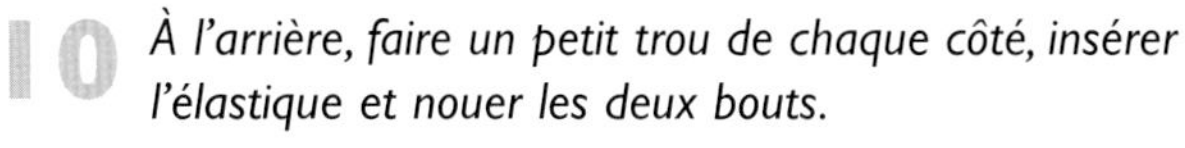

10 *À l'arrière, faire un petit trou de chaque côté, insérer l'élastique et nouer les deux bouts.*

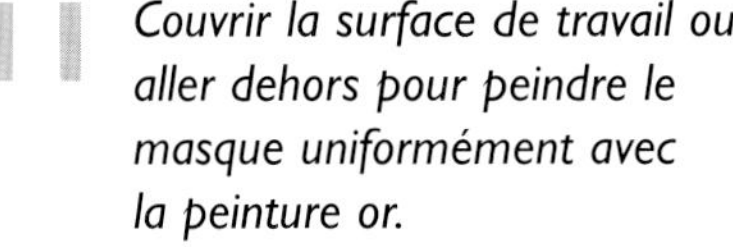

11 *Couvrir la surface de travail ou aller dehors pour peindre le masque uniformément avec la peinture or.*

12 *Vaporiser la peinture or, argent et bronze sur les feuilles, les fruits, les noix et laisser sécher.*

13 *Commencer à coller les feuilles sur le masque en utilisant plusieurs couleurs et formes pour créer l'allure globale. Finir avec les fruits et les noix.*

CONSEIL

- La peinture en aérosol doit être vaporisée dans un endroit aéré ou mieux encore, à l'extérieur ; ou optez pour une peinture métallique à appliquer au pinceau.
- Avant de les utiliser, gardez tout feuillage entre deux feuilles de papier sous un poids, pendant 1 à 2 semaines.

PANDA

La fourrure synthétique est idéale pour les masques d'animaux, en plus d'être facile à manipuler. Vous pouvez l'acheter dans la plupart des boutiques de tissus et d'artisanat. Le panda est relativement facile à faire et vous pouvez l'adapter pour réaliser presque n'importe quel autre animal.

Matériel requis :

- Crayon
- Papier calque
- Carton léger (blanc)
- Ciseaux
- Poinçon
- Fourrure synthétique (blanche et noire)
- Colle transparente tout usage
- Crayon blanc ou craie
- Petit contenant à yaourt
- Boutons pour les yeux et les narines

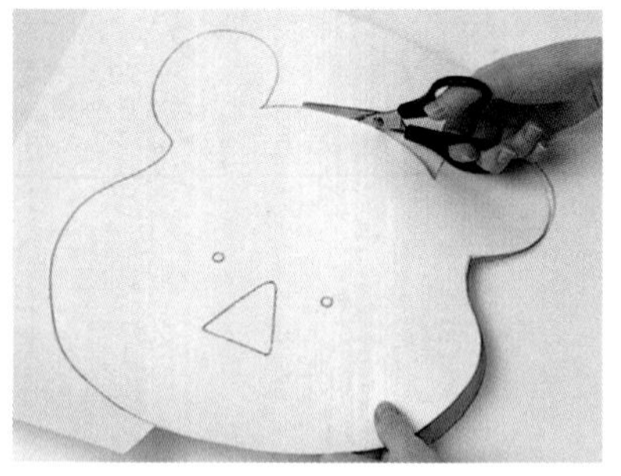

1 *Transférer le contour du patron sur du carton blanc et le découper.*

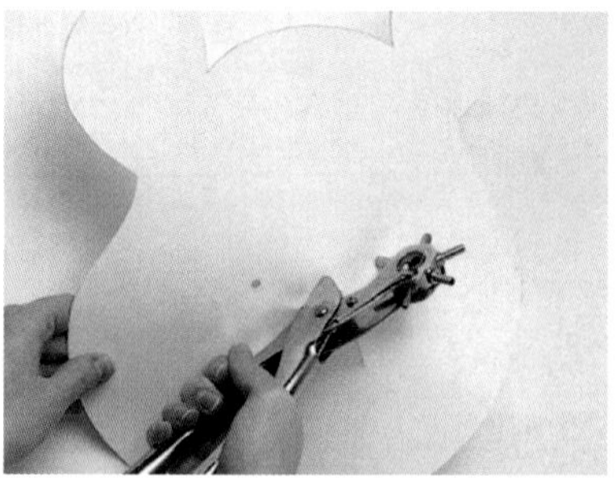

2 *Découper le nez et faire des trous pour les yeux.*

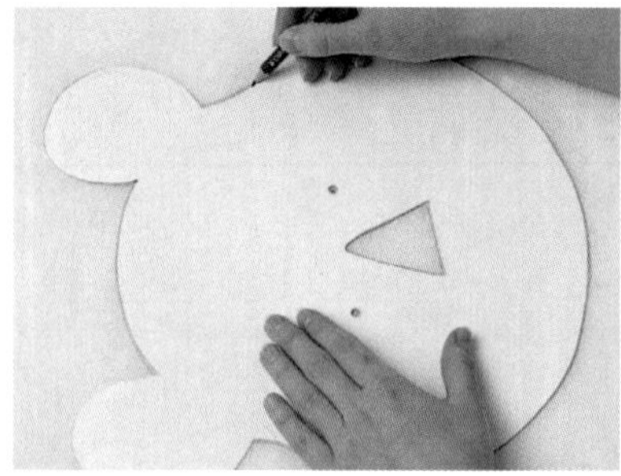

3 *Tracer le contour à l'endos de la fourrure blanche. Ne pas tracer le tour des oreilles.*

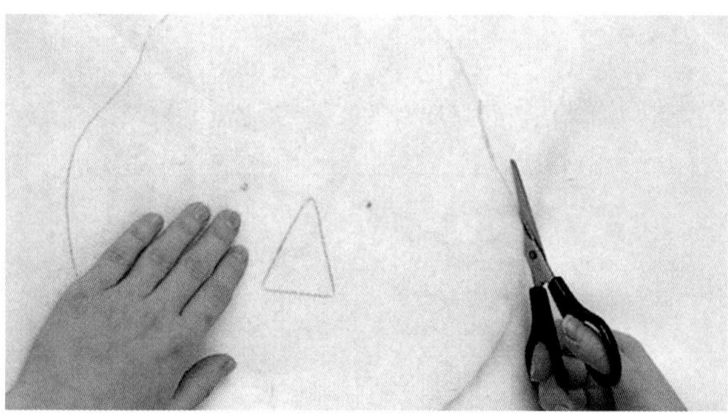

4 *Découper la forme de la tête et du museau.*

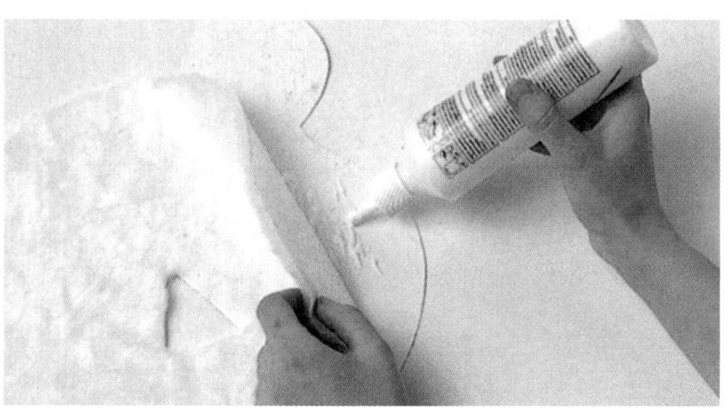

5 *Coller la fourrure blanche sur le carton et laisser sécher la colle.*

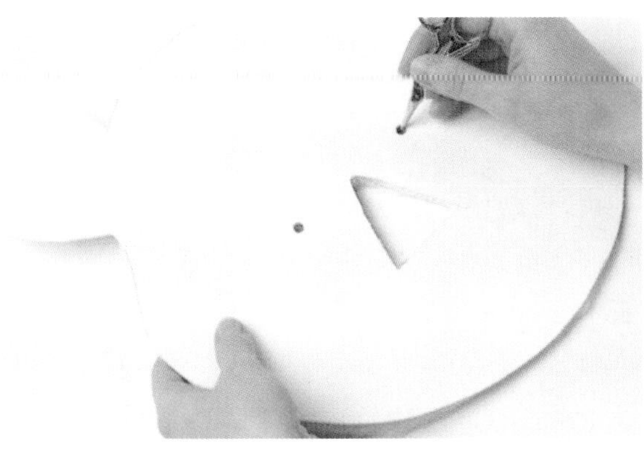

6 *Percer les trous des yeux avec les ciseaux et s'assurer qu'ils sont assez gros pour bien voir. Plus tard, couper un peu de fourrure si elle nuit à la vision.*

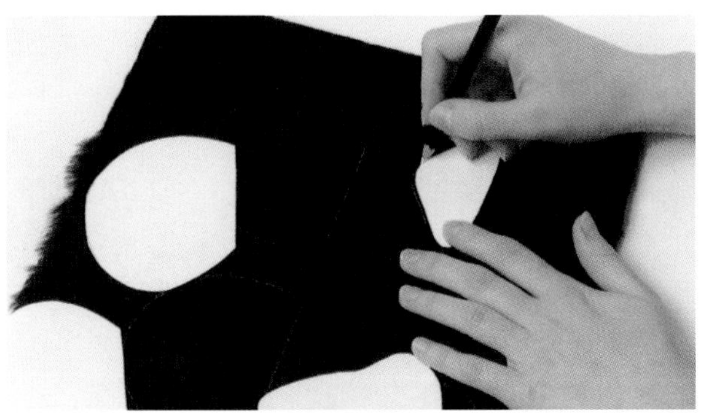

7 *Découper la forme des oreilles et des taches autour des yeux ; les dessiner à l'endos de la fourrure noire.*

8 *Découper les oreilles et les taches dans la fourrure noire.*

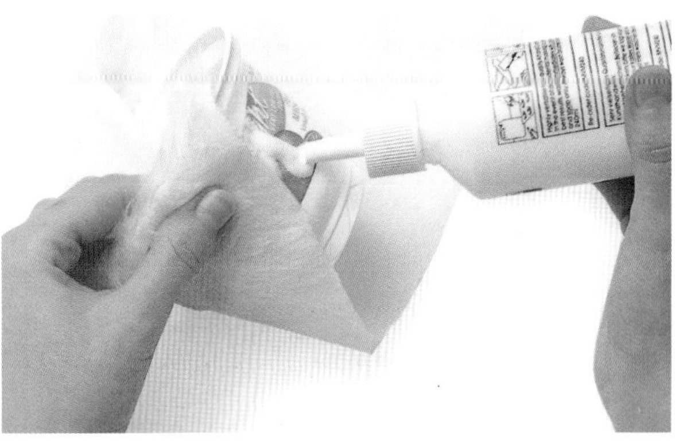

9 *Découper le patron du museau et un morceau de fourrure blanche correspondant. Coller la fourrure sur le contenant à yaourt et découper un triangle noir pour le bout (voir l'étape 11).*

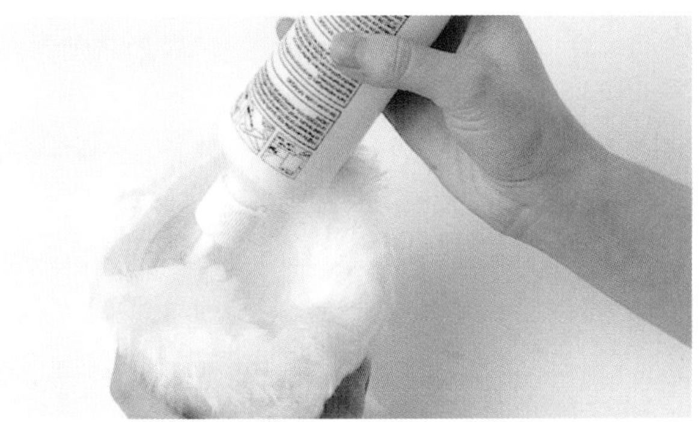

10 *Placer un peu de fourrure blanche dans le contenant et la coller.*

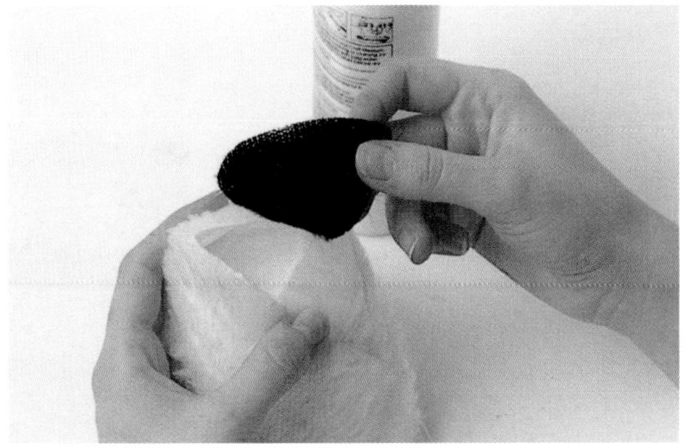

11 *Coller le triangle de fourrure sur le museau, à l'envers, au bout du contenant à yaourt.*

12 *Coller les taches des yeux et les oreilles sur le masque, en dissimulant bien les joints.*

13 *Coller le museau au centre du masque entre les taches autour des yeux.*

14 *Coller les boutons des pupilles et des narines et laisser sécher la colle.*

Demi-masque à plumes

Ce demi-masque sophistiqué irait très bien avec une robe de soirée. Les plumes ont ce don de rendre un masque élégant. Nous avons utilisé des plumes vertes et noires, mais vous pouvez choisir d'autres couleurs ou en teindre. Le masque peut aussi ressembler davantage à un perroquet ou un paon, selon vos goûts. Il est possible de le fixer à un bâton pour le tenir devant le visage au lieu de le porter toute une soirée.

Matériel requis :

- Carton noir
- Papier calque
- Crayon
- Crayon blanc ou craie
- Ciseaux
- Couteau d'artiste
- Colle transparente tout usage
- Cure-dents en bois
- Paillettes
- Plumes vertes et noires
- Ruban adhésif fort
- Galon croisé noir

CONSEIL

- Les paillettes peuvent être difficiles à fixer. Privilégiez les paillettes sur fils qui sont plus faciles à poser.

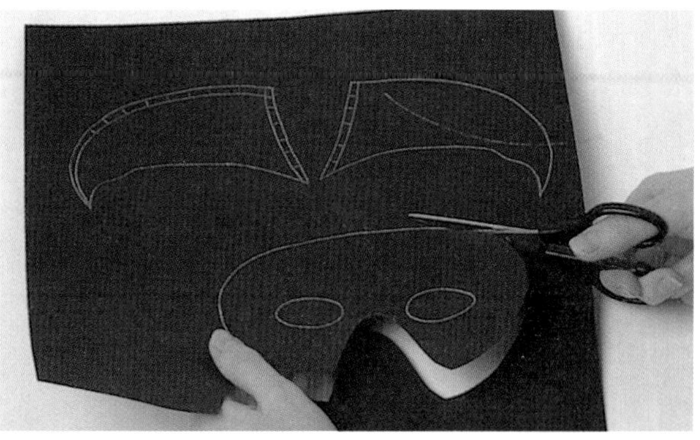

1 *Tracer le patron sur du papier calque et tracer les contours avec un crayon blanc à l'endos du carton noir. Le motif doit être facile à voir.*

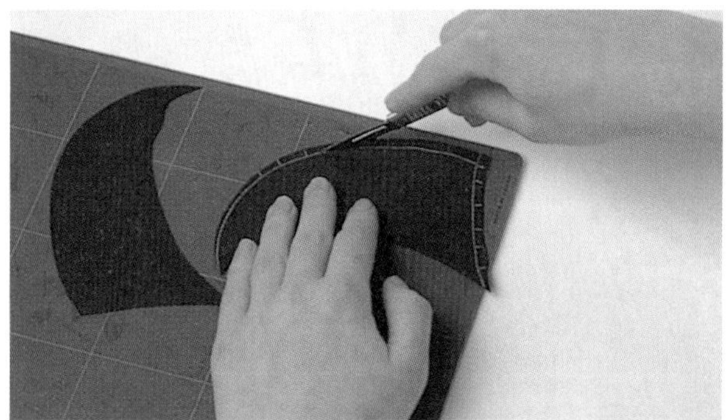

2 *Découper le masque et les deux parties du bec. Faire une légère coupe le long de l'arête supérieure des deux sections du bec.*

3 *Faire des petites incisions le long de l'arête supérieure du bec sans dépasser le trait découpé. Plier soigneusement le long du trait.*

4 *Appliquer une ligne de colle sur la bordure dentelée et coller les deux parties du bec en pressant fermement.*

5 *Décorer les deux côtés du bec avec des paillettes or en forme de cœur. Placer les paillettes en ligne droite avec un cure-dent.*

6 *Coller le bec entre les trous des yeux. Laisser sécher la colle. Il peut être nécessaire de le tenir en place pendant quelques minutes.*

7 *Commencer à coller les plumes autour du masque en allant du centre vers l'extérieur. Autant que possible, essayer de faire les deux côtés symétriques.*

8 *Tourner le masque et fixer le galon croisé près des yeux avec du ruban adhésif fort.*

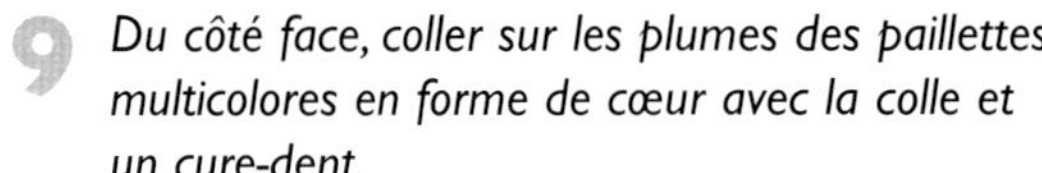

9 *Du côté face, coller sur les plumes des paillettes multicolores en forme de cœur avec la colle et un cure-dent.*

10 *Finalement, coller une ligne de paillettes or autour de chaque œil.*

Père noël

Les assiettes en papier sont parfaites pour fabriquer des masques ; offertes partout et peu chères, elles sont faciles à manier. Notre méthode permet aussi de créer une citrouille pour l'Halloween, un bonhomme de neige, un épouvantail ou un ballon de football. Les enfants s'amuseront follement en y collant des retailles de papier, des perles et de la pailles.

Matériel requis :

- 4 grandes assiettes en papier
- Crayon
- Règle
- Ciseaux
- Poinçon
- Couteau d'artiste
- Peintures
- Pinceaux (petit et gros)
- Ronds autocollant
- Colle transparente tout usage

1 *Avec le patron, dessiner le nez et les yeux sur une grande assiette en papier. Faire des trous pour les yeux et couper le nez.*

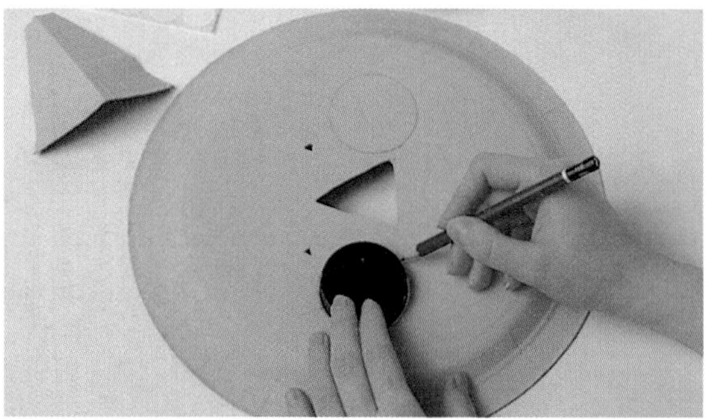

2 *Découper la partie du nez qui sera en relief. Plier en deux et peindre en rose, ainsi que l'assiette. Tracer deux cercles pour les joues et peindre deux ronds autocollants en bleu pour les yeux.*

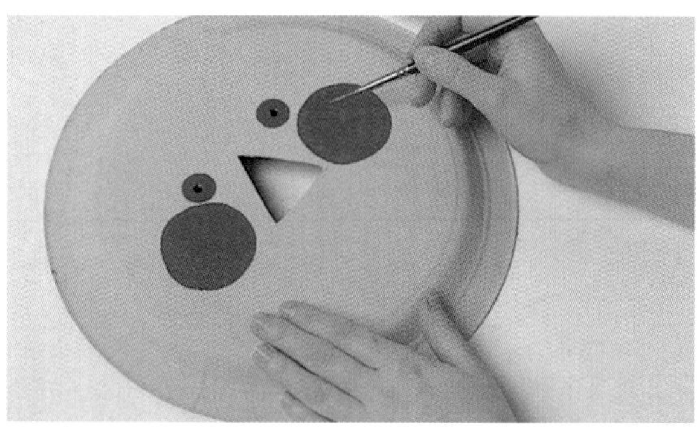

3 *Faire un trou au milieu des ronds autocollants et les placer sur les trous des yeux. Peindre les joues en rouge.*

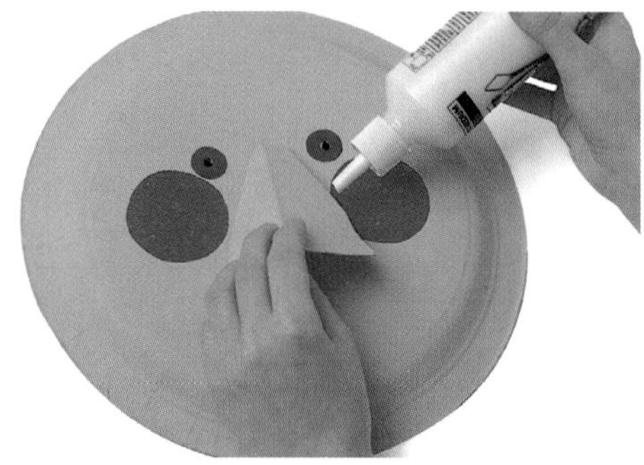

4 *Coller le nez entre les deux joues.*

5 *À l'aide du patron et de l'illustration, couper les cheveux et la moustache dans une autre assiette.*

6 *Prendre une autre assiette pour la barbe et découper des bandes aussi étroites que possible.*

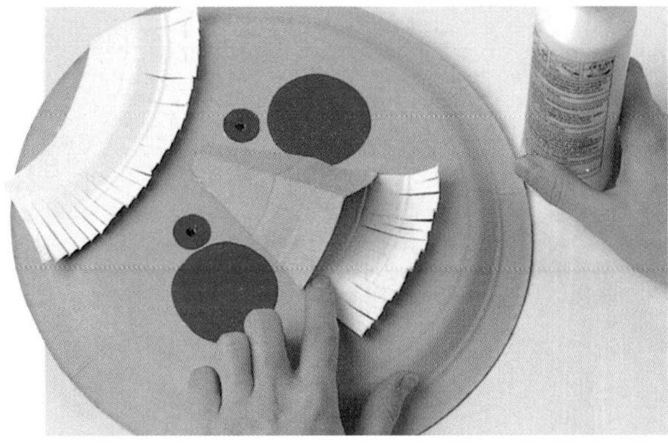

7 *Coller la frange et la moustache en les tenant jusqu'à ce que la colle soit sèche.*

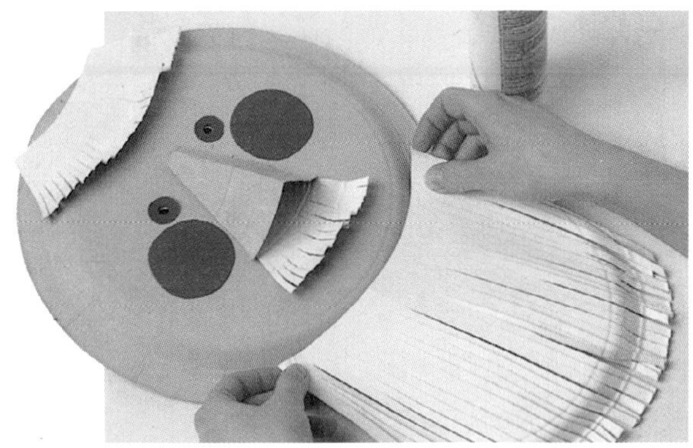

8 *Coller la barbe.*

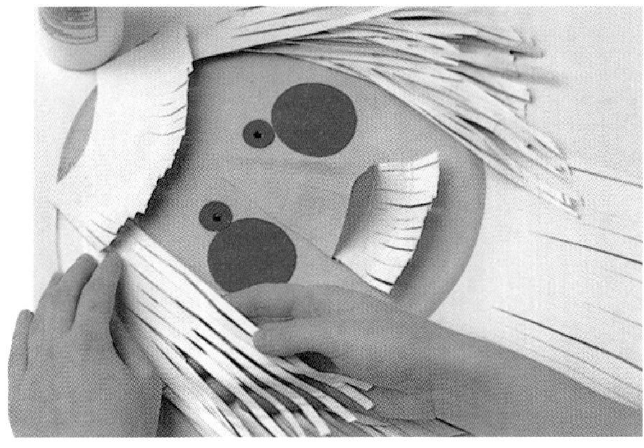

9 *Coller les cheveux en sections, trois de chaque côté. Commencer par la plus basse et placer les autres de manière symétrique.*

10 *Découper le chapeau et le peindre rouge.*

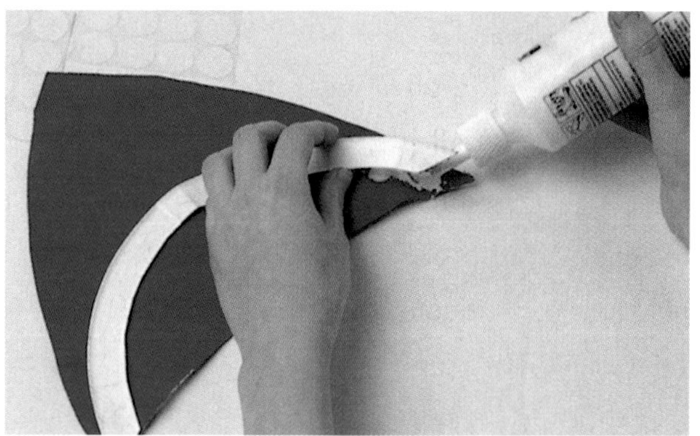

11 *Découper une bande blanche en demi-cercle et la coller sur le chapeau.*

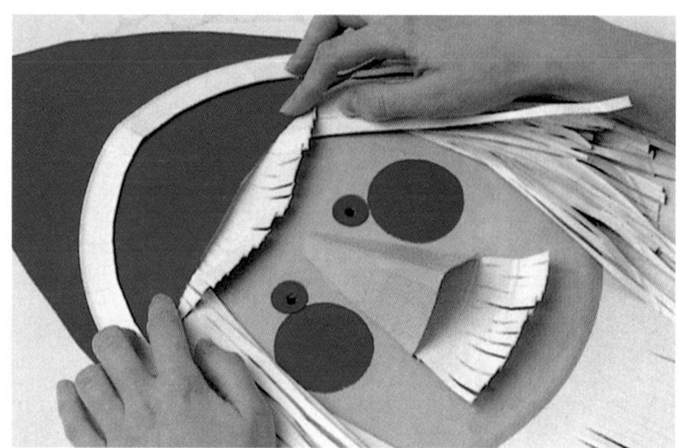

12 *Coller le chapeau sur le masque ; le tenir jusqu'à ce que la colle soit sèche.*

13 *Décorer le chapeau avec des ronds blancs autocollants.*

Sorcière

Voici un masque traditionnel en papier mâché, monté sur un ballon, l'une des méthodes les plus faciles et efficaces pour fabriquer un masque qui complètera un costume à la perfection, particulièrement pour l'Halloween. Il s'agit d'un projet assez long, mais il vous permet d'être créatif dans les caractéristiques faciales et les ornements du chapeau.

Matériel requis :

- Ballon
- Papier journal et pâte
- Pâte à modeler
- Couteau d'artiste et ciseaux
- Crayons noir et blanc
- Pinceaux (petit et gros) et peintures
- Galon croisé et ficelle
- Punaises et ruban adhésif fort
- Carton lourd ou moyen (noir)
- Ruban adhésif à double face et colle transparente tout usage
- Raphia noir et filet argent
- Lézards, tritons et/ou araignées en plastique

1 *Gonfler le ballon un peu plus grand que votre tête. Déchirer des bandes de papier journal et les tremper dans la pâte ; enlever l'excédent. Couvrir environ les ¾ du ballon avec le papier et laisser sécher.*

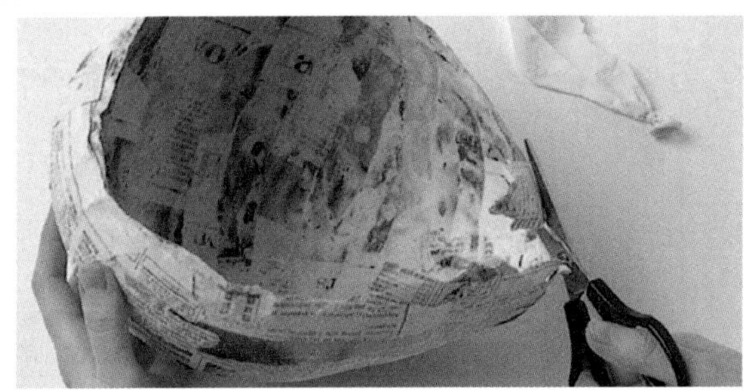

2 *Répéter le procédé deux fois et laisser sécher. Faire éclater le ballon, retirer les morceaux et adoucir les bords du papier mâché.*

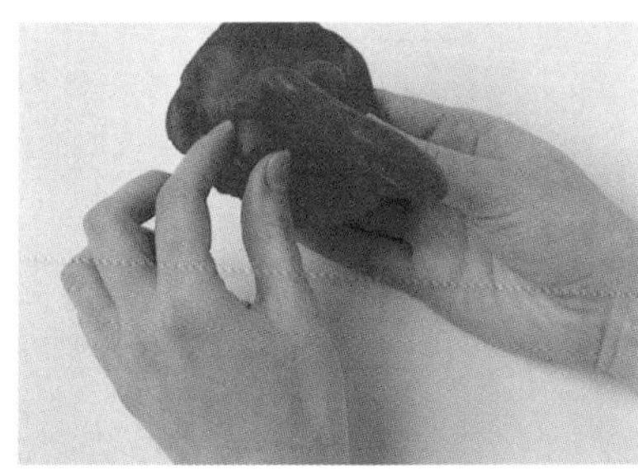

3 *Former le nez avec la pâte à modeler et des petites boules en guise de verrues.*

4 *Couvrir le nez de papier mâché fait de bandelettes de papier journal ; laisser sécher ; appliquer une deuxième couche.*

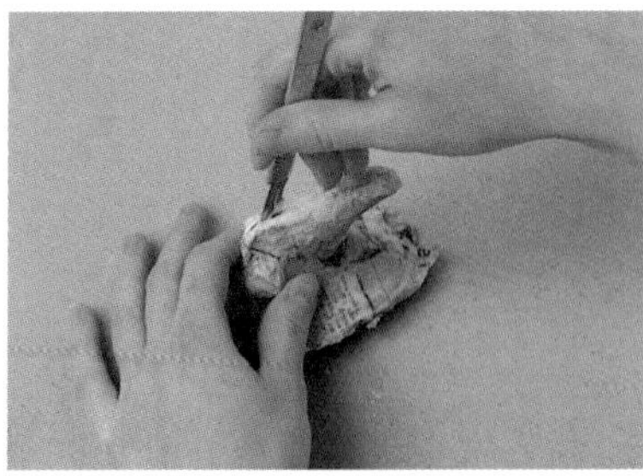

5 *Couper le nez en deux avec le couteau. Retirer le nez du moule en prenant soin de ne pas le déchirer.*

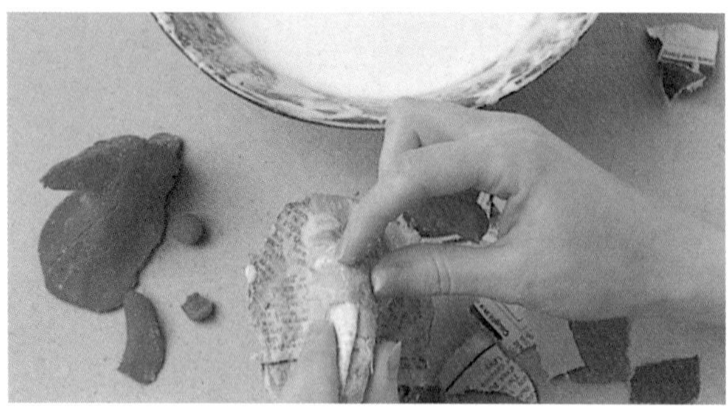

6 *Joindre les deux moitiés du nez avec des bandelettes de papier trempées dans la pâte.*

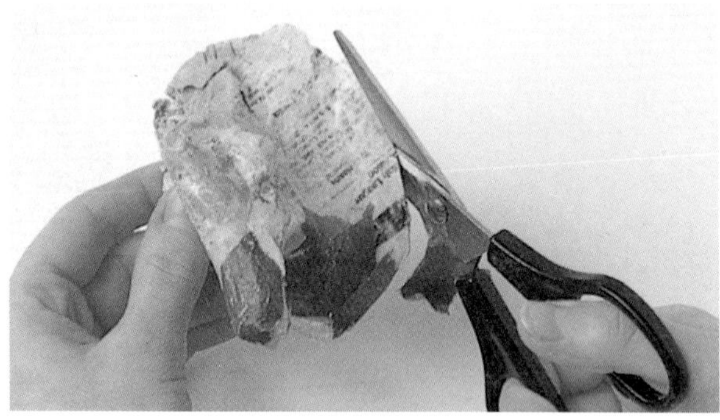

7 *Arranger les bords du nez avec les ciseaux pour qu'il s'ajuste bien sur le masque.*

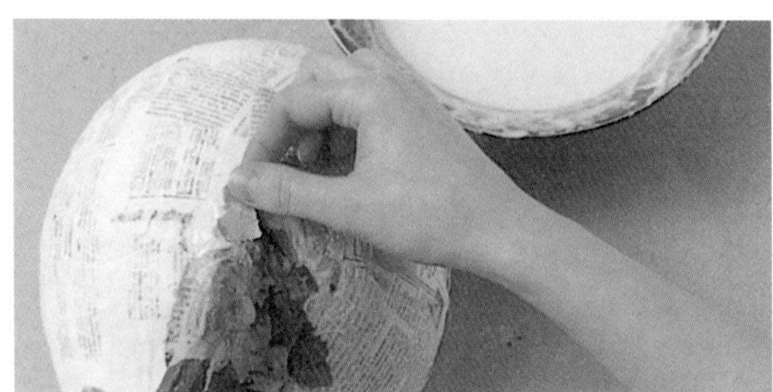

8 *Placer le nez au centre du masque et le fixer avec des petits morceaux de papier mâché. Laisser sécher.*

CONSEIL

- Pour le papier mâché, nous conseillons de déchirer le papier, toujours dans le même sens, au lieu de le découper parce que les angles s'étendent moins bien.

9 *Dessiner les sourcils, les joues et la bouche avec le crayon noir.*

10 *Faire un peu de papier mâché (voir la page 341) et en garnir les sourcils, les joues et le menton. Laisser sécher toute une nuit.*

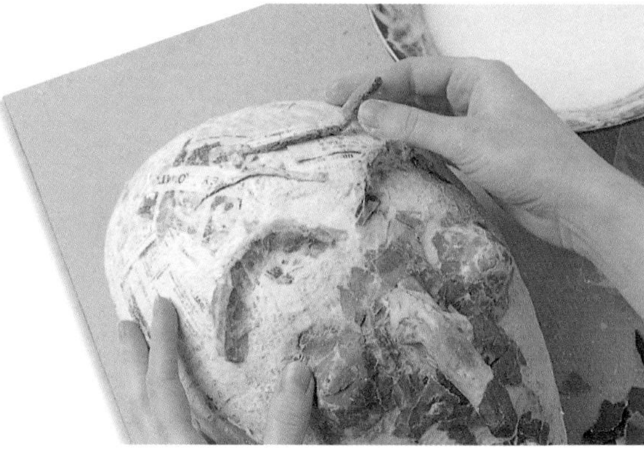

11 *Rouler des petits morceaux de papier journal et les tremper dans la pâte pour en faire des rides.*

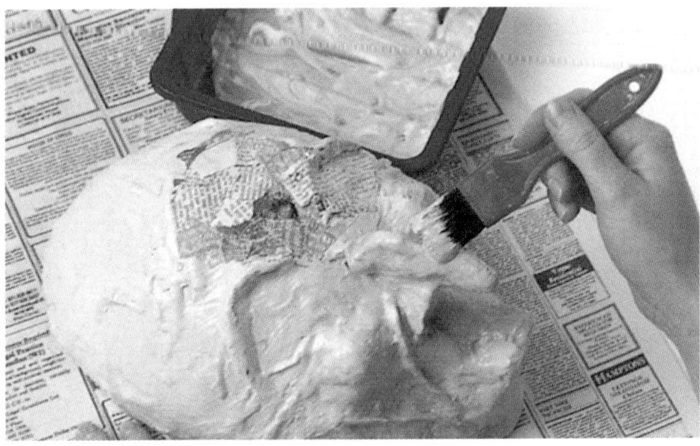

12 *Peindre tout le visage gris pâle. Bien couvrir le papier journal.*

15 *Peindre les joues, le nez, le menton, les yeux, etc. Utiliser du rouge et du rose en alternance.*

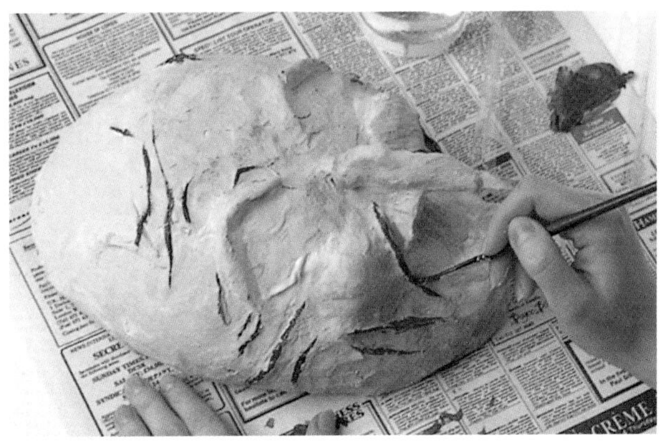

13 *Avec le pinceau fin, appliquer du gris foncé sur les rides.*

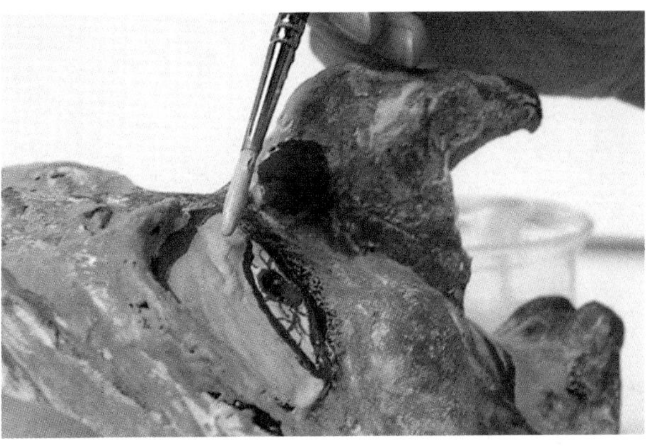

16 *Appliquer un peu de blanc autour des yeux et entre les lèvres, puis du rouge foncé pour les lèvres, les verrues, le contour et l'intérieur des yeux.*

14 *Percer les oreilles avec les ciseaux. Essayer le masque pour assurer une bonne vision.*

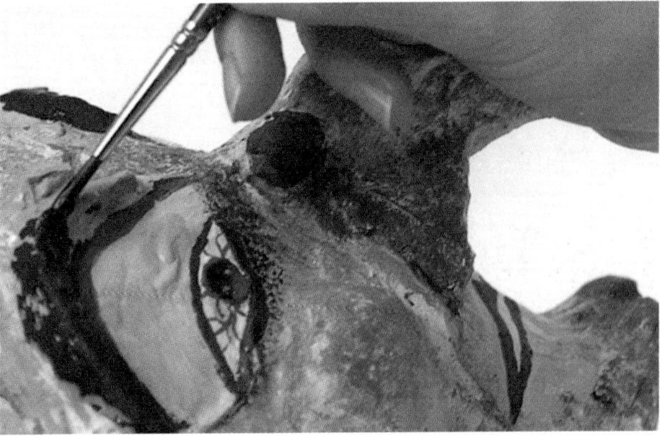

17 *Peindre les paupières rose pâle et les sourcils noirs.*

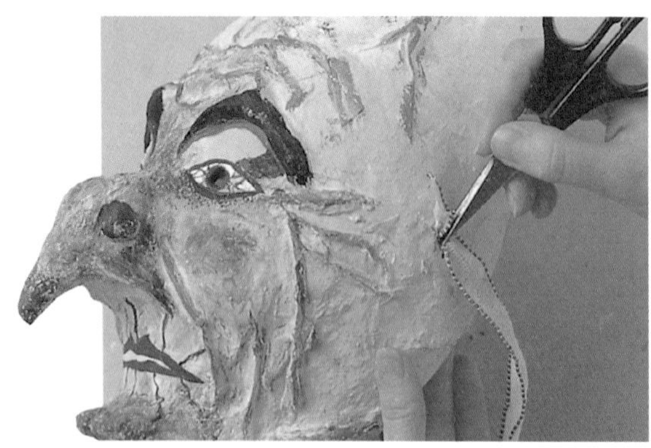

18 *Avec les ciseaux, percer un trou de chaque côté du visage. Y insérer des bouts de galon croisé et les nouer solidement à l'intérieur du masque.*

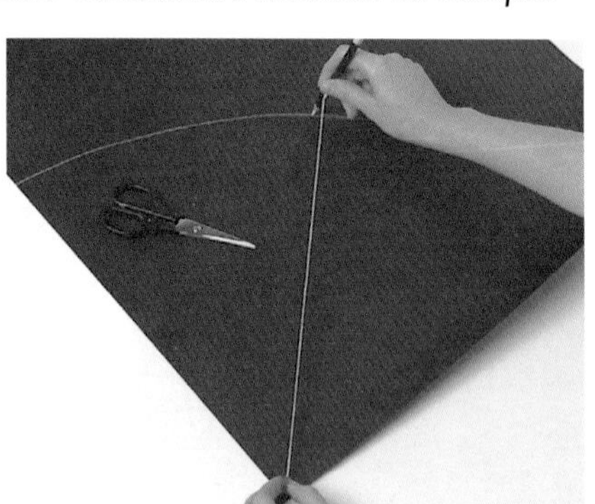

19 *Pour faire le chapeau, nouer une ficelle à un crayon. Faire une boucle à l'autre extrémité et la fixer avec une punaise dans le coin du carton. Dessiner un demi-cercle sur le carton pour faire un cône.*

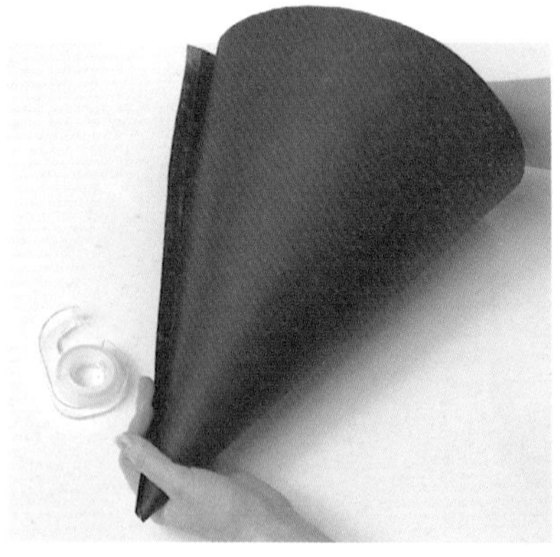

20 *Découper la forme du chapeau et coller les deux bouts, sur la longueur, avec du ruban à double face.*

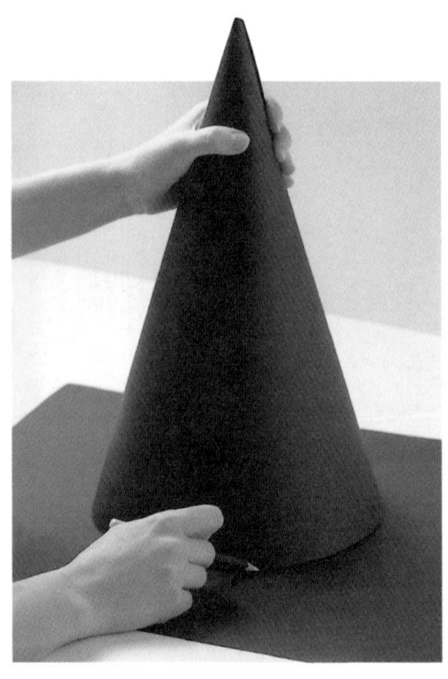

21 *Placer le cône sur un carton noir et dessiner la base avec un crayon blanc.*

22 *Garder le contour proportionné à la hauteur du chapeau et du masque. Avec un compas ou une grande assiette, tracer le contour de la bordure du chapeau et découper.*

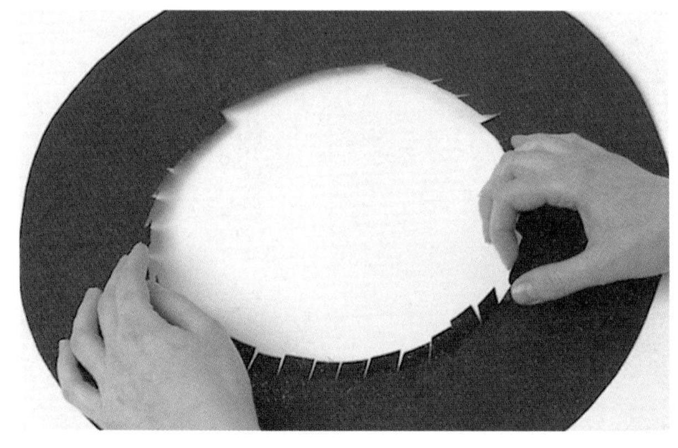

23 *Faire des petites incisions à l'intérieur du bord du chapeau. Plier vers le haut et appliquer la colle sur le côté extérieur.*

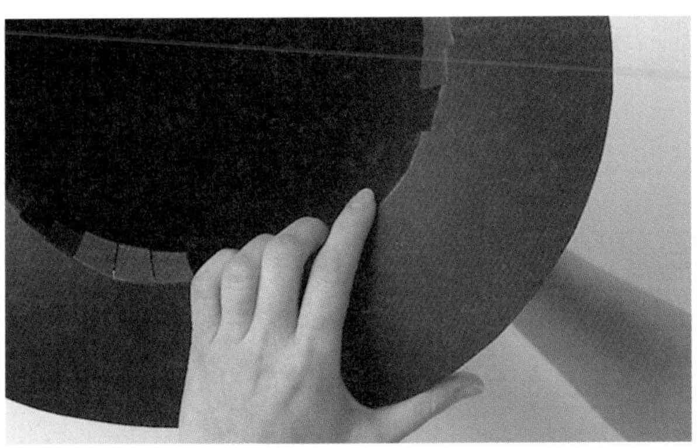

24 *Coller le cône sur le bord du chapeau en s'assurant que tout tient bien ensemble.*

25 *Couper des longueurs de raphia noir et les coller à l'intérieur du chapeau avec des bouts de ruban adhésif.*

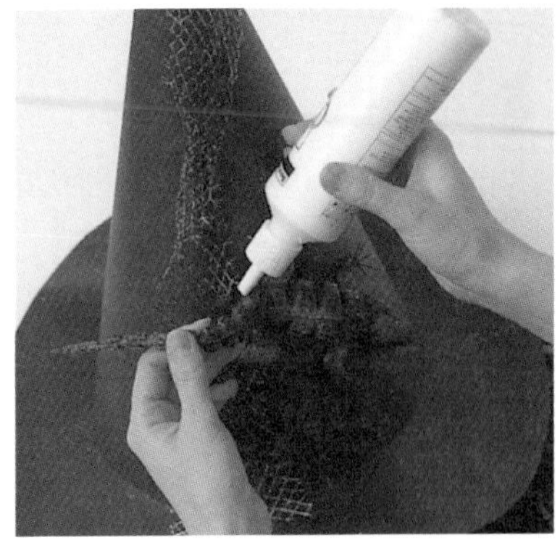

26 *Coller le lézard ou l'araignée sur le chapeau et laisser sécher.*

Punk

Les masques en papier mâché sont un peu plus longs à confectionner en raison du temps de séchage entre chaque couche de papier. Toutefois, les résultats impressionnent tellement que les efforts sont récompensés. Ce masque n'a qu'une couleur, mais vous pouvez en ajouter pour le rendre... plus ou moins sinistre !

Matériel requis :

- Papier d'aluminium
- Ciseaux
- Papier journal et pâte pour le papier mâché
- Peinture blanche
- Pinceau
- Papier calque et papier blanc léger
- Crayon
- Colle transparente tout usage
- Anneaux de boucles d'oreilles (ou de nez)
- Chaîne, croix ou autres accessoires
- Galon croisé et épingle de sûreté

1 *Couvrir votre visage avec trois feuilles de papier d'aluminium pour en obtenir les contours bien définis. Le masque sera ajusté sous votre menton et au-dessus de votre tête. S'assurer d'avoir suffisamment de papier pour tout couvrir. Appuyer fermement autour du nez, de la bouche et des yeux.*

2 *Mélanger la pâte jusqu'à consistance lisse et égale et déchirer des bandes de papier. Tremper le papier dans la pâte et enlever l'excédent en le tordant un peu avec les doigts. En collant les bandes sur le papier d'aluminium, faire attention de ne pas le déformer. Appliquer une couche de papier et laisser sécher pendant 2 ou 3 heures. Quand elle est sèche, appliquer trois autres couches de papier mâché, pour un total de quatre. Laisser sécher entre chaque application et à la fin, pendant toute une nuit. Ensuite, retirer le papier d'aluminium.*

3 *Faire une petite quantité de papier mâché pour les sourcils et le nez. Laisser sécher. Faire des petites boules de papier mâché pour les globes des yeux et les placer sur le masque. Laisser sécher.*

4 *Utiliser d'autre papier mâché pour les lèvres et les façonner avec le bout des ciseaux. Laisser sécher.*

5 *Commencer à façonner les oreilles et les placer aux bons endroits. Laisser le masque dans une pièce chaude jusqu'à ce qu'il soit complètement sec, ce qui peut prendre 24 heures.*

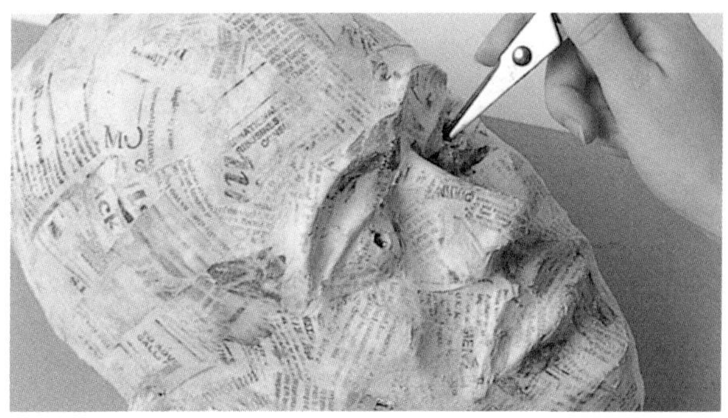

6 *Avec la pointe des ciseaux, faire des trous au centre des yeux et s'assurer de bien voir. Faire des trous de narines pour pouvoir respirer en portant le masque. Percer deux autres trous sur les côtés pour y insérer le galon croisé qui servira d'attache.*

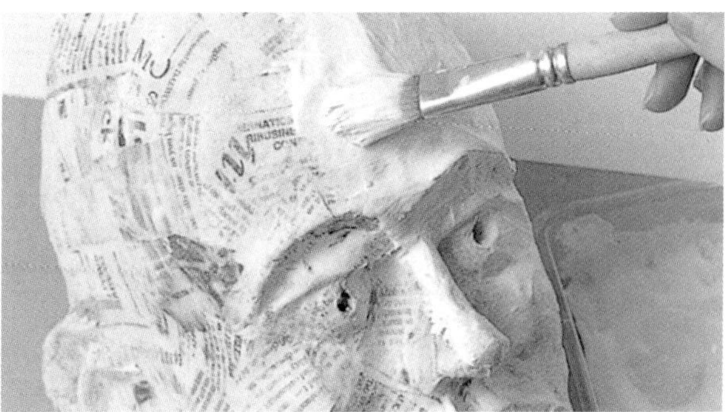

7 *Peindre tout le masque en blanc. Deux couches devraient suffire pour couvrir le papier journal.*

8 *Découper des triangles en papier blanc et les rouler pour faire les pics des cheveux.*

9 *Appliquer de la colle à l'intérieur pour les empêcher de dérouler. Ne pas utiliser du papier rigide qui se roule difficilement et tient moins bien.*

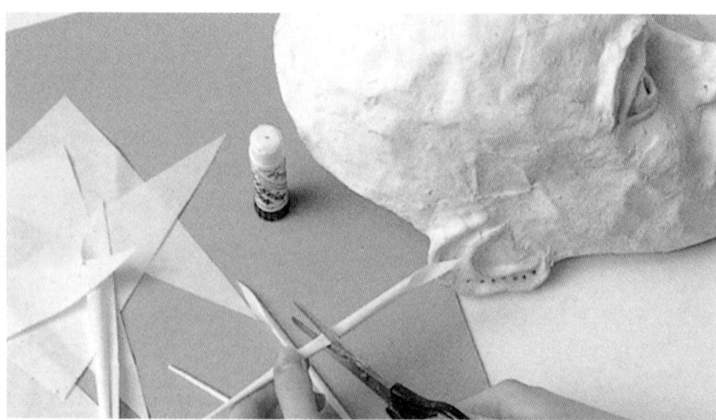

10 *Faire des pics plus petits pour le devant et des plus gros à l'arrière ; les coller en dégradé.*

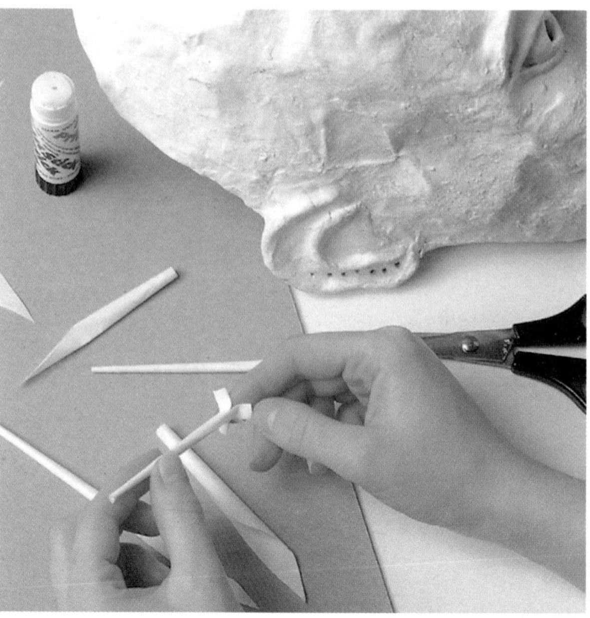

11 *Entailler la base des pics à trois endroits et plier les rabats pour faciliter l'étape du collage.*

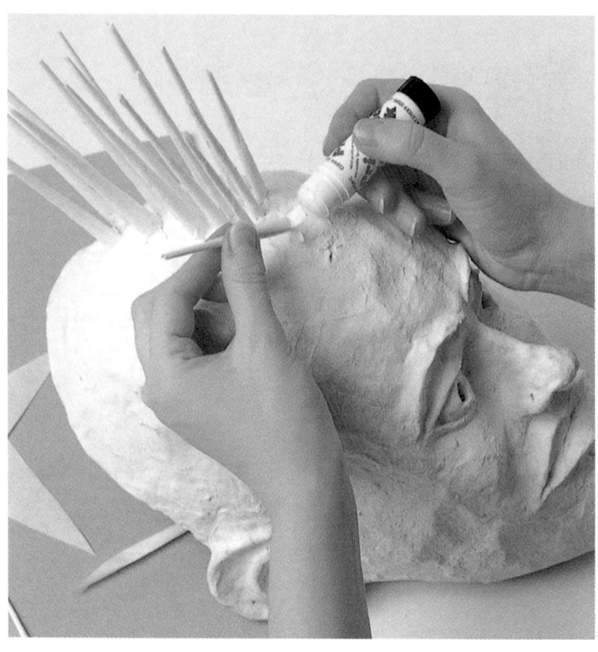

12 *Mettre la colle sur les rabats et presser fermement sur chaque pic. Il peut s'avérer nécessaire de les tenir jusqu'à ce que la colle sèche.*

13 *Avec une aiguille, percer les oreilles et le nez.*

14 *Faire des anneaux avec du fil métallique et les insérer dans les trous percés.*

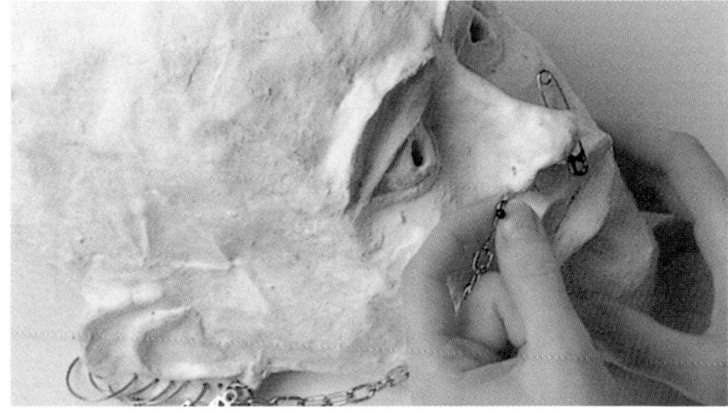

15 *Ajouter une épingle de sûreté sur un côté du nez et de l'autre, enfoncer la chaîne et la fixer sur le lobe d'oreille. Mettre un peu de galon croisé de chaque côté des trous et le nouer à l'intérieur pour que tout reste bien en place.*

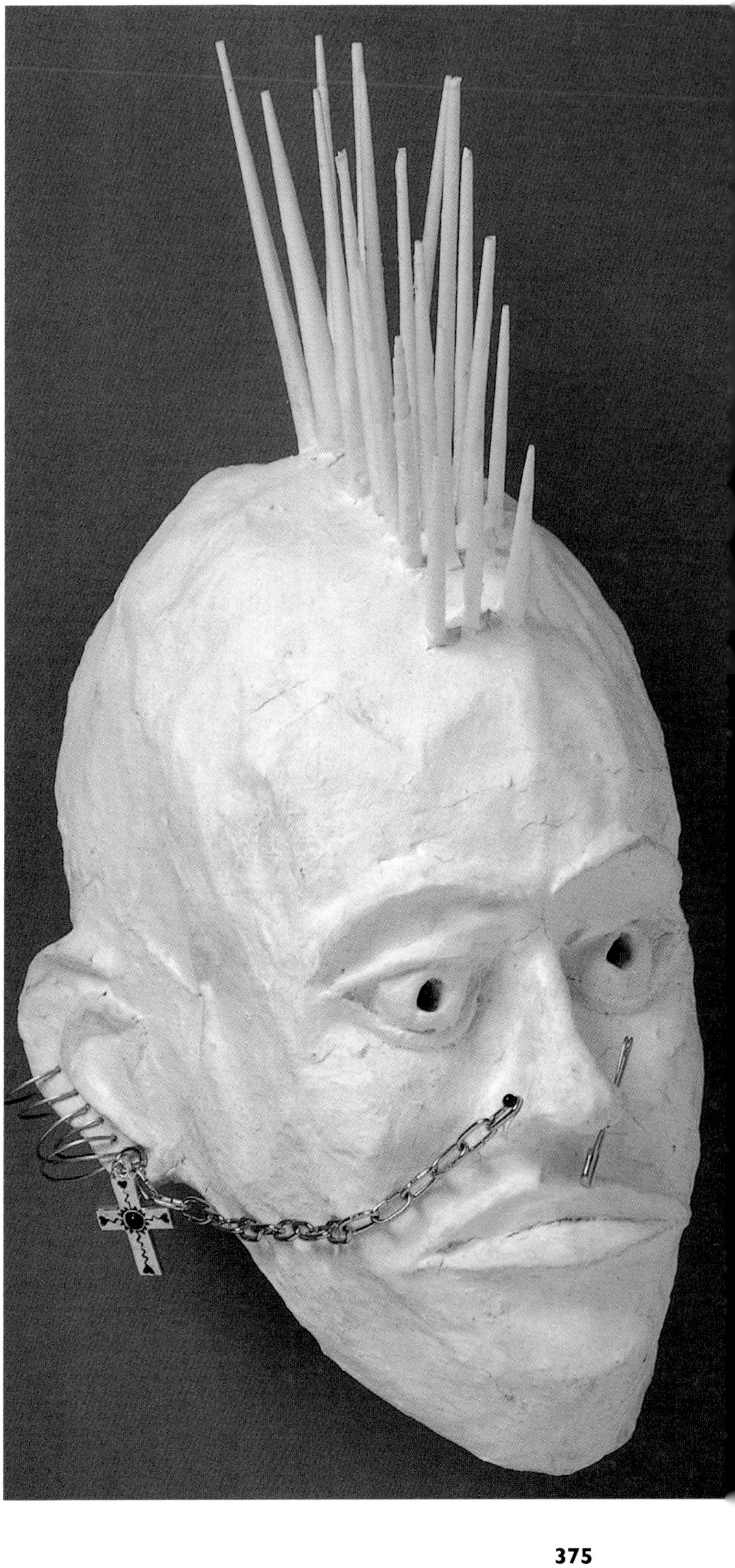

MASQUE DE MONSTRE

Ce monstre écolo est fait à partir de boîtes d'œufs en carton. Commencez à les ramasser tout de suite car plusieurs sont nécessaires ! Ce masque ne coûte presque rien et il occupera les enfants durant de longues heures pendant les vacances d'été. En fait, tout matériel recyclé peut s'avérer utile à ce projet : boîtes, carton et même des bouteilles. Le but est de fabriquer un masque effrayant !

Matériel requis :

- Boîtes à œufs en carton et papier journal
- Ciseaux
- Agrafeuse et pinces
- Boules en styromousse (petites et grosses)
- Colle transparente tout usage, pâte et ruban adhésif fort
- Peintures de chaque couleur (vert, jaune et rouge)
- Pinceaux (petit et gros)
- Fil métallique
- Ronds autocollants
- Papier léger (rouge et blanc)
- Bandes en carton léger

1 *Séparer toutes les unités des contenants et les agrafer ensemble pour donner la forme au visage.*

2 *Coller des petites boules en styromousse dans les espaces vides, sauf à la hauteur des yeux.*

3 *Créer un vert foncé et peindre le masque. Laisser sécher.*

4 *Mélanger de la peinture jaune afin de créer des reflets intéressants sur le masque - ou des reliefs « visqueux ».*

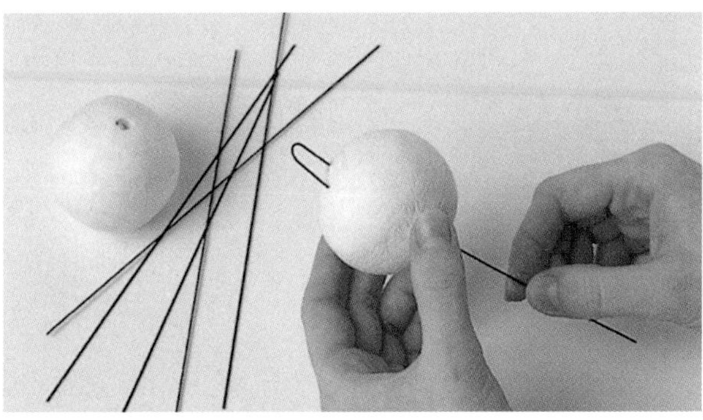

5 *Insérer du fil métallique dans deux grosses boules en styromousse pour faire les yeux. Plier le fil avec des pinces pour former un crochet et fixer solidement à chaque globe oculaire.*

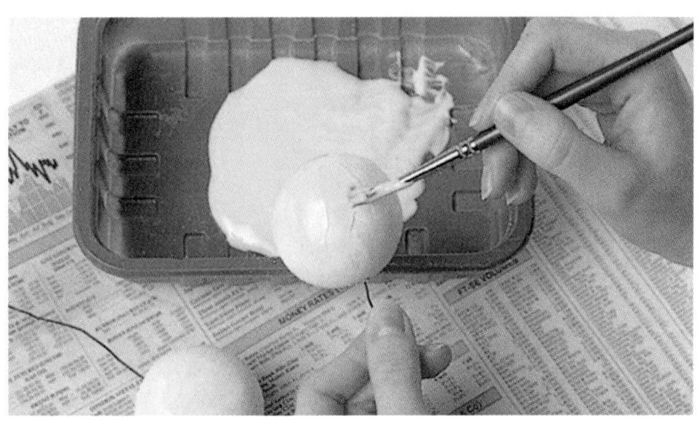

6 *Peindre les globes en jaune en les tenant par le fil et laisser sécher.*

7 *Préparer la peinture rouge et avec un petit pinceau, peindre des veines dans les yeux.*

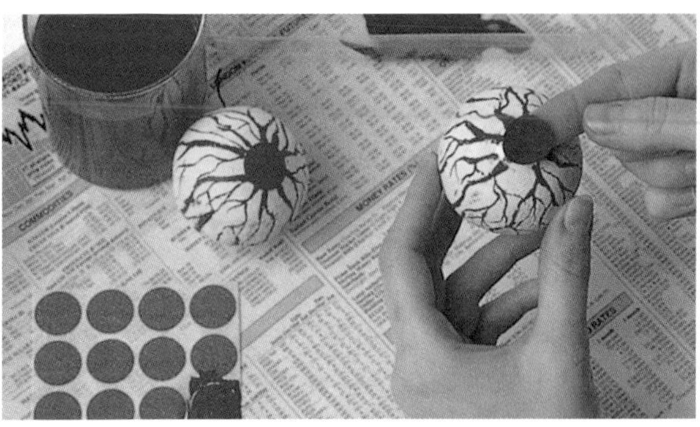

8 *Peindre deux grands ronds autocollants du même rouge et les placer au centre des globes oculaires, sur le bout du fil métallique.*

9 *Pousser les fils dans le masque et placer les yeux aux endroits désirés, puis tordre les fils métalliques à l'intérieur pour les fixer. Couper tout excédent de fil et couvrir les bouts de ruban adhésif fort. Essayer le masque pour vérifier si la vision est bonne.*

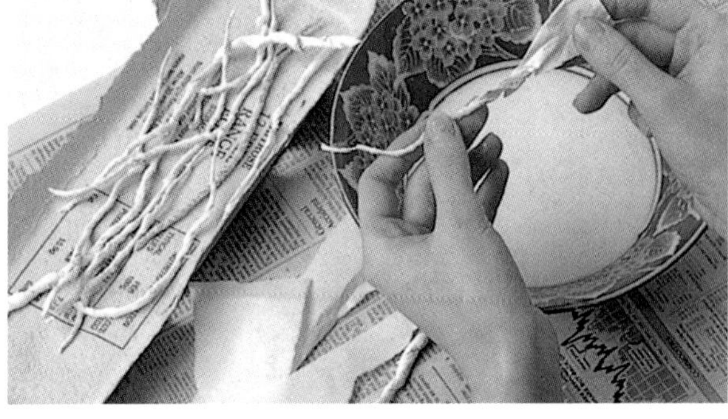

10 *Faire des moustaches avec de longues bandes de papier blanc déchiré et vrillé. Les tremper dans la pâte pour les rendre rigides. Laisser sécher.*

11 *Lorsque la pâte est sèche, peindre les moustaches en gris ou toute autre couleur.*

12 *Avec les ciseaux, faire une petite incision de chaque côté du masque et passer les moustaches dans les incisions en ajoutant une goutte de colle à chacune (facultatif).*

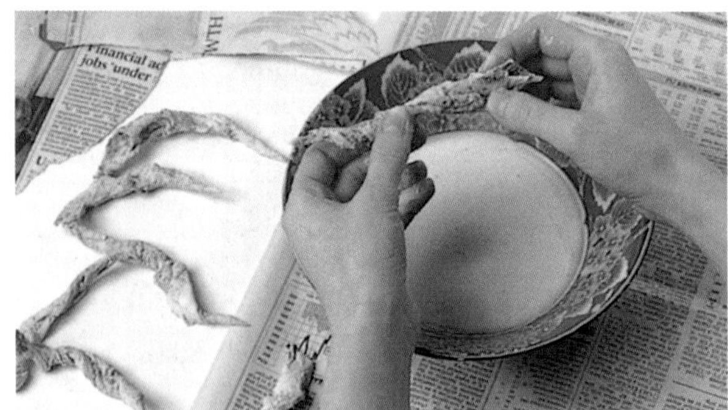

13 *Fabriquer des pics avec des bandes de papier journal vrillées et trempées dans la pâte, ou les vriller une fois enduites de pâte et légèrement mouillées.*

14 *Laisser sécher les pics. Peindre les bouts en mélangeant le jaune et le rouge pour obtenir du orange.*

15 *Une fois la peinture sèche, coller les pics à des morceaux de boîte d'œufs déchirés et courbés pour épouser la forme du masque.*

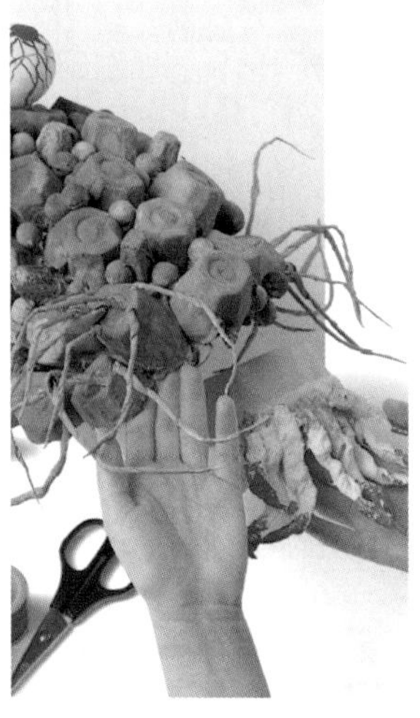

16 *Avec la colle ou du ruban adhésif, fixer la rangée de pics sur les bords intérieurs du masque.*

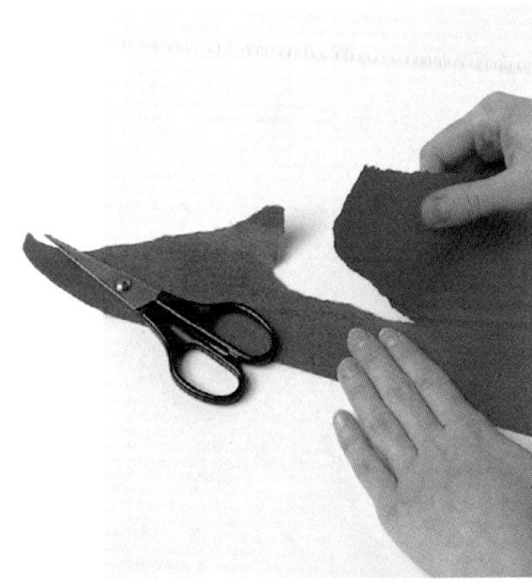

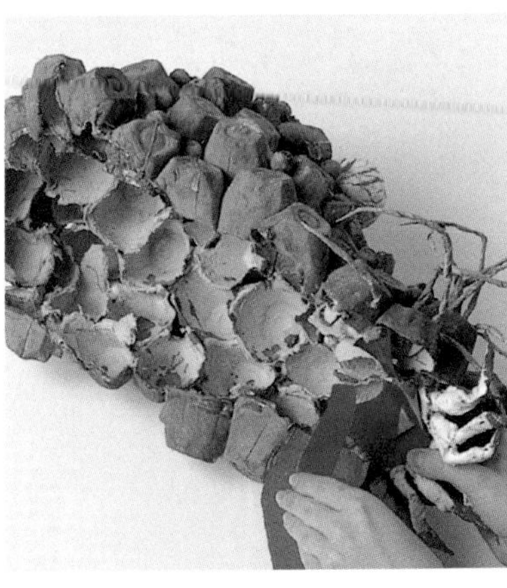

17 *Déchirer un bout de papier rouge, ou blanc peint en rouge, en forme de langue.*

18 *Coller la langue sur le masque, derrière les pics.*

19 *Agrafer des bandes de carton à l'arrière du masque de manière à ce qu'il bouge le moins possible une fois sur la tête, sans être trop serré.*

12 FABRICATION DE MARIONNETTES

L'attrait universel envers les marionnettes, la plus vieille forme de théâtre, provient de traditions anciennes de plusieurs cultures, notamment de l'Extrême-Orient. En Inde et en Chine, les marionnettes racontaient les légendes et les fables folkloriques, en plus d'enseigner la religion et la morale.

Les marionnettes orientales les plus célèbres sont probablement les silhouettes d'ombres de Waylang Purwa, en Indonésie. Faites de magnifiques parchemins peints à l'huile, elles étaient articulées devant une lumière et derrière un écran translucide.

Les marionnettistes étaient principalement des nomades qui transportaient leurs traditions de pays en pays. Au Moyen-âge, l'art fait son entrée en Europe et l'un des exemples les plus connus demeure la commedia dell'arte italienne du 15e siècle.

Les marionnettes ont toujours su exprimer subtilement les émotions humaines. Même en étant fabriquées en papier ou en tissu, elles prennent vie en bougeant et mènent les auditoires à voyager dans un monde imaginaire.

Avant de commencer à fabriquer vos marionnettes, pourquoi ne pas lire un peu d'histoire à ce sujet, visiter des musées et admirer des vitrines de théâtres, afin de vous en inspirer ? Ainsi, vous joindrez vos idées aux traditions.

Les projets

Ce chapitre présente des projets inspirés de traditions culturelles et folkloriques du monde entier.

TYPES DE MARIONNETTES

Il existe quatre types principaux de marionnettes, mais ce ne sont pas des règles absolues.

1. Marionnettes à tiges

C'est le type de marionnettes le plus simple. Elles sont immobiles et fixées à une ou plusieurs tiges ou baguettes. Leurs mouvements vont de haut en bas ou de gauche à droite. Ce chapitre présente des exemples de marionnettes à tiges agréablement simples : des cuillères en bois et des oiseaux sur tiges. Quant au squelette dansant, il se manipule avec un bâton fixé à l'arrière alors que les bras, les jambes et la tête, bougent indépendamment car ils sont attachés au corps par des ressorts.

2. Marionnettes à gaine

Généralement munies d'un corps souple, ces marionnettes bougent grâce à une main glissée dans la gaine, leur corps, alors que le petit doigt et le pouce opèrent leurs bras. Ce type de marionnette peut être simple à fabriquer si l'on utilise un gant, comme dans notre projet d'amis en feutre. De style plus traditionnel, le prince couronné a une tête en papier mâché, un corps en tissu et ses jambes rembourrées sont cousues à une tunique. Le chat est un autre exemple fréquent d'une marionnette à gaine.

3. Marionnettes à fil

L'acrobate fait partie de cette catégorie. Son cou, ses coudes, sa taille et ses genoux sont articulés. Le dos et la tête sont attachés avec du fil à une croix horizontale en bois. En agitant la croix, la marionnette bouge de façon très réaliste : elle peut marcher, sauter, danser et tourner la tête.

4. Marionnettes d'ombre chinoise

Ce sont généralement de silhouettes plates, faites en carton, dont les bras et les jambes sont joints par des fils minces. La marionnette se tient droite avec une baguette et bouge contre un écran translucide. Une lumière éclaire les silhouettes par derrière et selon la noirceur entre elles et l'écran, l'effet peut être plus ou moins saisissant. Le guerrier est un bon exemple de marionnette d'ombre, mais nul besoin d'éclairage et d'écran pour le rendre amusant.

NOTE SUR LA PULPE DE PAPIER MÂCHÉ

- Tout le matériel de chaque projet est peu coûteux et facile à trouver. La pulpe peut être achetée préparée, dans les boutiques d'artisanat et de jouets, ou faite à la maison en suivant cette recette :
- Déchirer des petits carrés de papier journal de 2 x 2 cm (¾ x ¾ po) et les déposer dans une grande poêle. Couvrir d'eau et faire bouillir jusqu'à ce qu'ils se désagrègent. Retirer du feu et laisser refroidir. Piler avec un pilon à pommes de terre, enlever l'excédent d'eau et tordre le reste avec les mains.
- Ajouter 140 ml (½ tasse) de colle blanche, un soupçon de cellulose sèche ou d'empois d'amidon, 140 ml (½ tasse) de pâte à joints achetée, et 250 ml (1 tasse) de sciure de bois. Pétrir comme si c'était du pain jusqu'à ce que tous les ingrédients soient bien mélangés. La pulpe se conserve plusieurs semaines au réfrigérateur.
- Les projets qui suivent sont agrémentés de directives simples et ne requièrent aucun équipement spécial. Tout peut se faire sur la table de la cuisine.

Pantin

Cette marionnette traditionnelle se voit dans plusieurs cultures et c'est probablement la première de l'histoire à se mouvoir. Voici une version simple, avec un chapeau à plume. Ses principes de base conviennent à des modèles articulés plus complexes.

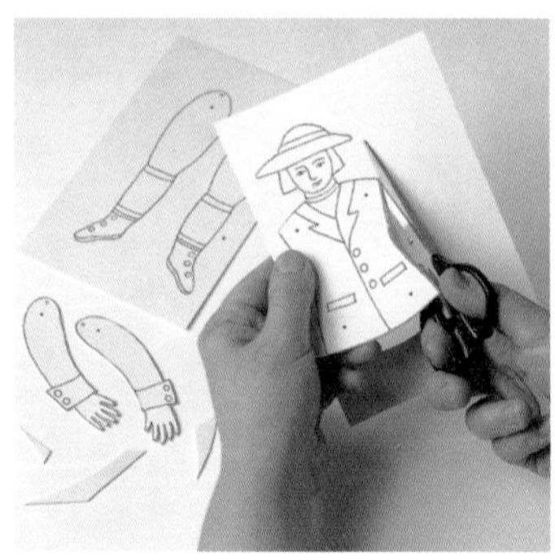

Transférer les patrons sur le carton et découper soigneusement les bras, les jambes et le corps.

Matériel requis :

- Papier calque
- Crayon
- Carton mince (ivoire)
- Ciseaux
- Stylos feutre (jaune, noir, orange et rose)
- Poinçon
- 5 attaches parisiennes
- Fil noir robuste
- Plume
- Colle transparente tout usage
- Petite perle en bois ou en verre

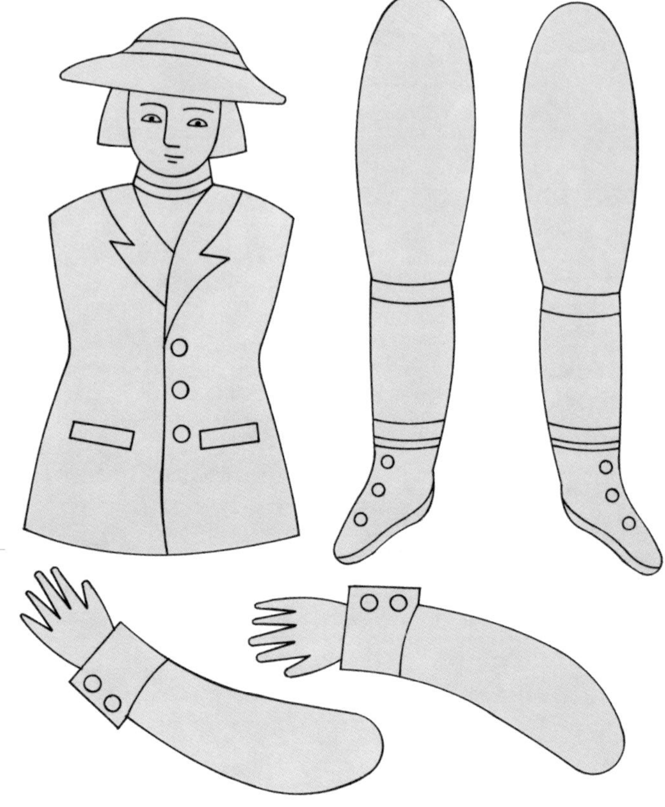

Patron du pantin

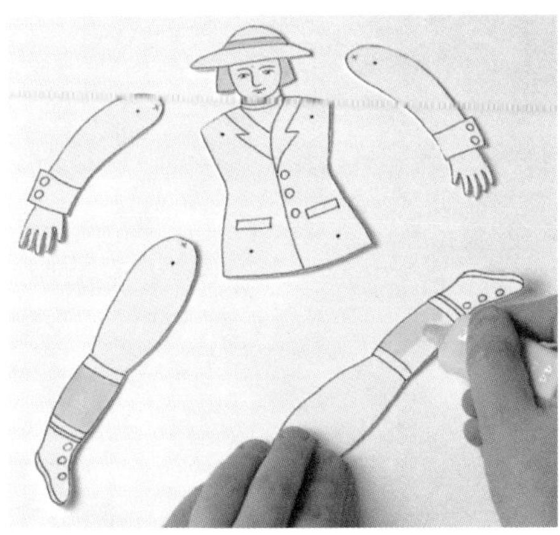

2 *Colorer en jaune les cheveux, la bande du chapeau, le bas des jambes et les semelles.*

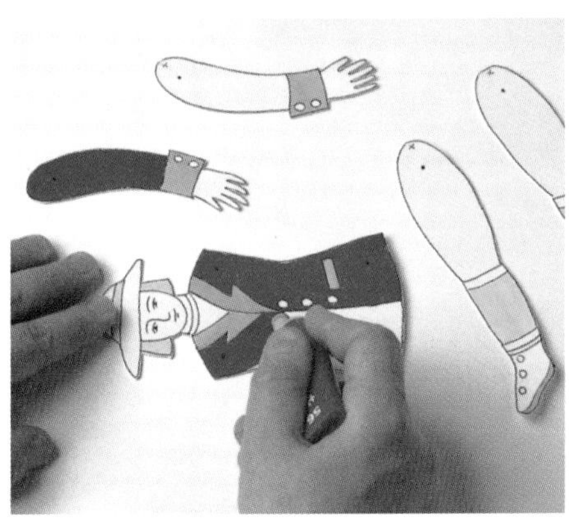

3 *Colorer la veste et le chapeau en rose et orange en se référant au dessin final.*

4 *Colorer les chaussures et les rayures du pantalon en noir.*

5 *Percer des trous comme montré sur le patron, un dans chaque épaule et chaque hanche, et deux en haut des bras et des jambes.*

6 *Attacher les bras et les jambes au corps avec les attaches parisiennes en s'assurant que le dos bouge librement avant d'écarter les tiges.*

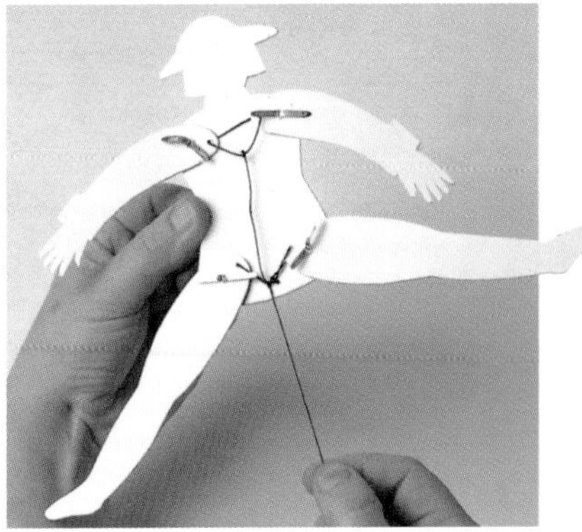

7 *Passer le fil noir dans les autres trous des bras et des jambes.*

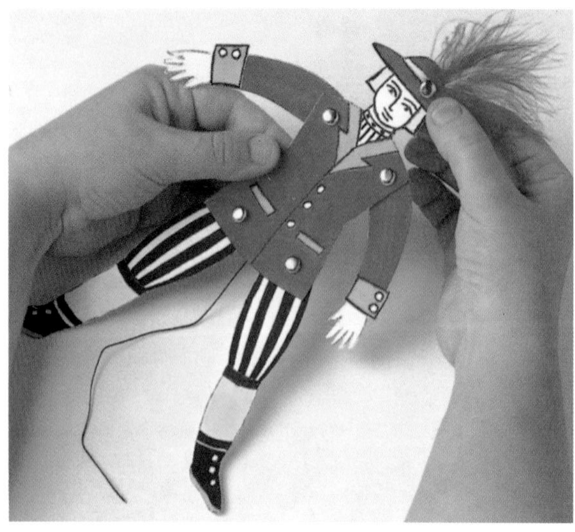

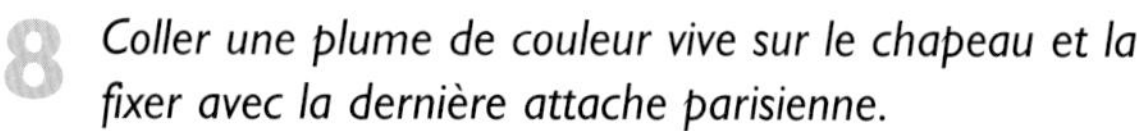

8 *Coller une plume de couleur vive sur le chapeau et la fixer avec la dernière attache parisienne.*

9 *Insérer une perle noire au bout du fil.*

GIROUETTE « GUERRIER »

Ce guerrier, inspiré d'une girouette d'art populaire américain, est facile à faire et à agiter. Utilisez la même méthode pour créer d'autres personnages et présentez une pièce de théâtre.

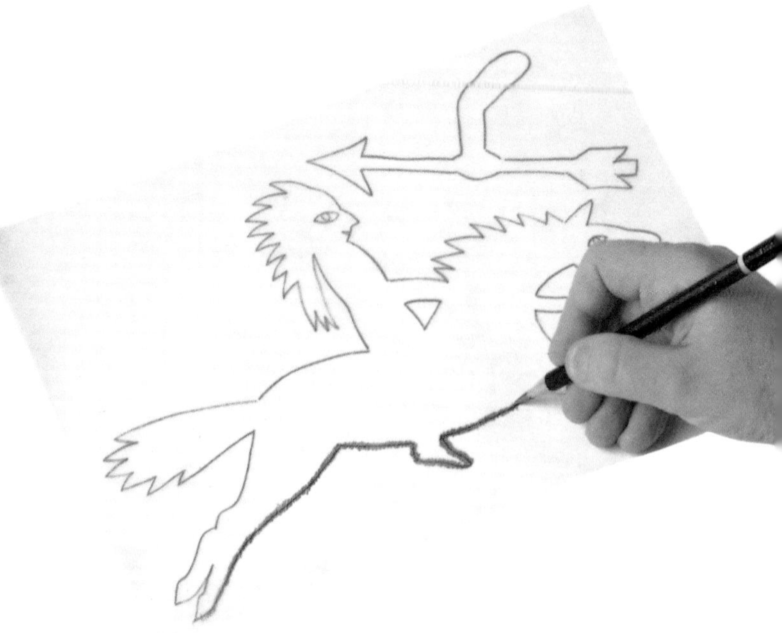

Avec un crayon, tracer l'image à partir du patron. La tourner à l'envers et dessiner par-dessus les traits de crayon.

Matériel requis :

- Papier calque
- Crayon
- Carton mince (noir)
- Ciseaux
- Couteau d'artiste
- Crayon de cire blanc
- Aiguille à coudre
- Poinçon
- Attache parisienne
- 2 petites éclisses
- Colle blanche
- Fil robuste (noir)

Patron pour la girouette « guerrier »

2 *Retourner le papier calque et dessiner les premières lignes tracées avec un crayon à mine pointue afin de transférer l'image sur le carton noir. Retirer le papier à calquer.*

3 *Découper l'image avec précision.*

4 *Avec le couteau, couper les parties qui ne sont pas accessibles aux ciseaux (sous les bras, par exemple).*

5 *Couper les yeux avec la pointe du couteau.*

6 *Dessiner des détails sur le carton avec un crayon blanc, notamment sur les bras et la flèche.*

7 *Avec l'aiguille à coudre, percer un trou dans le coude du bras qui tient la flèche.*

8 *Placer le bras qui tient la flèche derrière le corps et percer un trou dans les deux épaisseurs à la hauteur de l'épaule.*

9 *Mettre l'attache parisienne dans le trou et s'assurer que le bras peut bouger avant d'écarter les tiges à l'arrière.*

10 *Coller une des éclisses au centre du dos du cheval.*

11 *Faire un petit trou en haut de l'autre éclisse et l'attacher lâchement au coude avec le fil robuste.*

DRAGON

Ne jetez plus vos chaussettes usées puisque vous pouvez les transformer en personnages colorés comme ce dragon, un monstre ou toute autre créature issue de votre imagination. La métamorphose sera amusante !

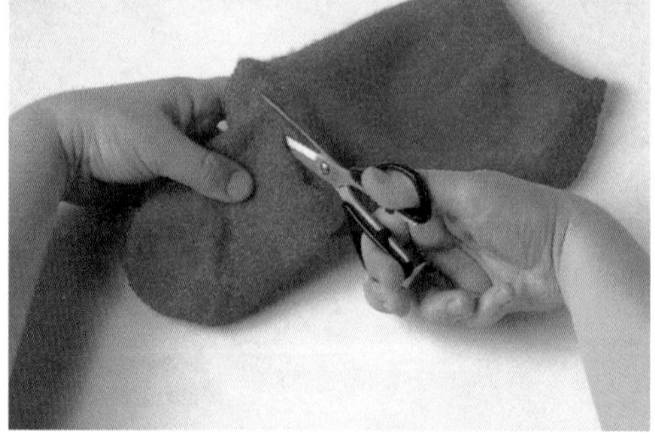

2 *Couper une fente sur le dessus du pied et une autre au talon.*

Matériel requis :

- Fil à coudre
- 2 vieilles chaussettes
- Épingles
- Ciseaux
- Aiguille à coudre
- Feutre (orange, noir, jaune et rose)
- Bourre en polyester
- Retailles de découpe (pour les yeux)
- Colle à tissu
- Paillettes

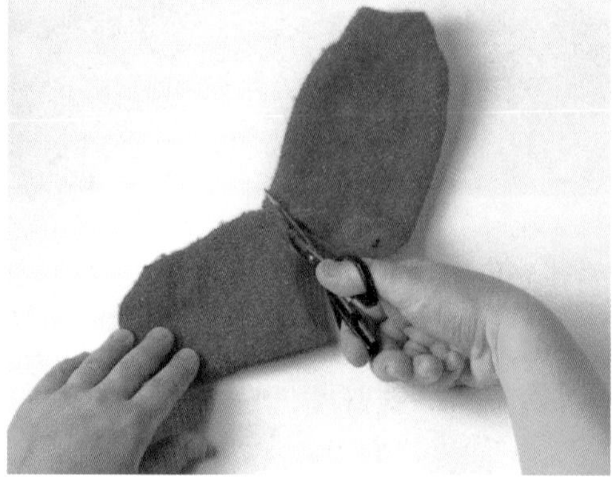

3 *Couper la pointe de l'autre chaussette.*

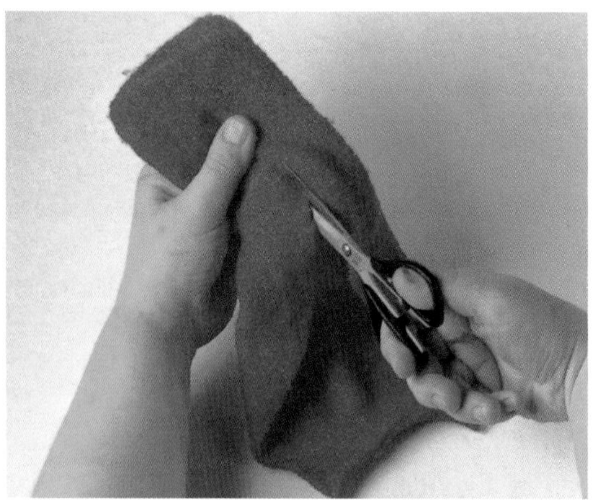

1 *Couper deux fentes : au dos d'une chaussette et un peu plus loin le long de la semelle.*

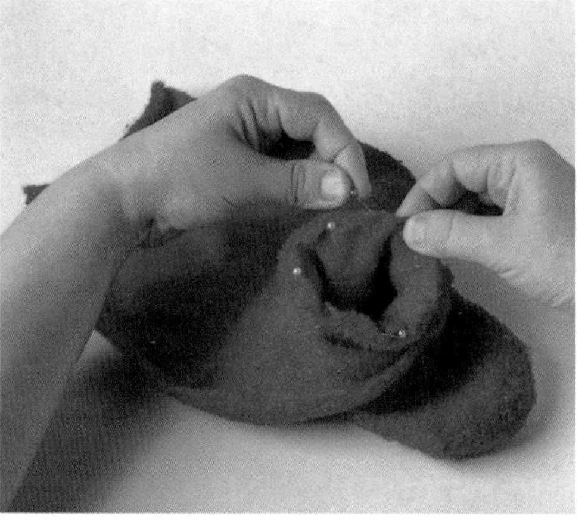

4 *Les deux chaussettes à l'endroit, épingler la pointe de la seconde dans la fente de la première.*

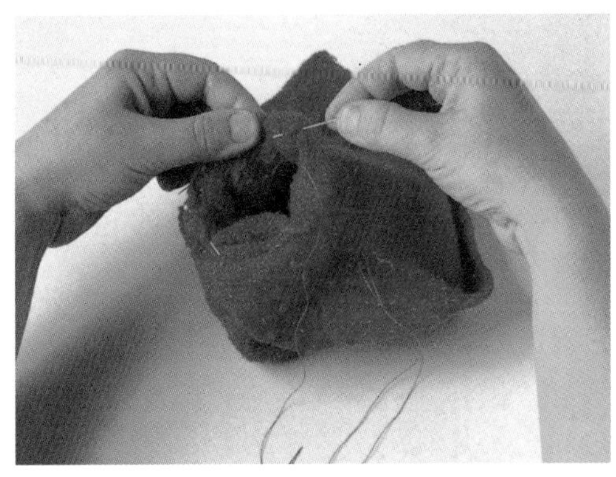

5 *Coudre la pointe pour faire la mâchoire inférieure.*

6 *Dans le feutre orange, découper un zigzag d'environ 30 cm (12 po) de long.*

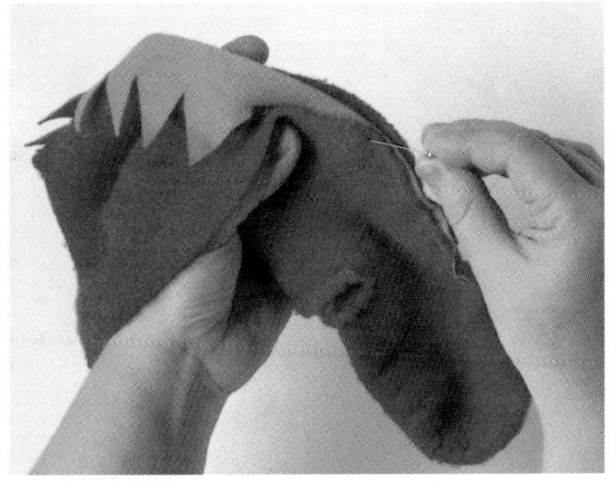

7 *Avec la chaussette à l'envers, placer le zigzag le long la fente arrière et l'épingler pour que le bout droit repose le long de la fente, les pointes vers l'intérieur.*

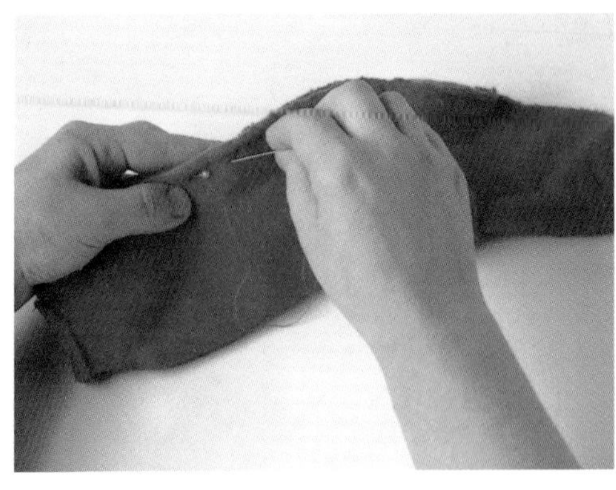

8 *Coudre le zigzag avec un point devant.*

9 *Remettre la chaussette à l'endroit pour révéler l'épine dorsale du dragon.*

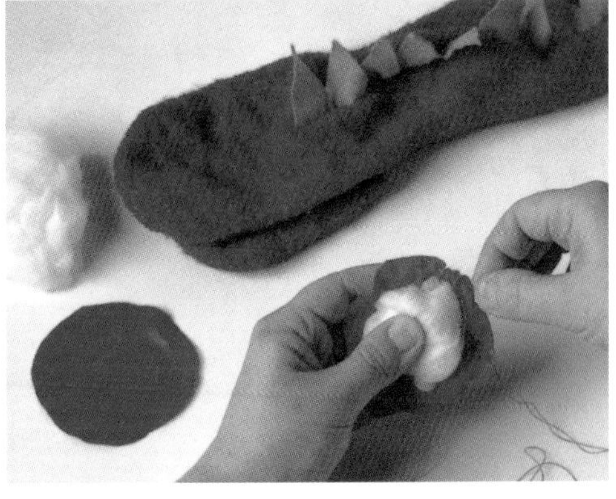

10 *Coudre une ligne de petits points devant, sur les contours d'un cercle de tissu rose ; ne pas nouer le fil. Placer un peu de bourre en polyester au centre.*

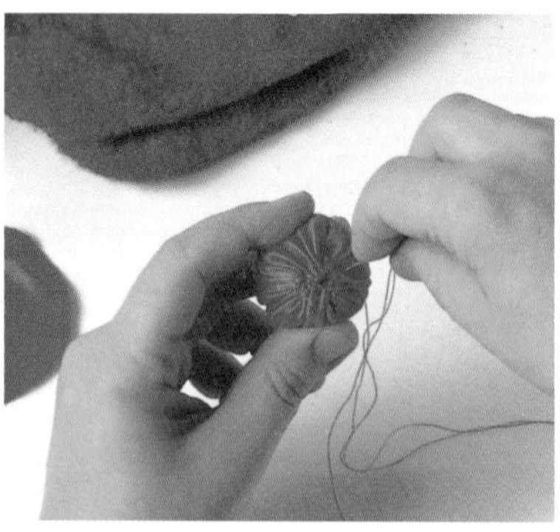

11 *Former une boule et coudre le tout.*

12 *Coudre les yeux sur la chaussette, juste avant le début de l'épine dorsale.*

13 *Avec de la colle à tissu, coller des paillettes blanches sur deux cercles de feutre noir, puis les « globes » sur les yeux.*

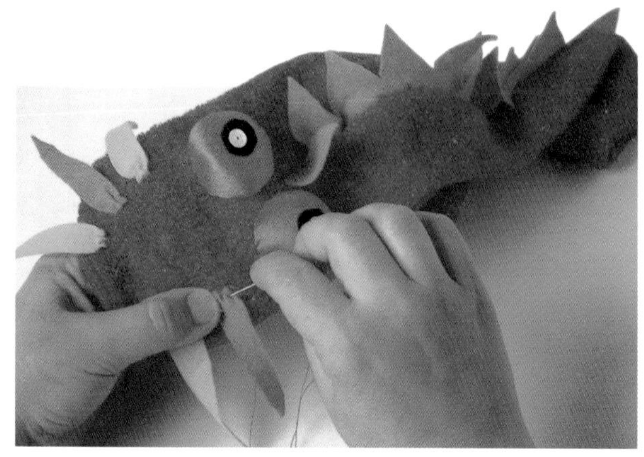

14 *Coudre des morceaux de feutre orange, jaune et rose en guise de moustaches et y coller des paillettes tel que montré sur l'image.*

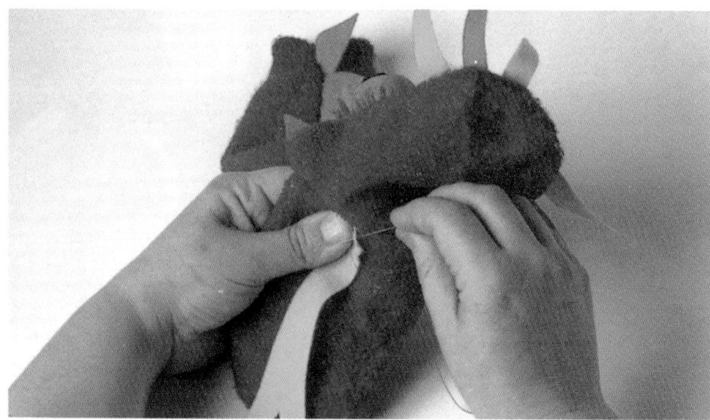

15 *Découper une langue de serpent en feutre jaune et la coudre dans la bouche. Glisser le bras dans la chaussette et le pouce dans la mâchoire inférieure.*

M. ET MME CUILLÈRE

Les cuillères de bois sont peu coûteuses et sont vendues sous toutes les tailles et formes. Elles donnent souvent un air guindé aux marionnettes. Amusez-vous à faire une famille entière ou plusieurs personnages et... place au théâtre !

Matériel requis :

- Papier rigide ou de poids léger (blanc)
- Stylos feutre (noir, rose et bleu)
- Ciseaux
- 1 cuillère de bois
- Colle transparente tout usage
- Similicheveux (nous avons choisi roux)
- Paillettes
- Ruban

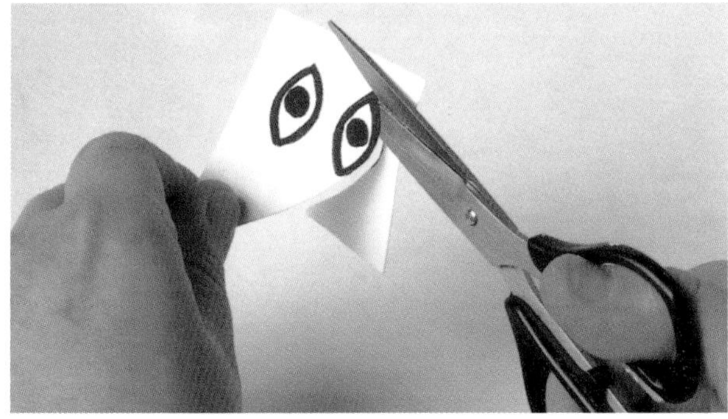

1 *Avec un stylo feutre noir, dessiner les yeux sur le papier blanc et les découper soigneusement.*

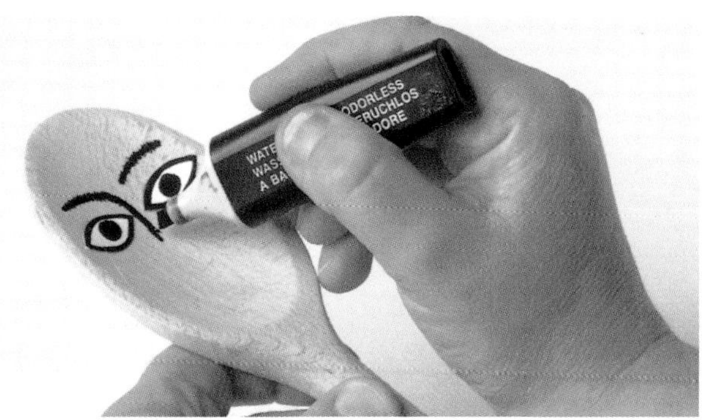

2 *Coller les yeux sur la cuillère à environ un tiers de la bordure supérieure. Avec le même stylo, dessiner des sourcils et le nez.*

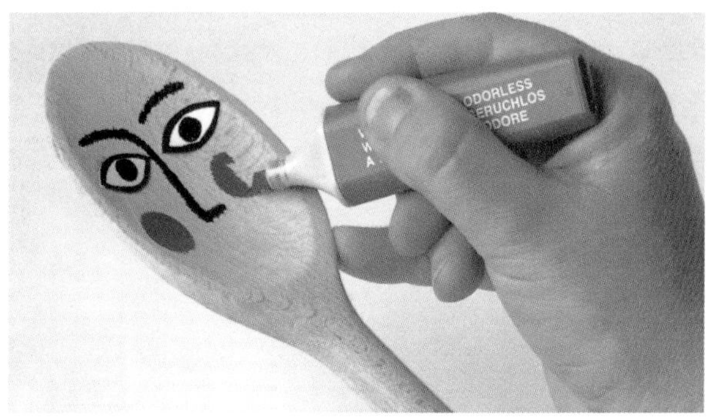

3 *Dessiner les joues au stylo feutre rose.*

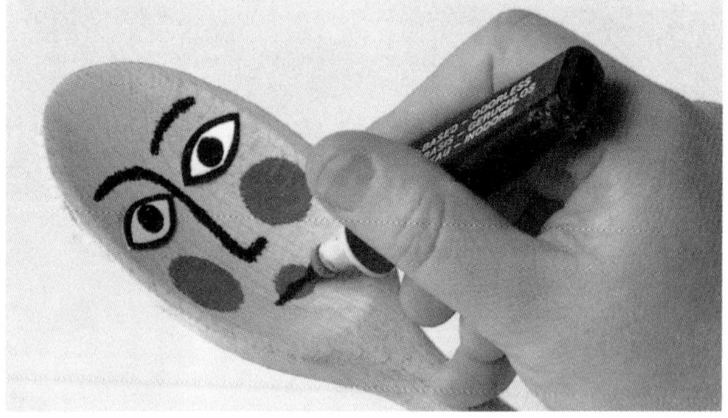

4 *Dessiner la bouche rose et ajouter une ligne noire. Colorer les paupières en bleu.*

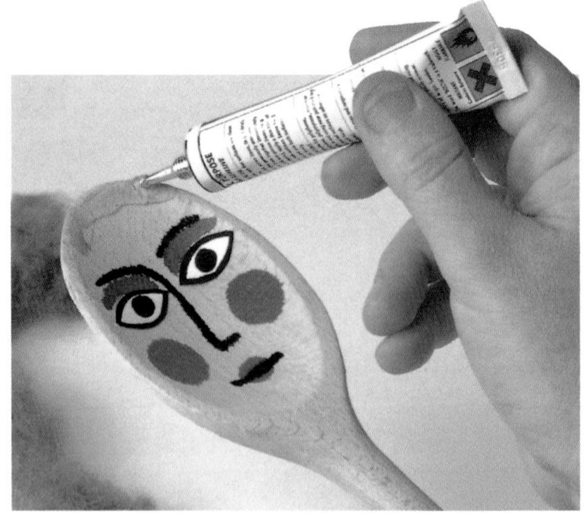

5 *Mettre de la colle dans le haut de la cuillère.*

6 *Coller les cheveux.*

7 *Coller une grosse paillette verte de chaque côté du visage, une moitié sur la cuillère et l'autre sur les cheveux.*

8 *Nouer le ruban autour du cou et faire une boucle. Couper au besoin pour qu'elle soit égale.*

SQUELETTE DANSANT

Simple à faire, cette marionnette s'inspire du carnaval du Jour des morts durant lequel les Mexicains mangent des bonbons en forme de crânes. De plus, elle danse de manière macabre, mais divertissante ! Achetez la pulpe de papier mâché ou fabriquez-la vous-même.

Matériel requis :

- Pulpe de papier mâché
- Couteau de cuisine
- 1 goujon de 6 mm (¼ po) sur 30 cm (12 po) de long
- 2 ressorts de 13 cm (5 po) de long
- 2 ressorts de 9 cm (3½ po) de long
- 1 ressort de 3 cm (1½ po) de long
- Apprêt acrylique (blanc)
- Pinceaux (petit et moyen)
- Peinture acrylique (grise)

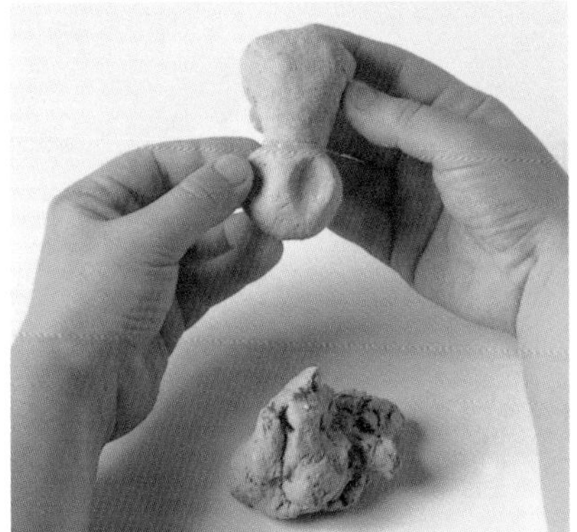

1 *Modeler le corps du squelette avec la pulpe de papier mâché. Amincir la taille et former le bassin.*

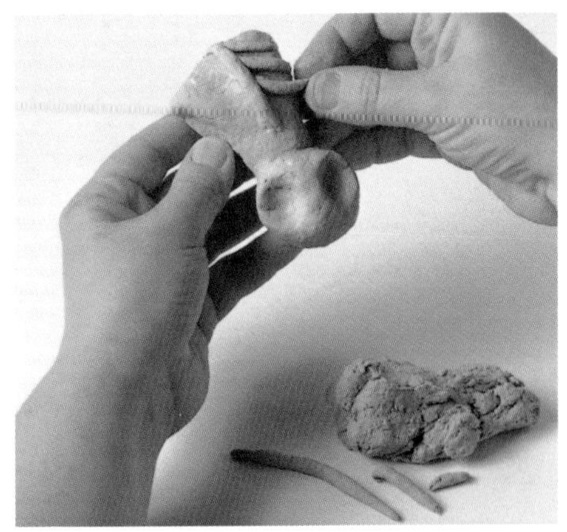

2 *Rouler des cylindres de pulpe pour en faire les côtes. Les fixer sur le squelette.*

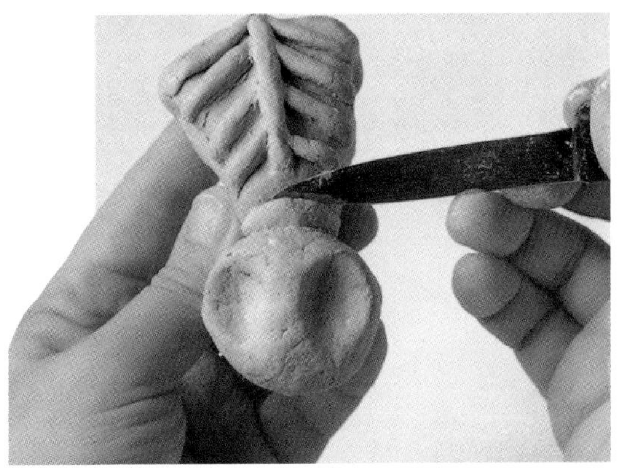

3 *Avec le couteau, façonner quelques vertèbres.*

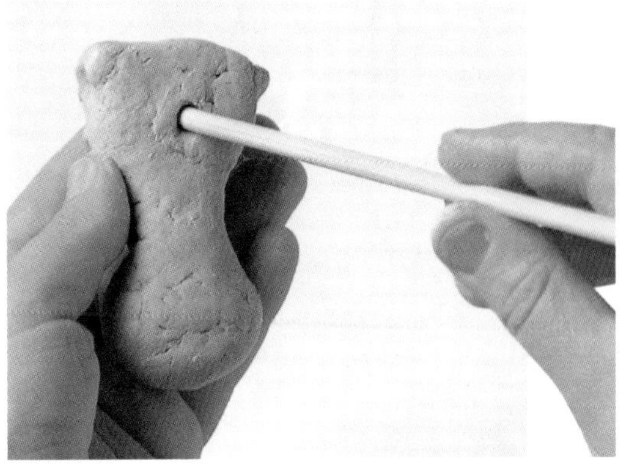

4 *Enfoncer le goujon dans le dos du squelette pour faire un trou d'environ 1 cm (½ po).*

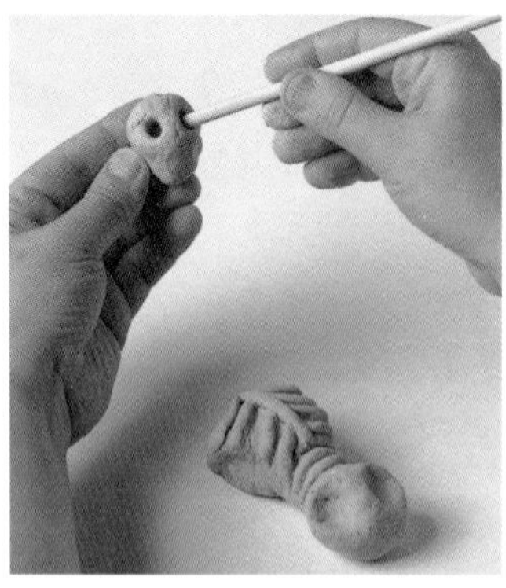

5 *Avec la pulpe, modeler un crâne proportionnel au corps. Avec le bout du goujon, faire les orbites des yeux.*

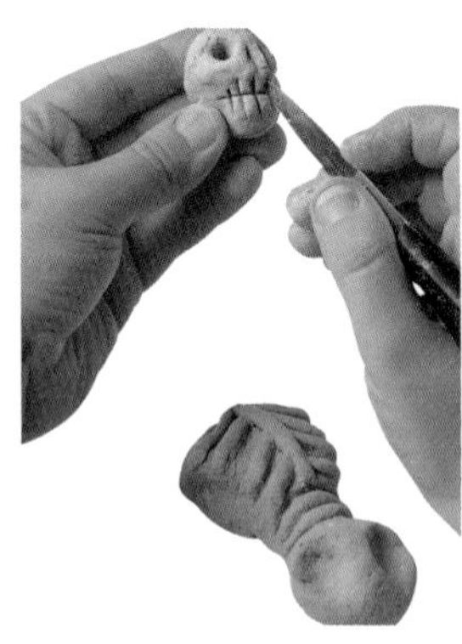

6 *Avec le couteau, tracer la mâchoire et les dents.*

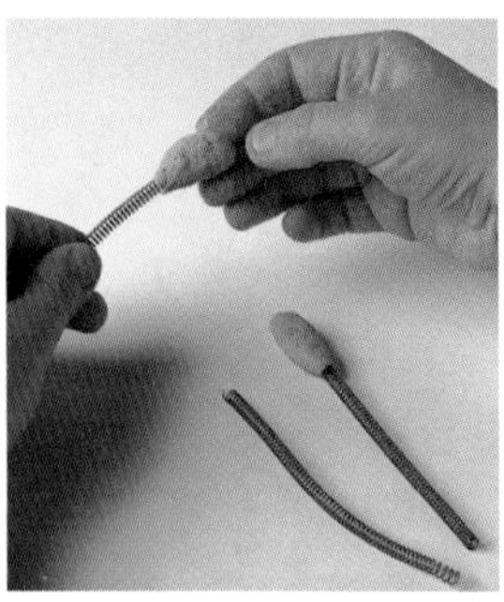

7 *Mettre un peu de pulpe au bout des quatre longs ressorts pour former les mains et les pieds. Insérer le plus petit des ressorts à la base du crâne.*

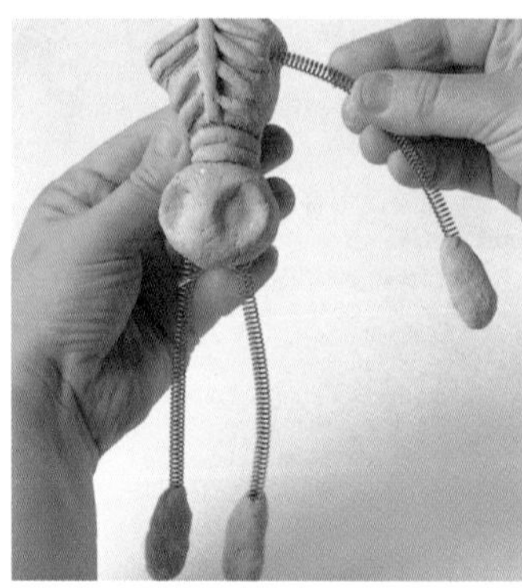

8 *Insérer les deux plus longs ressorts dans les hanches et les deux de 9 cm (3½ po) dans les épaules, en les enfonçant d'environ 1 cm (½ po). Ajouter de la pulpe pour que les ressorts soient bien solides.*

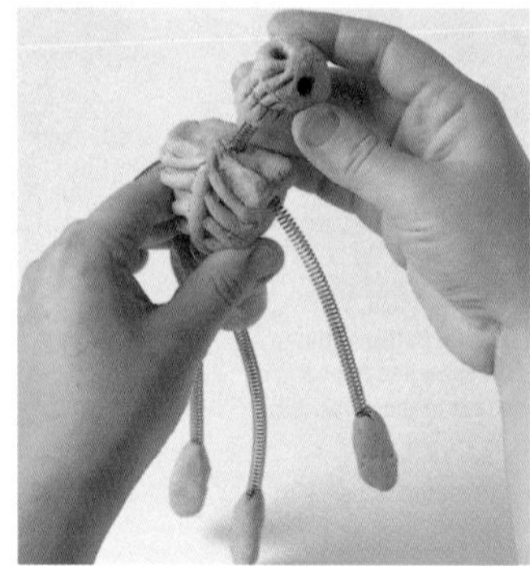

9 *Insérer le ressort de la tête sur le haut du squelette et le fixer avec de la pulpe. Laisser sécher le squelette dans une pièce chaude et sèche ou au four à très basse température.*

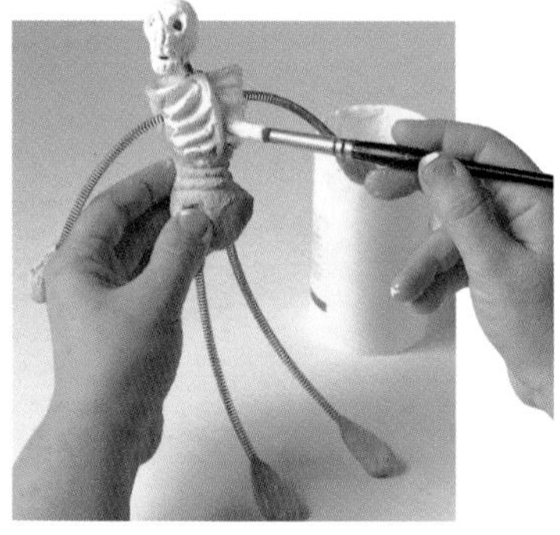

10 *Lorsque le squelette est sec, appliquer une couche d'apprêt blanc sur le corps, le crâne, les pieds et les mains, en évitant les ressorts.*

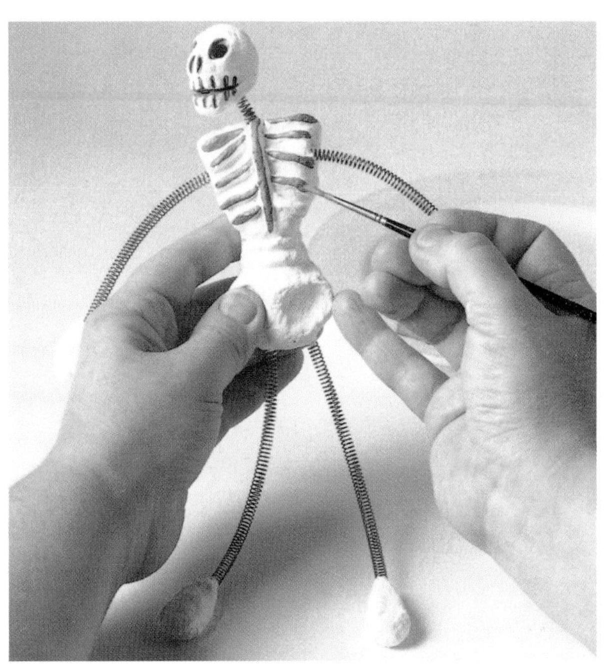

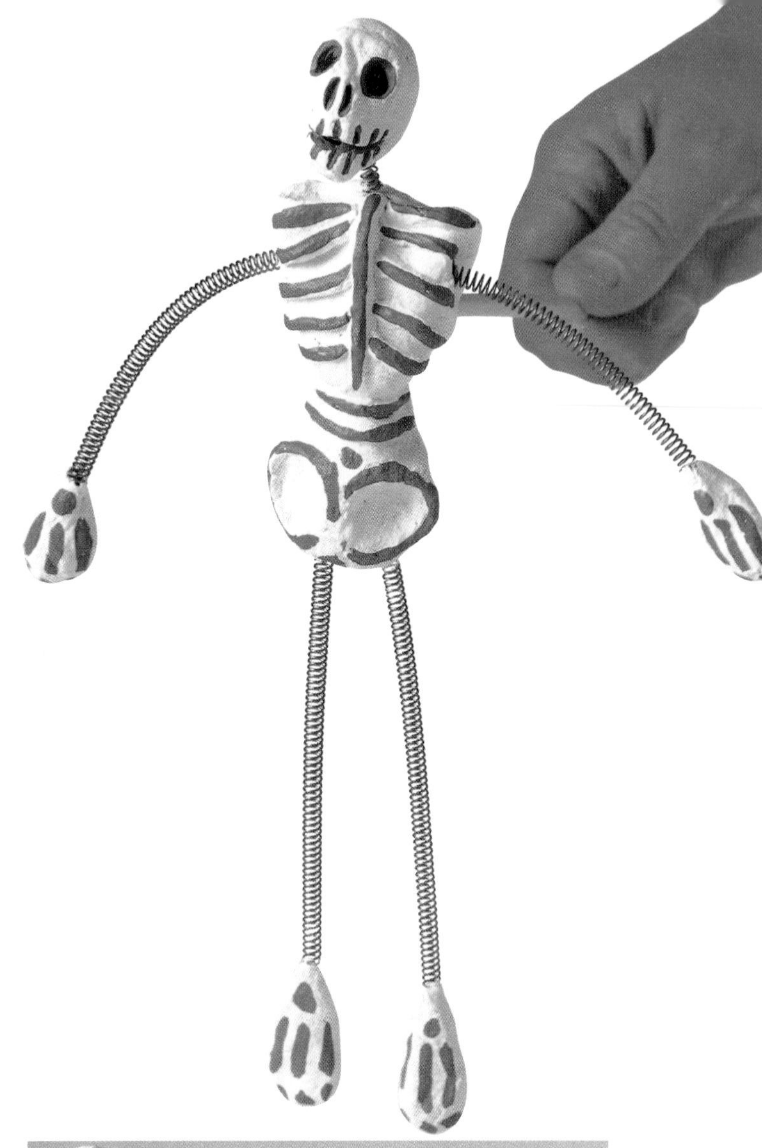

11 *Laisser sécher l'apprêt. Peindre en gris le dessus des côtes, les yeux, la mâchoire, les dents et les lignes du bassin.*

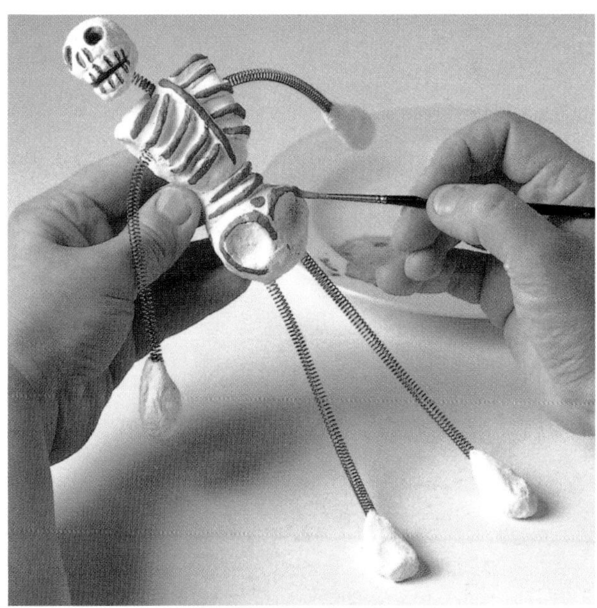

12 *Toujours avec le gris, peindre des lignes sur les mains et les pieds.*

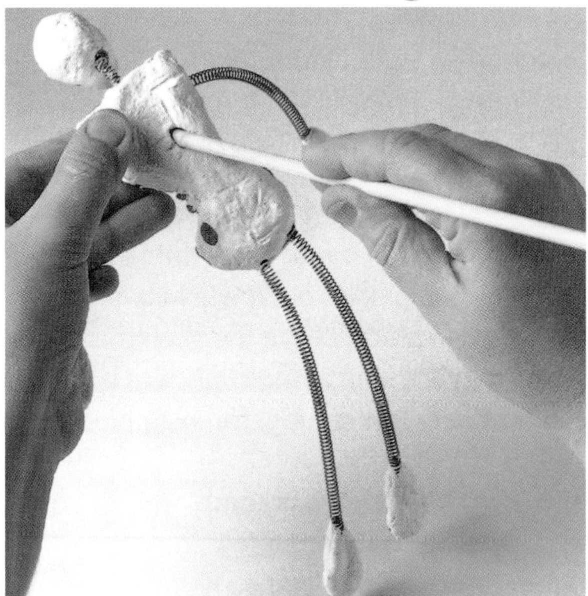

13 *Enfoncer le goujon dans le trou du dos. Il peut être collé, à moins de vouloir l'enlever.*

Oiseaux sur tiges

Vous vous demandez quoi faire avec vos retailles de feutre ? Nous vous proposons un troupeau de volailles. Ce projet est probablement le plus facile de tout ce guide. De plus, vous pouvez laisser libre cours à votre créativité en ajoutant de vraies plumes, des paillettes ou du papier scintillant.

1 *Transférer les contours du modèle sur le carton blanc. En se guidant avec la marionnette terminée, commencer à colorer la tête et la queue en jaune et orange.*

Matériel requis :

- Papier calque
- Crayon
- Carton mince (blanc)
- Stylos feutre (jaune, orange, rose, bleu, rouge et noir)
- Ciseaux
- Couteau d'artiste
- Bouchon de liège
- 1 goujon de 6 mm (¼ po) sur 35 cm (14 po) de long

2 *Utiliser du rouge pour la crête et le torse, et du bleu pour le visage. Mettre un peu de noir au bec et à l'œil.*

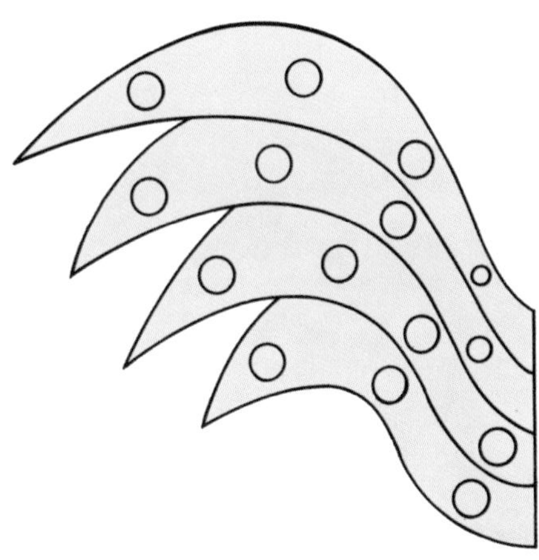

3 *Ajouter des points roses sur la queue.*

4 *Lorsque tout est coloré, découper la tête et la queue.*

5 *Avec le couteau, faire une incision d'environ 6 mm (¼ po) de profondeur à chaque bout du bouchon de liège.*

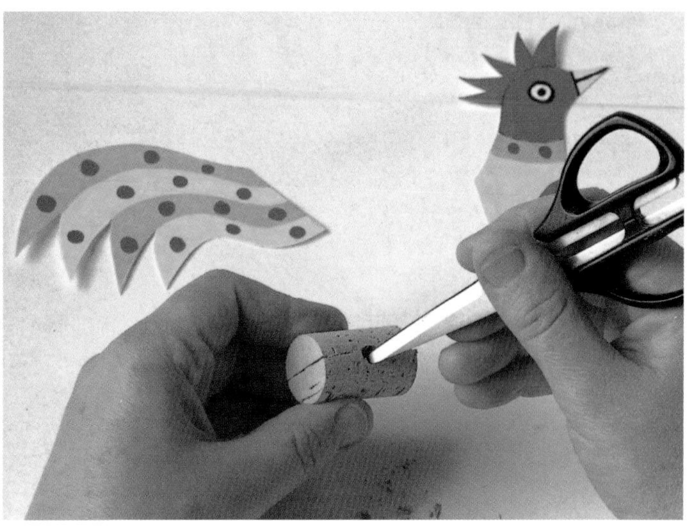

6 *Faire un trou sous le bouchon avec la pointe fermée des ciseaux.*

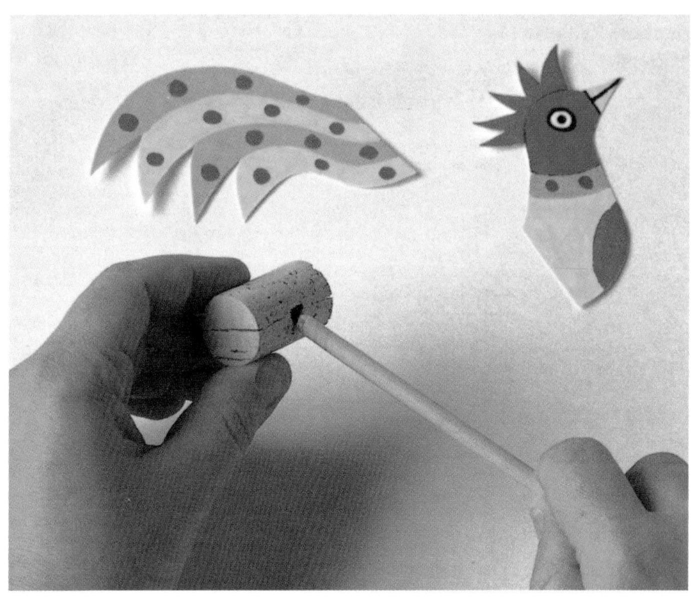

7 *Insérer le goujon dans le trou du bouchon.*

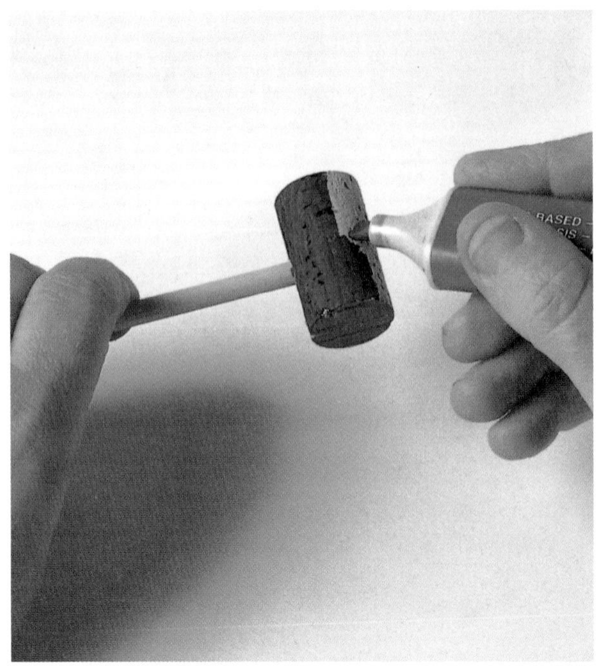

8 *En tenant le goujon, colorer le bouchon en bleu et ses extrémités en rose.*

9 *Pousser la tête et la queue dans les fentes du bouchon.*

CHAT « MARMELADE »

Cette marionnette a été fabriquée selon la technique simple du papier mâché. Au lieu de peindre son visage, nous l'avons coloré avec des retailles de papier. Ainsi, la confection et la décoration du chat se font simultanément.

Matériel requis :

- Pâte à modeler (bleue et jaune)
- Gelée de pétrole
- Papier de construction (bleu et orange ; petites quantités de jaune et de vert)
- Retailles colorées de papier d'emballage
- Pâte (cellulose ou fécule)
- Couteau d'artiste
- Colle blanche
- Ruban-cache
- Cylindre en carton
- Papier calque
- Crayon
- Ciseaux
- Épingles
- 2 carrés de retailles de tissu, environ 30 x 30 cm (12 x 12 po)
- Aiguille à coudre
- 2 carrés de feutre orange de 30 x 30 cm (12 x 12 po)
- Fil de soie orange

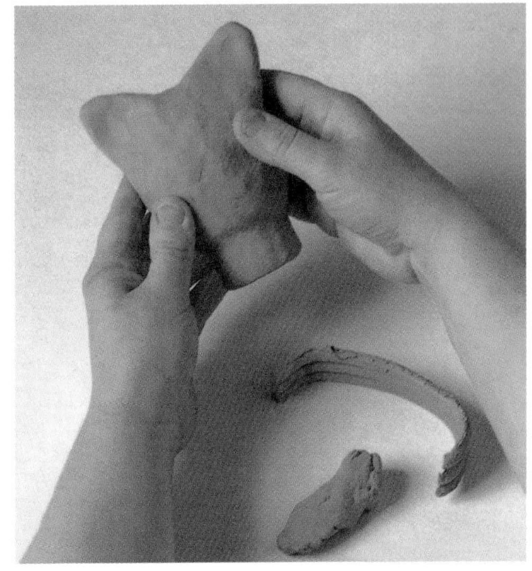

1 *Façonner la pâte à modeler bleue en forme de tête de chat.*

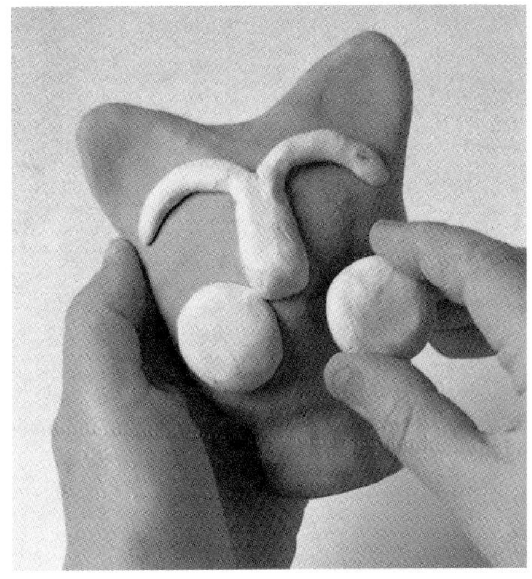

2 *Avec la pâte à modeler jaune, faire le museau, les sourcils et deux boules pour les joues.*

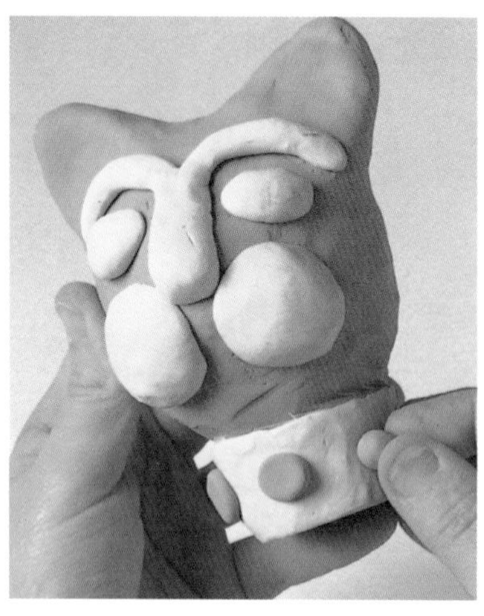

3 *Faire un collier jaune et ajouter des petites boules bleues.*

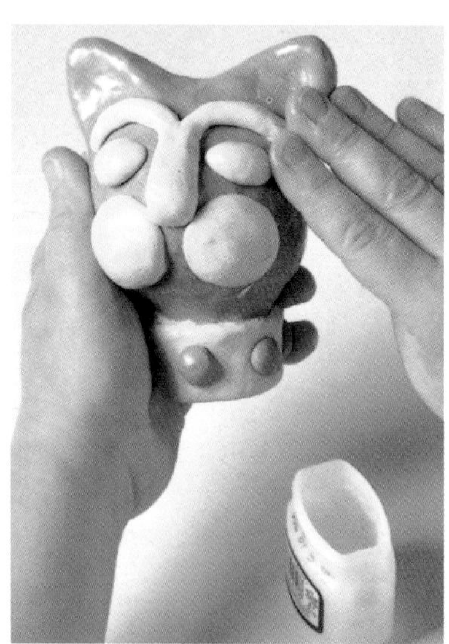

4 *Enduire toute la tête de gelée de pétrole pour ne pas que le papier colle à la pâte à modeler.*

5 *Déchirer du papier de construction orange et le tremper dans la pâte sans l'imbiber. Couvrir la tête de papier, de manière à ce que chaque morceau se chevauche un peu.*

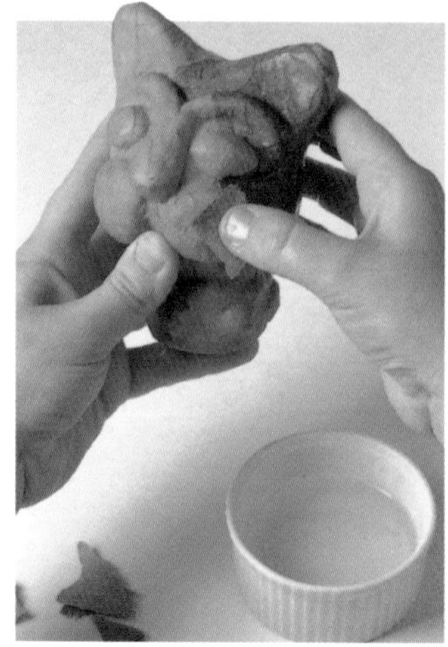

6 *Lorsque la tête est totalement couverte de papier orange, répéter le procédé avec le bleu. Continuer en alternant le orange et le bleu. En tout, appliquer sept couches en terminant avec du papier orange.*

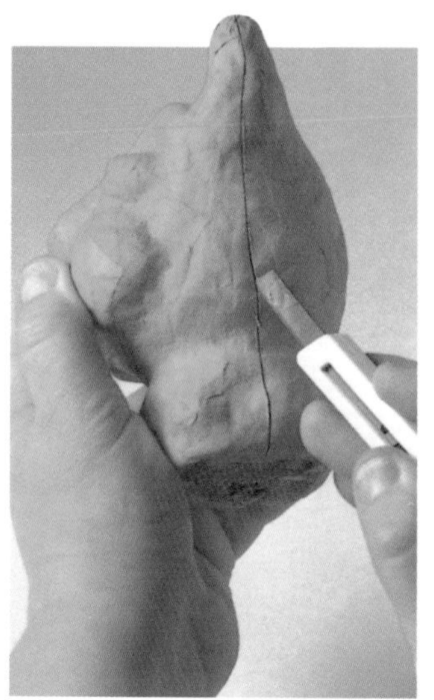

7 *Laisser sécher complètement, ce qui peut prendre du temps. Pour accélérer, laisser la tête dans un endroit chaud (une armoire aérée par exemple). Lorsqu'elle est sèche, couper délicatement le tour de la tête avec le couteau d'artiste. Couper le papier et la pâte à modeler en dessous.*

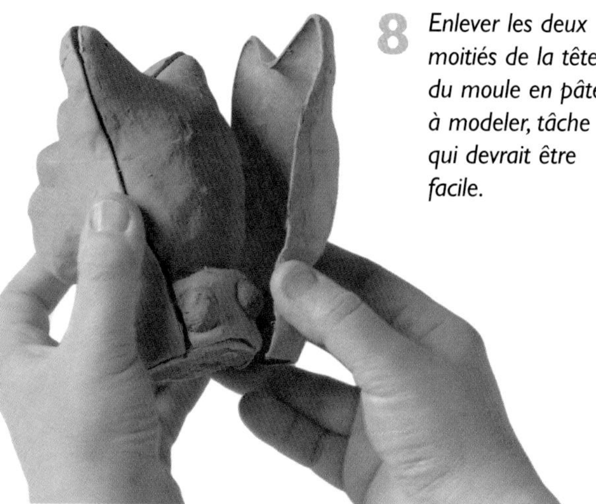

8 *Enlever les deux moitiés de la tête du moule en pâte à modeler, tâche qui devrait être facile.*

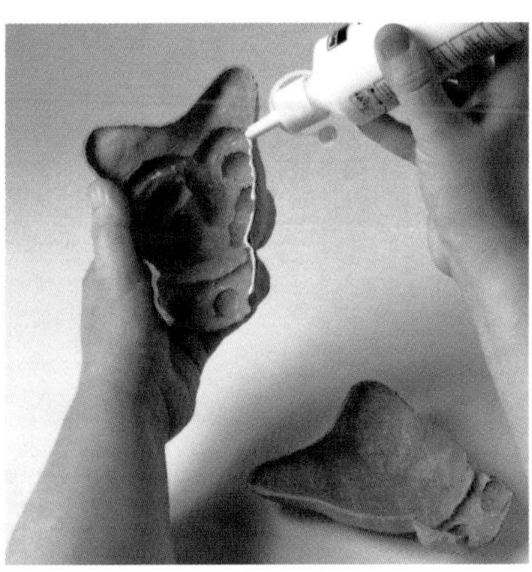

9 *Mettre de la colle blanche sur la bordure d'une des moitiés.*

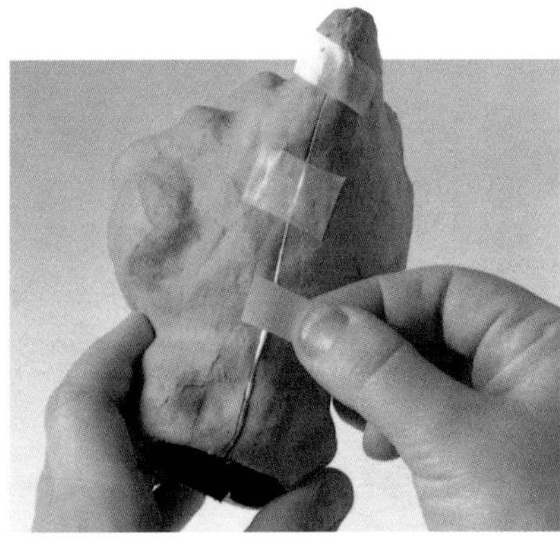

10 *Coller les deux moitiés et mettre des petits bouts de ruban-cache jusqu'à ce que la colle soit sèche.*

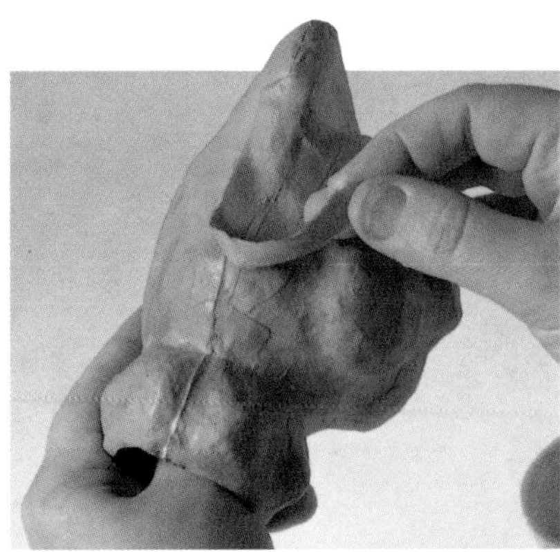

11 *Enlever le ruban-cache et cacher le joint en ajoutant des morceaux de papier orange en pâte.*

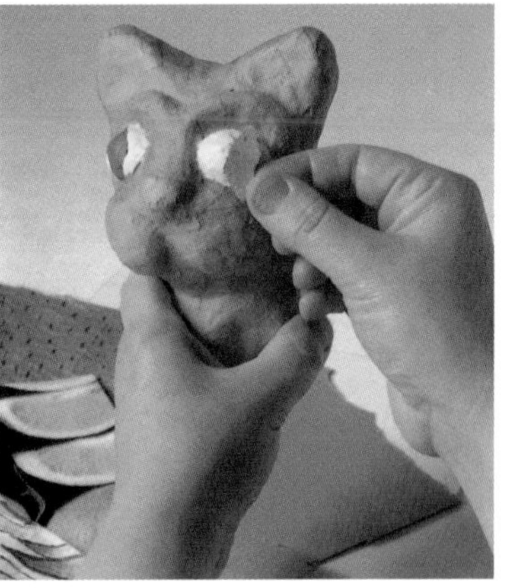

12 *Déchirer du papier jaune, le mettre en pâte et faire les globes oculaires. Coller du papier vert pour les pupilles.*

13 *Coller des morceaux de papier d'emballage orange sur la tête. Avec du bleu, couvrir les sourcils et le museau et faire la bouche. Orner le collier de papier de construction bleu et les boutons avec des bouts de papier d'emballage jaune et orange.*

14 *Tracer le modèle de la tunique, le découper et l'épingler sur une double épaisseur de tissu.*

15 *Découper la tunique.*

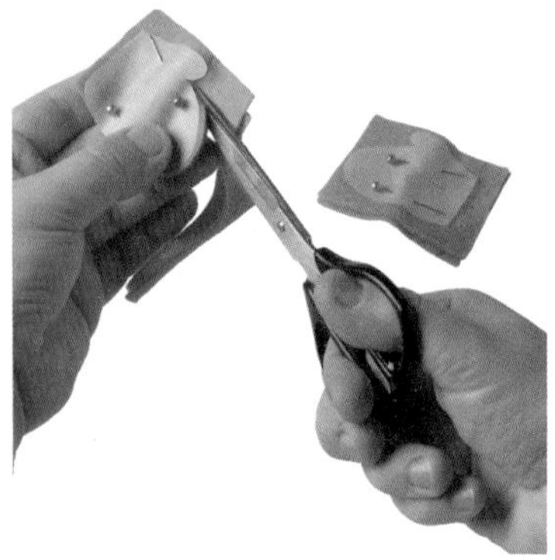

16 *Tracer les mains, découper les formes et les épingler sur deux morceaux de feutre. Découper.*

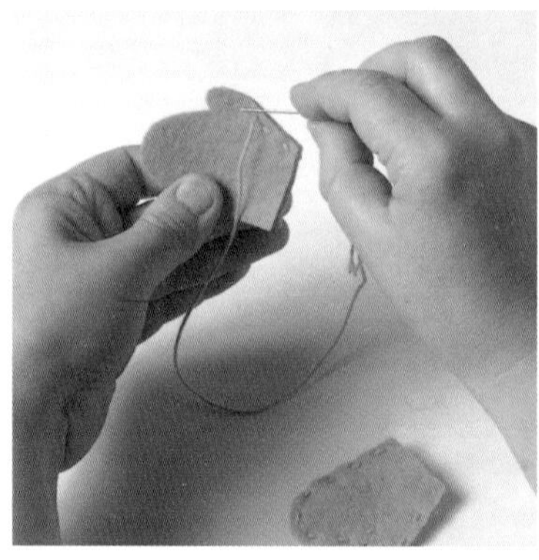

17 *Faire les mains en cousant deux épaisseurs de feutre avec du fil de soie orange.*

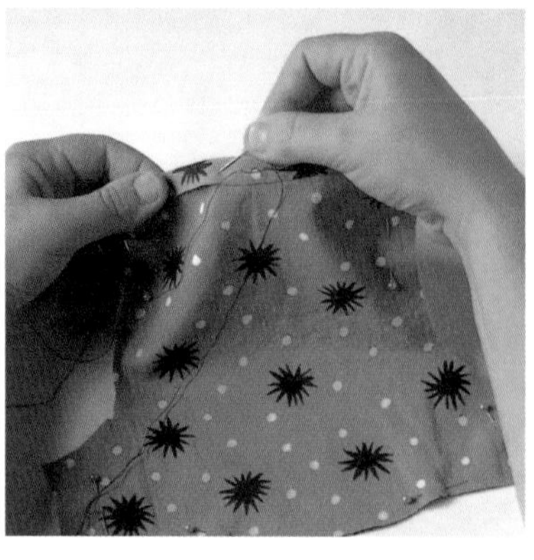

18 *La tunique à l'envers, faire un ourlet et coudre le côté, le dessous de bras et l'épaule ensemble. Laisser de l'espace au cou et dans les manches.*

19 *Tourner la tunique à l'endroit.*

20 *Retourner le bord d'une manche vers l'intérieur, insérer la main et la coudre. Répéter de l'autre côté.*

21 *Insérer une petite section du cylindre en carton dans le cou de la tunique et fixer avec la colle blanche.*

22 *Mettre un peu de colle à l'intérieur de la tête du chat, autour du col.*

23 *Pousser la tête dans le cylindre en s'assurant que le col couvre le joint de la tunique. Tenir en place jusqu'à ce que la colle sèche.*

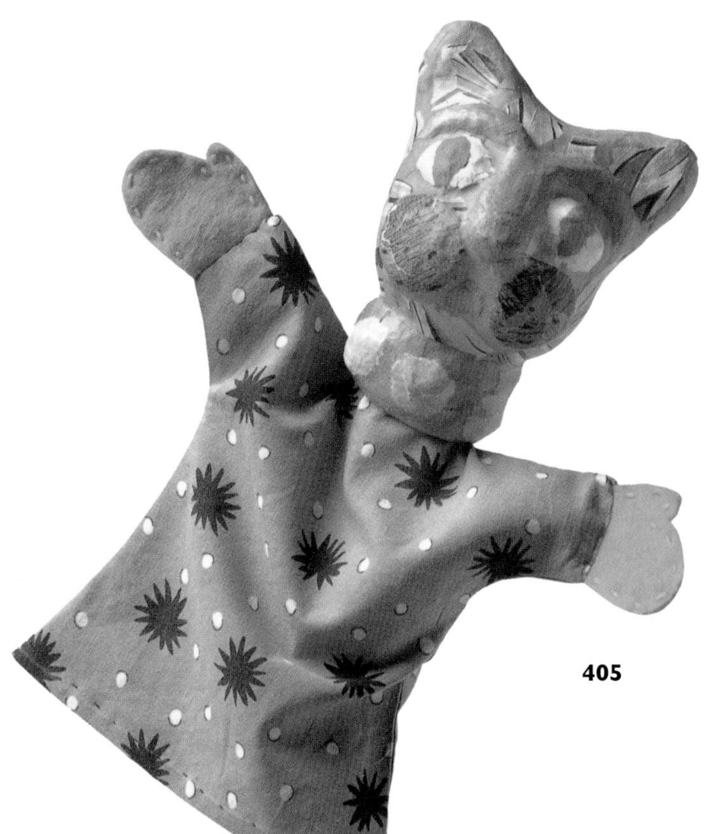

Prince couronné

Les origines de ce personnage attachant sont humbles : pulpe et retailles. Même si cette marionnette est un peu plus complexe que les autres, chaque étape demeure simple et n'exige aucune expertise.

Matériel requis :

- Journal
- Cylindre en carton
- Ruban-cache
- Pulpe de papier mâché
- Couteau
- Apprêt acrylique (blanc)
- Pinceaux (petit et moyen)
- Peintures acryliques (bleue, rose, rouge, jaune, brune et noire)
- Assiette ou palette pour mélanger les peintures
- Papier doré ou feuilles dorées
- Ciseaux
- Colle transparente tout usage
- Papier calque
- Crayon
- Épingles
- 2 morceaux de velours doré, 35 x 40 cm (14 x 17 po)
- Aiguille
- Fil à coudre
- 4 bandes élastiques
- Bourre en polyeste
- Colle blanche
- Bande tressée dorée, 2 m (6 pi)

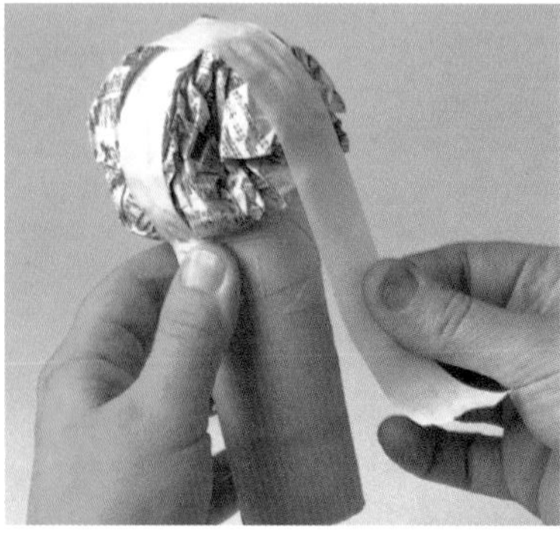

1 *Chiffonner une boule de papier journal de la grosseur d'un poing. La fixer sur le cylindre en carton avec du ruban-cache.*

2 *Couvrir uniformément le papier journal d'une couche de pulpe (fabriquée vous-même ou achetée). Lisser la pulpe sur le cylindre qui sera le cou et laisser sécher toute la nuit.*

3 *Modeler le nez en pressant la pulpe sur la tête et en lissant les coins. Ajouter les yeux et les sourcils.*

4 *Faire les lèvres, une moustache et des cheveux. Façonner la couronne en faisant des pointes sur le dessus. Laisser sécher, idéalement quelques jours.*

5 *Modeler les bottes avec de la pulpe.*

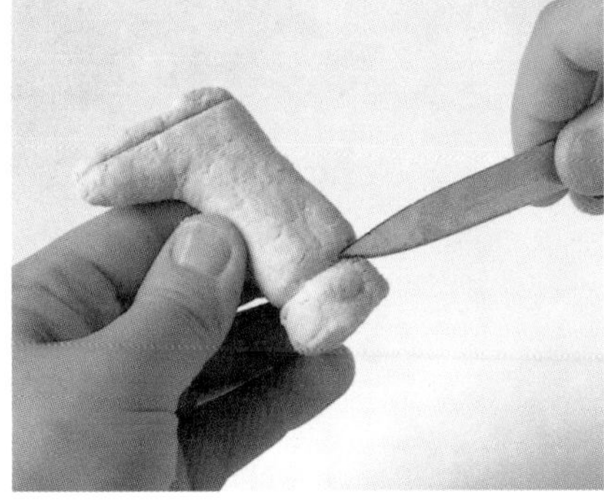

6 *Avec le couteau, graver un espace clair autour de chaque botte ; ils faciliteront l'ajout du pantalon plus tard. Laisser sécher.*

7 *Façonner les mains avec la pulpe, le pouce séparé. Utiliser le couteau pour définir les poignets et les deux mains. Laisser sécher.*

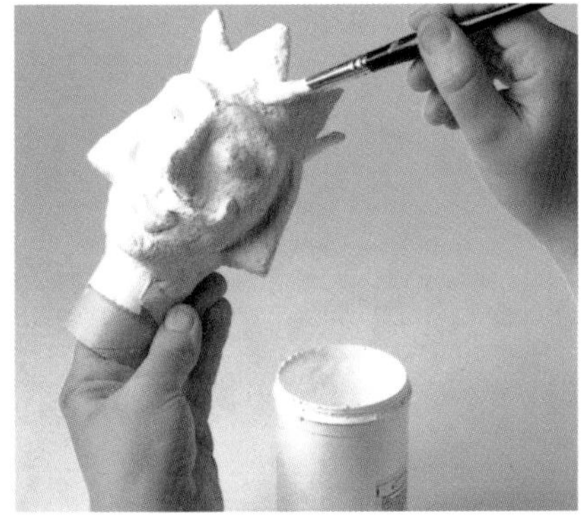

8 *Lorsque les bottes et la tête sont sèches, appliquer une couche d'apprêt acrylique blanc.*

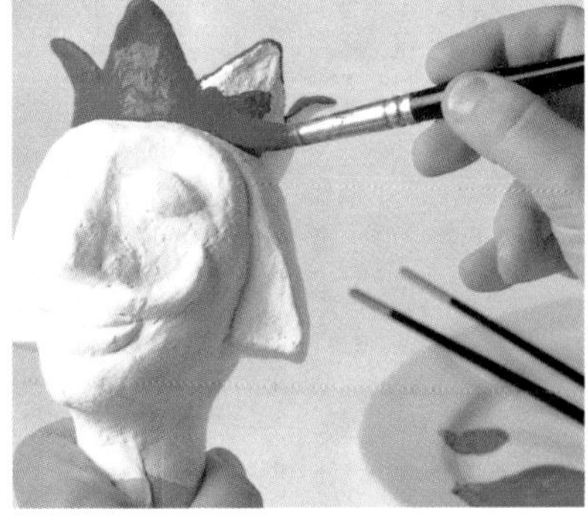

9 *Peindre la couronne en bleu avec le pinceau moyen.*

10 *Peindre les cheveux jaune pâle et le visage chair. Avant qu'elles ne sèchent, ajouter du rose aux joues en mélangeant le rouge et le chair. Peindre les lèvres rouge clair, les yeux en bleu, la moustache et les sourcils brun foncé. Ajouter une ligne brune autour des yeux.*

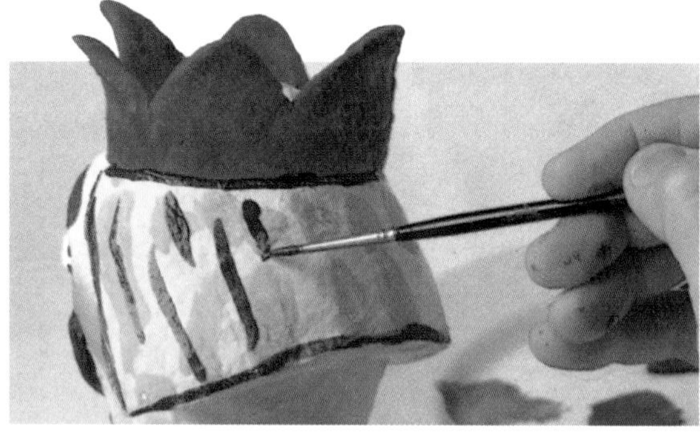

11 *Avec du jaune plus foncé, ajouter des reflets dans les cheveux. Quand ils sont secs, ajouter des lignes brunes.*

12 *Peindre des lignes jaune pâle discrètes dans la moustache et les sourcils.*

13 *Peindre les mains rose chair.*

14 *Peindre les bottes en bleu et les semelles en noir.*

15 *Découper du papier or ou une feuille dorée. Coller les morceaux sur les pointes de la couronne, puis découper et coller un morceau étroit pour couvrir sa base.*

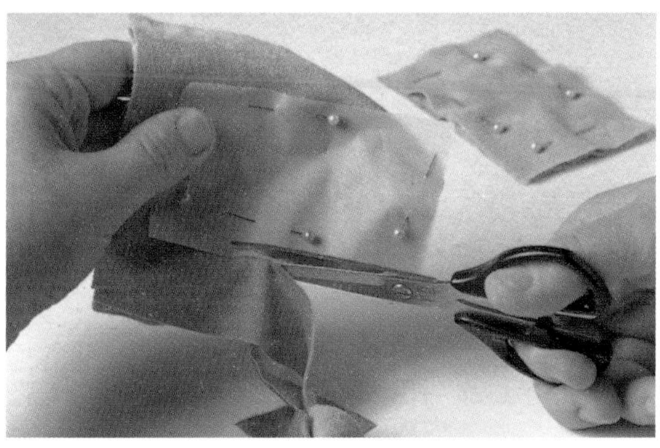

16 *Tracer et découper le modèle de la tunique et du pantalon. Les épingler sur deux épaisseurs de tissu.*

17 *Découper deux jambes et une tunique.*

18 *Coudre les deux côtés du corps ensemble, ainsi que les jambes du pantalon.*

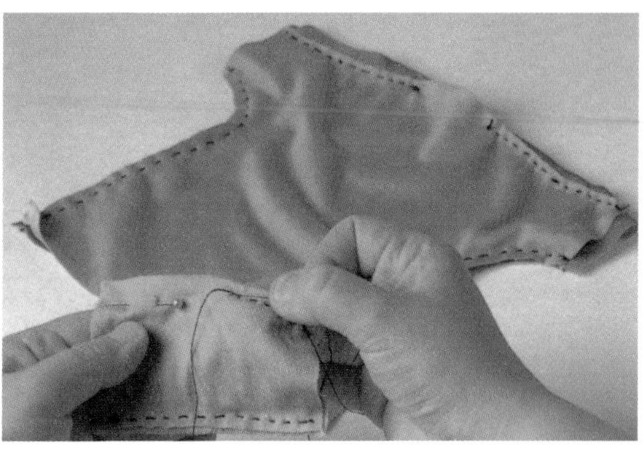

19 *Ne pas coudre les manches, ni le haut et le bas du pantalon.*

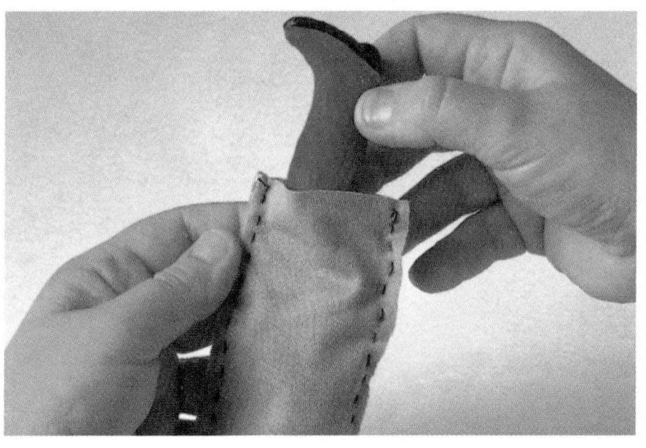

20 *Insérer une botte dans une jambe du pantalon pour qu'elle soit complètement recouverte.*

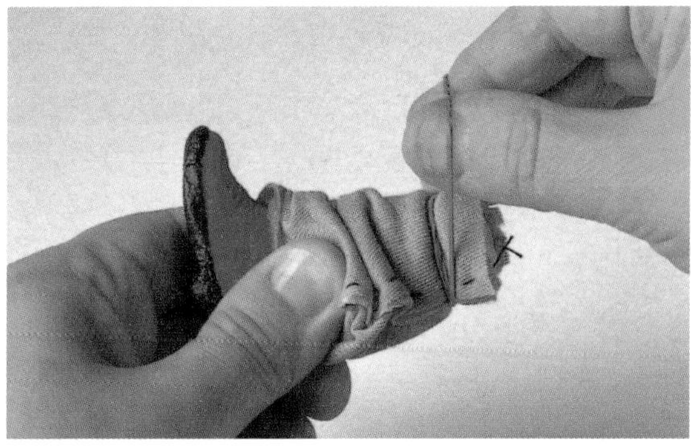

21 *Insérer une bande élastique autour de la botte, dans le creux fait plus tôt, et la serrer le plus possible.*

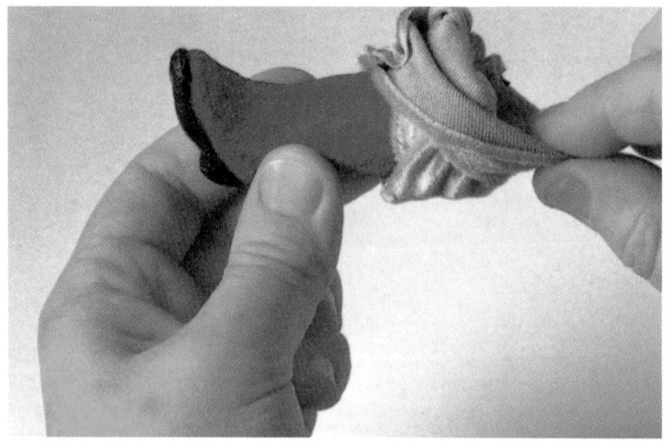

22 *Tourner la jambe du pantalon à l'endroit.*

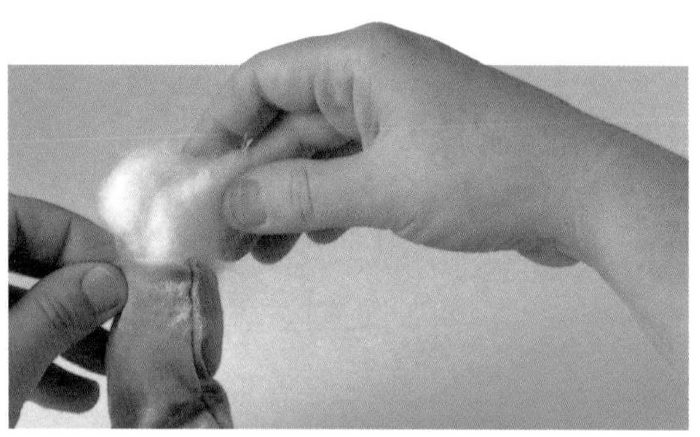

23 *Ajouter un peu de bourre dans la jambe. Répéter dans l'autre jambe.*

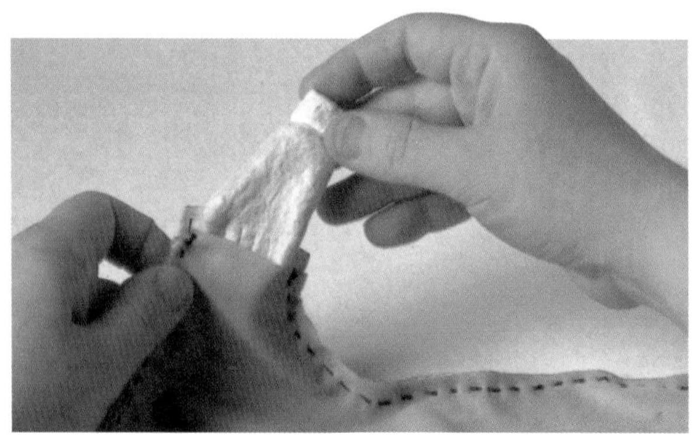

24 *Insérer une main, doigts d'abord, dans la manche de la tunique qui est toujours à l'envers. Fixer avec un élastique autour de la main, sur le creux du poignet.*

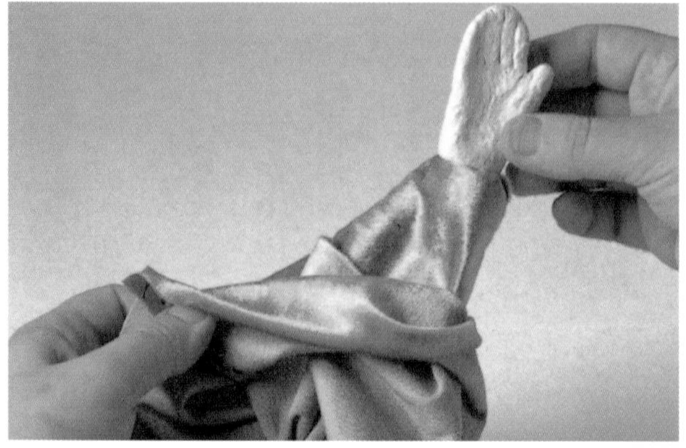

25 *Répéter pour l'autre main, puis tourner la tunique à l'endroit pour révéler les mains bien fixées.*

26 *Mettre de la colle blanche autour du cou et y glisser la tunique, par-dessus la ligne de colle.*

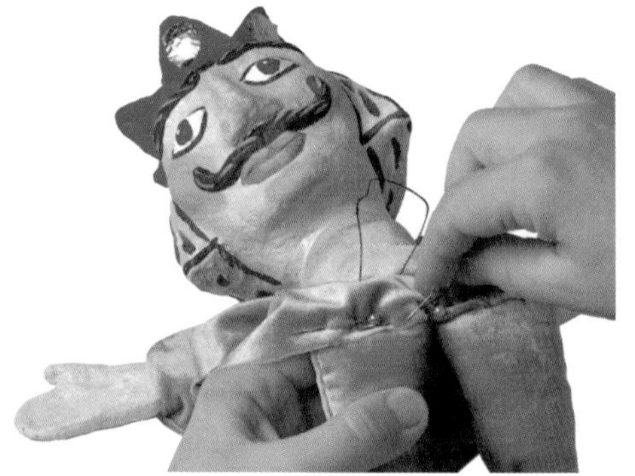

27 *Épingler, puis coudre les jambes dans le bas de l'avant de la tunique.*

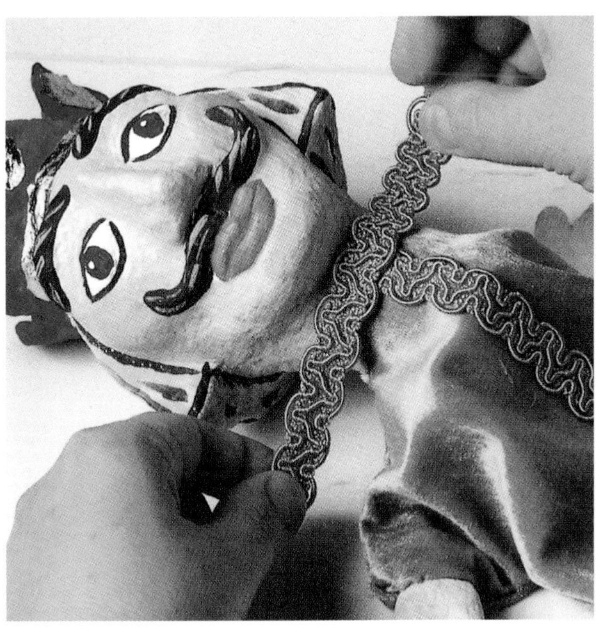

28 *Coller la tresse dorée autour du cou, des poignets et sur la tunique.*

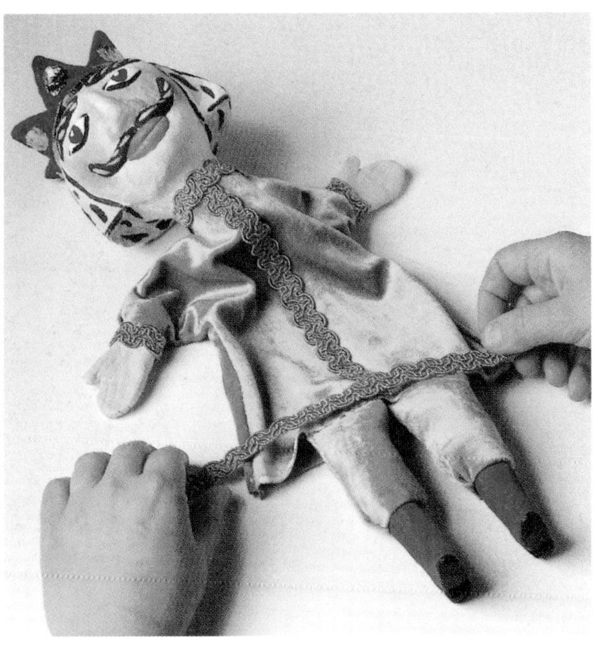

29 *Coller de la tresse sur l'ourlet de la tunique pour couvrir les coutures qui l'attachent aux jambes.*

L'ACROBATE

Voici enfin des directives simples pour fabriquer une marionnette articulée avec des fils. Ce genre de projet est habituellement complexe, mais puisque nous confectionnons les articulations et la marionnette en même temps, un peu de patience vous mènera loin. Vous pouvez acheter la pulpe de papier mâché ou la concocter vous-même.

Matériel requis :

- Fil de métal galvanisé, mince
- Alêne, coupe-fil, pinces et tournevis
- 2 longueurs de bois, chacune de 1,5 x 1,5 x 20 cm (¾ x ¾ x 8 po)
- Journal
- 1 longueur de bois de 1,5 x 1,5 x 30 cm (¾ x ¾ x 12 po)
- Pâte à papier peint et colle transparente tout usage
- Vis de 2,5 cm (1 po) de long
- Pulpe de papier mâché et apprêt acrylique (blanc)
- 7 crochets à œil
- Pinceaux (petit et moyen)
- 2 longueurs de fil robuste, chacune d'environ 50 cm (20 po)
- Peinture acrylique (noire, jaune, bleue et rouge)
- 2 longueurs de fil robuste, chacune d'environ 40 cm (16 po)
- similicheveux
- 1 longueur de fil robuste d'environ 30 cm (12 po)

1 *Couper une longueur de fil de métal de 60 cm (2 pi). Faire une boucle au centre (voir l'image) pour la tête. Enrouler le reste du fil pour former la tête. Laisser une boucle sous la tête pour faire le cou.*

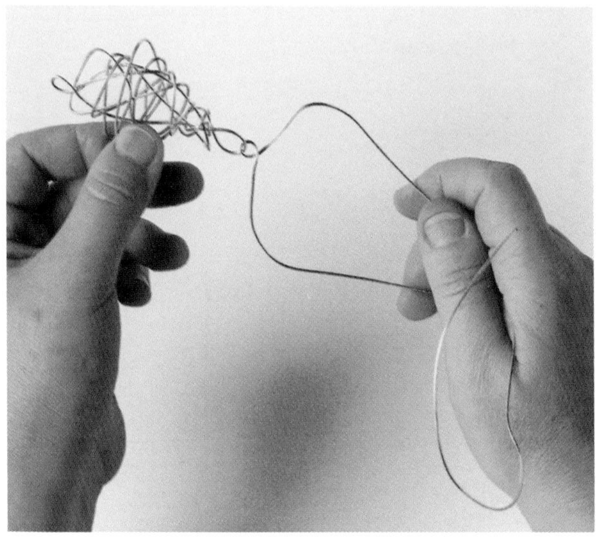

2 *Couper un autre fil un peu plus long que le premier et le glisser dans la boucle du bas de la tête. Tordre en vrilles pour bien fixer (c'est l'articulation du cou). Continuer à vriller et à plier pour façonner le haut du corps. Faire des boucles aux épaules et à la taille.*

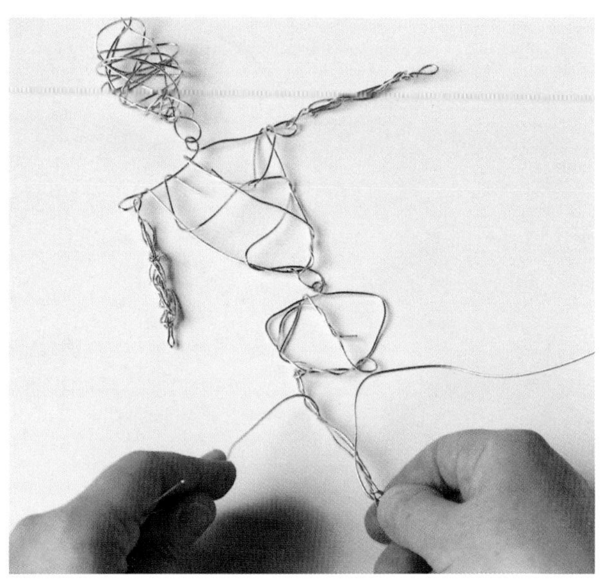

3 *Utiliser des longueurs de fil d'environ 50 cm (20 po) pour faire le bassin, le haut des bras et des jambes et les fixer au corps en sections, à l'aide de boucles comme précédemment.*

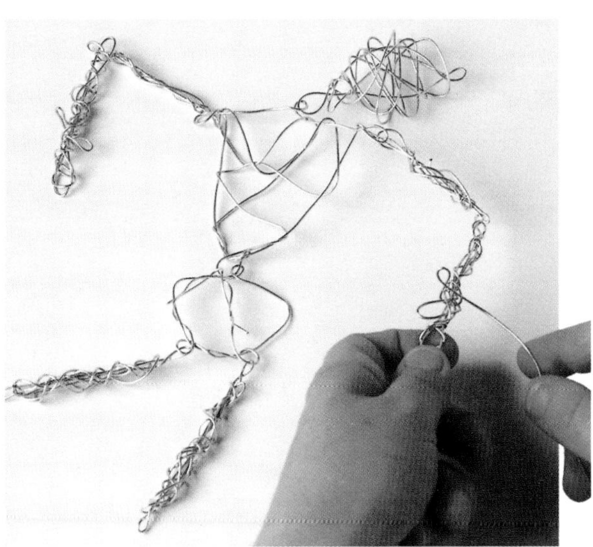

4 *Ajouter les extrémités des bras et les mains avec une longueur de fil de métal d'environ 60 cm (24 po) et faire une boucle sur chaque poignet (qui ne seront pas articulés) pour attacher les fils des bras.*

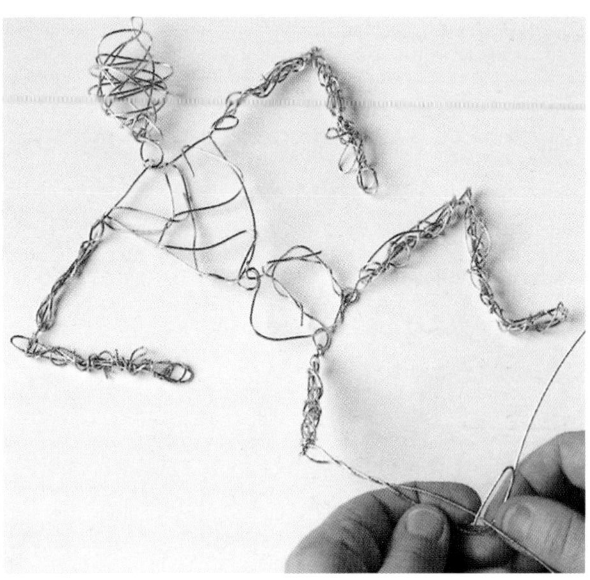

5 *Continuer en faisant le bas des jambes et les pieds avec environ 60 cm (25 po) de fil de métal, sans faire de boucles car les fils seront attachés aux genoux.*

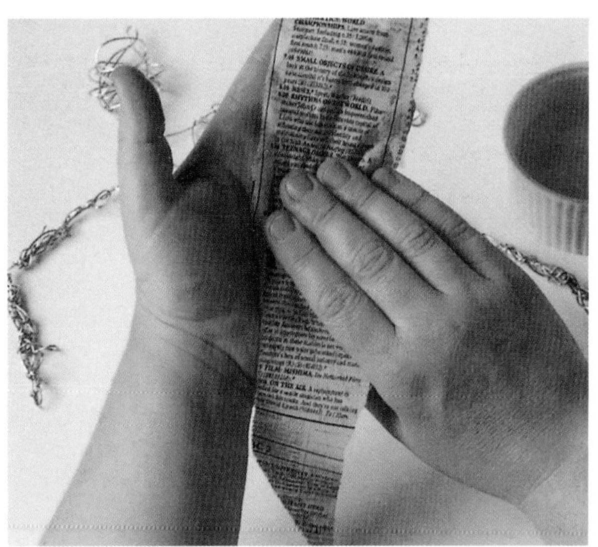

6 *Déchirer une bande de papier journal de 8 cm (3 po) de large et l'enduire de pâte.*

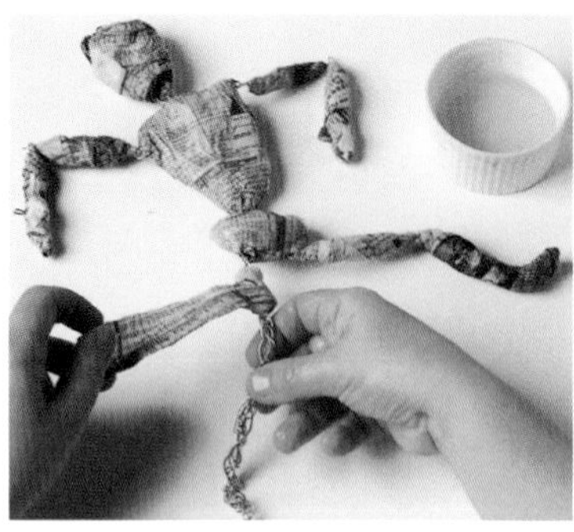

7 *Enrouler le papier journal sur les parties du corps de la marionnette en laissant les articulations libres. Deux couches suffisent.*

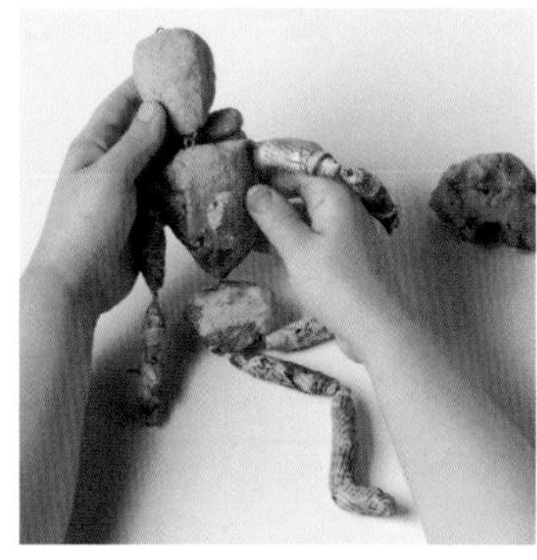

8 *Ajouter des couches égales de pulpe sur la tête et le corps, environ 6 mm (¼ po) partout, ou davantage si désiré.*

9 *En ajoutant la pulpe sur l'avant-bras, ne pas couvrir la boucle du poignet.*

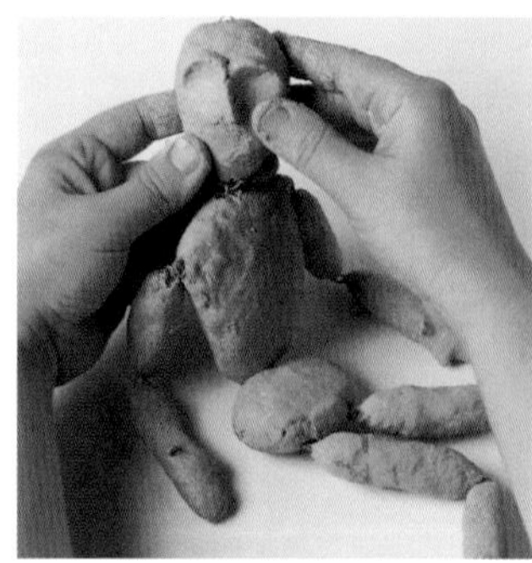

10 *Définir le visage avec la pulpe. Laisser sécher complètement dans un endroit chaud.*

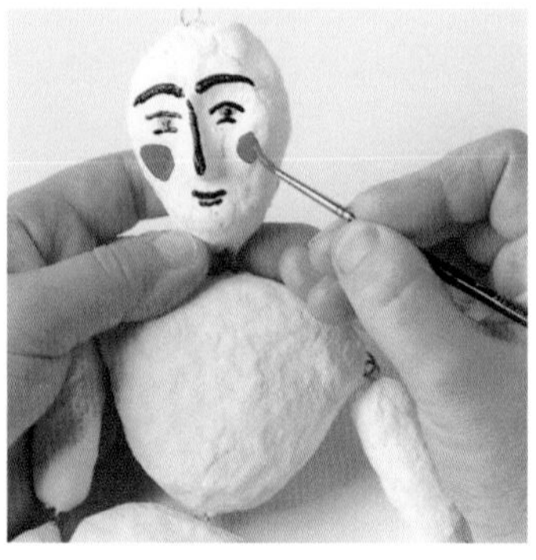

11 *Appliquer l'apprêt blanc partout. Avec le petit pinceau, peindre les yeux en bleu, les pupilles, les sourcils, la bouche et le nez en noir. Faire des joues rouges.*

12 *Peindre en jaune le haut des jambes, les bras jusqu'aux poignets et le corps jusqu'au cou. Peindre une ligne rouge autour du cou, des poignets et des chevilles, puis des points rouges sur le costume.*

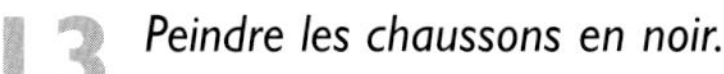

13 *Peindre les chaussons en noir.*

14 *Mettre de la colle sur la tête et coller des similicheveux. Les tenir jusqu'à ce que la colle soit sèche. Ne pas couvrir la boucle du dessus de la tête.*

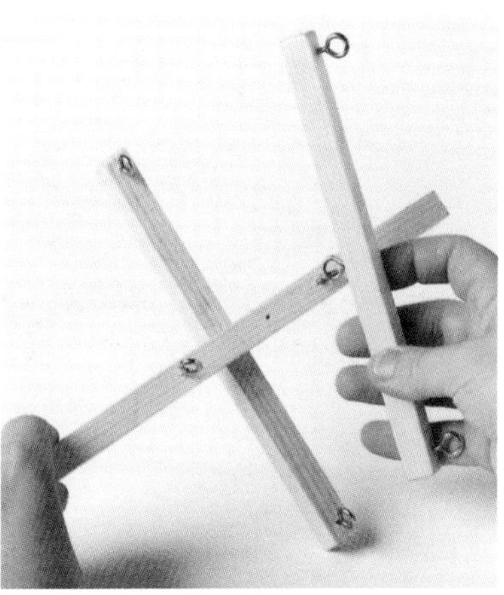

15 *Avec l'alêne, percer un trou au centre du morceau de bois le plus long et au centre d'un morceau plus court.*

16 *Visser les deux morceaux fermement.*

17 *Avec un crochet à œil, attacher l'autre longueur de bois pour faire un joint mobile et fixer les autres crochets.*

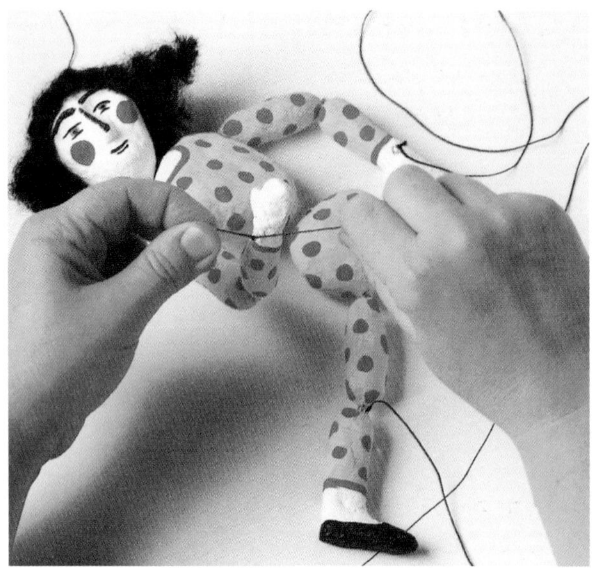

18 *Attacher du fil robuste aux boucles des genoux (environ 50 cm/20 po), aux poignets (environ 40 cm/16 po) et au-dessus de la tête (environ 30 cm/12 po). Nouer solidement.*

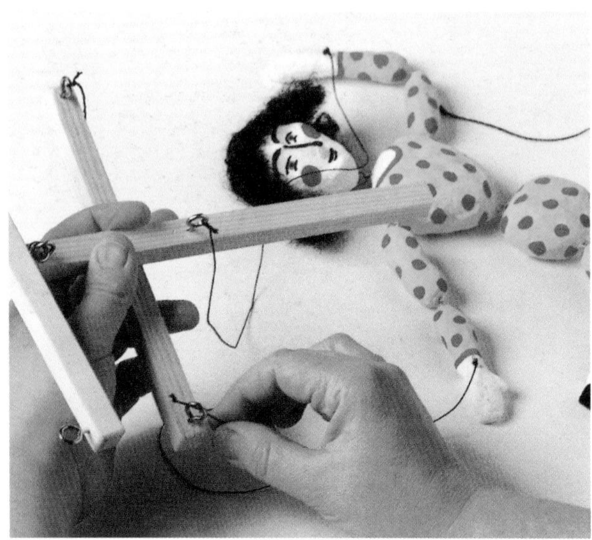

19 *Attacher les autres extrémités des fils aux boucles fixées sur les baguettes : les fils des jambes à la section mobile, ceux des bras à la section fixe et celui de la tête au crochet situé juste derrière les baguettes en croix qui tiennent les fils des bras.*

Plaisirs au supermarché

Soyez plus créatif avec vos déchets. Chaque jour, vous jetez du matériel qui peut être transformé en personnages fabuleux. Suite à ce projet, vous regarderez les emballages différemment quand vous irez au supermarché, particulièrement ceux qui pourraient servir à fabriquer un extraterrestre.

Matériel requis :

- 1 bouteille de lait ou de jus, en plastique, 2 litres (4 pintes), avec anse
- Couteau d'artiste
- Papier ou chiffon
- Tige de bois mince avec bout arrondi (baguette à riz)
- Citron en plastique, vide
- Ciseaux
- 2 capsules de bouteille
- Petit bloc de bois
- Poinçon
- 2 attaches parisiennes

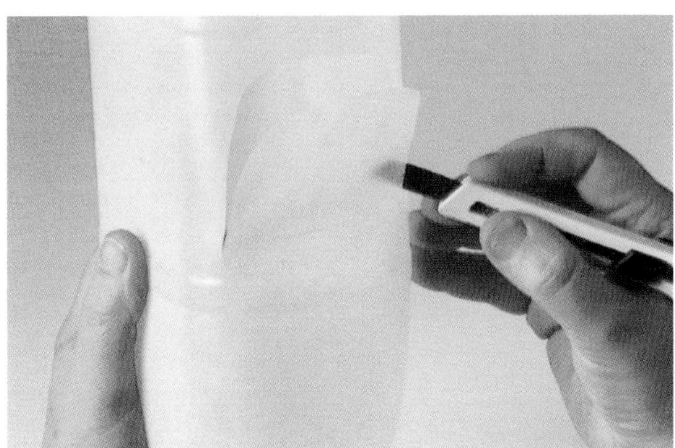

1 *Avec le couteau, découper la partie arrière de la bouteille de plastique (le côté opposé à l'anse).*

2 *Ensuite, faire une série de petites incisions autour du dessus qui sera la tête de la marionnette.*

3 *Découper des lisières de chiffon de 1 cm (½ po) de large.*

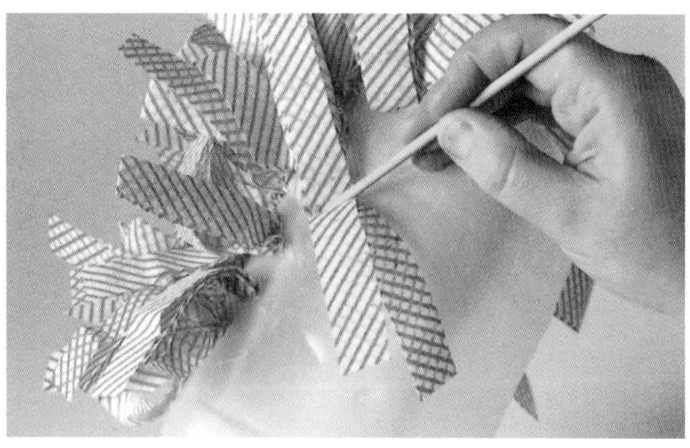

4 *Plier les lisières en deux et les enfoncer dans une fente avec le bout arrondi de la tige de bois.*

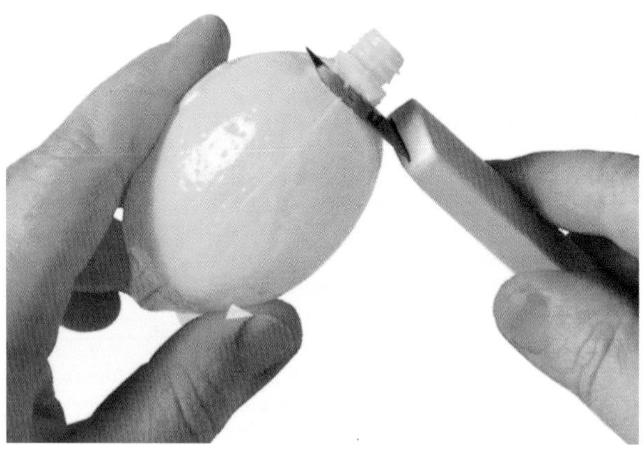

5 *Couper le dessus du citron en plastique.*

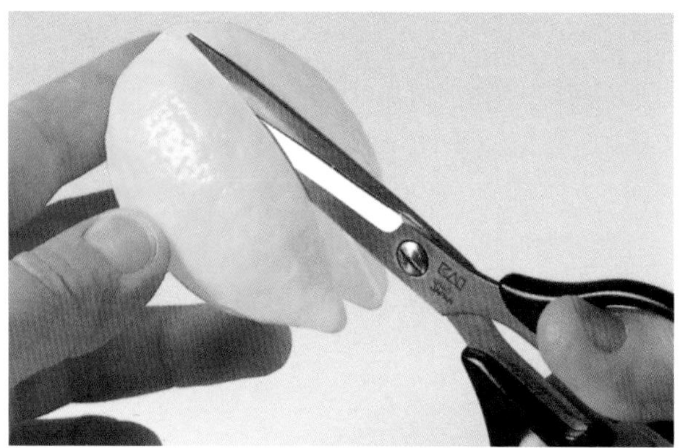

6 *Découper le citron en deux sur sa longueur ; habituellement, il y a une ligne que vous pouvez suivre.*

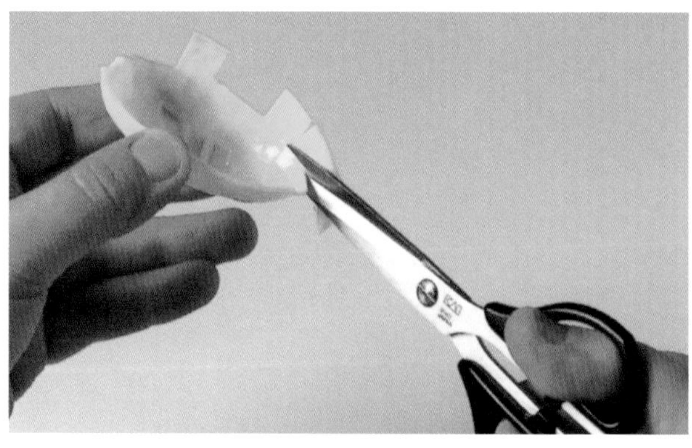

7 *Découper des oreilles dans le citron, avec des rabats pour les fixer à la tête.*

8 *Couper des fentes correspondantes sur les côtés de la bouteille, au niveau de la tête. L'anse sera le nez.*

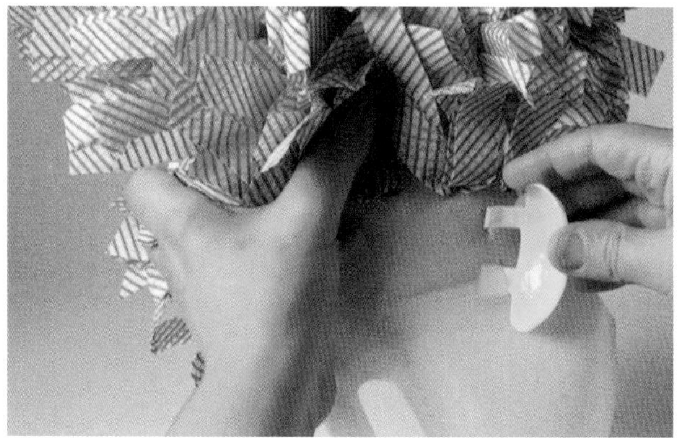

9 *Insérer les rabats des oreilles dans les fentes.*

10 *Placer une capsule sur le bloc de bois et percer un trou au centre avec un poinçon.*

11 *Insérer une attache parisienne dans le trou.*

12 *Avec le poinçon, percer des trous sur le visage de chaque côté de l'anse.*

13 *Placer une capsule dans un trou et y enfoncer l'attache parisienne. En passant la main dans la bouteille, ouvrir l'attache. Répéter pour l'autre œil.*

AMIS EN FEUTRE

Ces marionnettes minuscules sont idéales pour utiliser les petites retailles de feutre issues de projets précédents. Égayez-les le plus possible avec des couleurs vives. Pourquoi ne pas ajouter des paillettes, des perles, des pierres ou des plumes ?

Matériel requis :

- Papier calque
- Crayon
- Épingles
- Feutre (vert, rose, rouge, orange)
- Paillettes
- Colle à tissu

Découper deux morceaux de feutre de cette forme.

Patron des amis en feutre

Découper deux morceaux de feutre de cette forme.

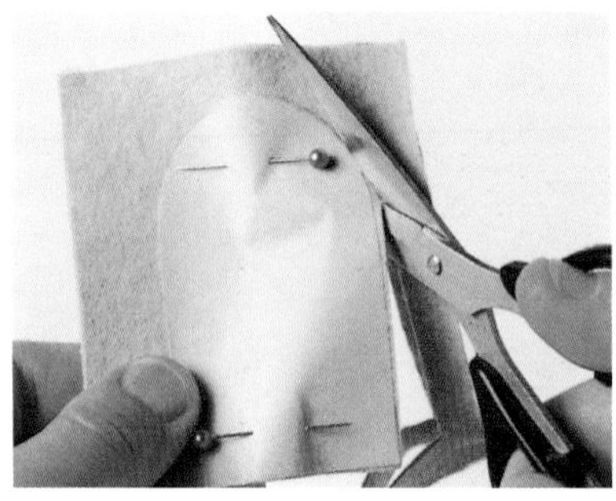

1 *Tracer et découper les formes du patron. Épingler au feutre vert et les découper.*

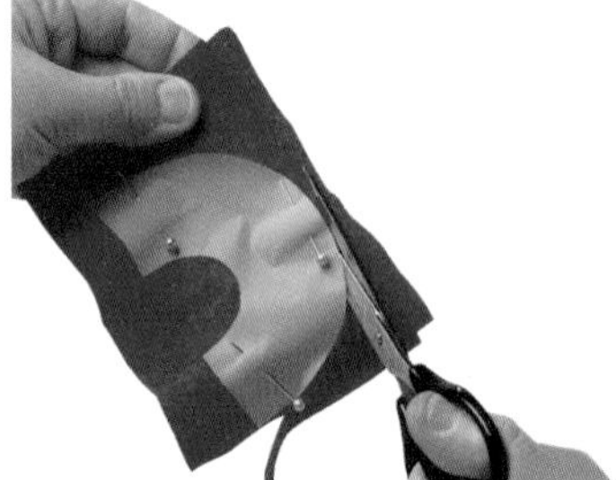

2 *Découper une chevelure rose et une autre rouge.*

3 *Découper des franges dans les deux chevelures.*

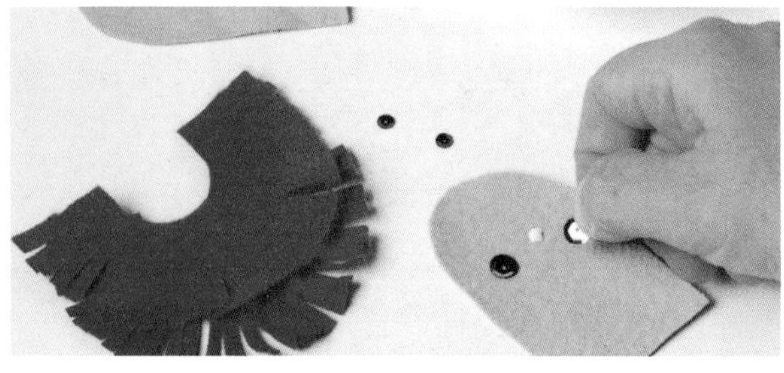

4 *Coller des paillettes à l'avant d'un morceau vert pour faire les yeux et des plus petites par-dessus pour les pupilles.*

5 *Découper des bandes de feutre orange et les coller sur le visage en guise de nez et de sourcils.*

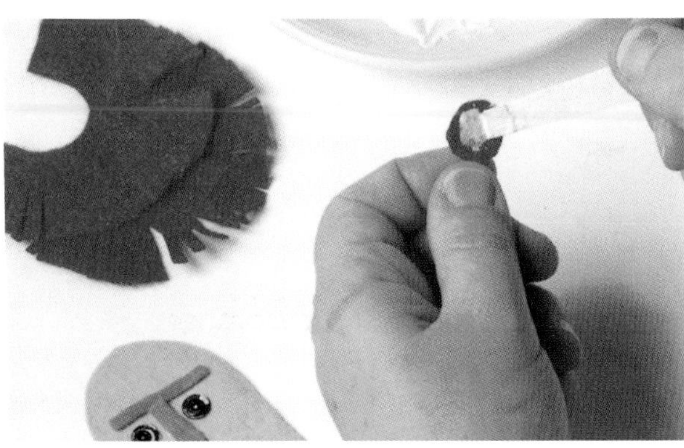

6 *Coller des joues rouges.*

7 *Placer et coller les cheveux roses à l'arrière d'un « corps ».*

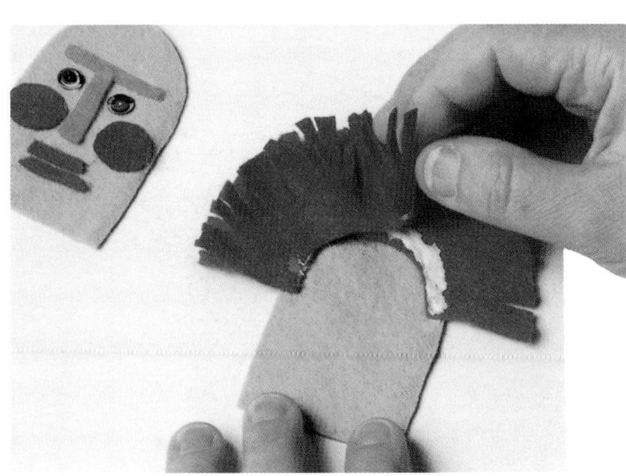

8 *Coller les cheveux rouges par-dessus les cheveux roses.*

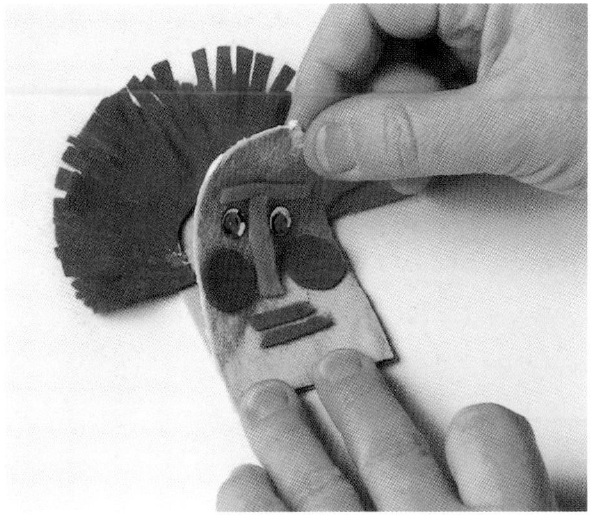

9 *Coller les morceaux verts arborant les visages, au dos du corps pour que les deux couleurs de cheveux soient entre les deux et afin qu'on ne voie que les franges.*

Famille de doigts

Quoi de plus simple que de transformer un vieux gant en personnages drolatiques ? Chacun a son expression et son style. Vous pouvez faire une famille heureuse avec un gant et une famille misérable avec le second !

Matériel requis :

- Un gant en laine (nous avons choisi des gants orange)
- Paillettes blanches
- Petites perles noires
- Épingle
- Fil à coudre
- 1 goujon de 1,5 cm (¾ po) de large sur environ 30 cm (12 po) de long
- Aiguille à coudre
- Laines à broderie (noire, jaune, orange, verte, rose et bleue)
- Ciseaux

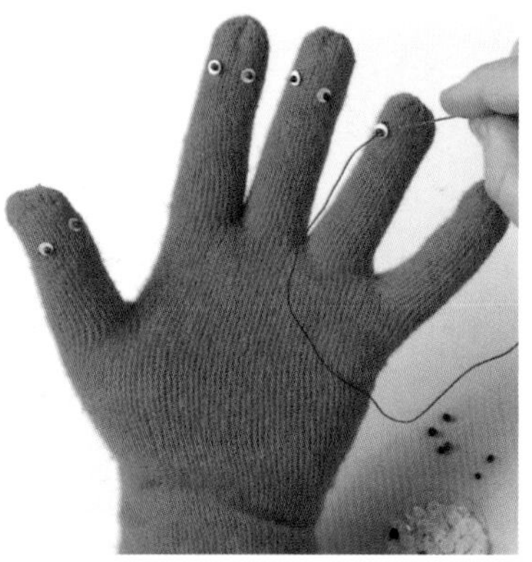

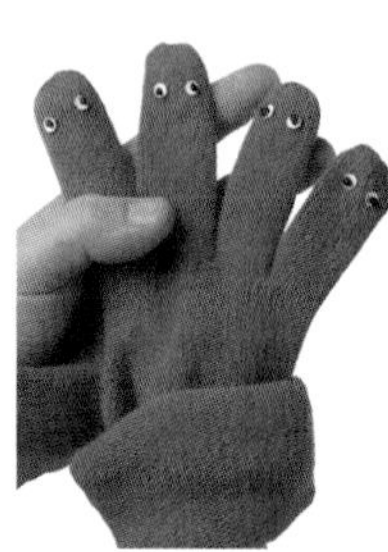

1 *Mettre le gant et coudre des paillettes blanches et des perles noires sur chaque doigt pour faire les yeux. Insérer le goujon dans le doigt à coudre pour qu'il soit rigide.*

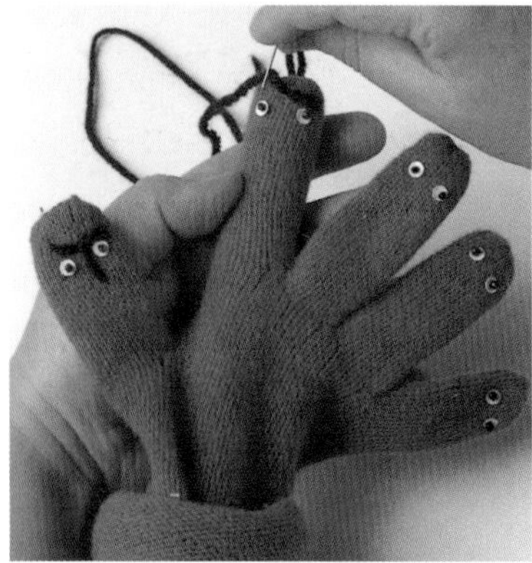

2 *Avec la laine noire, coudre des sourcils et la ligne du nez de chaque visage, et mettre une paillette pour chaque nez. Coudre la bouche avec la laine jaune en changeant l'expression sur chaque doigt.*

3 *Utiliser une couleur différente pour chaque doigt. Coudre des boucles en laine pour les cheveux et égaliser avec les ciseaux.*

13 MODÈLES, PATRONS ET MOTIFS

MODÈLES – Céramique décorative

Si vous utilisez des carreaux de tailles différentes de celles mentionnées dans ce guide, ou si vous préférez créer vos propres motifs, vous devrez probablement ajuster leurs dimensions. La façon la plus facile consiste à photocopier le motif.

Une autre option est l'utilisation d'une grille. Avec un crayon bien aiguisé et une règle, dessinez sur une image une série de lignes parallèles, horizontales et verticales. Sur une autre feuille, créez une autre grille ayant des lignes plus espacées. Exemple : pour doubler la dimension, si les lignes de votre première grille sont espacées de 2,5 cm (1 po), elles le seront de 5 cm (2 po) sur la deuxième. Il est ensuite relativement simple de transférer les formes de la grille de départ dans les carrés correspondants de la deuxième grille.

COUPE DES POCHOIRS

Lorsque vous êtes satisfait de la taille, tracez les contours avec un stylo feutre à pointe fine. Utilisez du papier calque ou du papier carbone pour transférer les contours sur un carton à pochoir. Travaillez sur un tapis de coupe ou un morceau de carton épais ; utilisez un couteau d'artiste ou un scalpel pour couper les contours.

Des pochoirs bien confectionnés durent très longtemps, particulièrement si vous essuyez la peinture laissée dessus avec de l'eau ou du solvant. Ensuite, laissez-les sécher à plat sans les approcher d'une chaleur directe.

Panneau « luni-soleil »

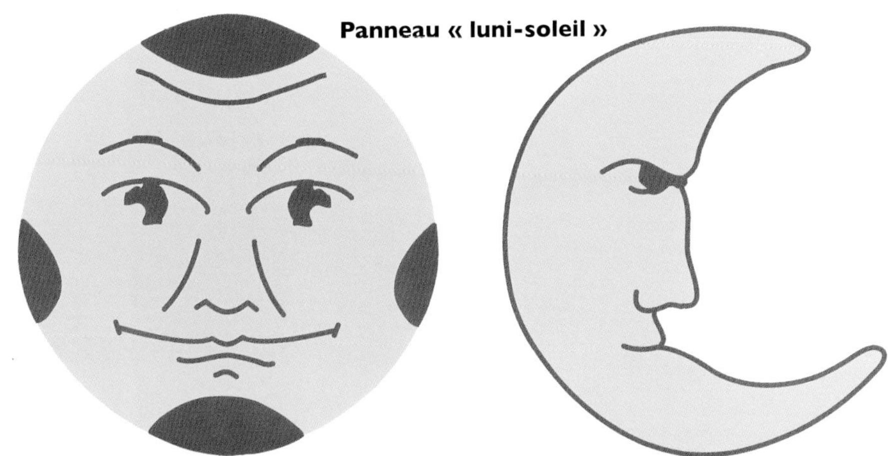

Poisson art déco
Fleurs au pochoir

BIBLIOTHÈQUE DE MOTIFS -
Pochoirs

Cadre de miroir

Jardinière de fenêtre (utilisez le patron des coquillages pour un plus petit pot) Ajoutez les points de pollen à la main

Chef-d'œuvre encadré

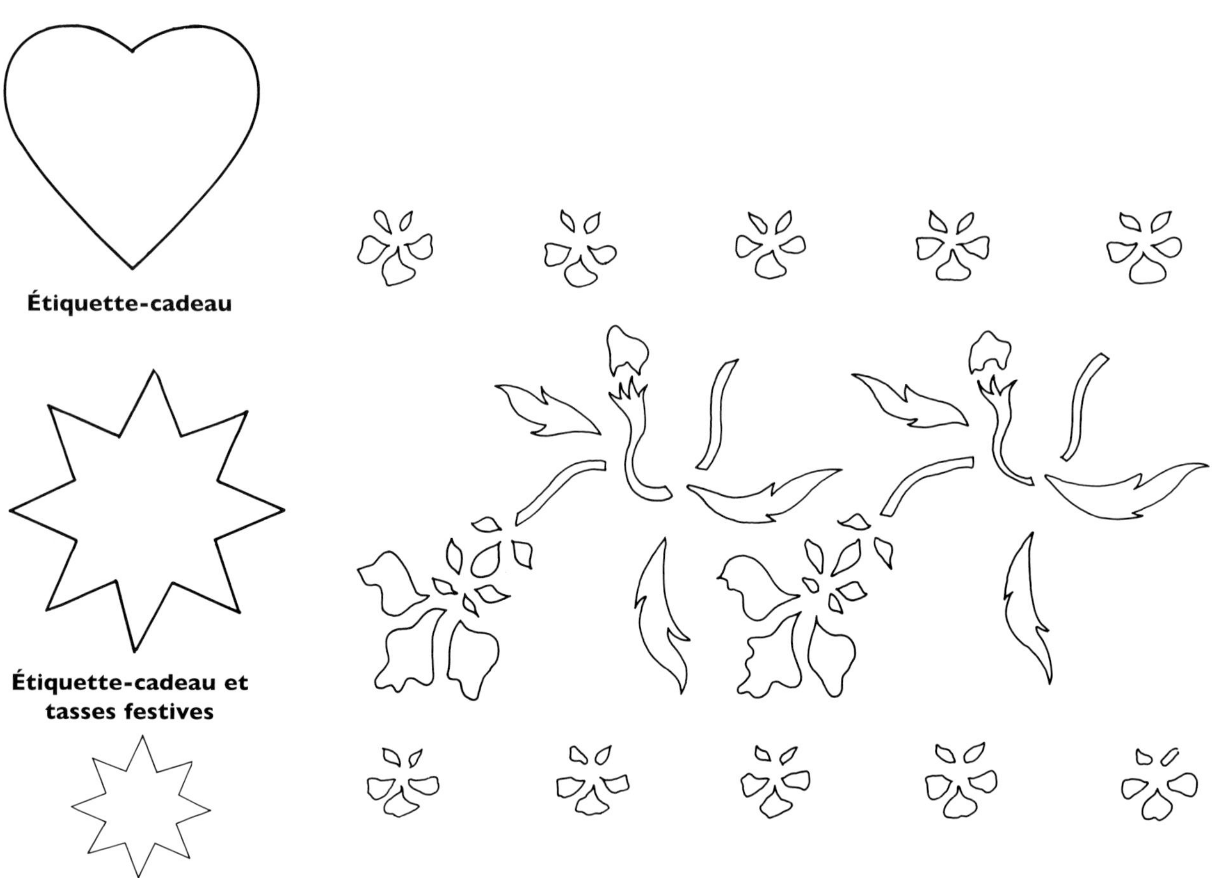

Étiquette-cadeau

Étiquette-cadeau et tasses festives

Délice d'artiste

Arrosoir

Une deuxième vie
Cartes de souhaits
Tee-shirt unique et étiquette-cadeau
Touches finales

Tabouret d'enfant
Couvre-plancher amical

MOTIFS – Découpage

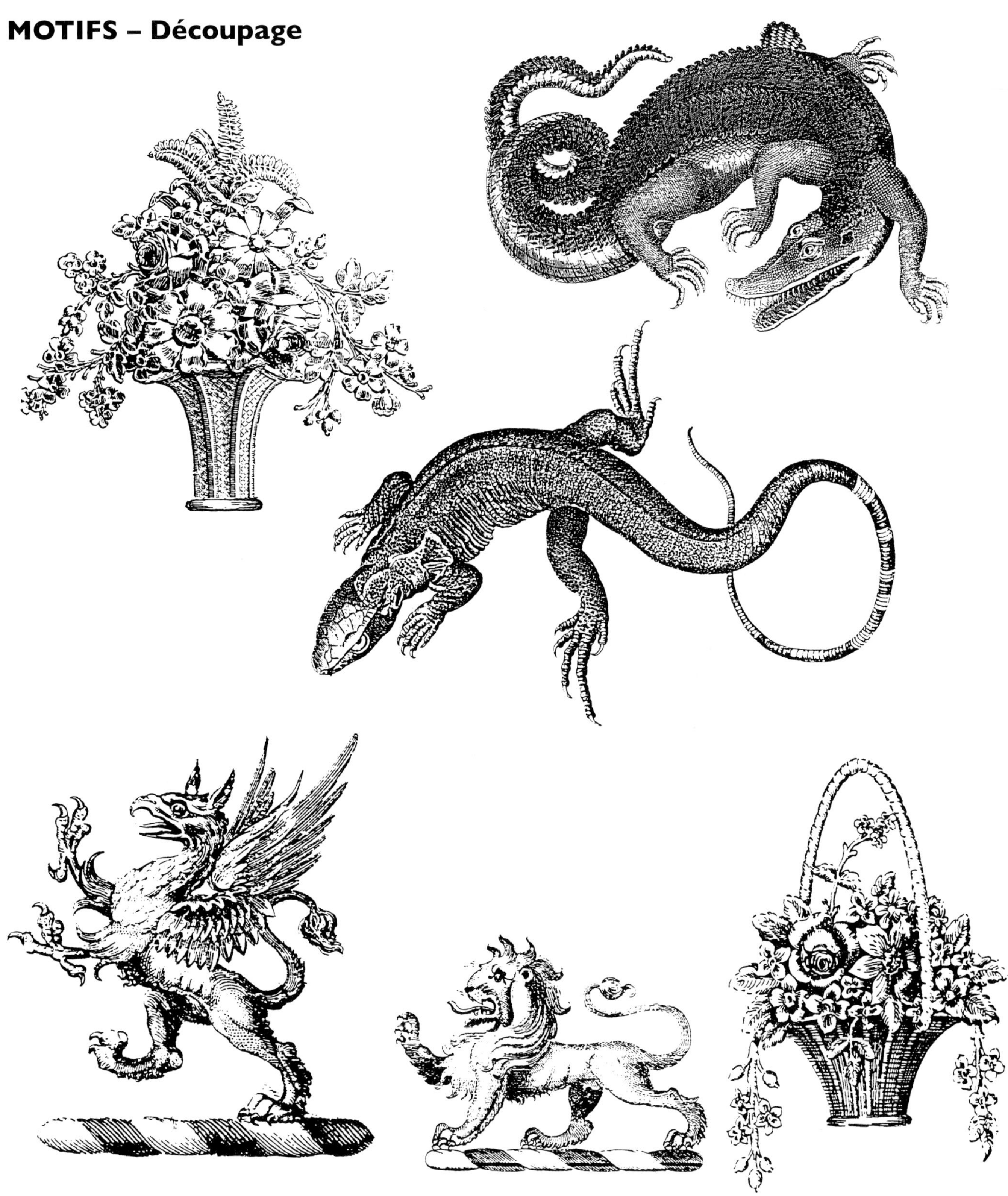

PATRONS – Travail de la tôle

CONSEIL

- Ces patrons peuvent être réduits ou grossis pour convenir à l'objet de votre choix. Photocopiez-les pour augmenter ou diminuer leur dimension en choisissant un pourcentage. Pour augmenter ces patrons à la taille utilisée dans le livre, agrandir de 54 % (ou de A4 à A3).

Contenant utile

Arrosoir

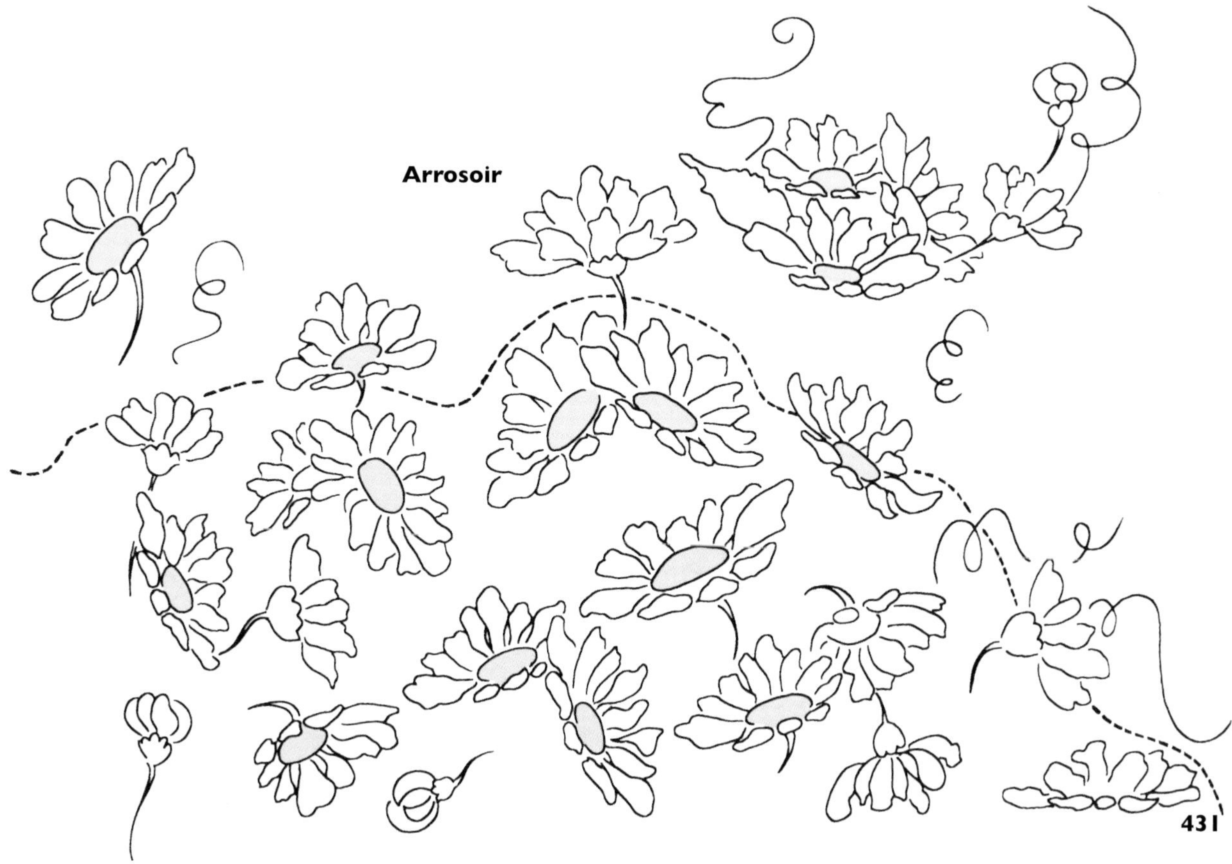

Porte-parapluies

Porte-parapluies

Lanterne

Ensemble de pichets

Fontaine d'eau

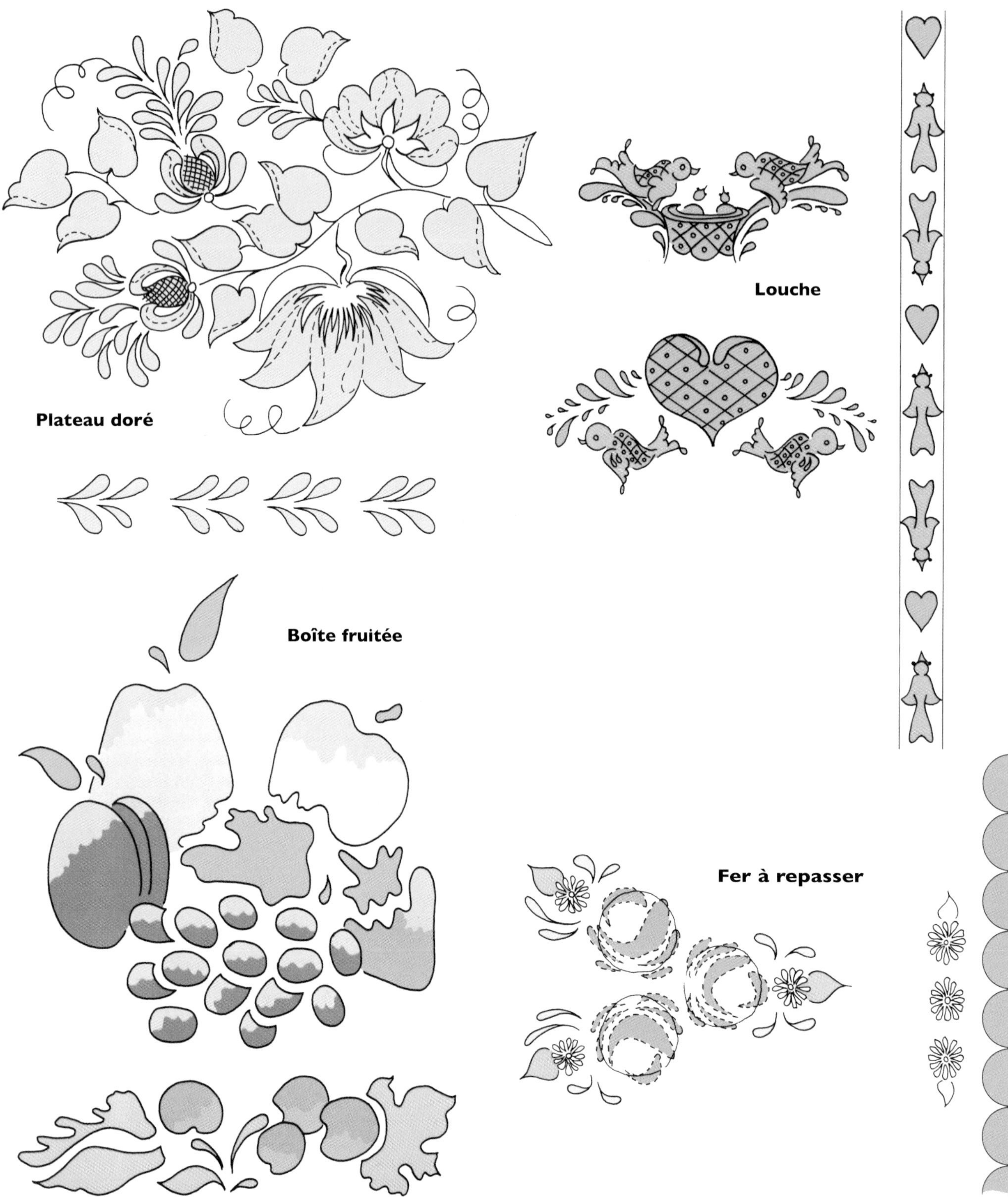
Plateau doré
Louche
Boîte fruitée
Fer à repasser

PATRONS – Peintures sur tissus

POUPÉE

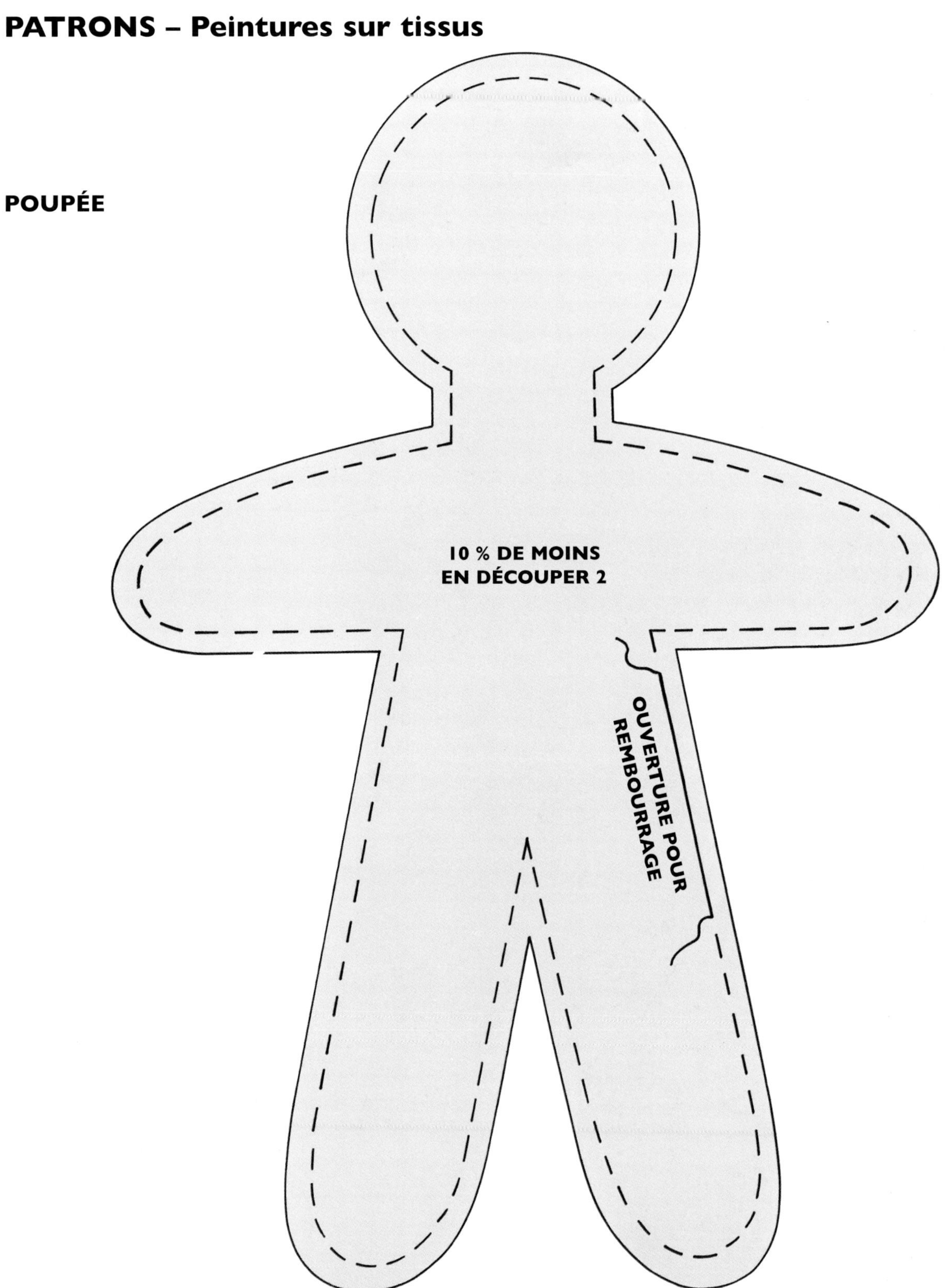

COUSSINS EN FORME D'ANIMAUX

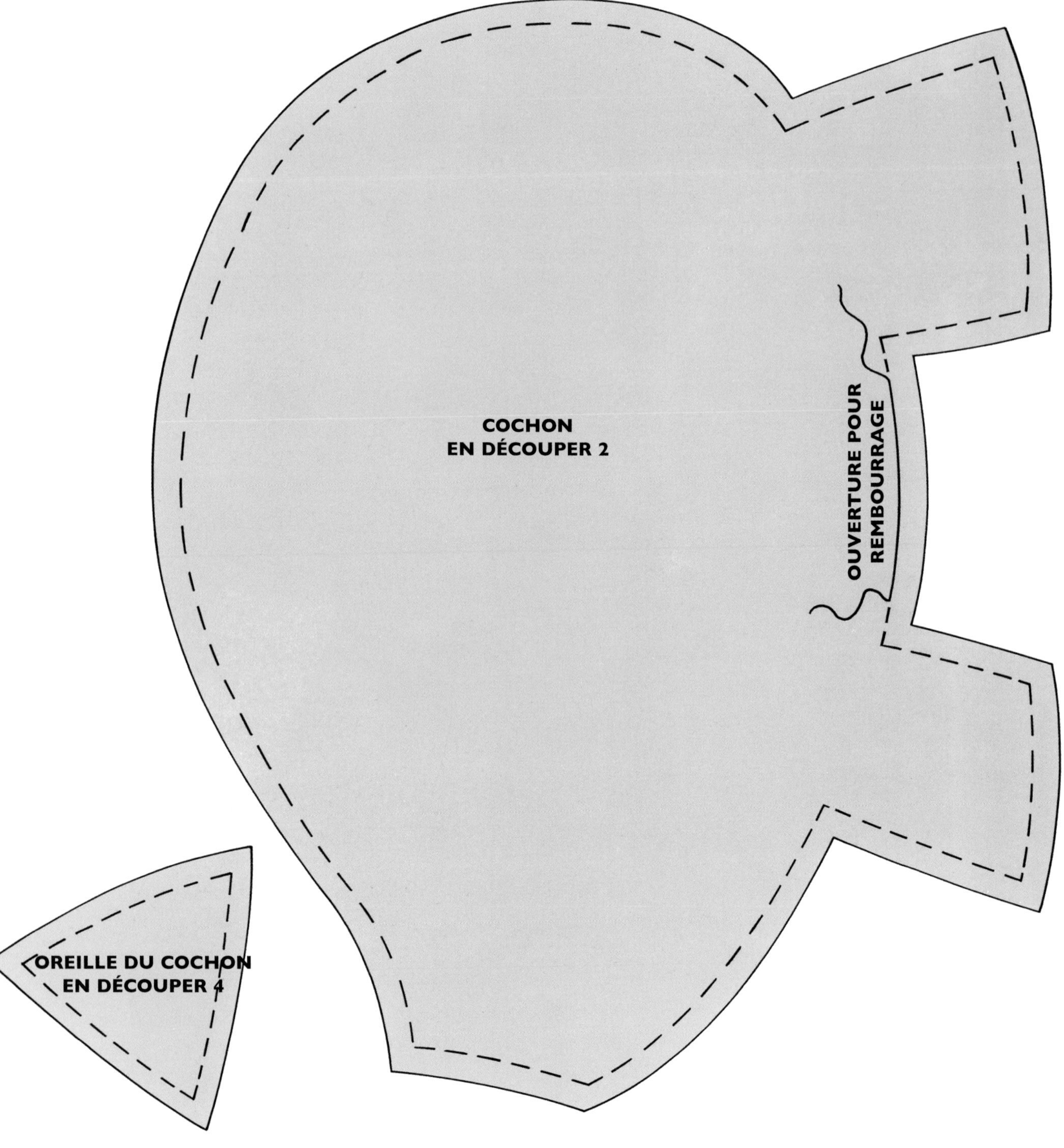

PIÈCE MURALE POUR ENFANTS

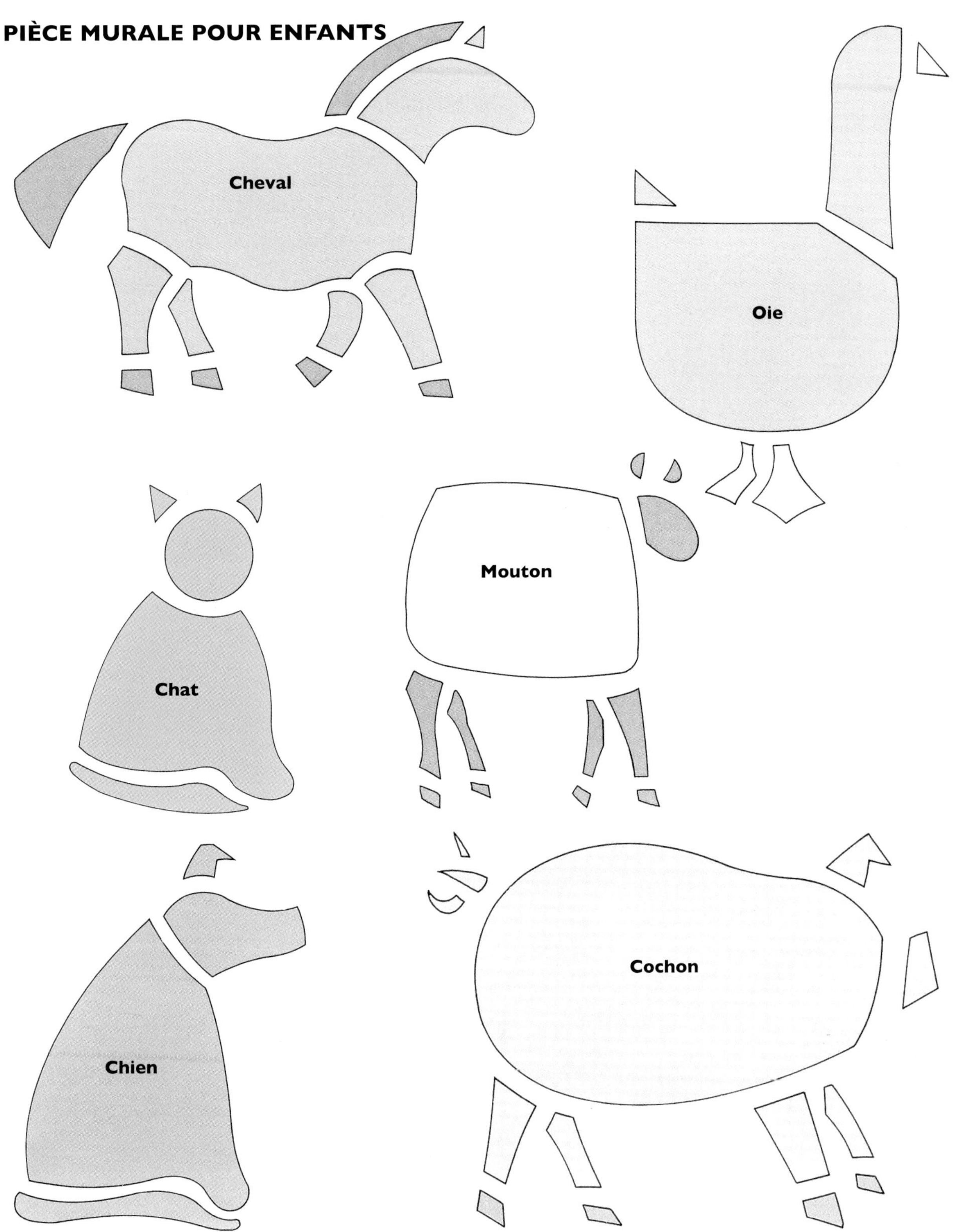

TABLEAU « ART POPULAIRE »

Patrons à 75 %

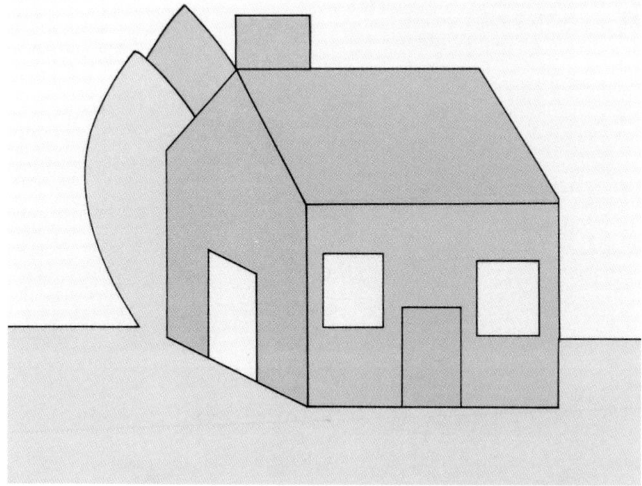

POCHOIRS PLACÉS

TABLEAU « ART POPULAIRE »

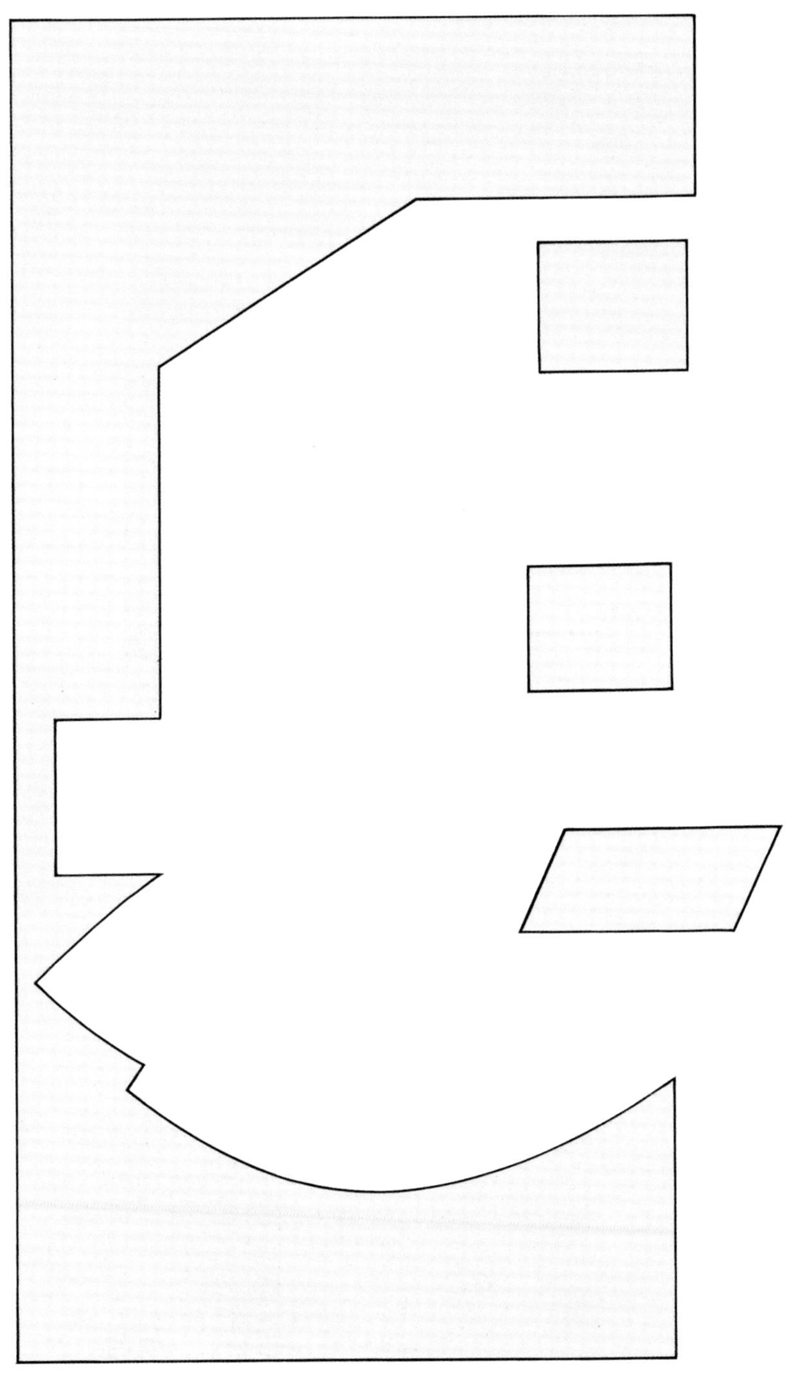

TABLEAU « ART POPULAIRE »

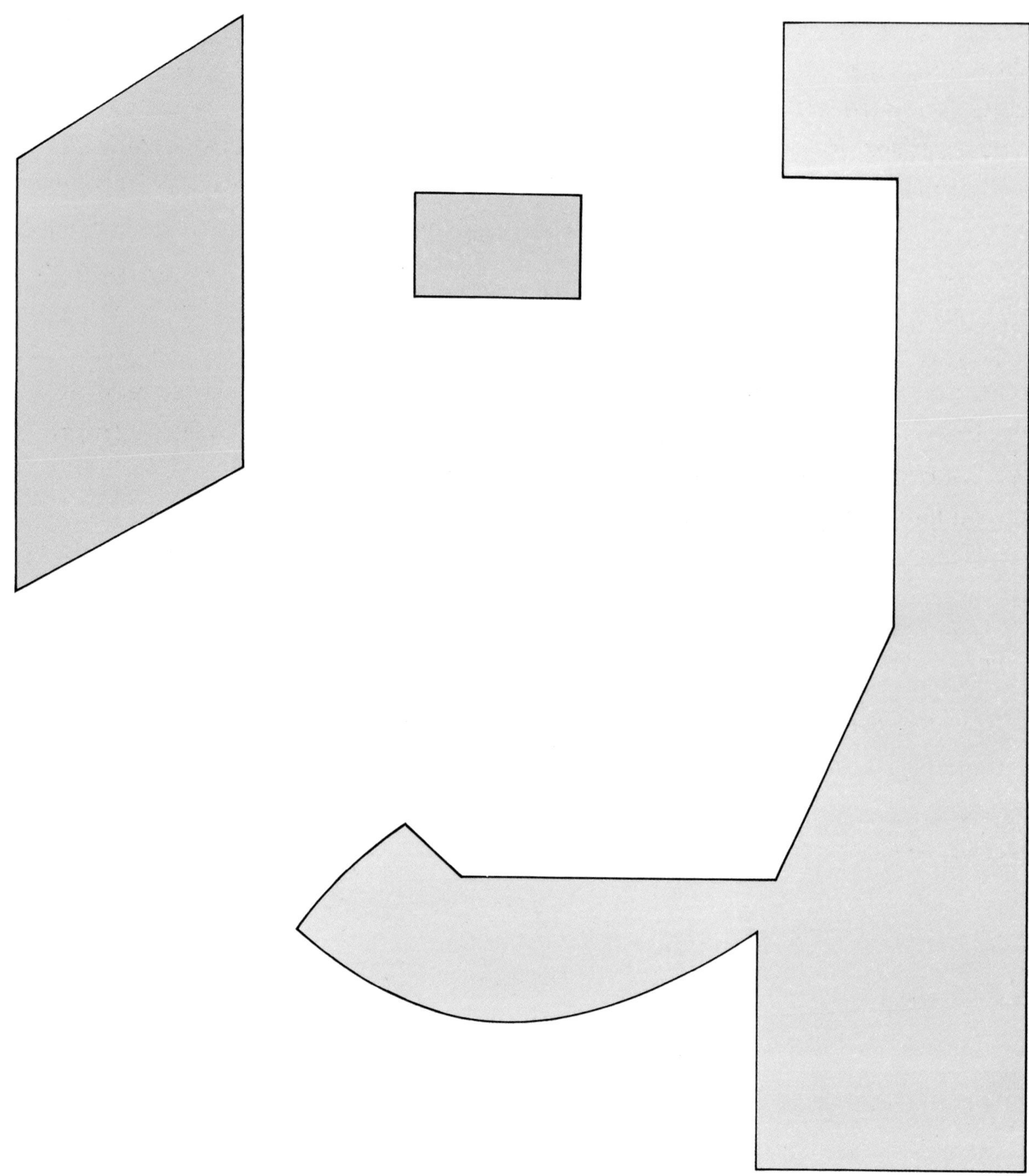

PATRONS ET MODÈLES – Masques

Afin de respecter l'espace disponible, la taille de ces patrons et modèles a été réduite de quatre fois. Avant de commencer, vous devrez donc les redimensionner.

La manière la plus simple consiste à utiliser une photocopieuse. Si vous n'y avez pas accès, vous pouvez utiliser la méthode de la grille.

Avec un crayon pointu et une règle, dessinez sur le patron original une série de lignes horizontales et verticales de manière égale, pour former un quadrillage. Tracez un carré ou un rectangle autour de la forme à reproduire, de façon à ce que les bords de l'un et l'autre se touchent. Sur une grande feuille blanche ou un carton blanc, retracez le même carré ou rectangle, quatre fois plus grand. Superposez-lui des lignes horizontales et verticales deux fois plus espacées que dans la grille de départ, par exemple : si les carrés de la première grille mesurent 2,5 cm (1 po), ceux de la nouvelle mesureront 5 cm (2 po). Reproduisez ensuite le patron carré par carré, du petit quadrillage vers le grand, et repassez sur les traits avec un crayon-feutre noir si désiré.

Patrons à 25 %

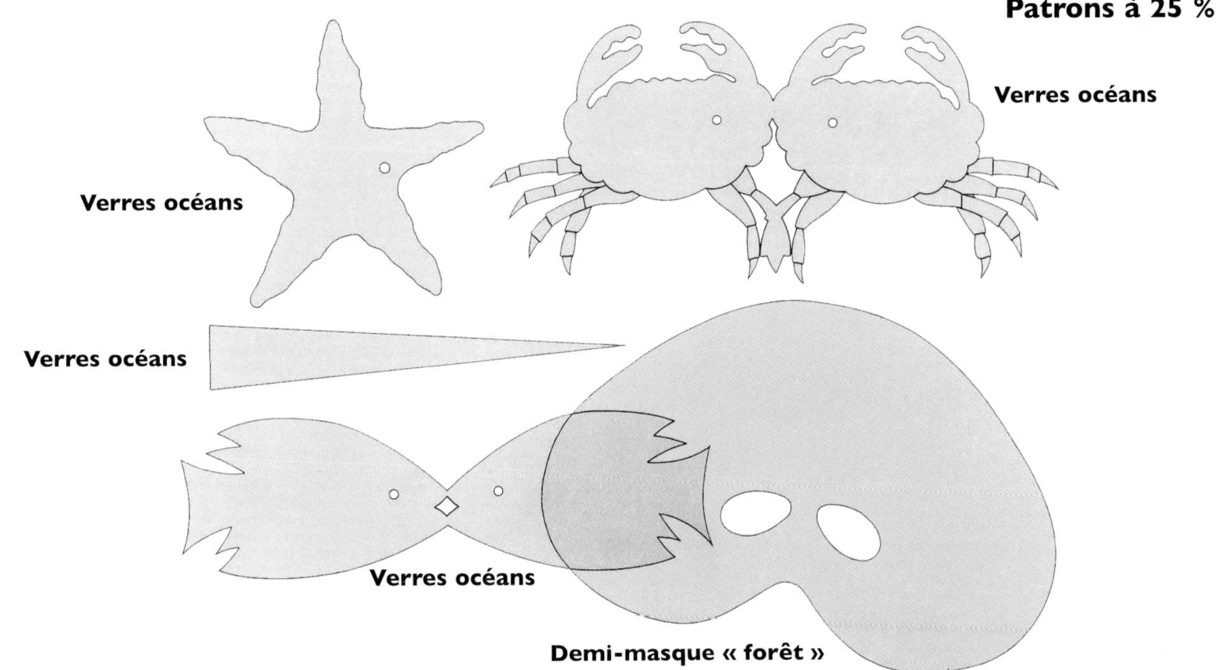

Patrons à 25 %

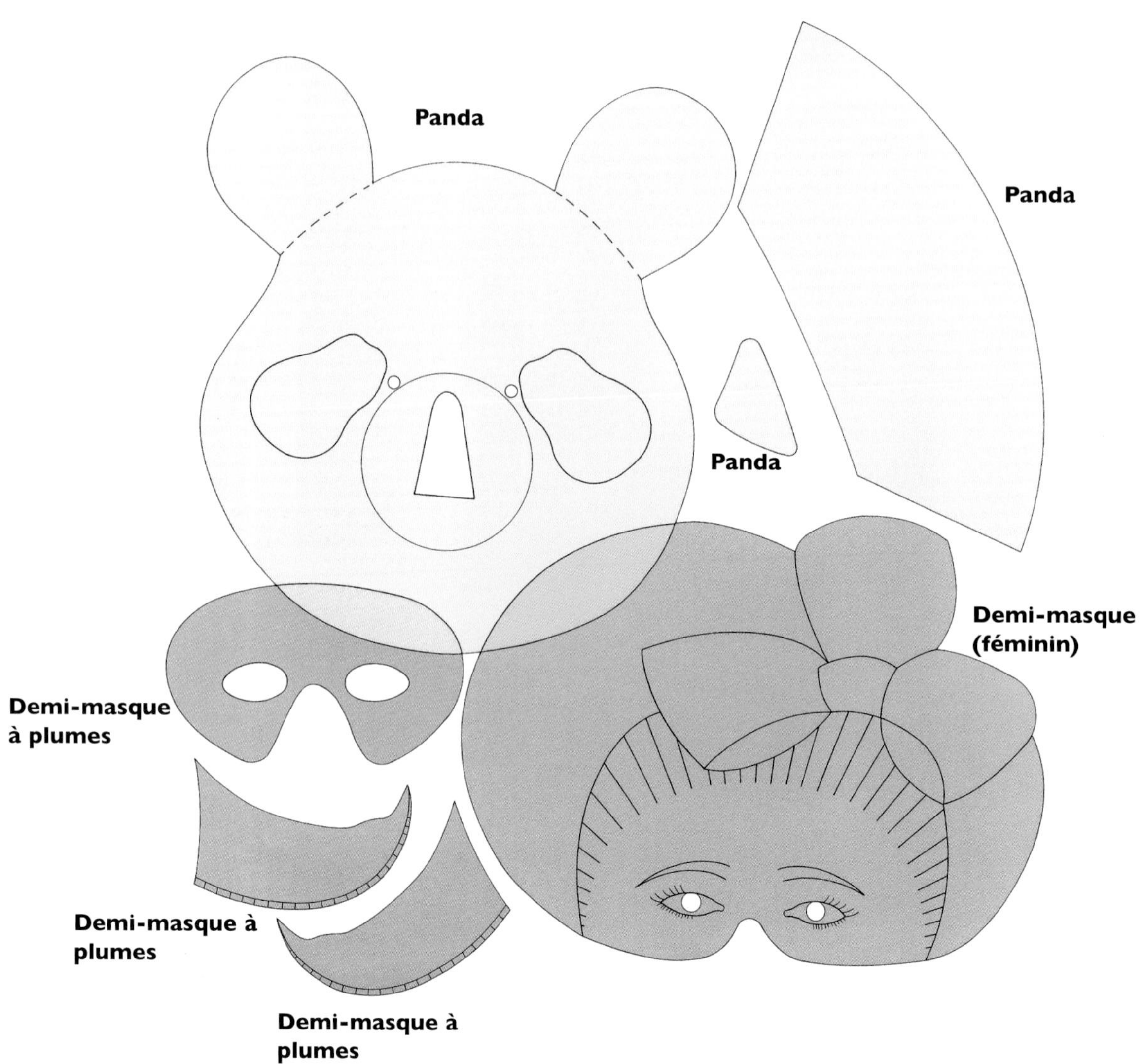
Panda
Panda
Panda
Demi-masque
(féminin)
Demi-masque
à plumes
Demi-masque à
plumes
Demi-masque à
plumes

Patrons à 25 %

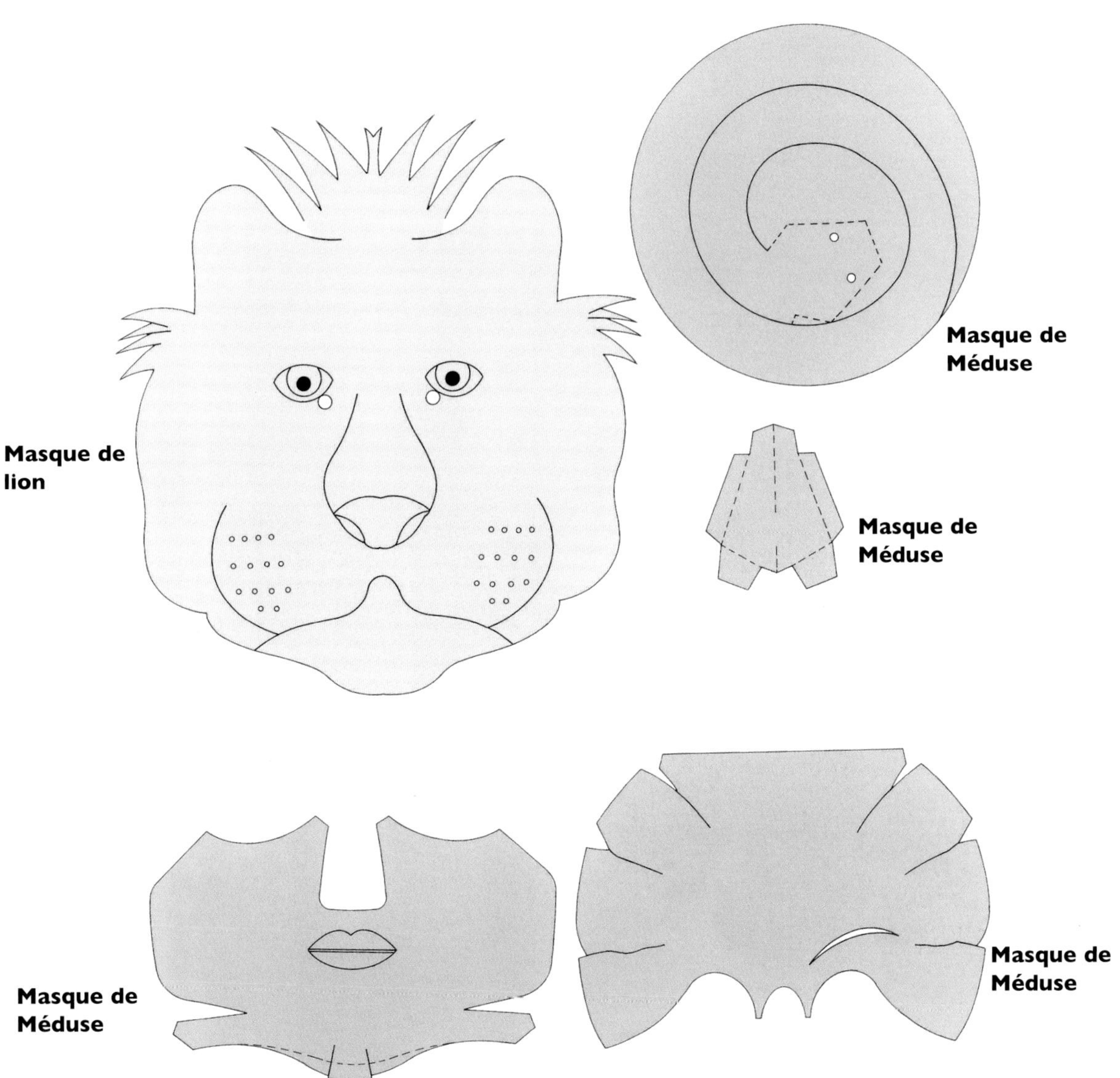
Masque de lion
Masque de Méduse
Masque de Méduse
Masque de Méduse
Masque de Méduse

Patrons à 25 %

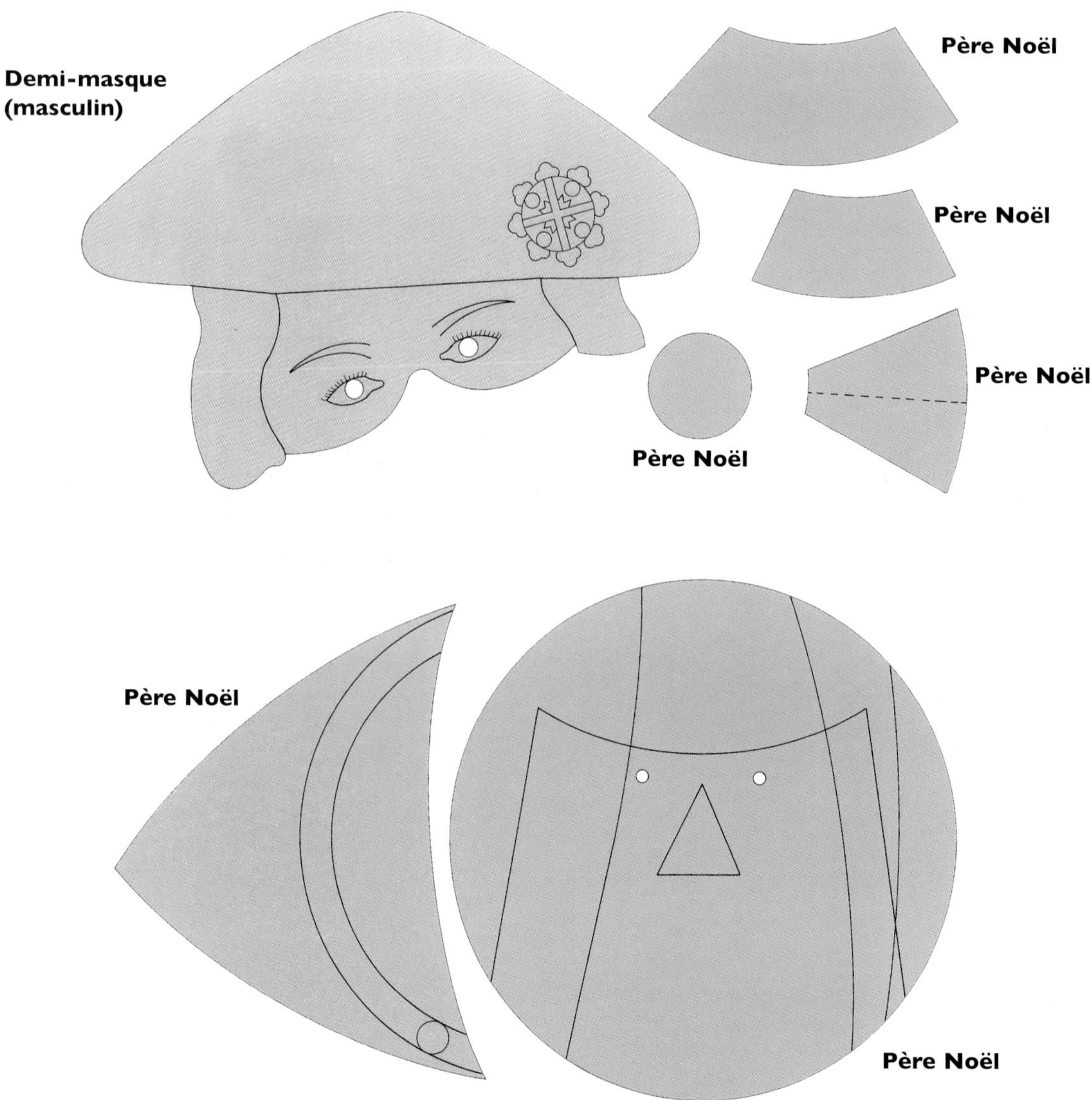
Demi-masque
(masculin)
Père Noël
Père Noël
Père Noël
Père Noël
Père Noël
Père Noël

INDEX

A

B

C

D

U

V